LA REINE HORTENSE

Françoise Wagener est née à Paris en 1943. Etudes supérieures de lettres à la Sorbonne. A dirigé pendant douze ans la rubrique des lettres étrangères du journal Le Monde. *Fondatrice du Prix Séguier. Françoise Wagener a publié une biographie de* « Madame Récamier » *(Lattès, 1986), Grand Prix des lectrices de* Elle *1987, considérée aujourd'hui comme un ouvrage de référence.* La reine Hortense *(Lattès, 1992) a reçu le Grand Prix d'Histoire de la Vallée aux Loups 1992 et le prix Napoléon III 1993. Françoise Wagener achève actuellement la biographie de la comtesse de Boigne.*

Par la volonté de son beau-père, Napoléon, Hortense de Beauharnais devint la reine Hortense (1783-1837). Comme sa mère, Joséphine, épousant la gloire des Bonaparte, elle vécut de l'intérieur cette monarchie-spectacle que fut l'Empire. L'Europe la courtisait, chantait ses romances, la tenait pour l'une des femmes les plus accomplies et les plus élégantes de son temps.

Née à la frontière de deux sociétés, Hortense incarne le meilleur de leurs valeurs. Cette héroïne préromantique qui ressuscita la chevalerie, bien avant la duchesse de Berry, qui découvrit la montagne et la belle nature, qui sut écrire aussi joliment qu'elle dansait ou peignait, enchantait ses amis, le tsar Alexandre ou Mme Récamier.

Elle aurait pu n'être qu'une Iphigénie d'antichambre, elle demeure la plus intéressante des " Napoléonides ". On ne s'étonnera pas qu'elle ait transmis son entendement politique au plus célèbre de ses fils : Napoléon III.

DU MÊME AUTEUR

Aux Éditions Jean-Claude Lattès

MADAME RÉCAMIER, 1986.

FRANÇOISE WAGENER

La reine Hortense

(1783-1837)

J.-C. LATTÈS

Pour Odile,

Et à la mémoire de son père,
François CAIL.

AVANT-PROPOS

Toute société a les divinités qu'elle mérite. La France
de l'Ancien Régime privilégiait les archétypes féminins.
Sans doute le devait-elle à son passé médiéval, à l'origine chevaleresque de ses élites, à l'amour courtois qui
imprégna durablement son imaginaire.

A l'aube du XIXᵉ siècle, au sortir du traumatisme révolutionnaire, ce sont donc, tout naturellement, des figures
féminines qui surgissent, comme autant de figures de
proue d'une société qui se recompose. Elles vont capti-
ver leurs contemporains et faire rêver les générations
montantes : c'est Mme Récamier, miracle de beauté et
de bon ton, dont le rayonnement s'exercera sans faiblir
pendant un demi-siècle ; c'est Mme de Staël, dont la
supériorité de pensée entraînera les meilleurs esprits du
temps ; c'est l'impératrice Joséphine, à qui ses grâces et
son aménité vaudront une souveraineté d'une ampleur
autre que circonstancielle.

Sa fille, la reine Hortense, appartient elle aussi à ce
panthéon où elle occupe une place à part : celle d'un
modèle achevé de civilisation à la française, qui allie le
meilleur des valeurs de l'ancienne aristocratie au meilleur de celles que propose la nouvelle. Sa primauté, elle
la doit à ses qualités personnelles et à ses talents, autant
qu'à son destin d'exception qui porte le nom de son
beau-père, Bonaparte.

« C'est lui qui a fait ma vie », se plaisait-elle à dire. En effet, l'accomplissement est, chez elle, le fruit d'une métamorphose obligée. Par la volonté de Napoléon, Hortense de Beauharnais entra, à dix-sept ans, dans les allées du pouvoir et devint — ce qui n'alla pas sans crispation intérieure — la reine Hortense. « Une reine que l'épée avait faite et que l'épée a défaite », note Chateaubriand, qui l'estimait. Certes. Mais qui sut, comme sa mère, comme son frère le prince Eugène, se montrer à la hauteur de la situation.

Épouser la gloire des Bonaparte ne fit pas son bonheur, cette notion nouvelle-née qui commençait ses ravages. Sous l'Empire, le faste conquérant la consola peu des anxiétés, des chagrins et des deuils qu'elle connut très tôt. Après Waterloo, elle subit l'exil, qui crucifia son âme de Française. Elle se fit cependant l'un des artisans les plus actifs du souvenir napoléonien. Hortense aurait pu n'être qu'une Iphigénie d'antichambre. Elle demeure la plus intéressante des Napoléonides.

En quoi ? Simplement, en ce qu'elle surclasse tout ce qui l'environne. La reine Hortense, c'est l'excellence faite femme, affirmée sans effort dans sa vie privée comme dans sa vie publique.

Sans être une beauté, elle possède une allure incomparable, que tous remarquent et que beaucoup lui envient. « Je m'y connais, confie Louis XVIII, et je n'ai jamais vu de femme qui réunisse à tant de grâce des manières si distinguées. » Talleyrand, déjà, constatait que « les Beauharnais sont les seuls bien élevés à la cour impériale ». Ces hommages de connaisseurs disent assez l'aura, la présence d'Hortense.

Elle avait reçu en héritage de solides qualités : l'art de vivre en société, l'attachement aux siens et la conscience de ce qu'elle leur devait, la générosité active envers les faibles, le don pour la vie. Elle y ajouta ce qu'elle emprunta à l'air du temps : un cœur vrai, le sens de l'individuel, le courage de l'expression de soi, par le biais de cette autre nouveauté, le talent. Celui d'Hortense est de nature artistique : danse, écriture, dessin, musique : en tout, elle réussit.

Naître et grandir à la charnière entre deux mondes aurait pu être accablant. Hortense, dont la douceur se doublait de fermeté et parfois d'audace, sut s'en faire un atout. Elle entraîne ses contemporains dans son sillage, les subjugue par son aisance autant que par ses goûts novateurs : vingt-cinq ans avant la duchesse de Berry, elle réinvente le Moyen Age et remet à l'honneur la figure légendaire du *Preux*, qu'incarne son frère, et, autour de lui, tous ses compagnons d'armes, aussi vaillants sur le champ de bataille que beaux cavaliers à la ville. Elle puise dans la mythologie de sa famille de quoi illustrer ses compositions musicales que l'Europe entière s'arrache — on sait que l'une de ses nombreuses romances, *Partant pour la Syrie*, devint, plus tard et durant près de vingt ans, notre hymne national.

Fille de sa génération, elle part à la découverte de la nature, du beau site et, plus particulièrement, de la montagne. Le cirque pyrénéen, l'Alpe helvétique ou savoyarde l'attirent et satisfont sa soif d'espace, de beauté et de solitude. Elle saura voyager avec agrément.

Ses ressources intérieures sont étayées d'une armature éthique qui la font rechercher et estimer de tous, à commencer par Napoléon dont on sait combien il l'aimait et qui disait joliment : « Hortense me forcerait de croire à la vertu ! » Le tsar Alexandre, occupant Paris, passait plus de temps chez elle qu'auprès des Bourbons qu'il venait de rétablir. Dans son exil, les visiteurs se présenteront sans désemparer : bonapartistes, républicains, ultras, elle les recevra avec une égale urbanité. Son extrême qualité fait que, toute sa vie, Hortense sera, pour autrui, exemplaire.

Fille d'empereur — à travers elle, nous découvrons

Napoléon dans sa dimension familiale —, elle est,
de plus, mère d'empereur, et l'on peut dire que Napoléon III lui est redevable de son intelligence politique.
Bien qu'elle ne fût plus là pour le voir, Hortense assura
la continuité du régime, cette succession si souvent différée qui obsédait Napoléon, et elle réussit ce tour de
force de dominer de son vivant, et au-delà, ces deux
monarchies-spectacles que furent les deux Empires français.

* *
*

Elle se méfiait, à juste titre, de tant de célébrité.
« Moins connue, moins troublée » était sa devise. A quoi
ses amis ajoutaient « Mieux connue, mieux aimée ».
Aimée, elle le fut. Comprise, beaucoup moins.

Ce qu'on sait d'elle est composite. Il y a ce qu'elle
nous en dit. Elle eut à se défendre des calomnies et des
intrigues inhérentes à la vie de cour, elle pâtit des malentendus que suscitèrent ses déboires conjugaux — elle
fut mariée à Louis Bonaparte, le jeune frère préféré de
Napoléon et futur roi de Hollande —, elle choisit de justifier les options qu'elle prit dans des périodes de crise,
en 1814, lors de l'effondrement de l'Empire et, en 1831,
lors de l'insurrection des Romagnes : ses écrits autobiographiques sont d'excellente tenue, d'une grande netteté
de trait et d'une transparence psychologique d'autant
plus remarquable qu'elle n'est pas d'époque.

Après sa mort, Hortense entra dans la Légende dorée
qu'alimenta, tout au long du Second Empire, une hagio-
graphie abondante, destinée à complaire au souverain
dont la piété filiale était, on le savait, intarissable. Elle
eût été gênée par cet encens trop capiteux qui masque
plus qu'il ne montre. Nul doute que cette stylisation
bien-pensante, cette manière de « récupération », comme
nous dirions aujourd'hui, ne lui eussent semblé une tra-

hison. Il y a peu à retenir de cette littérature. Seuls les deux volumes que Caroline d'Arjuzon consacre aux jeunes années d'Hortense demeurent les plus finement documentés : malheureusement, ils sont devenus introuvables.

Le Second Empire disparu, la Troisième République se chargea, comme on le pense, d'en finir avec la mythologie du régime précédent. Cependant qu'une floraison de Mémoires des contemporains d'Hortense voyait le jour — à retardement, comme il se doit —, une historiographie partisane, haineuse, doublée d'un goût malsain — et révélateur — pour la petite histoire, régla leur compte aux Héros et aux Héroïnes du siècle.

Une réduction systématique de l'image féminine ravala Mme Récamier au rang de petite-maîtresse empêchée par un monstrueux secret physique, Mme de Staël ne fut plus qu'une harpie, impénitente thuriféraire de l'Ennemi (entendons le monde germanique), et Joséphine, une tête de linotte, dépensière incorrigible et collectionneuse de beaux soupirants... Quant à la reine Hortense, on en fit tour à tour une fille incestueuse de l'Empereur, une mère indigne, incapable de s'y reconnaître parmi les pères de ses enfants, ou pire, selon un mot apocryphe prêté à son mari : une « Messaline qui accouche » ! Le sentiment qu'elle éprouva pour le général comte de Flahaut (et qui nous valut Morny) ne suffit plus à alimenter la chronique graveleuse : on reprit, en s'en délectant, de méchants ragots sortis — hélas ! — du clan Jérôme qui détestait Napoléon III et contestait, en sous-main, la légitimité de sa naissance.

Les historiens impérialistes du début du XXᵉ siècle, par un sectarisme regrettable, un machisme diffus, à peine atténué — ou aggravé, comme on voudra — de paternalisme hypocrite, entonnèrent la même antienne. A part Mme Letizia — encore en fait-on une analphabète crispée sur son magot —, aucune des femmes de l'entourage de l'Empereur ne trouve grâce à leurs yeux. Joséphine et Hortense, moins encore, puisqu'elles appartiennent au clan Beauharnais qui, à ce titre, bénéficia des faveurs des monarques de la vieille Europe, alliés contre l'Empire. Le grand Frédéric Masson lui-même, s'il ménage relativement la fille, ne se prive pas d'enfermer la mère dans un carcan de clichés abusifs. L'orthodoxie napoléonienne se garda bien, depuis, d'y toucher.

Il faut attendre la fin des années 1930 pour qu'un chercheur passionné rétablisse un certain nombre de vérités : Jean Hanoteau nous donna, non seulement l'édition très soignée des *Mémoires* d'Hortense, mais aussi, à partir de correspondances inédites, le meilleur de ce qu'on sait d'elle, de son frère, de ses parents. Nous lui devons beaucoup.

Quant aux quelques biographies d'Hortense publiées depuis la fin de la dernière guerre, si elles ne ressortissent à aucun excès de flatterie ou de suspicion fielleuse, jamais elles ne prennent leur sujet dans sa dimension multiple : humaine, sociale, culturelle, politique. L'anecdote l'emporte sur l'Histoire, ou l'inverse, et, dans un cas comme dans l'autre, Hortense n'est qu'une comparse dont la grâce enjolive sans jamais la marquer une épopée qui la dépasse.

*
* *

Pour saisir Hortense en pied, dans son intégrité, il m'a fallu, comme je l'avais fait pour son amie Mme Récamier — qui m'a amenée à elle —, mettre à plat sa légende et me dégager d'un maillage d'*a priori* et de préjugés, avant de plonger au sein de la geste consulaire, impériale et post-impériale, en ne me fiant qu'aux témoignages avérés et, chaque fois que je le pouvais, aux documents de première main. La voix d'Hortense m'y aidait, alors que j'avais dû révéler Juliette Récamier en négatif, à travers ce qu'autrui exprimait d'elle, elle-même s'exprimant si peu.

Tout ce qui touche à l'Empereur, la grande présence masculine dominant la vie d'Hortense, a été copieusement exploré et nous est accessible. On doit au dynamisme de Jean Tulard, et à ses équipes de recherche, une mise à jour indiscutée de la matière napoléonienne. Des archives prolifiques, des sociétés savantes actives, des « lieux saints » soigneusement préservés, aident à une enquête qui n'a rien d'héroïque. Elle ne requiert que minutie et longueur de temps. Ce que j'apporte d'inédits, je le dois à la chance, ou plutôt à ce mélange d'intuition et d'opiniâtreté qui veut qu'un chercheur *sachant ce qu'il cherche* ne manque pas de le capter au détour d'un dossier mal classé, ou, comme cela arrive encore, jamais ouvert.

Découvrir, pour le biographe, est enthousiasmant. Recadrer son sujet ne l'est pas moins. Renouveler le regard qu'on lui porte, agencer des éléments connus selon une autre logique, réajuster patiemment les pièces du puzzle, y insérer celles qui manquaient, et faire apparaître le tout qui, sans l'une d'elles, ne trouverait pas son sens, voilà qui constitue une intense satisfaction pour l'esprit.

Afin de comprendre la reine Hortense, je me suis appliquée à remettre à leur place trois composantes négligées jusqu'à présent, qui me semblaient autant de clés majeures : en premier lieu, son appartenance aristocratique, qui explique son code de conduite dans la fortune comme dans l'adversité ; sa puissance créatrice, ensuite, qui porte la marque du préromantisme dont elle est, à la fois, l'incarnation et l'agent ; enfin, la cohésion de sa pensée politique, qui l'inscrit de plein droit dans l'Histoire mouvementée de son temps.

*
* *

Judicieusement, à sa disparition, Mme Récamier évoquera « cette vie si agitée et si peu faite pour l'être ».
Elle pensait, sans doute, à l'enfant qui vit guillotiner son
père, à la jeune femme qui assista au couronnement de
sa mère, à la reine que l'Europe aima, célébra, courtisa
et que la Sainte-Alliance condamna à l'errance, comme
une paria ; à la mère qui perdit brutalement deux de ses
fils ; à la sœur qui vit mourir avant l'heure celui qu'elle
avait toujours considéré comme son alter ego ; à l'amie,
séparée des siens, de son pays...

Aux à-coups du destin, Hortense oppose une qualité
de réaction qui la grandit. Si elle réussit à s'accomplir,
c'est parce qu'elle sait faire de la douleur une initiation.
Là est son secret, son art et son courage.

Le chemin de la belle Récamier était linéaire, tout de
classicisme épuré, comme elle-même. Celui de l'élégante Hortense est accidenté, à l'image des sentes de
montagne qu'elle aimait à gravir. Mme Récamier nous
donne des leçons de mesure, elle atteint à un délicat
équilibre entre ces deux pôles de la réalisation de soi
que sont l'*être* et le *paraître*. Hortense, elle, nous montre
du doigt ce qu'il convient de *faire* au cœur des orages.
Quoi de plus actuel ?

CHAPITRE PREMIER

DE ROBE ET D'ÉPÉE...

> *Commençons donc, et parlons d'abord de ma famille.*
>
> CHATEAUBRIAND
> *(Mémoires d'outre-tombe,
> Première partie, Livre Iᵉʳ, 2).*

> *Une foi dans la continuité, dans la durée, dans la permanence des choses et des hommes, dans un grand dessein de Dieu dont le nom de famille était de toute évidence une des incarnations les plus parfaites.*
>
> Jean d'ORMESSON
> *(Au plaisir de Dieu).*

Naître à Paris, à la fin du XVIIIᵉ siècle, dans les années qui précèdent la Révolution, c'est, bien sûr, naître dans la « douceur de vivre » dont s'enchante le jeune abbé de Périgord lorsqu'il partage ses matinées, rue de Bellechasse, avec ses amis Lauzun ou Mirabeau — qui n'est pas encore Mirabeau, pas plus que son hôte n'est encore Talleyrand. C'est, aussi, naître dans un régime de castes.

On sait que la société française se compose, alors, de trois ordres distincts : le clergé, la noblesse, et le Tiers État. Pour peu de temps encore, les deux premiers tiennent le haut du pavé. Leurs privilèges leur valent éclat, considération, puissance, et souvent, bien que ce ne soit pas l'essentiel, fortune. La noblesse, au sein de laquelle Hortense voit le jour, n'a rien du monolithisme stérile dont l'affublera, un siècle plus tard, la vision caricaturale de ses ennemis. Si les tourmentes de l'Histoire l'auront bousculée, affaiblie et, en partie, dénaturée, cette classe qu'on dit hâtivement « sociale » brille, pour l'heure, par sa vitalité et par sa variété.

A l'intérieur de ses deux composantes que sont l'« épée », noblesse féodale d'origine guerrière, et la « robe », noblesse acquise, par charges le plus couramment, elle offre une palette aux multiples nuances, aux subtiles hiérarchies internes. Et, comme tout microcosme, elle comporte ses Grands, sa majorité silencieuse, ses rebelles, ses parvenus et ses laissés-pour-compte. L'important, c'est d'en être. Rien de plus fort que cette appartenance : pour tous, c'est le premier signe d'identité, le déterminisme majeur. L'idée-force est qu'on appartient à sa famille, et non l'inverse. Ce qui suppose un certain nombre de devoirs envers la communauté d'où on est issu, mais aussi, à charge de revanche, la solidarité clanique jouera et accordera sa protection à qui la nécessitera.

Dès son entrée dans la vie, Hortense a déjà une histoire : celle de ses ancêtres. Les sombres événements qui se préparent ne lui permettront pas de s'en enorgueillir. Elle en sera, cependant, clairement pénétrée. Elle est particulièrement représentative, car elle naît au confluent des deux courants constitutifs de sa caste : côté paternel, la robe, riche, et forte de sa brillante élévation à la haute administration coloniale ; côté maternel, l'épée, ancienne mais peu argentée, bien que sa grand-mère possède une ascendance aux alliances prestigieuses.

On s'est permis d'écrire tant de sottises à ce sujet, au mépris de toute espèce de connaissance — pourtant avérée — de la généalogie, qu'il est indispensable de situer ici, avec quelque précision, ce qu'il en est. Nous examinerons successivement le cas des familles Beauharnais, Tascher de La Pagerie et Des Vergers de Sanois.

Les Beauharnais

En 1756, François de Beauharnais, le grand-père d'Hortense — qu'elle connaîtra bien et qui mourra à un grand âge —, est nommé par le roi Louis XV gouverneur général des îles d'Amérique. Comme il était d'usage pour les gouverneurs généraux, le roi lui attribue un titre d'honneur : « Étant nécessaire de pourvoir au gouvernement général de nos îles d'Amérique, nous avons cru ne pouvoir faire un meilleur choix pour remplir cette importante charge que de notre très cher et bien-aimé marquis de Beauharnais. »

Comme il était d'usage, encore, le brevet viendra plus tard. En 1764. A cette occasion les juges d'armes Pierre d'Hozier et Antoine-Marie d'Hozier de Sérigny ont reçu pour les enregistrer les titres de filiation du nouveau marquis [1]. Ils nous permettent de suivre l'évolution de la famille Beauharnais, depuis le XIVe siècle, époque à laquelle elle a quitté sa Bretagne originelle pour s'établir en Orléanais, anoblie dès lors par ses charges dans les finances et la magistrature.

Nous y voyons Guillaume de Beauharnais, fils du premier François de Beauharnais, épouser, le 20 janvier

---

1. *Cf. L'Armorial général de France*, Registre cinquième, première partie, 75, Paris, 1764. R. Pichevin, dans le livre qu'il consacra à *Joséphine* (Paris, 1909), établit un détail des généalogies qui nous occupent : nous les reproduisons, augmentées quand nous le pouvons, en annexe.

1390, Marguerite de Bourges [1]. Il est, d'ores et déjà, seigneur de Miramon et de La Chaussée. Son fils, Jean de
Beauharnais, se met au service du comte de Dunois, qui
commande les forces du Dauphin, devant Orléans
assiégé par les Anglais. C'est à lui que se joint Jeanne
d'Arc pour délivrer la ville, le 8 mai 1429. Hortense s'en
souviendra. « Le jeune et beau Dunois » la fera rêver,
et, après elle, des générations de chastes demoiselles,
chantant ses exploits... Était-il jeune et beau, ce prince
capétien, le « Bâtard d'Orléans », comme on l'appelait
alors ? Le fils naturel de Louis Ier, duc d'Orléans (assas-
siné par Jean sans Peur) s'imposa, en tout cas, comme
un rude chef militaire, qui ne cessa de guerroyer dans ce
qui restait d'un royaume dépecé, ensanglanté, livré aux
rivalités sans merci des Armagnacs (les Valois-Orléans)
et des Anglo-Bourguignons. Son action aux côtés de
Charles VII lui valut un immense renom.

Il séduira l'imagination d'Hortense. Plus que la
Pucelle qui, il est vrai, au début du XIXe siècle, n'est
encore que l'héroïne rustique et garçonnière d'un épisode particulièrement troublé de notre histoire. Elle n'est
alors ni lorraine — Jeanne était barroise —, ni béatifiée,
ni canonisée, ni chargée d'aucun symbolisme patriotique, et seuls les Orléanais continuent de sentir ce qu'ils
lui doivent. Comme ce même Jean de Beauharnais,
l'ancêtre d'Hortense, qui témoigne en sa faveur (ainsi
que le fera longuement Dunois) lors de son procès en
réhabilitation, en 1456. Témoigne aussi sa femme,
Pétronille, qui mérite d'être citée parce qu'elle est la
sœur de Louis de Goutes, l'un des deux jeunes écuyers
d'honneur que le Dauphin accorde à Jeanne, pour mar-

---

1. La graphie BEAUHARNAIS l'emporte, dès cette époque, sur sa
variante BIAUHARNOYS dont l'étymologie est transparente. Dans ses
Mémoires, Saint-Simon se gausse à bon compte de la famille, lorsqu'il
prétend, faussement, qu'elle a changé son patronyme BEAUVIT en
BEAUHARNAIS. Le ragot est amusant, mais l'information erronée.

cher sur Orléans. Il rapportera les réactions de la Pucelle, irritée de ce que Dunois temporise et retarde l'heure du passage à l'attaque des positions anglaises : ces réactions « à chaud » en disent long sur l'esprit de détermination et la vivacité de Jeanne sur le terrain...

Pendant les deux siècles suivants, les Beauharnais prospèrent dans leurs fonctions : ils sont maîtres des requêtes, présidents-trésoriers généraux, conseillers du roi, conseillers de la reine, conseillers d'État... Dès 1605, nous les voyons s'allier aux Philypeaux de Montléry et aux Pontchartrain, dont descendra le célèbre comte de Maurepas, ministre de la Marine et des Colonies de Louis XV, puis ministre d'État de Louis XVI, en 1774.

Ils sont richement établis, comme cette Mme de Miramion, à qui il arriva une singulière aventure, qui défraya longtemps la chronique : mariée en 1645, à l'âge de quinze ans, et veuve dans l'année, elle est enlevée trois ans plus tard par Bussy-Rabutin, le bouillant cousin de Mme de Sévigné, dont l'esprit impertinent lui vaudra, malgré ses prouesses militaires, d'être embastillé puis exilé sur ses terres, en Bourgogne.

Séduisant et sûr de lui, Bussy se convainc — il le raconte dans ses *Mémoires* — de ce que la jeune Mme de Miramion acceptera de l'épouser. En compagnie de son frère et de quelques autres gentilshommes — nous sommes à la veille de la Fronde, et ces grands seigneurs se croient encore tout permis ! —, il l'enlève en plein bois de Boulogne, dans le carrosse de sa belle-mère, en présence de celle-ci et d'une suivante. Comme « la Dame criait si fort », il se débarrasse de la belle-mère. Rien n'y fait : redoublement de cris ! Bussy doit constater sa méprise, et force lui est de négocier avec sa victime une libération honorable... L'affaire fit grand bruit car les Beauharnais poursuivirent le rapteur, qui dut faire intervenir le Grand Condé en personne, pour essayer de calmer ces notables outragés...

Mme de Miramion se consacra dès lors aux œuvres de bienfaisance. Elle finança l'Hospice des femmes de La Salpêtrière, inclus dans l'Hôpital général que Louis XIV venait de créer, en 1656. Elle fonda l'ordre des Miramiones, et Mme de Sévigné s'inclinera devant « cette Mère de l'Église » dont la mort, nous dit-elle sobrement, « sera une perte publique [1] ».

Chateaubriand aura des accents plus lyriques lorsque, dans *Le Génie du christianisme*, il rendra hommage à ces dames de charité du Grand Siècle, dont la fortune et les privilèges semblaient redoubler l'esprit de dévouement aux humbles : « Saintes dames de Miramion, de Chantal, de La Peltrie, de Lamoignon, vos œuvres ont été pacifiques ! Les pauvres ont accompagné vos cercueils ; ils les ont arrachés à ceux qui les portaient, pour les porter eux-mêmes ; vos funérailles retentissaient de leurs gémissements, et l'on eût cru que tous les cœurs bienfaisants étaient passés sur la terre, parce que vous veniez de mourir [2]. »

La fille unique de Mme de Miramion, Marguerite de Beauharnais, épousera Guillaume de Nesmond, premier président à mortier, qui faisait périr d'ennui Mme de Sévigné. La divine marquise, dès qu'elle l'entendait annoncer, s'exclamait malicieusement : « N'aimons jamais ou n'aimons guère ! », un vers extrait d'un opéra à la mode *(Thésée)*, que manifestement elle employait dans toute circonstance analogue. Ajoutons, ce qui achève de situer les Beauharnais, que c'est Chrétien-François de Lamoignon — l'un des grands noms de la noblesse parlementaire, avec les Séguier, les d'Aguesseau, les Molé et les Nicolaï — qui succède à la charge du président Nesmond, en 1698.

----

1. Mme de Sévigné, *Correspondance*, La Pléiade, Gallimard, I, 9, n. 2 et III, 1153.
2. *Le Génie du christianisme*, IVe partie, Livre VI, chap. IV, La Pléiade, Gallimard, p. 1043.

La reine Hortense se souviendra de Mme de Miramion lorsque, en revenant des eaux d'Aix-en-Savoie, en 1813, elle s'arrêtera au fond de la verdoyante Bourgogne, pour visiter le charmant château de Bussy, alors à l'abandon. Parcourant les salons déserts, encore garnis de quelques belles toiles de Lebrun et de Mignard — qu'elle aurait souhaité acquérir —, Hortense évoquera devant sa suite cette page d'un roman de cape et d'épée vécue par l'une de ses aïeules...

Au début du XVIIIe siècle, la famille Beauharnais va s'orienter vers la Marine et l'administration coloniale, alors en pleine expansion, parce que vitale pour les intérêts économiques du royaume. Le trisaïeul d'Hortense, François de Beauharnais, marié à Françoise Pyvart de Chastullé, aura quatorze enfants, dont plusieurs seront lieutenants de vaisseau, capitaines de vaisseau ou de frégate. L'un de ses grands-oncles, François, sera intendant général de la Marine. Un autre, Charles, partira à la découverte des montagnes Rocheuses : il deviendra, par la suite, gouverneur et lieutenant général de la Nouvelle-France, c'est-à-dire du Canada, et le restera pendant vingt-deux ans. Un autre, Claude (son bisaïeul), remontera le Mississippi (sur la frégate *Le Marin*, commandée par le chevalier de Surgères), et demeurera trente-huit ans dans la Marine.

Il est le père du futur gouverneur général, dont on ne s'étonnera point qu'il ait suivi les traces de ses aînés : François de Beauharnais, né à La Rochelle, le 8 février 1714, accomplira un parcours sans faute, qui lui vaudra d'être fait chevalier de Saint-Louis, en 1747, et capitaine des vaisseaux du roi, en 1751. C'est l'année de son mariage avec sa cousine germaine (leurs mères sont sœurs), Henriette Pyvart de Chastullé, dont il aura deux fils : François, né en 1756, et Alexandre, né en 1760, le père d'Hortense.

C'est alors qu'il est major des Armées navales, à

Rochefort, que le roi Louis XV pense à lui, pour succéder à M. de Bompar, au gouvernement général des îles d'Amérique. Le rapport le concernant est éloquent : « Il est d'un caractère doux et liant ; il a du talent. Il s'est toujours conduit avec beaucoup de sagesse. Il a bien rempli toutes les missions dont il était chargé, et d'ailleurs son nom est aussi connu dans le service des colonies que dans la marine... »

François de Beauharnais se montrera à la hauteur de ses nouvelles fonctions, qui sont importantes si l'on songe qu'il a sous son contrôle les îles de Martinique, Guadeloupe, Marie-Galante, Saint-Martin, Saint-Barthélemy, La Désirade, La Dominique, Sainte-Lucie, la Grenade, les Grenadines, Tobago, Saint-Vincent, ainsi que Cayenne et ses dépendances. Lorsqu'il débarque à Fort-Royal, en Martinique, siège du gouvernement général, en compagnie de son épouse, en mai 1757, c'est un homme considérable qui, tout naturellement, va se lier avec les familles les plus influentes de la Colonie, parmi lesquelles la famille Tascher de La Pagerie.

Les Tascher de La Pagerie

A la différence des Beauharnais, les Tascher (on prononce « Taché ») ne possèdent pas de beaux hôtels entre cour et jardin, dans la capitale, ils ne fondent pas d'hôpitaux et leurs filles ne risquent pas d'être enlevées pour leur fortune. Ils n'appartiennent pas à cette robe citadine, puissante et frondeuse, qui sait calculer ses alliances, se passionne pour l'élégance et les idées à la mode, et rend des services à l'État plus qu'au roi.

Ils n'appartiennent pas non plus au ghetto doré de la courtisanerie, satellisée à Versailles dans le sillage des princes de grande maison, clientèle ralliée au monarque depuis le milieu du XVIIe siècle et directement domestiquée à son service et à celui de sa famille.

Mais ils le pourraient, car ils sont gentilshommes de

nom et d'armes : ils étaient en Palestine dès 1157 et un Renauld de Tascher s'y trouvait encore en 1191 — date de la prise d'Acre — sous la bannière de Thibaut, comte de Blois. Leurs preuves sont éclatantes, ils sont admis aux Honneurs de la Cour (à quoi la robe n'a pas droit) et, depuis qu'ils sont passés aux Îles, pour peu qu'ils en aient les moyens, ils envoient leurs filles à Saint-Cyr et leurs fils sont pages auprès de la famille royale, comme le sera le père de Joséphine, auprès de Marie-Josèphe de Saxe, la mère de Louis XVI.

A défaut d'être riches, à défaut d'avoir désiré des « positions de cour », les Tascher sont honorables et loyaux, bien qu'un peu obscurs. De bonne maison, mais demeurés provinciaux comme, somme toute, la majorité de la vieille noblesse française. Par trois fois, au cours du XVIIIᵉ siècle, ils présenteront leurs preuves, en 1721, en 1738 et en 1743. Ces titres de filiation, avérée depuis le milieu du XVᵉ siècle, nous les font mieux connaître [1].

Au fil des siècles, nous voyons cette famille originaire de l'Orléanais (comme les Beauharnais) embrasser la carrière des armes. Elle lève des troupes, guerroie et se fait tuer au service, avec une belle régularité, comme ce Marin de Tascher, en 1557, à la bataille de Saint-Quentin. Notons, au passage, que son père, Vincent de Tascher, porte le premier le titre de « Sieur de La Pagerie ». Nous voyons, encore, François de Tascher de La Pagerie, commandant de la noblesse du bailliage de Blois, mettre, en 1674, son corps d'armée à la disposition de Turenne : on se souviendra, dans la famille, que le maréchal est venu reprendre aux Impériaux son lieutenant prisonnier en Souabe, à Sinzheim précisément, non loin d'Heidelberg. Deux des frères de François mourront, eux

---

1. Les juges d'armes Charles d'Hozier et Louis-Pierre d'Hozier ne s'accordent pas sur le premier Tascher auquel ils remontent... *L'Armorial général de France*, Registre premier, seconde partie, part de Nicolas de Tascher, en Palestine, en 1157 (Paris, 1738).

aussi, au service : l'un, Jean, à Turin, l'autre, Jacques, à
Bergues, en Flandre.

Leurs alliances sont toujours bonnes et, parfois, elles
font rêver, comme celle de Pierre de Tascher, écuyer,
sieur de La Pagerie, qui épouse le 16 mai 1619 Jeanne
de Ronsard, la petite-nièce du poète.

Au commencement du XVIIIe siècle, le roi favorisant
les départs pour ses colonies d'Amérique — la noblesse
est autorisée à travailler sans déroger —, Gaspard-
Joseph Tascher de La Pagerie, bisaïeul d'Hortense, fait
ce choix, dans l'espoir, comme nombre de ses compatriotes, de mener une vie plus opulente. Nous sommes
en 1726 : il a vingt et un ans. Il enregistre ses lettres de
noblesse auprès du Conseil souverain de la Martinique
où il s'est établi. Il se marie le 16 avril 1734 avec Marie-
Françoise Bourreau de La Chevalerie, d'excellente
famille, elle aussi, descendante de Blain d'Esnambuc, le
conquérant de l'île. Les Tascher ne sont pas de grands
gestionnaires mais, régulièrement, leurs épouses leur
apportent des biens appréciables. C'est encore le cas :
Mlle de La Chevalerie lui offre des propriétés au Carbet
et dans l'île de Sainte-Lucie.

Le 5 juillet 1735, naît le premier de leurs cinq
enfants : Joseph-Gaspard, le père de Joséphine, l'aïeul
d'Hortense. De 1751 à 1755, il séjournera à Versailles,
comme page — nous l'avons déjà signalé — de la Dauphine, comme son frère cadet, Robert-Marguerite, le sera
trois ans après lui. Il est fait sous-lieutenant et retourne
dans son île, au moment où les hostilités avec les
Anglais viennent de reprendre.

C'est alors que la famille Tascher de La Pagerie se
lie avec le nouveau gouverneur général, le marquis de
Beauharnais. Ce tout-puissant personnage s'intéresse
particulièrement à Désirée de La Pagerie, sœur cadette
de Joseph-Gaspard. Il met tout en œuvre pour la marier,
en 1759, au fils d'un gros propriétaire de l'île, Michel-

Alexis de Renaudin, ancien mousquetaire dont il fait son aide de camp. La jeune Mme de Renaudin — c'est ainsi que nous désignerons maintenant celle qui sera la tante, très influente, de la future Joséphine — n'a que vingt ans, mais elle est dotée d'une intelligence claire, d'un tempérament énergique et elle s'entend, comme personne, à définir ses objectifs et à les atteindre. Elle va, dès lors, employer la protection que lui accordent les Beauharnais, pour arranger le mariage de son frère aîné, Joseph-Gaspard de La Pagerie, avec l'une de ses amies, Mlle Des Vergers de Sanois. Excellente alliance, et très avantageuse comme nous allons le voir [1].

Les Des Vergers de Sanois

Rose Claire Des Vergers de Sanois, la mère de Joséphine, la grand-mère d'Hortense, lorsqu'elle devient, le 9 novembre 1761, Mme de La Pagerie, est un parti idéal : non seulement elle est riche et bien dotée, notamment du côté de sa mère, née Brown, une des fortunes de Saint-Christophe, mais c'est une jeune personne accomplie, dont l'éducation, la simplicité et la noblesse de caractère ne démentent point la très bonne naissance.

Les Des Vergers, seigneurs de Sanois, ou Sannois,

---

1. Sous l'Ancien Régime, l'état civil étant relativement flou, le souci premier, dans ces familles nombreuses que produisait l'aristocratie, était de se distinguer facilement les uns des autres. L'usage voulait que, du vivant de leur père, les enfants adoptent tel ou tel nom de branche, ou tel surnom, ou leur patronyme agrémenté de tel ou tel titre, « chevalier » ou « vicomte » pour les cadets. Rappelons que le titre, à part celui de « duc », le grand titre français, ou tout autre, régulier, n'était le plus souvent que de courtoisie. Il était destiné à identifier rapidement celui qui le portait. Cela changera avec les codifications plus rigoureuses du XIXe siècle. Ainsi, le père de Joséphine a toujours été « Monsieur de La Pagerie », alors que Robert-Marguerite, son cadet, a toujours été le « baron Tascher ».

d'Annet, d'Auroy, de Maupertuis et d'Aufferville, origi-
naires de l'Ile-de-France, remontent à Saint Louis. C'est
par Charlotte de Longvilliers de Poincy, sœur du bailli
de Poincy — gouverneur général des îles d'Amérique
en 1651 —, qui épouse Florimond Des Vergers en 1692,
que la famille a été entraînée aux Antilles. Les deux
neveux du bailli de Poincy ont suivi leur oncle à Saint-
Christophe, le noyau originel de la colonisation française
aux Iles. On avait coutume d'y évoquer « les Seigneurs
de Saint-Christophe, les Messieurs de la Martinique et
les Bonnes Gens de la Guadeloupe... » Gradation
parlante et, comme souvent sous l'Ancien Régime, prenant l'ancienneté comme critère déterminant.

Par les Longvilliers de Poincy, on remonte directement aux Choiseul, la mère de Charlotte de Longvilliers
étant née Sophie de Choiseul[1]. Par les Choiseul, on
passe tout aussi directement aux Sully, par les Sully aux
Beaujeu, aux Chateauvillain, par Henri III de Chateauvillain, qui épouse Élisabeth de Dreux, on arrive à son
père, Robert, comte de Dreux, fils de Louis VI le Gros.

Sans interruption, par sa mère, Rose Claire Des
Vergers de Sanois, Joséphine descend quinze fois de
Louis VI le Gros (1081-1137), et de ses trois fils, onze
fois de Louis VII le Jeune, marié à Éléonore d'Aqui-
taine, huit fois de Robert, comte de Dreux, marié à Hed-
wige d'Évreux puis à Agnès de Baudemont, trois fois de
Pierre de France, marié à Élisabeth de Courtenay. C'est-
à-dire qu'elle descend de tous les grands feudataires du
royaume. Comment s'étonner de la fascination qu'aura

---

1. Louis Bonaparte, le mari d'Hortense, s'en souviendra lorsque peu
après son mariage, se trouvant à Barèges, il écrit à sa femme : « Il y a
ici un Mr et une Mme de Torcy ; elle est née Choiseul-Gonthier, n'est-
elle pas votre parente ? » (Lettre du 9 messidor, An X, A.N. 400 AP).
Nous nous faisons une règle de respecter l'orthographe des manuscrits
que nous utilisons tout au long de cette étude, dont la grande majorité
sont inédits, et proviennent du « Fonds Napoléon » (400 AP) détenu
aux Archives Nationales.

Hortense pour cette époque où ses ancêtres rayonnaient sur le monde capétien ?

Cette multiple filiation, due aux redoublements d'alliances au sein de clans relativement peu nombreux — nous sommes à la fin du XIe siècle et au début du XIIe — et qui, par leurs mariages, se soudent entre eux, au gré de leurs affrontements territoriaux, est passionnante [1]. Comme est passionnante toute étude généalogique suivie, promenade au fil de l'écheveau d'une infinité de destins croisés, qui n'a rien d'une fiction même si elle en possède tout le charme et l'inattendu...

Pour qui s'intéresse à Joséphine et aux siens, il est non moins passionnant de suivre sa descendance, à travers Eugène, dont on sait qu'après Waterloo il alla vivre à Munich, chez son beau-père le roi de Bavière, qui le fit duc de Leuchtenberg. Ses six enfants se sont mariés brillamment. Qu'on en juge : Joséphine, sa fille aînée, devint reine de Suède, Eugénie, princesse de Hohenzollern-Hechingen, Amélie, impératrice du Brésil et Théodelinde, comtesse puis duchesse de Wurtemberg. Quant aux deux fils, le premier, Auguste, se maria avec la reine de Portugal et Max — qui avait été proposé au premier trône de Belgique, en 1831 — devint l'époux de Marie, fille du tsar Nicolas Ier. Qui dit mieux ?

Aussi, voudrions-nous reprendre à notre compte la remarque judicieuse de Bernard Chevallier, l'actuel Conservateur en chef de Malmaison, qui, dans la récente biographie qu'il consacre à la mère d'Hortense, note que, si la reine Victoria est considérée comme la « grand-mère de l'Europe », l'impératrice Joséphine en

---

1. Nous nous appuyons sur les schémas établis pour nous par Mariel Goyon-Guillaume, la très érudite animatrice du Centre de généalogie historique des Isles d'Amérique, qui connaît d'autant mieux la question, qu'elle est, elle-même, descendante du bailli de Poincy, par le frère de Rose-Claire Des Vergers de Sanois, la mère de Joséphine.

est alors l'« arrière-grand-mère ». Par sa seule petite-fille, la reine de Suède, les rois actuels de Norvège, de Suède et de Belgique, la reine de Danemark, sa sœur la reine de Grèce, la grande-duchesse de Luxembourg, et le Margrave de Bade sont ses descendants, et se trouvent, par elle, reliés aux rois capétiens [1].

Il convenait de rappeler ces faits vrais, et mettre un terme aux allégations du style : « Au moment où Mlle de La Pagerie épouse le fils du soi-disant marquis de Beauharnais, qui n'est pas plus marquis qu'elle n'est de La Pagerie... etc. » L'esprit de dénigrement de ces prétendus historiens n'a d'égal que leur ignorance. Ils ne remontent pas au-delà de 1786, date à laquelle le jeune Alexandre de Beauharnais demande, contre tout bon sens, à être admis aux Honneurs de la Cour, qui lui furent, bien entendu, refusés : cette démarche inconsidérée en dit long sur l'impertinence d'une certaine noblesse de robe, à la veille de la Révolution. Elle n'affecte en rien la régularité du titre de François de Beauharnais, non plus que les « quartiers » de Joséphine.

Les Beauharnais, les Tascher de La Pagerie et les Des Vergers de Sanois sont ce qu'ils sont. Et, au moment où ces familles se rencontrent et s'allient, peut-être en sont-elles moins conscientes que nous, c'est un vaste morceau de l'histoire de notre pays qui, à travers ses protagonistes, se trouve joint. Ces liens nous importent parce que leur résultante en est Hortense. Comment elle apparaît, voici ce qui nous occupera maintenant.

Une jolie figure, une jolie fortune...

Les La Pagerie se sont établis sous les meilleurs auspices, sur leur « habitation » — terme créole désignant

1. Bernard Chevallier et Christophe Pincemaille, *L'Impératrice Joséphine*, Presses de la Renaissance, Paris, 1988. Cette étude a le

un vaste domaine —, venant des Des Vergers de Sanois et située en arrière des Trois-Ilets, du côté Sud de la baie de Fort-Royal. Assortie de plantations de café, elle est l'une des trois cents sucreries que compte l'île à cette époque. Elle s'étend sur quelque cinq cents hectares et peut procurer un confortable revenu annuel de 50 000 livres. Il s'agit d'un monde autarcique où, si elle n'est pas idyllique, la vie est simple et les mœurs patriarcales, compte tenu du climat éprouvant des Tropiques, de la nature, qui peut être dangereuse, et parfois mortelle. La propriété des La Pagerie comprend, en plus des cultures, la maison des maîtres et ses dépendances, la sucrerie, le moulin à sucre, la case à farine, les « cases à nègres », abritant cent cinquante esclaves et leurs familles, l'hôpital et le cachot.

Les Beauharnais sont repartis pour la France, laissant leur dernier-né, Alexandre, chez Mme de Tascher, la mère et belle-mère des La Pagerie. Mme de Renaudin, tôt séparée de son mari, demeure très proche de ses protecteurs qu'elle a précédés à Paris, avant qu'elle ne s'établisse auprès du marquis de Beauharnais, à la mort de l'épouse de celui-ci, en 1767. Quand le petit Alexandre, âgé de neuf ans, les rejoindra, elle s'instituera sa protectrice : devenue sa marraine — à Saint-Sulpice, en 1770 —, elle remplacera sa mère — qu'il n'aura pas connue — et sera pour lui une amie à laquelle il se confiera avec grand abandon. Mme de Renaudin réussira cette relation, comme elle réussira le couple qu'elle forme avec le père d'Alexandre : acceptée par tous, ce qui, à l'époque, n'a rien d'extraordinaire, cette union sera légitimée le jour où Mme de Renaudin se trouvera veuve, à son tour.

Une correspondance suivie entre les différents mem-

---

double mérite d'être exhaustive et bienveillante : elle est, sans conteste, ce qu'on a fait de plus juste sur le sujet.

bres des deux familles conserve vivants les sentiments
d'amitié qui les unissent. Les Beauharnais s'émeuvent
des malheurs survenus aux La Pagerie et font ce qu'ils
peuvent, à distance, pour les aider. Tout d'abord, la Martinique a capitulé devant les Anglais, en février 1762, et
se trouve occupée par eux. Elle le demeurera jusqu'à ce
qu'intervienne le traité de Paris, en mars 1763. De ce
fait, M. de La Pagerie a cessé ses fonctions militaires
pour se consacrer à ses affaires : on lui obtiendra, à Versailles, une pension de 450 livres, en récompense de sa
résistance lors de la prise de Fort-Royal.

En second lieu, Mme de La Pagerie ne met au monde
que des filles : Marie-Joseph Rose, le 23 juin 1763,
Désirée, en 1764, et Marie-Françoise, dite Manette, en
1766. Cette maîtresse femme s'en console et accepte, de
bonne grâce, ce coup du sort. Car, trois filles à marier,
tâche dévolue aux mères, requiert stratégie réfléchie,
diplomatie plus ou moins active et négociations à perte
de vue...

Enfin, et c'est la plus dure des épreuves qui leur
adviennent, leur habitation est dévastée par un épouvantable cyclone, dans la nuit du 13 au 14 août 1766. Cinq
cents morts dans l'île, où tout est ravagé. M. de La Pagerie a du mal à se refaire : il a toujours été négligent dans
ses comptes (en cela, sa fille aînée aura de qui tenir) et,
en la circonstance, il lui faut s'endetter pour se remettre
à flot. En attendant de pouvoir reconstruire sa demeure
principale, il installe sa famille dans la monumentale
sucrerie qui, elle, a mieux résisté à l'ouragan.

Les années passent. Les filles grandissent. Rose est
élevée chez les Dames de La Providence à Fort-Royal.
Pour ce que nous en savons, son enfance se déroule heureusement. Nous en voulons pour preuve l'attachement
qu'elle montrera toute sa vie pour son monde originel.
On sait qu'elle développera un goût particulier pour la
botanique tropicale, et que, impératrice des Français, elle

n'hésitera pas à enfreindre le Blocus continental, pour faire venir d'Angleterre les plants et les essences qu'elle a commandés : sa passion pour la nature prolifique, colorée, irrésistible, qui l'a vue naître, ne se démentira pas.

Au courant de l'année 1777, survient une excellente nouvelle. M. de Beauharnais propose à M. de La Pagerie d'unir deux de leurs enfants :

> Je ne saurais vous exprimer, Monsieur, toute l'étendue de ma satisfaction de pouvoir, en ce moment, vous donner des preuves de l'attachement et de l'amitié que j'ai toujours eue pour vous ; elle n'est point équivoque.
>
> Mes enfants jouissent à présent de 40 000 livres de rente chacun ; vous êtes le maître de me donner mademoiselle votre fille pour partager la fortune de mon chevalier. Le respect et l'attachement qu'il a pour Mme de Renaudin, lui fait désirer ardemment d'être uni à une de ses nièces. Je ne fais, je vous assure, qu'acquiescer à la demande qu'il m'en fait, en vous demandant la seconde dont l'âge est plus analogue au sien. J'aurais fort désiré que votre fille aînée eût eu quelques années de moins, elle aurait certainement eu la préférence, puisqu'on m'en fait un portrait également favorable. Mais je vous avoue que mon fils, qui n'a que dix-sept ans et demi, trouve qu'une demoiselle de quinze ans est d'un âge trop rapproché du sien. Ce sont de ces occasions où des parents sensés sont forcés de céder aux circonstances [1].

Malheureusement, lorsque cette demande parvient aux La Pagerie, la jeune fille souhaitée par les Beauharnais vient de mourir, emportée par la tuberculose. Nouvelles lettres entre Paris et Les Trois-Ilets, nouvelles tractations, nouvelle demande. De la plus jeune, cette fois, la

---

1. Lettre du 23 octobre 1777, reproduite par Joseph Aubenas *in Histoire de l'impératrice Joséphine*, 1857, I, pp. 76 et suiv. Les originaux de cette correspondance ont été vus par Aubenas, dans les archives de la famille Tascher, puis ils ont disparu (avant 1902). Seules les lettres d'Alexandre à Mme de Renaudin ont été retrouvées (par F. Masson, en 1916).

petite Manette. Malheureusement encore, l'enfant répugne à quitter sa mère, qui n'a guère envie non plus, de s'en séparer... En revanche, l'aînée est disposée à faire le voyage. Qu'en pensent les Beauharnais ? Ceux-ci sont impatients, comme en témoigne cet extrait d'une lettre de Mme de Renaudin à son frère, datée de Paris, le 11 mars 1778 :

> Arrivez, mon cher frère, avec une de vos filles, avec deux ; tout ce que vous ferez nous sera agréable, et trouvez bon que nous vous laissions guider par la Providence, qui sait mieux ce qui nous convient que nous-mêmes. Vous connaissez nos vrais sentiments ; il semble que l'événement fâcheux qui nous est arrivé augmente nos désirs. Il nous faut une enfant à vous. Le cavalier mérite d'être parfaitement heureux. Vous êtes à portée de connaître la figure, le caractère et enfin toutes les qualités nécessaires d'une femme faite pour plaire ; agissez donc en conséquence [1].

M. de La Pagerie obtempère, et son aînée ayant été agréée, c'est donc elle qu'il embarque à destination de Brest. La future Joséphine quitte son île natale pour une existence parisienne dont elle est bien loin d'imaginer jusqu'où elle la mènera [2].

Le jeune Alexandre, nous disent ses contemporains, possède une « très jolie figure ». Elle s'assortit d'une

---

1. *In* Joseph Aubenas, *op. cit.*
2. A dater de ce moment, Marie-Joseph Rose Tascher de La Pagerie, communément appelée Mlle de La Pagerie, devient *Mme de Beauharnais*. Nous lui conservons cette dénomination, selon l'usage de l'ancienne société : seuls quelques intimes, à l'époque thermidorienne, utiliseront pour parler d'elle son prénom usuel, *Rose*. Celui-ci changera à la veille de son remariage avec le général Bonaparte, qui la rebaptisera *Joséphine*, de Joseph, prénom des Tascher et aussi prénom du frère aîné de Napoléon, dont on sait combien, en 1796, il lui était attaché. Elle entrera dans l'Histoire sous cet élégant diminutif que nous utiliserons alors. Ces variations sur un état civil sont fréquentes :

non moins jolie fortune : des propriétés à Saint-Domingue, évaluées à 800 000 livres, le beau château de la Ferté-Avrain et ses terres solognotes (héritage maternel) ainsi que 40 000 livres de rentes. Une fois célébré le mariage, le 13 décembre 1779, à Noisy-le-Grand, la campagne de Mme de Renaudin, le nouveau ménage s'installe à Paris, dans l'hôtel des Beauharnais, rue Thévenot [1].

De la jeune épouse d'Alexandre, nous savons peu de chose, si ce n'est qu'elle est douce, bien disposée envers sa belle-famille — qui le lui rendra —, et probablement assez intimidée par son mari. Le vicomte de Beauharnais est ce qu'on appelle un « beau cavalier », conscient de l'être. L'aisance, la gaieté et les bonnes manières de cet élégant jeune officier ajoutent à la considération que lui valent son nom et sa fortune. Il a reçu une bonne éducation, puis, en compagnie de son précepteur, un dénommé Patricol, il a voyagé. Il a des idées sur tout, qu'il n'a aucune peine à exprimer — au contraire, il aurait tendance au verbiage —, et cela renforce son attrait sur le beau sexe qu'il aime fougueusement.

Par son âge et par son milieu, Alexandre appartient à l'élite parisienne qui s'est pénétrée de l'esprit des Lumières, qui a lu Rousseau et les Encyclopédistes et qui, dans dix ans, montera en première ligne pour en finir avec l'intolérance, l'absolutisme et le carcan plus ou moins croulant de la féodalité. Pour l'heure, Alexandre est affilié à la Loge maçonnique du régiment de la Sarre — le sien —, il professe l'amour du genre humain et croit à sa perfectibilité. Il croit aussi aux valeurs du sentiment et du naturel, ce qui se traduit dans sa vie

---

Louise Necker devient Germaine, baronne de Staël-Holstein, lors de son mariage, pour ne prendre que son exemple.

1. Pour avoir un ordre de grandeur en francs lourds de ce que représentent ces sommes, tant en livres qu'en francs du Directoire et du Consulat, il convient de les multiplier par vingt.

personnelle par une affectivité effervescente. Son attitude envers la femme ne manque pas d'ambiguïté. Il y
a du Valmont avant la lettre chez ce don juan de garnison : « Il m'entretenait sans cesse de ses bonnes fortunes, dont il me communiquait même les pièces
justificatives qu'il conservait et classait, comme un autre
aurait pu faire pour les titres de sa gloire. Il joignait à
ses confidences des préceptes de conduite avec les femmes, qui n'étaient pas dictés par la sensibilité ni la mora-
lité... », constate M. de Bouillé dans ses *Mémoires*. Le
goût du système, un peu de fatuité et beaucoup de mauvaise foi, tel est, aussi, le charmant époux de Mlle de
La Pagerie.

Nous le savons à travers les lettres très circonstanciées
qu'il envoie à Mme de Renaudin, l'année précédant son
mariage, il a commencé une liaison passionnée, en Bretagne, avec la femme d'un officier de marine, de dix ans
son aînée. En vertu des hasards de la vie, ou de la petitesse du monde, comme on voudra, Mme Levassor de
Latouche de Longpré, née Laure de Girardin, se trouve
être créole et parente de sa future épouse[1]. En 1779, il
lui arrive trois choses : elle met au monde un fils
d'Alexandre, elle perd son mari et Beauharnais convole
en justes noces. Mme de Longpré n'entend aucunement
renoncer à lui. Nous allons voir ce qui en résultera.

En attendant Scipion...

S'il se déclare enchanté du choix que sa famille a fait
pour lui, Alexandre trouve cependant que sa jeune
femme manque de brio et d'entregent, ces suprêmes ver-

---

1. Mme de Longpré est doublement parente de Joséphine : par les
Girardin, alliés aux Des Vergers en 1710 (ils se traitent mutuellement
d'oncle et de tante) ; par les Latouche de Longpré, au neuvième degré,
alliés, comme les Tascher, aux filles de Guillaume d'Orange.

tus de la vie sociale parisienne. Aussi entreprend-il, dans un esprit on ne peut plus rousseauiste, de parfaire l'éducation de celle-ci : il dirige ses lectures et scrute les progrès qu'elle fait — elle en fait — dans la rédaction de ses épîtres. Sans doute la pédagogie d'Alexandre est-elle maladroite, ou trop directive, car on constate un refroidissement dans le ménage. Qui plus est, la jeune vicomtesse est éprise de son mari et le comportement volage qu'il affiche la blesse. Elle s'en plaint. Il s'en irrite. Et il s'éloigne.

Il revient pour assister à la naissance de leur fils Eugène, le 3 septembre 1781. Ravi, Alexandre demeure auprès de sa famille jusqu'au mois de novembre, moment où il part pour un long périple à travers l'Italie. Les relations entre les époux sont de nouveau excellentes lorsqu'ils se retrouvent, le 20 juillet suivant. A tel point qu'Alexandre, décidé à se mettre en congé de son régiment et à s'engager pour aller défendre les Îles contre l'éternelle menace anglaise, répugne à l'annoncer à sa femme. Nous possédons les lettres, très affectueuses, qu'il lui écrit de Brest, où il attend de s'embarquer [1].

« Me pardonneras-tu, chère amie, de t'avoir quittée sans adieu, de m'être éloigné de toi sans t'avoir prévenue, de te fuir sans t'avoir dit encore, une dernière fois, que je suis tout à toi ? Hélas ! Que ne peux-tu lire dans mon âme ? Tu aurais vu deux sentiments bien louables se combattant et me causant les plus cruelles agitations. L'amour de ma femme et celui de la gloire ont chacun dans mon cœur l'empire le plus absolu... », lui confie-t-il le 6 septembre 1782. Voilà, certes, un beau dilemme, mais le mal est fait, et nous plaignons l'épouse délaissée si soudainement. Nous la plaignons plus encore lorsque, quelques jours plus tard, le valeureux Alexandre fait

---

1. Elles sont reproduites dans l'incomparable étude de J. Hanoteau, *Le Ménage Beauharnais* (Paris, 1936), à laquelle nous empruntons quelques extraits.

mention, dans un post-scriptum, d'une information intéressante : « Embrasse de tout cœur mon cher petit
Eugène ; soigne son petit frère. » Non seulement, elle
est délaissée, mais elle attend un autre enfant.

Toujours en instance de départ, Alexandre redouble
ses manifestations de tendresse envers elle, et le 15 octobre, sachant qu'elle est souffrante — elle est enceinte
de trois mois —, il conclut par cette autre information
intéressante : « Et toi, mon cœur, tu ne veux donc pas te
rétablir ? Quand me feras-tu donc le plaisir de me dire
que tu te portes bien ? Adieu, mon cœur. Je t'embrasse,
toi, Eugène, et ton petit Scipion. Mon Dieu à quel âge
le reverrai-je ? »

Parle-t-il d'Eugène ? ou du futur Scipion ? Peu
importe. Ce qui nous importe, en revanche, c'est
qu'Hortense, car il s'agit d'elle, aurait dû s'appeler Scipion (!) et que, déjà, son père se préoccupe d'elle et suit,
à distance, sa gestation. Retenons cette sollicitude, le ton
charmant de ces lettres, car, malheureusement, le premier des orages que notre héroïne devra affronter ne va
pas tarder à éclater. Voici comment :

Alexandre s'est, enfin, embarqué le 21 décembre
1782. Il a fait la traversée en compagnie d'une vieille
connaissance, décidée, cette fois-ci, à ne pas le laisser
lui échapper. Il s'agit, on l'aura compris, de Mme de
Longpré, qui va en Martinique régler la succession de
son père. Dans les rets habilement disposés par elle pour
le retenir, le volage, le bouillant, le trop crédule Alexandre va donner tête baissée. Se battre lui eût évité cette
mésaventure, mais la paix est, au moment où il arrive à
Fort-Royal, sur le point de se conclure. Faute de mieux,
il devient aide de camp du gouverneur général, le marquis de Bouillé. Il a tout loisir de se consacrer à ses
amours.

Ses lettres, au fur et à mesure que passe le temps,
deviennent maussades : certes, il a été bien accueilli par

sa parentèle créole, en premier lieu, naturellement, par les Tascher et les La Pagerie, mais la colonie l'ennuie, sa femme ne lui écrit pas assez souvent, il ne sait pas quand il reviendra en France : « Embrassez pour moi mon cher fils. Ayez bien soin du futur et qu'il vous fasse au moins penser un instant à un mari qui vous aimera toute sa vie. Adieu cent fois. Je vous enverrais mille embrassades si je croyais que vous les acceptassiez. » Ces mots sont datés du 12 avril 1783. Hortense est née depuis deux jours, mais évidemment, son père l'ignore encore.

De même qu'à Paris on ignore encore le scandale qui agite la colonie : Beauharnais a la tête à ce point tournée par Mme de Longpré qu'il vit avec elle au vu et au su de tous, enfreignant le sacro-saint code de conduite de l'époque, à savoir être discret et, quoi qu'on fasse, y mettre les formes convenues. Quand enfin, deux mois et demi plus tard, Alexandre apprend l'heureuse issue des couches de sa femme, la pernicieuse Mme de Longpré le persuade que cette enfant, née avec quelques jours d'avance, ne peut être de lui. Plus enfiévré, plus versatile que jamais, Alexandre s'enflamme, renie l'enfant, désavoue son épouse et proclame à qui veut l'entendre qu'il va se séparer d'elle. Au profit de qui, nous l'imaginons sans peine... Il commet l'erreur d'envoyer une lettre incendiaire — preuve qui se retournera contre lui — à Mme de Beauharnais. Comme sa belle-famille, celle-ci tombe des nues.

Qu'on se mette à sa place : elle a tout juste vingt ans, elle n'a quitté les siens que pour vivre près de sa tante et de son beau-père, qui l'entourent d'autant plus que son mari s'absente fréquemment — sur deux ans et neuf mois que dura leur vie commune, ils passèrent à peine douze mois ensemble —, alors qu'elle ne souhaite que le revoir... Elle n'y comprend rien. Et c'est sa mère qui, quelques mois plus tard, va lui ouvrir les yeux et lui

révéler les dessous de la cabale montée par leur perfide
« cousine » :

                    Aux Trois-Islets, le 22 mars 1784.

Que je désire d'être auprès de vous, ma chère fille ! Mon
cœur y vole sans cesse et plus aujourd'hui que jamais. Si
ma tendresse s'est alarmée lors de votre départ, je n'avais
certainement aucun pressentiment de toutes les horreurs qui
vous accablent. Toutes les noirceurs exercées envers vous ne
peuvent se concevoir. Toutes les âmes honnêtes ne peuvent
encore les croire et il n'y a que celles qui ont tout perdu qui
peuvent les inventer.

Votre mari a dit à une personne qui vous touche de près
que Mme de Longpré de la Touche lui avait dit des horreurs
de votre tante Rosette, que c'était cette même Mme de la
Touche qui lui avait fait observer, chez les demoiselles
Hurault, au moment où on le félicitait de votre accouchement, que votre fille ne pouvait être de lui, attendu qu'il se
manquait une douzaine de jours pour parfaire les neuf mois,
terme toujours préfix, ajoutait-elle, disant que les femmes
retardaient plutôt qu'elles n'avançaient. C'est le moment où
votre mari se livrait à la joie d'avoir une fille qu'elle a saisi
pour ses monstrueux projets. C'est à cette époque qu'elle a
commencé à questionner les esclaves qui vous avaient servie. N'ayant rien pu tirer de satisfaisant à ses noires idées
de Brigitte, il l'a voulu séduire aussi par l'appât de l'argent
et en faisant valoir une confidence qu'il disait que vous lui
aviez faite [1].

Ces accusations gratuites, ces soudoiements d'esclaves, assortis de demandes intempestives de mise au couvent de l'intéressée... tout cela relève d'un mauvais
roman. L'adorateur du genre humain, le défenseur de la
justice universelle, agit comme un insensé. Reconnais-
sons qu'une fois sa fureur passée, Alexandre reviendra
sur ses insultantes invectives et qu'il se comportera parfaitement bien envers le malheureux ex-Scipion qu'il a

---

1. *In* Jean Hanoteau, *op. cit.*, pp. 170 et suiv.

attendu puis renié si véhémentement. Il n'empêche : son ménage ne résistera pas à ce drame créé de toutes pièces par sa scandaleuse inconduite.

Il va sans dire que tout le monde prend fait et cause pour la jeune vicomtesse. Mme de La Pagerie, écrivant au marquis de Beauharnais, résume justement ce qu'il faut penser de ce triste épisode :

> [...] Une conduite aussi basse, des moyens aussi vils peuvent-ils être mis en usage par un homme d'esprit et bien né ? Je rends encore justice au vicomte. Il s'est laissé entraîner sans réfléchir, sans penser à ce qu'il faisait. Il a de bonnes qualités, un bon cœur. Je suis persuadée qu'il n'est pas à en rougir. Tant de petitesses ne sont point compatibles avec une âme élevée et sensible. La dernière fois qu'il est venu à l'habitation, en se séparant de nous, je l'ai vu troublé, ému. Il semblait même chercher à me fuir promptement, à éviter ma présence. Son cœur lui reprochait déjà une démarche aussi déplacée.
>
> Il n'est guère possible que ma fille puisse rester avec lui, à moins qu'il ne lui donne des preuves bien sincères d'un véritable retour et d'un parfait oubli... Qu'il est douloureux pour moi d'être séparée d'elle et de me rappeler tous les dangers qu'elle a courus pour se rendre malheureuse. Nous sommes, monsieur, tous mortels. Si elle venait à avoir le malheur de vous perdre, à quels maux ne serait-elle pas exposée[1] ?

Au retour en France d'Alexandre, il s'avère que le « parfait oubli » entre sa femme et lui est impensable. C'est la vicomtesse de Beauharnais qui choisit de se retirer, un temps, à l'abbaye de Panthémont, rue de Grenelle, d'où elle est en mesure, appuyée par les siens, de déposer une plainte officielle contre son époux. Dans une déclaration très circonstanciée qui retrace l'historique de sa vie conjugale, elle allègue les lettres de son mari, à la naissance de leur fille, « les imputations les

1. *In* J. Hanoteau, *op. cit.*, pp. 176 et 177.

plus atroces » qu'elles contiennent, « tellement réfléchies et imaginées à dessein de secouer un joug qui lui
pèse ». Elle explique qu'il ne lui est plus « possible de
souffrir patiemment tant d'affronts », et elle se réserve
« de former incessamment sa demande en séparation de
corps contre ledit sieur son mari [1]... »

Le bel Alexandre n'aura rien gagné à cette vilaine
querelle. Il y aura même perdu et l'amour de sa femme
et la gloire qui se partageaient son cœur lorsqu'il s'en
allait en Amérique. Quant à Mme de Longpré, elle réussira un brillant remariage — ce qu'elle souhaitait —
avec le général comte Dillon. Elle en aura une fille,
Fanny, qui, ironie de l'Histoire, le jour où elle épousera
un dignitaire de l'Empire, le général comte Bertrand,
futur Grand Maréchal du Palais, le fera chez la reine de
Hollande, cette Hortense de Beauharnais qui avait, par
sa naissance, provoqué tant d'agitations dans les vies de
leurs deux mères.

Une chose est sûre : cette enfant, conçue dans l'harmonie et apparue comme un signe de discorde entre ses
parents, est bien la fille de son père. Ce qu'ont nié trop
de compilateurs pressés, ou malintentionnés, qui n'ont
voulu retenir des démêlés entre les époux Beauharnais
que les accusations du mari contre la femme, sans
essayer de retracer l'ensemble des circonstances de leur
mésentente [2]. La légitimité d'Hortense ne peut plus être
mise en cause. Elle trouvera son expression dans certains
traits de celle-ci, propres aux Beauharnais : comme son

---

1. Plainte déposée devant le Conseiller du Roy, commissaire au
Châtelet, Joron, le 8 décembre 1783. La demande en séparation sera
formulée deux jours plus tard.
2. Nous reproduisons, en annexe, l'intégralité de la lettre d'Alexandre à sa femme, en date du 12 juillet 1783, ainsi que la plainte de
celle-ci.

frère Eugène, Hortense héritera de la séduction et de l'aisance de son père, mais, grâce à Dieu, ses passions seront toujours dénuées de violence ou d'aveuglement.

II

L'ENFANT ET LA RÉVOLUTION

> *La populace à la reine, parlant de sa fille :*
> *« Quel âge a Mademoiselle ?*
> *— Un âge où l'on ne sent que trop l'horreur de pareilles scènes »,*

répond MARIE-ANTOINETTE
(aux Tuileries envahies, le 20 juin 1792).

La petite Hortense est née le 10 avril 1783 dans l'hôtel loué par les Beauharnais l'hiver précédent, rue de la Pépinière, future rue Neuve-Saint-Charles, au sein de l'élégant faubourg du Roule, l'un des deux quartiers nouveaux de Paris avec la Chaussée d'Antin.

Voici son acte de baptême, établi au lendemain de sa naissance, à la Madeleine de la Ville-l'Évêque, sa paroisse [1] :

L'an 1783 le 11 avril, par nous Louis LEBER prêtre, docteur de Sorbonne et curé de cette paroisse a été baptisée Hortense-Eugénie, née d'hier, fille de ht et pt seigr [haut et puissant seigneur] Alexandre-François-Marie, vicomte de BEAUHARNOIS, baron de Beauville, capitaine au régiment de la Sarre, actuellement en Amérique pour le service du Roy et de hte et pte dame Mademoiselle Marie-Rose-Josèphe de TASCHER de LA PAGERIE, vicomtesse de BEAUHARNOIS son

---

1. Dans son *Hortense de Beauharnais* (Paris, 1897), Caroline d'Arjuzon situe la maison natale d'Hortense dans la partie actuelle de la rue La Boétie, entre le faubourg Saint-Honoré et la rue de Courcelles (p. 12).

épouse, demts (demeurant) rue de la Pépinière en cette
paroisse. Le parein *(sic)* ht et pt seigr Joseph Gaspard TAS-
CHER de LA PAGERIE capitaine de dragons, chevalier de
l'ordre royal et militaire de St-Louis, grand-père maternel
de l'enfant représenté par ht et pt seigr Robert Gaspard TAS-
CHER de LA PAGERIE, fils mineur et son neveu demt rue de
Seine des Fossés St Victor paroisse de St-Nicolas du Char-
donnet. La mareine *(sic* ht et pte dame Marie-Anne-Françoise MOUCHARD épouse de ht et pt seigr comte Claude de
BEAUHARNOIS, chef d'escadre des armées navales, chevalier
de l'ordre roy. et milit. de St-Louis, demt aux Dames de la
Visitation, rue du Bacq paroisse St-Sulpice.

   (Signé) MOUCHARD, ctesse de beauharnois, tascher de la
pageri *(sic)*, le Ms (marquis) de BEAUHARNOIS, le cte de
BEAUHARNOIS, LEBER[1].

Cette pièce d'archives, comme la plupart de ses semblables, nous offre un délicieux petit moment d'archéologie sociale. Il y a là, pour qui sait lire, toute l'ambiance
d'un certain Paris d'avant la Révolution. Ces « Hauts et
Puissants Seigneurs », même si la formulation est conve-
nue, sentent leur vieille roche, leur féodalité à bout de
souffle qui, malgré tout, en impose. Nous sommes en
présence, et nous le savions déjà, de notables ayant
pignon sur rue. Le doctorat « de Sorbonne » du curé
sent, lui, sa paroisse de beau quartier. Les décorations
militaires des messieurs de la famille évoquent les continuels affrontements entre la Navy et notre Royale, dans
les mers américaines : tous y ont gagné leur croix de
Saint-Louis, y compris l'époux de la marraine d'Hortense, ce Claude de Beauharnais, cadet du gouverneur
général, fait comte des Roches-Baritaud par le roi, en
1759, pour s'être bien battu contre les Anglais. Son
épouse, la comtesse Fanny, née Mouchard, fille d'un
receveur général des Finances de Champagne — une

---

1. Registre de la Madeleine de La Ville-l'Évêque, 1783-1784, naissances ; n° 56, fol 30 V^c.

fortune s'alliant à la robe —, vivant « rue du Bacq », dans un couvent, comme il sied aux dames de la société séparées de leurs maris, c'est là aussi une pratique couramment admise à l'époque. La comtesse Fanny, comme bientôt la mère d'Hortense à Panthémont, trouve dans ce mode de vie une solution provisoire et décente à ses problèmes conjugaux : on va dans sa famille le jour, on reçoit au couvent le soir, et surtout, on est assurée de ne côtoyer que le meilleur monde...

Ce qui ne s'explique pas, c'est le choix des prénoms de l'enfant. Les deux familles sont fidèles à leurs prénoms traditionnels : Joseph, Gaspard, Françoise, Désirée, chez les Tascher ; François, Claude, Henriette, Anne, chez les Beauharnais. Alexandre étant un cadet, des variations sont possibles. Cependant, pourquoi ce redoublement d'*Eugène* pour le frère, puis pour la sœur ? Nous l'ignorons, mais leur vie durant, ils seront heureux de fêter leur saint patron le même jour, le 15 novembre [1]. Rappelons à ce propos que, sous l'Ancien Régime, la mode germanique de commémoration du jour anniversaire de naissance n'existait pas encore, alors que la fête chrétienne était dûment célébrée, à grand renfort de compliments, de couplets rimés et de petits cadeaux. A la campagne, la fête du châtelain, ou de la châtelaine, donnait lieu à des réjouissances générales auxquelles participait la communauté villageoise qui avait garde de ne pas manquer cette occasion de liesse.

Quant au prénom *Hortense*, comme Laure ou Adélaïde, il semble alors en vogue. Joséphine l'orthographiera *Hortence* jusqu'en 1807, nous ne savons pas pourquoi. Par la suite, il sera l'un des prénoms favoris des milieux impérialistes. En vertu du prestige de la

---

1. Par un plaisant hasard, la troisième impératrice des Français, l'épouse de Napoléon III, se prénommera, elle aussi, *Eugénie*.

reine de Hollande et de sa prédilection pour elle, la rose du Japon deviendra l'*Hortensia*. L'étymologie de son prénom usuel influa-t-elle sur le goût que montrera la fille de Joséphine pour les jardins ? Ou, à l'inverse, sa mère le choisit-elle parce qu'elle aimait, déjà, passionnément l'horticulture ? Nous n'avons pas de réponse. En tout cas, *Hortense* est un prénom autrement simple, gracieux et plus facile à illustrer que *Scipion*...

L'enfant est mise en nourrice à la campagne et non élevée au sein, comme c'était déjà le cas dans les familles aristocratiques de la capitale, soucieuses d'idées et d'expériences nouvelles. En raison des récentes contrariétés qu'a connues sa mère, cela valut mieux, sans aucun doute, pour toutes deux. La petite Hortense passe ses deux premières années et demie, non loin de Noisy-le-Grand, où Mme de Renaudin possède une terre, dans le giron de l'excellente Mme Rousseau, née Marie-Madeleine Maussienne. Elle gardera un réel attachement pour sa nourrice, qu'elle fera venir, vingt-trois ans plus tard, à La Haye, afin qu'elle surveille ses propres enfants. C'est à cette même Mme Rousseau que sera confié le fils d'Hortense et de Flahaut, le futur duc de Morny : il demeurera trois ans sous sa garde. Admirons, au passage, cette fidélité réciproque entre les maîtres et leurs serviteurs : elle est pleine d'enseignement sur l'époque. Autre exemple : la mère nourricière d'Hortense élevait un fils, ou un neveu, né en 1785, à Noisy, son contemporain sinon son frère de lait. Ce Vincent Rousseau passera, lui aussi, sa vie au service de la reine de Hollande : fiable, comme sa mère, Vincent Rousseau sera chargé jusqu'à la mort de sa maîtresse de la partie délicate de son intendance ainsi que de ses missions confidentielles.

De cette toute première enfance, nous savons peu de chose, si ce n'est qu'Alexandre vient rendre visite à sa fille, en mars 1784. L'abbé Durand, de Noisy-le-Grand, relate à Mme de Renaudin la venue du vicomte, accompagné de son ami, le comte de Frion :

> Il a payé deux mois à la nourrice, a donné à sa fille des bijoux de la foire, et est reparti très content : on m'a dit qu'il se divertissait beaucoup à Paris et qu'il avait acheté de M. son frère la terre de la Ferté ; la nourrice vous contera les détails de sa visite. J'ai bien du chagrin, Madame, des événements malheureux qui vous décident à vendre votre maison ; je suis forcé de le trouver bon pour vos intérêts, ceux de Mme de Beauharnais, mais je le trouve très mauvais pour la paroisse et moy surtout [1].

Le voyage aux Iles...

En mars de l'année suivante, les parents d'Hortense se rencontrent chez leur notaire, maître Trutat. Désireux d'éviter un procès public, Alexandre fait des excuses à sa femme pour lui avoir adressé les lettres que nous savons, en juillet 1783. Ils s'entendent sur le principe d'une séparation à l'amiable. Celle-ci sera formulée en décembre 1785 par M. de Joron, le conseiller qui avait reçu la plainte de Mme de Beauharnais, à Panthémont. Il obtient qu'Alexandre versera une pension annuelle de 5 000 livres à son épouse. Elle aura la garde d'Eugène jusqu'à ce qu'il ait cinq ans. Elle élèvera Hortense jusqu'à ce qu'elle se marie, moyennant une pension annuelle de 1 000 livres, les sept premières années. Ensuite, l'enfant aura droit à une pension trimestrielle de 1 500 livres. Enfin, Mme de Beauharnais conservera son douaire, stipulé dans leur contrat de mariage, à

---

1. *In* R. Pichevin, *op. cit.*, p. 158. Lettre du 17 mars 1784.

savoir une rente de 5 000 livres, à venir de M. de La Pagerie.

C'est là un accord honnête, qui a le mérite de rétablir entre les époux Beauharnais des relations convenables. Elles seront de plus en plus suivies et courtoises : chaque semaine, ils s'informeront mutuellement de l'enfant dont ils ont la garde. Ce seront des parents « nouvelle manière », tendres et attentifs, s'occupant eux-mêmes de leur progéniture. Celle-ci ne souffrira pas de leurs différents passés, elle ne deviendra pas, comme aujourd'hui, un enjeu, voire l'otage d'une mésentente conjugale. Cette vulgarité n'est pas de mise chez les Beauharnais que leur éducation et, surtout, leur qualité intrinsèque préserveront de tels dérapages. Ces époux immatures au début de leur union n'ont pas su se contraindre ni faire preuve de discrétion chez l'un, de tolérance chez l'autre, sans quoi il n'est pas d'urbanité dans un ménage de cette époque. Néanmoins, leur affection ne se démentira pas et, quand les circonstances — tragiques — l'exigeront, ils sauront montrer l'altitude de leur cœur, et une très forte solidarité l'un pour l'autre.

Pour l'heure, Alexandre, qui a vingt-cinq ans, reprend sa vie de garçon, dans le sillage de ses amis de prédilection, son contemporain Alexandre de Rohan-Chabot et le duc Louis-Alexandre de La Rochefoucauld, un homme tout à fait remarquable, gagné aux Lumières depuis longtemps, ami de La Fayette, de Condorcet, des Américains Jefferson et Gouverneur-Morris. Beauharnais est un assidu de longue date de la société réunie au château de La Roche-Guyon où il a tout loisir d'aiguiser son esprit. Il est apparenté, de plus, à cette prestigieuse famille par sa cousine germaine, née Pyvart de Chastullé, mariée au comte Alexandre de La Rochefoucauld.

Ses nouvelles habitudes lui coûtant cher, il réalise les biens qu'il possède en France, l'essentiel de sa fortune demeurant américaine. En conséquence de quoi, les

Beauharnais — c'est-à-dire le marquis, Mme de Renaudin, Mme de Beauharnais et ses enfants — réforment leur train de vie : l'hôtel de la rue de la Pépinière étant loué au nom d'Alexandre, ils l'abandonnent. Mme de Renaudin vend sa propriété de Noisy-le-Grand. Mme de Beauharnais, dont les rentes diminuent sensiblement, quitte Panthémont pour les suivre dans leur nouvelle résidence, à Fontainebleau [1].

L'idée de vivre à Fontainebleau leur est venue de la marraine d'Hortense, la brillante comtesse Fanny qui, pour les mêmes raisons que les leurs, a décidé de fermer temporairement son salon parisien et de s'y installer. Cette femme de lettres prolifique, haute en couleur — c'est le cas de le dire, « elle fait son visage mais pas ses vers », constate son meilleur ami, le poète Lebrun —, regagnera Paris dès le début de la Révolution. Elle se placera aux premières loges pour voir entrer en politique ses deux neveux et pour participer à la prodigieuse fermentation qui animera alors tous les esprits.

Si ce changement dans la vie de la petite Hortense doit lui être bénéfique, il est certain qu'il enchante moins sa mère. Mme de Beauharnais regrette l'élégante et mondaine abbaye de la rue de Grenelle où elle rencontrait à loisir tout ce que comptait d'agréable le « noble Faubourg » — ce faubourg Saint-Germain peuplé d'hôtels entre cour et jardin, abritant la fleur de la société aristocratique. Elle y avait noué de bonnes amitiés, en premier lieu avec l'abbesse de Panthémont, Mme de Béthisy. Mme de Beauharnais est devenue trop parisienne pour que Fontainebleau ne lui paraisse quelque peu fade et endormi.

Elle se lie avec le vicomte et la vicomtesse de Béthisy, parents de l'abbesse, avec les Montmorin, gouverneurs

---

1. Ils s'établissent dans une maison louée, Grande Rue, puis, à partir de 1787, dans une maison entre cour et jardin, qu'ils achètent, rue de France.

du château, parents du ministre des Affaires étrangères, avec celui qui accompagnera le roi au Temple, François Hüe et sa famille, chez qui elle fait la connaissance des Malesherbes et des Nicolaï. C'est là une société de bon aloi, tranquille et accueillante envers la jeune femme dont tous s'accordent à louer le « bon ton » et les « parfaites manières [1] ».

La seule animation de Fontainebleau vient des chasses royales qui se font de plus en plus rares. N'ayant pas été présentée, Mme de Beauharnais les suit à cheval, sans approcher le souverain. C'est ce moment que choisit précisément Alexandre pour prétendre aux Honneurs de la Cour. Nous l'avons déjà dit, le refus est net, comme à tout candidat venant de la robe. Pour qui a vu les listes de demandes « d'admission à monter dans les carrosses » (selon la formule consacrée) soumises à Louis XVI en ces dernières années de son règne, assorties des commentaires royaux, point n'est besoin de chercher ailleurs les symboles de l'absolutisme : ces litanies de « ne se peut pas » ou de « je l'ai déjà refusé » — en proportion presque équivalente aux acceptations — vont générer rancœur et désir de revanche, qui ne tarderont pas à s'exprimer avec la dernière virulence.

A l'ennui relatif de vivre loin de Paris s'ajoutent pour Mme de Beauharnais le souci que lui donne une maladie de sa tante et, surtout, des préoccupations financières. Son mari lui demande d'honorer ou de faire patienter certains de ses fournisseurs parisiens, ce qu'elle accepte, bien sûr, alors que, depuis les Iles, son revenu lui parvient avec une irrégularité inquiétante. Quant à sa dot — 120 000 livres —, elle n'en a pas encore touché le

---

1. Déjà, l'adjoint de M. de Joron, Jean d'Esdouhard et son père, Félix, dont la nièce, Valérie Masuyer, sera la dernière dame d'honneur de la reine Hortense, le constatent en ces termes. *Cf.* Lettre du 14 décembre 1785, Introduction de Jean Bourguignon aux *Mémoires* de Valérie Masuyer, Paris, 1937.

moindre sol. Étant libérée d'Eugène qui, en septembre 1786, a rejoint son père, pour entrer en pension, elle songe à s'en aller passer un temps auprès des siens, en Martinique : cela lui permettrait de clarifier sa situation de fortune vis-à-vis de M. de La Pagerie, ainsi que de procéder à certains arrangements concernant les affaires de Mme de Renaudin. Elle est assurée par son oncle le baron Tascher, arrivé en France au début de l'année 1787, que ses parents l'attendent. Elle peut compter, de plus, que son séjour chez eux ne lui coûtera rien. Encore faut-il que la petite Hortense soit en mesure d'entreprendre un aussi long voyage.

Celle-ci vient d'être vaccinée, à la demande instante de son père. Cela ne nous étonnera pas, non plus que la réticence de sa mère, à qui ce procédé de l'inoculation paraissait par trop nouveau, voire dangereux. Le roi et la reine avaient pourtant donné l'exemple en faisant immuniser leurs enfants : pour la petite Beauharnais comme pour les princes, tout se passe admirablement.

Nous entendons, pour la première fois, la petite Hortense, au détour d'une lettre de sa mère aux La Pagerie, en date du 20 mai 1787 : « Elle fait ma consolation ; elle est charmante par la figure et le caractère ; elle parle déjà fort souvent de son grand-papa et de sa grand'maman La Pagerie. Elle n'oublie pas sa tante Manette et me demande : "Maman, les verrai-je-ti bientôt ?" Tel est son patois pour l'instant. »

Cette fraîcheur quelque peu campagnarde nous vient d'une enfant de quatre ans, au minois éveillé et serein, qu'éclaire un grand regard concentré [1]. On y perçoit déjà la parfaite réceptivité dont elle saura faire preuve toute sa vie : cette jolie petite fille va vivre intensément, nous ne pouvons en douter, sa première grande aventure.

---

1. C'est le pastelliste Boze qui a exécuté ce premier portrait de la petite Beauharnais.

*
* *

Car c'en est une, assurément. Et qui requiert de longs
préparatifs. Mme de Beauharnais passe l'hiver 1787-
1788, qui précède son départ, dans la résidence parisienne des banquiers Rougemont, de Neufchâtel, de
vieux amis des Beauharnais. Ils l'hébergent ainsi que sa
fille, et M. de Rougemont note dans son *Journal* l'agrément d'une telle compagnie. C'est lui qui se charge
d'aider la vicomtesse à réunir l'argent de leur passage
aux Iles, et qui leur loue une petite maison, au Havre où
elles attendront tout le mois de juin 1788 leur embarquement sur un navire de l'État. Revenant en septembre
1814 dans le grand port normand, la reine Hortense
reconnaîtra la maison sur le quai, sa façade étroite, les
deux fenêtres du salon où leur hôtesse, Mme Dubuc
(autre grand nom créole), se souviendra, à son tour,
l'avoir reçue enfant, accompagnée de « son excellente
mère [1] »...

---

1. Seul Frédéric Masson — et ceux qui l'ont pieusement repris sans
chercher plus avant — a vu là « un brusque départ »... Son désir de
flétrir Joséphine lui fait imaginer, pour cause du séjour de celle-ci aux
Iles, une maternité secrète : il réussit même à lui attribuer un enfant
naturel qui est, en fait, un des trois bâtards d'Alexandre ! Il reconnaîtra
s'être trompé, et les travaux de Jean Hanoteau ne permettent plus de
doute sur les raisons du voyage de Joséphine. Ajoutons qu'au lieu de
tout rapporter au problème du *sexe*, qui les obsède, ces messieurs du
début du siècle auraient mieux fait de s'interroger sur la vraie — et
constante — préoccupation de l'aristocratie, à cette époque : l'*argent*.
Les relations amoureuses, quand il y en aura, seront vécues sans
arrière-pensées. La vie personnelle ne porte encore aucun poids de
péché, du moment que les convenances sont respectées. Et, s'il y a
enfant naturel, les familles l'acceptent : après la mort d'Alexandre,
Joséphine, puis, plus tard, Eugène et Hortense s'occuperont d'aider
discrètement, quand ils les retrouveront, les bâtards du vicomte. En
revanche, trouver de l'argent pour maintenir son train de vie relèvera
toujours de l'équilibrisme. Car, si l'argent qu'on dépense est bienvenu,
l'argent qu'on produit est encore ressenti comme incompatible avec
l'état de noblesse.

Parties au début du mois de juillet suivant, elles arriveront, sans autre encombre que l'inévitable coup de vent au sortir de la Manche, quatre semaines plus tard, à Fort-Royal. Ce voyage transatlantique que rendait hasardeux le double danger des intempéries et des rencontres hostiles — les Anglais dominant encore les mers —, Hortense n'en dit rien dans ses *Mémoires*. Cela ne signifie pas qu'elle n'en ait pas éprouvé fortement toute l'excitation, la nouveauté et l'incertitude. Le départ pour l'Amérique, qui fit rêver tout le XVIIIe siècle, n'était jamais anodin. Il suffit de relire sous la plume somptueuse de Chateaubriand, sa « Traversée de l'océan » dans les *Mémoires d'outre-tombe*, qui a lieu cinq mois après qu'Hortense et sa mère sont revenues du Nouveau Monde, pour se convaincre de l'intensité des impressions des passagers. Tous l'ont vécue, si seul a su la transcrire le grand écrivain, avec l'incomparable puissance d'évocation qui porte sa marque :

[...] Le vaisseau seul est un spectacle : sensible au plus léger mouvement du gouvernail, hippogriffe ou coursier ailé, il obéit à la main du pilote, comme un cheval à la main d'un cavalier. L'élégance des mâts et des cordages, la légèreté des matelots qui voltigent sur les vergues, les différents aspects dans lesquels se présente le navire, soit qu'il vogue penché par un autan contraire, soit qu'il fuie droit devant un aquilon favorable, font de cette machine savante une des merveilles du génie de l'homme. Tantôt la lame et son écume brisent et rejaillissent contre la carène ; tantôt l'onde paisible se divise, sans résistance, devant la proue. Les pavillons, les flammes, les voiles achèvent la beauté de ce palais de Neptune : les plus basses voiles, déployées dans leur largeur, s'arrondissent comme de vastes cylindres ; les plus hautes, comprimées dans leur milieu, ressemblent aux mamelles d'une sirène. Animé d'un souffle impétueux, le navire, avec sa quille, comme avec le soc d'une charrue, laboure à grand bruit le champ des mers.

Sur ce chemin de l'océan, le long duquel on n'aperçoit ni arbres, ni villages, ni villes, ni tours, ni clochers, ni tombeaux ; sur cette route sans colonnes, sans pierres milliaires, qui n'a pour bornes que les vagues, pour relais que les vents, pour flambeaux que les astres, la plus belle des aventures, quand on n'est pas en quête de terres et de mers inconnues, est la rencontre de deux vaisseaux. On se découvre mutuellement à l'horizon avec la longue-vue ; on se dirige les uns vers les autres. Les équipages et les passagers s'empressent sur le pont. Les deux bâtiments s'approchent, hissent leur pavillon, carguent à demi leurs voiles, se mettent en travers. Quand tout est silence, les deux capitaines, placés sur le gaillard d'arrière, se hèlent avec le porte-voix : « Le nom du navire ? De quel port ? Le nom du capitaine ? D'où vient-il ? Combien de jours de traversée ? La latitude et la longitude ? Adieu, va ! » On lâche les ris ; la voile retombe. Les matelots et les passagers des deux vaisseaux se regardent fuir, sans mot dire : les uns vont chercher le soleil de l'Asie, les autres le soleil de l'Europe, qui les verront également mourir. Le temps emporte et sépare les voyageurs sur la terre, plus promptement encore que le vent ne les emporte et ne les sépare sur l'océan ; on se fait un signe de loin : *Adieu, va !* Le port commun est l'Éternité [1].

Il existe, alors, deux sortes de voyages en Amérique : celui qui mène, sur les traces de Rochambeau et de La Fayette, nombre de Français, officiers, curieux et, bientôt, émigrés, vers les jeunes États-Unis. On s'empresse d'aller découvrir les Insurgés qu'on a aidés, jadis, et qui viennent de fonder la seule démocratie existante. On vient scruter les mœurs des courageux pionniers, leur Constitution, leur vitalité commerciale, leur légendaire austérité. C'est ce que font Chateaubriand et, dans quelque temps, Talleyrand ou le futur Louis-Philippe. Tous en tireront de fortes leçons, la première étant l'ouverture d'esprit particulière que donne cette dimension autre de l'histoire humaine : la dimension américaine.

L'autre type de voyage outre-Atlantique est plus tradi-

---

1. *Mémoires d'outre-tombe*, Première partie, Livre Sixième, 2. Édition Levaillant, 1949, pp. 257-258, Flammarion.

tionnel sinon moins formateur : c'est celui qui, depuis plus d'un siècle, provoque de continuels allers et retours vers les Iles colonisées par la France. Si ces échanges humains et économiques — vitaux pour le royaume — permettent d'appréhender un autre climat, un autre mode de vie, une autre mentalité, les perspectives qu'ils dévoilent ne regardent pas l'avenir, mais bien plutôt le passé. La vieille aristocratie terrienne installée sous les Tropiques y perpétue ses anciennes mœurs, simples, patriarcales, strictement attachées à l'esprit de famille, à cette solidarité maintenant « créole », si remarquable. L'organisation sociale est hiérarchisée entre grands Blancs (comme les parents et alliés d'Hortense), petits Blancs, religieux, engagés appelés les « Trente-six mois » en raison de la durée de leur contrat, et gens de couleur. Le tout sous l'autorité du gouverneur, autour de qui évoluent les officiers de la Royale et les militaires de passage. Fidèle réplique du système de castes de la vieille Europe, avec une différence notable, bien sûr, la pratique de l'esclavage. Elle est tempérée, toutefois, chez ces « bons » planteurs que sont les La Pagerie. Dans ses lettres à sa famille, Joséphine écrit fidèlement en postscriptum : « Bonjour à tous les nègres de l'habitation. » Cela change peu leur condition, dira-t-on, mais prouve qu'on est attentif à eux. On émancipe les plus dévoués, on les marie, on les dote, on secourt les autres quand il le faut. Les conflits n'en existent pas moins, mais on sait, dans l'entourage d'Hortense, se montrer humain. Et surtout, on est dénué de tout racisme.

Témoin cette page ravissante des *Mémoires* de notre héroïne, la principale impression qu'elle retire de son séjour en Martinique. Cette enfant heureuse, immergée dans un monde familial chaleureux, rassurant, structuré, donne la mesure, à travers l'épisode qu'elle retrace, de son bon cœur, mais aussi de l'ambiance générale des Trois-Ilets :

J'avais cinq ans ; je n'avais pas encore versé une larme ; j'étais gâtée par tout le monde ; jamais un mot sévère ni même une désapprobation n'étaient venus me forcer à réprimer une impression ou un désir. Nous étions établies sur l'habitation de ma grand'mère. Un jour, je jouais auprès d'une table sur laquelle ma grand'mère était occupée à compter de l'argent. Je la regardais et, quelquefois, quand une pièce tombait de ses mains, je courais pour la ramasser et la lui rapporter.

Je lui vis faire une douzaine de petites piles de gros sous, qu'elle laissa ensuite sur une chaise, et quitter la chambre en emportant le reste de l'argent. J'ignore encore comment l'idée me vint qu'elle me donnait cet argent pour en disposer, mais je m'en convainquis tellement que je pris tous ces tas de sous dans ma robe, que je relevai pour en faire une poche, et je partis avec ce trésor, sans éprouver le plus petit remords, persuadée comme je l'étais qu'il m'appartenait bien légitimement. J'allai trouver un mulâtre, domestique de la maison, et je lui dis : « Jean, voici beaucoup d'argent que ma grand-mère m'a donné pour les pauvres noirs. Menez-moi à leurs cabanes pour le leur porter. » Il faisait une chaleur brûlante, car le soleil était dans toute sa force, mais j'étais si contente que je n'aurais pas voulu retarder d'un instant. Nous discutâmes avec Jean le meilleur moyen de satisfaire le plus de malheureux. J'allai dans toutes les cases des noirs, mon argent toujours dans ma robe retroussée, que je tenais d'une main ferme et que j'ouvrais seulement pour en tirer ce que Jean décidait que je devais donner. La nourrice de ma mère eut double portion.

Mon trésor étant épuisé, me voyant environnée de tous ces noirs, qui me baisaient les pieds et les mains, je revenais triomphante, fière et joyeuse de tant de bénédictions, lorsqu'en rentrant dans la maison, je la vis en émoi. Ma grand'mère cherchait son argent. On ne savait qui accuser de sa disparition et les pauvres serviteurs étaient tout tremblants de la crainte d'être soupçonnés. Comme un trait de lumière, la vérité se montra à moi et, avec désespoir, je me vis forcée de me croire coupable. Je m'en accusai sur-le-champ à ma grand'mère, mais que cela me coûta ! J'avais menti, j'avais volé et je me l'entendais reprocher !... Mon imagination avait tout fait, il est vrai. J'avais vu mettre des paquets de sous à part : c'était sans contredit pour les pauvres ; les laisser sur une chaise à ma portée, c'était me charger de leur distribution. Voilà ce que j'avais imaginé et, de cette fiction, j'avais fait une réalité. L'humiliation que j'éprouvai de ce mécompte fut si vive, si profonde, qu'elle a dû influer sur mon caractère. Je me suis méfiée toute ma vie de mon imagination et je crois pouvoir affirmer que, même en riant, je n'ai jamais fait ni un mensonge, ni cherché à embellir même la vérité [1].

Nous la croyons sur parole, d'autant que rien dans sa vie n'infirmera ses propos. Généreuse, impulsive, Hortense sait les limites de la subjectivité. Sa raison, son entendement, son sang-froid la préserveront d'autres « mécomptes » pareillement humiliants. Bonaparte, dès qu'il la connaîtra, détectera ce puissant mouvement du cœur qui, chez elle, nous dit-il, « pourrait faire craindre pour son jugement, mais au contraire, c'est sa sensibilité même qui la fait juger sainement ». L'intelligence, l'esprit de conduite la corrigent chaque fois qu'il est nécessaire. A la différence de son père, cette Rousseauiste de la deuxième génération saura se contraindre, sans renier ses intuitions.

Durant près de trois années, Hortense s'imprègne de bons principes et s'épanouit au sein de ce qu'elle appelle la « vie calme » de la Martinique. Entendons la vie chez les siens, dans l'esprit enchanteur des lieux qui l'entourent : les *mornes* verdoyants des Trois-Ilets, les eaux vives où l'on se rafraîchit, la vue, au loin, des eaux marines, turquoisées, quand elles ne deviennent pas incandescentes, au soleil déclinant, les architectures plus ou moins transplantées depuis la Normandie ou la Touraine natales, ces demeures aux carrelages frais, ces meubles en bois vernissé qui miroite dans la pénombre, ces moustiquaires et ces rideaux de voile qui sont une protection impalpable,

1. *Mémoires de la reine Hortense*, Paris, Plon, 1928, pp. 3 et suiv.

paraissant démultiplier l'espace en le cloisonnant... Il y a
les cuisines séparées de la demeure, d'où vient l'odeur du
café, des épices et des salaisons. Mais aussi, l'odeur des
boues fumantes de midi, après l'averse, la chaleur inerte
— mal supportée au XVIIIe siècle —, l'humidité insidieuse
qui embue les gravures, désaccorde les clavecins, verdit
les métaux et corrompt secrètement, si l'on n'y prend
garde... Il y a, après la dimension tragique et le poids des
jours sous le soleil, la sonorité des nuits, qui peut devenir
terrifiante. Sur quoi se greffent les histoires de revenants
dont sont friands les serviteurs, le goût persistant de ceux-
ci pour les métamorphoses les plus inattendues, qui colore
les choses d'un mystère particulier. Il y a, surtout, le sourire et la grâce des Martiniquaises si avides de parure
qu'elles font de leur île le « Paris des Antilles », dit-on :
leurs madras aux harmonies contrastées, leurs jupons ami-
donnés, leur sens très sûr du bijou qu'elles affichent
comme un signe d'identité. On sait qu'elles disent d'un
bel enfant qu'« il est France ! », et c'est comme un aveu...
Hortense ne nous en parle pas, mais il est impossible
qu'elle n'ait pas ressenti sous cette langueur tant vantée
toute la vitalité et l'incomparable attrait de l'ancienne vie
tropicale.

Pendant ce temps, sa charmante mère est requise par
la vie mondaine de l'île rendue, depuis la paix de 1783,
à la prospérité. Aux réjouissances familiales ponctuées,
nous dit sa fille, de « transports de joie », aux baptêmes
où on lui demande d'être marraine, aux visites d'habitation en habitation, s'ajoutent les plaisirs citadins : à
Saint-Pierre, la capitale, on va au spectacle, à Fort-
Royal, on va aux bals du gouverneur. Saint-Pierre
compte maintenant un « magnifique théâtre » dont les
témoins rapportent qu'il surpasse « pour la grandeur et
le goût les bâtiments en ce genre les plus renommés en
Europe [1] ». On s'y rend en litière, aux flambeaux, on

---

1. *In* R. Pichevin, *op. cit.*, pp. 190 et suiv.

prend place parmi les quatre rangs de loges et l'on applaudit intensément aux pièces et aux opéras arrivés nouvellement de France. L'atmosphère est chargée de parfums musqués que diffuse le jeu des éventails, et cela amplifie, paraît-il, l'euphorie collective... A Fort-Royal, où tous la connaissent et la recherchent, Mme de Beauharnais éblouit par son élégance parisienne. Les invités du gouverneur — M. de Viomesnil, qui vantera plus tard le royalisme convaincu de la jeune femme — en sont impressionnés : Las Cases, à Sainte-Hélène, se souviendra que, du temps où il appartenait à la Royale, il avait dansé avec elle.

*
* *

A M. de Viomesnil succède M. de Damas, mais le nouveau gouverneur général est bientôt obligé de quitter précipitamment son poste : l'île est en révolte. Avec un an de retard, la Révolution vient de passer les mers. Elle agite la Caraïbe, en proie aux émeutes, au pillage, au soulèvement systématique, largement orchestré par les petits Blancs. Nous sommes en septembre 1790. Mme de Beauharnais et sa fille résident au Petit Gouvernement, l'oncle Tascher étant maire de Fort-Royal. On les prévient que la ville va être attaquée : sans avoir le temps de rassembler leurs bagages ni de faire leurs adieux, elles se réfugient à bord de la frégate *La Sensible*, commandée par Durant de Braye, un ami des Tascher et des Beauharnais. Son équipage souhaite rejoindre la France. On tente une sortie, on y réussit, on gagne la haute mer. Il était temps : ces dames ont essuyé, au passage d'une plaine nommée La Savane, un tir de boulets de canon. Le lendemain, Fort-Royal tombera.

Voilà un départ mouvementé qui met un terme brutal à ce séjour américain si chaleureux et si bienfaisant. Leur donne-t-il un avant-goût de ce qui les attend à leur retour dans leur pays ? Nous l'ignorons. La traversée est paisible. Juste une anecdote, dont la protagoniste ne nous dit rien et que la tradition orale a colportée : la petite Hortense n'a d'autres souliers que ceux qu'elle portait en fuyant Fort-Royal. Aussi, quand l'un d'eux est abîmé, s'empêche-t-elle de monter sur le pont, comme à l'accoutumée. Les matelots l'apprenant le lui recousent gentiment. Et l'enfant peut reprendre ses promenades quotidiennes [1].

Partie de Fort-Royal le 4 septembre 1790, *La Sensible* rallie Toulon, qu'elle atteint au début du mois d'octobre suivant. Non sans un grave incident : au passage du détroit de Gibraltar, le pilote a failli s'échouer sur la côte d'Afrique. Hortense, qui n'en sera pas peu fière, raconte que « matelots, passagers, enfants, tout le monde se mit à tirer les cordages et », conclut-elle, « cette fois encore, nous échappâmes à un danger... » Certes. Prisonnières des Barbaresques, la mère et la fille n'auraient plus jamais fait parler d'elles !

Ce sont d'autres dangers qui la menacent, maintenant, mais elle ne le sait pas. De même qu'elle ne sait pas que cet adieu à l'Amérique heureuse, qu'elle ne reverra jamais malgré son désir d'y retourner, est aussi un adieu à l'enfance.

La Gloire, l'Amour et l'échafaud

Lorsqu'elle revient dans sa famille à Fontainebleau, en cette fin novembre 1790, la petite Beauharnais, bien qu'elle ait atteint l'âge de raison, ne peut encore mesurer ni le sens ni l'ampleur des forces qui meuvent la société de son pays. A ses yeux, le changement le plus notable est d'ordre familial : sa mère se réinstalle à Paris, sa

---

1. *In* R. Pichevin, *op. cit.*, p. 200.

marraine, la comtesse Fanny, après un voyage en Italie, rejoint elle aussi la capitale, devenue le carrefour effervescent de la pensée et de l'action politiques. Surtout, Hortense fait la connaissance de son frère, Eugène. Il a neuf ans, il vient de quitter le collège d'Harcourt, suivi de son précepteur, et partage désormais la vie de sa sœur. Les deux enfants se prennent immédiatement l'un pour l'autre d'une affection puissante que les épreuves à venir amplifieront. C'est alors, nous dit Hortense, « que naquit cette conformité de sentiments qui nous mit toujours d'accord, dans nos jeux, dans notre fortune, dans nos revers, qui nous fit apprécier et supporter de la même manière les événements d'une même vie [1] ». Ces inséparables, dont l'intelligence et la précocité semblent s'aiguiser, se renforcer, au fil des dialogues et des confidences, commencent par échanger leurs récentes aventures.

Celles d'Hortense ont un relief incontestable et lui valent un réel prestige auprès de son frère qui, lui, n'a pas eu à braver les déchaînements des éléments non plus que ceux des indigènes. Pour impressionner sa sœur, Eugène n'a à son actif qu'un petit fait d'armes : peu avant la fête de la Fédération, au mois de juillet précédent, il est allé voir, comme tout le monde, le chantier du Champ-de-Mars. Celui-ci avait pris du retard et les Parisiens de toute condition venaient aider à le rattraper : ils charriaient allégrement des brouettées de terre pour former l'amphithéâtre destiné au public. L'élan civique emportait les cœurs et personne ne ménageait sa peine afin que, le jour venu, la célébration de la prise de la Bastille devienne une mémorable apothéose du sentiment national. Dans cette ambiance bon enfant, six poissardes s'en prennent soudain au précepteur du petit Beauharnais et prétendent — drôle d'idée ! — l'atteler

---

1. *In Mémoires, op. cit.*, p. 5.

à leur carriole. Ce que voyant, le vaillant Eugène se rue sur elles et les attaque à grands coups de parapluie. Il réussit à récupérer son abbé sous l'œil narquois des matrones, désarmées par tant de puérile détermination ! C'est tout Eugène que cette bravoure intempestive au service du faible, et nous sommes bien aise d'apprendre que sa brillante carrière commença lors de la « Journée des Brouettes », en si bonne compagnie...

Pendant l'année qu'ils passent ensemble dans la tranquille maison de leur grand-père, au sein d'une société qui n'a guère changé ses habitudes, les deux enfants ne perçoivent que lointainement les échos de la première Révolution, celle de 1789 qui, à l'exception de la famille royale et de la Cour, enthousiasme les Français. Le fait le plus marquant pour les petits Beauharnais est que leur père est devenu l'un des hommes dont on parle dans Paris.

Élu député de son ordre dans le bailliage de Blois, Alexandre a siégé aux États Généraux. Il s'est agrégé à la « minorité de la Noblesse », comme on disait alors, cette centaine de gentilshommes, jeunes dans l'ensemble, gagnés aux Lumières depuis longtemps et défenseurs, à ce titre, des idées nouvelles. La conviction, la prestance et le talent oratoire du vicomte de Beauharnais l'ont placé au premier de leurs rangs. Autour de lui siègent les plus grands noms du royaume. Parmi eux : les deux Noailles, le prince de Poix dit — bien sûr — la « fleur des Poix », son cadet, « Noailles la Nuit » (du 4 août), le vicomte Matthieu de Montmorency, Stanislas de Clermont-Tonnerre, le prince Victor de Broglie, le duc d'Aiguillon, le marquis de Montesquiou, le duc de La Rochefoucauld, qui fut le maître à penser du jeune Beauharnais à La Roche-Guyon, son cousin, le duc philanthrope de La Rochefoucauld-Liancourt, sans oublier le duc d'Orléans, cousin du souverain, et ses fidèles, le duc de Lauzun et M. de Sillery, le mari de Mme de Genlis.

On n'a pas assez dit le rôle, aux côtés des bons esprits du Tiers, de cette pléiade d'hommes remarquables, brillant par la générosité, l'audace, la ferveur, la vitalité politique. Ils sont infatigables et mènent à grandes guides les réformes qui leur paraissent nécessaires à la refonte de leur société. Ils agissent dans le cadre de l'Assemblée car ils sont légalistes, et savent donner l'impulsion qui entraîne les votes. La première phase de la Révolution, on l'oublie trop souvent, est partie d'en haut : c'est une élite de privilégiés qui a su donner l'exemple, en abandonnant ce qui lui semblait caduc de l'antique organisation sociale dans laquelle elle vivait. Ils ont applaudi à l'écroulement de l'absolutisme, de son plus lourd symbole, la Bastille. Ils ont déclaré les Droits de l'homme. Ils ne veulent plus être des *sujets* mais des *citoyens*. Ils instaurent l'état civil et croient à la souveraineté nationale. Ils travaillent à l'élaboration d'une Constitution sur le modèle anglais dont ils rêvent depuis toujours, et c'est ainsi que l'Assemblée nationale est devenue la Constituante. Ils ont surtout provoqué un beau tapage, quand, au soir du 4 août 1789, ils ont aboli les ordres et leurs privilèges. Alexandre de Beauharnais n'a pas manqué de se distinguer, cette nuit-là, en proposant l'égalité des peines et l'ouverture des emplois à tous.

Depuis, il a fait son chemin puisque, à la mort de Mirabeau, en avril 1791, il lui succède à la présidence des Jacobins, le club de pensée le plus actif de la capitale, dont les virulentes discussions préparent quotidiennement les travaux de l'Assemblée. Alexandre est alors très recherché. Dans une atmosphère chaleureuse où chacun s'exalte de contribuer au bien général, il apparaît comme l'un des phares de la pensée en marche. Plus encore, par comparaison avec son frère aîné, François de Beauharnais, qui siège dans la majorité de la noblesse, et que son intransigeance devant tout progrès fait surnom-

mer « Féal Beauharnais » ou, mieux, « Beauharnais sans
amendement ». Sa tante, la comtesse Fanny, n'est pas en
reste, et son salon est devenu l'un des pôles de la vie
parisienne, où se regroupent fidèlement hommes de lettres et hommes politiques. Son commensal le plus cher,
le poète Dorat-Cubières, dit à qui veut l'entendre que
« La Liberté et l'Égalité sont les dames d'atour de Mme
de Beauharnais ».

Paris vit une sorte de rêve éveillé. On se grise de fêtes
et d'illuminations. On passe, au gré de sa fantaisie, du
théâtre au club, du club au salon, du salon au tripot.
L'ardeur des esprits et des cœurs est indescriptible : on
entonne des couplets patriotiques à la moindre occasion,
on s'enchante de la métamorphose bienfaisante qu'on a
provoquée. On s'étourdit de bons mots, mais aussi de
grands mots, ces concepts nouveaux qui régénèrent
comme un nouvel oxygène. On aime la nation, on aime
le roi, on aime la loi. Bref, on est heureux. Pas pour
longtemps.

L'annonce de la fuite de la famille royale, en juin
1791, met un coup d'arrêt à cette euphorie. Stupeur,
émoi, bientôt colère. On a conscience de vivre un
moment crucial. L'Assemblée s'agite. Par chance,
Alexandre de Beauharnais en est alors le président. Il
se concerte avec La Fayette pour éviter un soulèvement
populaire : on accréditera la thèse d'un complot de
l'Étranger. Le roi n'a pas fui, il est parti. En attendant,
on musèle Paris. Et, au retour de Varennes, on musèle
les députés surchauffés. Beauharnais écoute la relation
des événements, puis impassible, sans un mot de
commentaire, il déclare : « Passons à l'ordre du jour. »
Pas un murmure. Son sang-froid a désamorcé l'atmosphère explosive. Le roi, pour cette fois, est sauvé. Paris
ne bougera pas.

La fermeté d'Alexandre lui vaut l'admiration générale. Louis-Philippe s'en souviendra et il publiera dans

ses *Mémoires* la lettre qu'il reçut alors de Mme de
Genlis, chargée de son éducation. Elle traduit à merveille
ce que tous ont ressenti [1] :

> [Mme de Genlis à son élève, Chartres, le 28 juin 1791.]
> Je vous prie d'écrire sur le champ à M. de Beauharnois,
> qui s'est couvert de gloire dans sa mémorable présidence :
> c'est celui qui a proposé de passer à l'ordre du jour, ce qui
> est en effet sublime, et ce qui fixa l'opinion et assura la
> tranquillité publique. Faites-lui compliment de cela : dites-
> lui que nous avons pris le plus vif intérêt à ses succès et à
> sa gloire, et remerciez-le de ce qu'il veut bien s'occuper de
> faire réunir votre Régiment, et de le faire changer de lieu.

Il n'est pas jusqu'aux enfants d'Alexandre qui
n'éprouvent les retombées de cette célébrité. Elles
s'expriment de façon inattendue : « Dans notre retraite
même de Fontainebleau, explique Hortense, le peuple,
nous apercevant mon frère et moi, à une fenêtre, quelques voix s'écrièrent : "Voilà maintenant notre Dauphin
et notre Dauphine." Nous nous retirâmes avec précipita-
tion, aussi étonnés alors de ce que nous ne pouvions
expliquer qu'éloignés de prévoir ce qui nous arriverait
un jour [2]. »

En effet, si on lui annonçait que dans dix ans elle
serait installée au château des Tuileries, elle se refuserait
à le croire.

Cependant, son père est réélu à la présidence de la
Constituante, qu'il exercera du 31 juillet au 30 septembre 1791, date à laquelle l'Assemblée décide, puisqu'elle
a accompli sa mission, de se séparer. Alexandre choisit
de réintégrer l'armée où, pense-t-il, il se couvrira d'une
gloire égale à celle que vient de lui donner son action
politique. Ce ne sera pas exactement le cas.

---

1. *In Mémoires* de Louis-Philippe, I, p. 163. Plon, 1973.
2. *In Mémoires, op. cit.*, pp. 6, 7.

* *
*

Sans beaucoup de précision, Hortense signale qu'elle a passé les mois précédant la chute de la monarchie — le 10 août 1792 — dans le beau couvent parisien de l'Abbaye-aux-Bois, rue de Sèvres, dont l'abbesse, Mme de Chabrillan, se trouvait être alliée à sa famille. Elle ajoute qu'étant la plus jeune pensionnaire et, donc, la plus choyée, elle s'y est beaucoup plu. Elle voyait sa mère avec régularité et elle s'appliquait « à travailler bien sincèrement », ce qui ne nous étonne pas car elle sera toujours une bonne élève. Sa future amie, la belle Mme Récamier, qui dans trente années immortalisera l'Abbaye en venant s'y établir pour le reste de ses jours, gardait, elle aussi, un souvenir heureux de son passage au couvent lyonnais de La Déserte. Nul doute que ces petites filles sages et sensibles se pénétraient du charme de ces atmosphères exclusivement féminines et de la religiosité adoucie qui réglait leur existence.

De ce havre, la petite Hortense est extraite brutalement. Et c'est là le premier des traumatismes que la succession précipitée des événements révolutionnaires lui inflige. Au matin du 10 août, alors que Paris bourdonne de rumeurs, que les Tuileries sont sur le point d'être attaquées, les Suisses (défendant le roi) massacrés, la monarchie renversée et la famille royale internée, Hortense est conduite chez sa mère, dans l'appartement de celle-ci, rue Saint-Dominique [1]. Comme tous les Parisiens, Mme de Beauharnais tremble. Plus, sans doute, que la majorité d'entre eux, car elle est mieux informée : elle connaît l'ensemble du personnel politique, elle est reçue dans les cercles influents, ses amis professent toutes les tendances de l'opinion. Dans le sillage de son

---

1. Au n° 953, dans la partie de la rue Saint-Dominique qui fut démolie lorsqu'on perça le boulevard Saint-Germain.

mari, elle a suivi les progrès des Constitutionnels et, au sein du faubourg Saint-Germain, elle a vu naître et se fortifier l'esprit contre-révolutionnaire. C'est précisément à cette mouvance qu'appartient son amie, Mme de Lamothe-Hosten, créole comme elle, qui lui a trouvé sa résidence actuelle, dans l'hôtel qu'elle-même habite, avec sa fille Désirée [1].

C'en est bien fini des Lumières, du bel enthousiasme pour la liberté et les droits de l'homme. Une commune insurrectionnelle a pris possession de la capitale. Danton s'est emparé de l'exécutif vacant et soumet à sa volonté la pâle Législative — qui depuis un an a remplacé la Constituante —, en lui faisant adopter les premières mesures d'exception : les Comités de surveillance, le Tribunal extraordinaire, la déportation systématique des prêtres réfractaires. Car les communautés religieuses sont dissoutes. Quand ils ne sont pas persécutés, les prêtres sont massacrés, comme la centaine d'entre eux, tués à coups de gourdin, dans le jardin des Carmes, rue de Vaugirard. Ce dimanche 2 septembre, un pas de plus est franchi, qui horrifie les gens sensés : on avait perdu ses libertés personnelles, on est maintenant à la merci de la sauvagerie humaine. Ce goût du sang, grisant une bande d'assassins spontanés, ne va pas tarder à susciter d'autres vocations.

On est soumis au règne de l'arbitraire. Et, lorsque la Convention succède à la Législative, elle ne représente — bien qu'élue au suffrage universel — que la minorité

---

1. On confond fréquemment cette amie de Mme de Beauharnais avec sa belle-sœur et homonyme, Mme Hosten — on prononçait « Hostain » —, qui recevait rue Saint-Georges (où, pour elle, l'architecte Ledoux conçut un ensemble résidentiel) une société notoirement contre-révolutionnaire. Cela lui vaudra d'être emprisonnée à Port-Libre (Port-Royal). Sa fille, Pascalie, contemporaine et amie d'Hortense, épousera un d'Arjuzon. D'où la connaissance détaillée de ces moments, transmise par la comtesse Caroline d'Arjuzon, aux travaux de laquelle nous nous référons souvent.

des députés prêts à tout, qui a osé se déclarer devant les électeurs. La République s'installe dans un climat d'intolérance grandissante qui inquiète. Les époux Beauharnais y réagissent de manière différente : Alexandre se renforce dans ses convictions, d'autant qu'on est en guerre et qu'il vient d'être fait chef d'état-major de l'armée du Rhin en formation. Son épouse, elle, prend une mesure pratique. Elle a réuni près d'elle ses enfants. Elle souhaite les mettre à l'abri de ces agitations. L'émigration se généralise. Elle décide donc d'envoyer Eugène et Hortense en Angleterre. Elle a recours pour cela à de très proches amis — et très sûrs —, ses voisins parisiens, le prince de Salm et sa sœur, la princesse Amélie de Hohenzollern, qui vivent à deux pas, dans le somptueux hôtel construit par eux, en bordure de Seine[1].

La séparation les bouleverse tous. Jusqu'à présent les petits Beauharnais souffraient d'une inquiétude diffuse : la célébrité de leur père, ses absences, la présence intermittente de leur mère, l'effervescence ambiante, les questions qu'ils ne savaient pas, ou n'osaient pas, formuler, tout cela y contribuait. Maintenant, ils ressentent quelque chose de plus fort : l'angoisse de leur mère. Et il leur faut s'arracher à elle et partir pour l'inconnu. Ils doivent, de plus, faire l'apprentissage de la clandestinité. Ils sont censés être les enfants des princes qui les conduisent eux-mêmes vers un port accueillant. Ils n'y arriveront pas. Près de Saint-Pol-en-Artois, un courrier les arrête. Émotion. Déception, ou soulagement : leur père s'oppose à ce qu'ils sortent de France. Retour auprès de leur mère, partagée entre la joie qu'elle a de les revoir et son anxiété permanente à leur endroit.

Au printemps 1793, Alexandre, dont le patriotisme intransigeant plaît en haut lieu, devient lieutenant géné-

---

1. L'hôtel de Salm est devenu l'actuel Palais de la Légion d'honneur.

ral de l'armée du Rhin. Le 23 mai, il en prend le commandement en chef. C'est une formidable — et dangereuse — promotion : résidant à Strasbourg, il demande qu'Eugène le rejoigne. Le mois suivant, on lui propose le ministère de la Guerre. Sentant son impopularité auprès de certains membres des Comités parisiens, il refuse. On lui enjoint, alors, d'aller délivrer Mayence, qui s'était autoproclamée République et, de ce fait, se trouvait assiégée par les Prussiens. Malgré son orthodoxie et son panache, Alexandre échoue. C'est grave. La Convention accepte sa démission, le 21 août 1793. Pour tenter de se faire oublier, Alexandre revient dans sa terre de La Ferté. De ce jour, il aura beau faire, il est condamné.

Paris est en proie aux factions qui s'éliminent les unes les autres, férocement. Les Girondins ont été liquidés par les Montagnards qui se divisent. Parmi ceux-ci, ce sera bientôt le tour des Dantonistes, puis des Hébertistes. Tous monteront à l'échafaud, victimes de Robespierre. Pendant une année, de l'été 1793 à l'été 1794, la France va vivre un cauchemar. La dictature de quelques-uns va se donner tout pouvoir d'imposer, par la Terreur, sa sanglante utopie. Les deux douzaines d'hommes composant le Comité de salut public — l'exécutif — et le Comité de sûreté générale — chargé, aux ordres du précédent, de la répression policière — prétendront moins gouverner que changer l'être humain, le pliant au modèle spartiate, ou ce qu'ils croient tel, qui, pour le moment, fait l'objet de leur prédilection.

Ils sont décidés à éliminer physiquement ceux qui s'opposeront à leur projet, fût-ce passivement. L'abominable « loi des suspects », du 17 septembre 1793, permet aux « sections » — les permanences de quartier — d'arrêter tous ceux qui leur déplaisent : nobles, parents d'émigrés, étrangers, riches, prêtres, jusqu'à ceux « qui, n'ayant rien fait contre la liberté, n'ont cependant rien fait pour elle ». Avec de pareils principes, on peut aller loin.

Paris devient irrespirable. Les dénonciations se font monnaie courante. Sans rime ni raison, mais c'est ainsi, le sans-culottisme le plus grossier, le plus haineux, dictant sa loi. Les prisons s'emplissent si vite qu'elles ne suffisent bientôt plus à recevoir les suspects qu'on y envoie : on réquisitionne hôpitaux et anciens couvents. Les charrettes de condamnés fournissent quotidiennement aux badauds leur distraction attendue : le roi, la reine, les grands noms de l'aristocratie, des Parlements, de la finance, les Girondins, marchent à la guillotine sous les regards rarement compatissants de leurs compatriotes.

Lorsqu'à son tour le prédécesseur d'Alexandre à la tête de l'armée du Rhin, le prestigieux général de Custine, monte à l'échafaud, Mme de Beauharnais est consciente des dangers que son nom peut désormais lui faire courir. De même que ses amitiés pour la famille Hosten. Elle s'installe discrètement aux environs de Paris, à Croissy où, dès octobre, elle est rejointe par Eugène, qu'elle s'empresse de faire inscrire sur les listes de la commune, comme *habitant armé* : « Eugène Beauharnois, âgé de douze ans, un sabre et un fusil. » Il est aussitôt placé chez un menuisier, Jean-Baptiste Cochard, bien connu pour son civisme.

Malgré ces gages de patriotisme, les Beauharnais n'échapperont pas à l'étau terroriste qui accentue sa pression. Le 12 ventôse an II (2 mars 1794), un arrêté du Comité de sûreté générale enjoint au commissaire Sirejean de requérir deux membres de la commune de Romorantin pour « se saisir de la personne du ci-devant commandant en chef de l'Armée du Rhin ». Le 21 ventôse (11 mars), on vient arrêter Alexandre, au fond du Loir-et-Cher, dans son château de La Ferté. Malgré quelques courageuses protestations locales, il est conduit à

Paris et, le 24 ventôse (14 mars), incarcéré aux Carmes. Il a beau se prévaloir de sa haine pour la tyrannie et de sa ferveur républicaine, sa femme a beau solliciter les membres des Comités qu'elle connaît, multiplier les démarches en faveur de son mari, rien n'y fait. Au contraire, elle a attiré l'attention sur elle, et le 1er floréal an II, le 21 avril 1794, dimanche de Pâques, dans la soirée, on vient l'arrêter chez elle, rue Saint-Dominique. Les enfants sont endormis. Ils n'assistent pas à l'irruption des sectionnaires, à leur perquisition, au procès-verbal établi cependant qu'on pose les scellés. La gouvernante d'Hortense, la « citoyenne Marie Lannoy », est instituée gardienne des lieux. C'est, grâce au ciel, une personne de confiance qui saura veiller sur ses protégés.

Mme de Beauharnais est internée aux Carmes où elle retrouve non seulement son mari, mais bon nombre de ses amis, à commencer par Mme de Lamothe-Hosten, sa fille, son gendre, M. de Croisœuil, arrêtés à Croissy. Si le prince de Salm figure, lui aussi, parmi leurs compagnons, sa sœur, la princesse de Hohenzollern, demeure chez elle sous surveillance.

Dès qu'ils le peuvent, les parents font passer à leurs enfants une petite lettre hâtive mais rassurante :

Le 9 [floréal an II].

Ma chère petite Hortense tu partages donc mes regrets de ne pas te voir, mon amie, tu m'aimes et je ne peux pas t'embrasser, penses à moi mon enfant, penses à ta mère, donnes des sujets de satisfaction aux personnes qui prennent soin de toi et travailles bien, c'est par ce moyen, c'est en nous donnant l'assurance que tu employes bien ton temps que nous aurons plus de confiance encore dans tes regrets et dans tes souvenirs, adieu mon enfant, embrasse pour moi tendrement notre cher eugène, nous vous caressons tous deux de toute notre âme:

Alexandre Beauharnois.

Oui ma chère petite Hortense il m'en coûte d'être séparé(e) de toi et de mon cher eugène, je pense sans cesse à mes deux petits enfants que j'aime et que j'embrasse de tout mon cœur. Cy joint cinquante livres que je te prie, ma chère petite Hortence de remettre à la citoyenne Lanoy [1].

Les deux enfants sont catastrophés mais ils ne désespèrent ni ne se découragent. Comme leur cousine germaine, Émilie, dont le père, François de Beauharnais, a émigré et dont la mère est emprisonnée, ils rédigent de longues requêtes à la Convention, l'une le 27 floréal (16 mai), l'autre le 26 prairial (14 juin). Ils transmettent une « justification » de leur père, en date du 20 prairial (8 juin), jour de la fête de l'Être suprême.

Voici un échantillon de cette prose, de circonstance cela va sans dire, dont la surenchère idéologique serait ridicule si elle n'était pathétique. Voir ces hommes qui ont mis leurs idées, leur vie, au service de ce qu'ils croyaient être le progrès et le bien public, s'humilier et attendre leur salut d'une clique de démagogues ignares et envieux, est consternant. Voir cette petite fille de onze ans, signant gravement « pour mon papa » ces inutiles inepties — et c'est le premier autographe d'elle que nous possédions —, est révoltant :

> (De la maison des Carmes, rue de Vaugirard. Le 20 Prairial an II de la république française, une, indivisible, et impérissable)
>
> [...] Accordez donc la liberté à celui qui l'a défendue constamment depuis et avant la chutte de la Bastille ; rendez à une famille patriote celui qui a la douceur d'y compter encore son père, sa femme et ses enfants, qui élève ces derniers dans les principes les plus révolutionnaires, et qui ne sollicite la fin de sa captivité que pour être à portée de les mieux affirmer dans la haine des Rois qu'il porte si profondément gravée dans son cœur.
>
> Alexandre Beauharnois.

---

1. A.N. 400 AP 25.

déposé entre les mains des enfants du Cen (citoyen) Beauharnois, rue Dominique, Faubourg Germain n° 953

Hortence Beauharnois
pour mon papa [1]

La vie continue cependant rue Saint-Dominique. Les
enfants s'appliquent à leurs leçons, qu'ils prennent chez
eux. Mlle Lannoy les chaperonne attentivement. La princesse de Hohenzollern, malgré le gendarme qui surveille
sa porte, se réjouit de leurs visites hebdomadaires. Hortense raconte, dans ses *Mémoires*, avec vivacité, avec
justesse, des scènes de rue typiques du Paris de la fin de
la Terreur, qui, aux beaux jours de juin et juillet 1794,
se livre à ses réjouissances patriotiques. Il y a ces « ban-
quets » obligatoires qui réunissent dans la rue les habitants d'une même maison, quels que soient leur âge et
leur condition. L'uniformité est de mise. S'y distinguer
ou s'y soustraire est passible de dénonciation, donc,
d'arrestation. Le mot d'ordre présent dans toutes les
têtes, sur les murs comme sur la faïence dans laquelle
on sert à table, est, rappelons-le, sous peine de ne rien
entendre à ces moments : « La liberté ou la mort. »
Quant à la fête de l'Être suprême, apothéose robespier-
riste, Hortense en saisit la stérile solennité. On espérait
une amnistie des prisonniers. En vain.
Écoutons-la comme un témoin d'une grande qualité,
et qu'on a trop peu, jusqu'à ce jour, entendu :

> Depuis que nous avions quitté la princesse de Hohenzol-
> lern, nous allions régulièrement passer les dimanches chez
> elle. Son frère avait été arrêté en même temps que mon père.
> Alors, elle nous désira plus souvent pour rompre l'ennui de
> la solitude et se distraire de ses chagrins par les témoignages
> de l'affection qu'elle nous portait. Dans notre isolement,
> nous eûmes au moins un appui.

---

1. A.N. 400 AP 25.

A cette époque, on avait ordonné à Paris un grand banquet patriotique. Chaque maison devait avoir, pour ce jour solennel, une seule table dressée dans la rue, et maîtres et domestiques, femmes, hommes et enfants, tous devaient souper ensemble sous peine d'être arrêtés. Il était impossible de se soustraire à cet ordre, car un décret avait enjoint d'inscrire sur une pancarte, collée à la grande porte, le nom de tous les habitants de chaque maison, sans distinction. Le grand hôtel où nous logions était presque désert, car ma mère était en prison, ainsi qu'une famille américaine tout entière qui était liée avec elle et s'était logée dans la même maison [1]. Notre domestique, notre femme de chambre, le portier, la portière, ma gouvernante, mon frère et moi, nous en représentions seuls, à ce banquet, les propriétaires. Ma gouvernante, Mlle de Lannoy, qui se prétendait des de Lannoy de Flandre, était furieuse d'être obligée de s'asseoir à la même table que les domestiques et le portier. Elle, qui avait été élevée au couvent de Saint-Cloud et qui avait vu passer la Reine deux fois dans sa vie, ne pouvait concevoir une semblable confusion de rangs. Elle nous répétait souvent encore qu'on n'aurait pas imaginé de telles choses sous l'ancien régime. Pour nous, c'était une véritable fête et, en vrais écoliers, nous étions charmés de voir la morgue de la gouvernante un peu abaissée. D'ailleurs, quoique bien jeunes, nous sentions, mon frère et moi, que ses prétentions ridicules pouvaient nuire, même à la position de nos parents qui, tous deux, étaient en prison.

Notre table était placée devant la porte, et nous allions nous y asseoir lorsque nous nous entendîmes apostropher du nom si redouté d'aristocrates par les passants qui nous reprochaient de ne pas faire les choses convenablement et qui déclaraient qu'il fallait s'aligner au milieu de la rue, ce que nous nous hâtâmes de faire.

Le temps était beau. Toutes les lumières disposées sur les tables, toute cette population réunie dans la rue, les uns soupant, les autres circulant par curiosité, produisaient un effet tout nouveau. Pour le rendre plus brillant, il eût fallu

---

1. La famille Hosten.

illuminer les maisons, car, dans les quartiers à hôtels, les rues étaient trop sombres.

Après notre souper, nous priâmes Mlle de Lannoy de nous mener voir quelques quartiers de Paris plus populeux et plus gais que le nôtre. Dans les rues à boutiques, les tables étaient réunies sans interruption ; quelques-unes étaient décorées d'un toit de feuillage et tout cet ensemble produisait un fort bel effet. Mais la franche gaieté manquait à cette fête ; l'inquiétude se manifestait sur presque tous les visages. Des hommes mal mis parcouraient la ville, buvant, chantant, criant et effrayant les bons bourgeois qui n'avaient pas l'air très rassurés de leurs éclats de gaieté. Dans les rues les plus pauvres, le peuple avait mieux conservé son humeur enjouée et toute expressive. Au moment où nous passions, un savetier, dans la toilette la plus négligée de ses jours ordinaires, se lève de table, s'approche tout en riant de notre gouvernante et l'embrasse. C'est pour le coup qu'elle nous répéta, en nous ramenant promptement à notre maison, « qu'on n'aurait jamais vu pareille chose sous l'ancien régime » !

Mon frère, au spectacle de l'humiliation de notre gouvernante, me regarda avec malice (car la pauvre Mlle de Lannoy était bien laide), et Eugène soutenait que cet homme avait deviné sa fierté et ne l'avait embrassée que pour la corriger un peu. Moi, je lui disais : « Je suis bien contente d'être petite, car ce vilain homme m'aurait peut-être embrassée aussi ». — « Je ne l'aurais pas permis », répondait mon frère en se redressant de toute la hauteur de sa taille de douze ans.

J'ai encore le souvenir tout présent de quelques fêtes de cette époque. Elles étaient grandes et imposantes, mais, depuis, j'ai remarqué bien plus de gaieté parmi le peuple. Sa puissance alors n'était pas sans inquiétude ; sa misère était extrême et l'enivrement qui avait existé du temps de la Fédération avait fait place à une terreur qui se communiquait du plus haut rang au plus bas ; car la terreur réagissait alors sur ceux mêmes qui frappaient et qui, souvent, n'étaient cruels que par crainte.

[...] Une solennité de la Révolution qui a surtout laissé quelques traces dans ma mémoire, c'est la fête de l'Être suprême.

La Convention, sur la proposition de Robespierre, venait de reconnaître l'existence de l'Être suprême et de l'immortalité de l'âme. Un jour avait été indiqué pour célébrer magnifiquement cette reconnaissance. Toutes les personnes que nous voyions alors s'en réjouissaient. Nous avions un maître d'écriture qui était très jacobin et un maître d'histoire et de langues qui était très royaliste. Mais, dans ce moment, malgré le dissentiment de leurs opinions, tous deux parlaient de Robespierre avec le même enthousiasme. Il était alors président de la Convention nationale et l'on assurait qu'il allait, ce jour-là, se faire reconnaître roi, ouvrir toutes les prisons et rétablir l'ordre et la religion. Enfin, je me rappelle que tout le monde semblait attendre cette fête comme devant amener la fin de tous les maux.

Malgré la détresse du temps, nous n'éprouvions aucune privation réelle parce que, tous les mois, M. Henry, banquier de Dunkerque [1], nous envoyait une somme fixe qu'il tirait ensuite par Londres sur ma grand'mère, restée à son habitation de la Martinique. Cette position permettait à notre gouvernante, pendant l'absence de notre mère, de nous continuer tous les petits soins auxquels nous étions habitués.

Ce jour-là, pour me mener à la fête, on me para d'une robe de linon blanc, d'une grande ceinture bleue, et on laissa tomber mes cheveux bouclés sur mes épaules. La femme de chambre de ma mère me disait en m'habillant : « Il faut vous faire bien belle aujourd'hui, car nous allons peut-être entendre dire que votre père et votre mère sont délivrés de prison, et vous pourrez aller les embrasser. » A cette douce idée, je sautais de joie.

Lorsque nous fûmes arrivés aux Tuileries, nous vîmes tous les députés de la Convention descendre un grand escalier de bois, construit auprès de la grande salle du milieu, dans le jardin, tous en habits habillés, tête noire. Un seul marchait en avant et se distinguait des autres par sa coiffure poudrée : « C'est Robespierre, criait-on de toute part. Il est le seul qui ait de la poudre. Écoutons, écoutons ce qu'il va dire. » Nous n'entendîmes rien. Les députés s'approchèrent du grand bassin du milieu qu'on avait mis à sec et où on

---

1. H. Emmery.

avait élevé des statues de bois qui représentaient l'athéisme et différentes autres fictions. Toutes étaient entourées de matières inflammables. On donna une mèche allumée à Robespierre qui y mit le feu. A l'instant tout fut anéanti et il s'éleva en l'air des tourbillons de feu et de fumée.

Un morceau de flammèche brûlante vint tomber sur moi et me brûla la poitrine. Ma robe de linon prit feu et on eut de la peine à me sauver et à me rapporter à notre hôtel. Pour combler mes épreuves de la journée, aucun espoir de délivrance ne fut donné aux prisonniers et je restai blessée et souffrante, au lieu du bonheur que j'attendais [1].

*
* *

Aux Carmes aussi, la vie continue. Dans les vastes bâtiments que parcourent de nombreux couloirs, on se répartit comme on peut dans des petites cellules prenant vue sur les jardins, on circule, on se rend visite, on se concerte, comme les époux Beauharnais qui s'épaulent, évoquent leurs enfants, tentent d'harmoniser leurs requêtes. Mais aussi, on noue des idylles.

C'est le cas, croit-on, de Mme de Beauharnais et du général Hoche, récemment dénoncé par Pichegru. A la vérité, nous savons peu de chose de cette romance, si romance il y eut. Si ce n'est qu'elle fut brève : trois semaines, à peine, Hoche étant transféré le 27 floréal à la Conciergerie, où, heureusement pour lui, il est oublié. Mme de Beauharnais essaiera, plus tard, de se faire rendre les lettres ou les billets qu'elle lui avait adressés pendant leur commune détention [2].

L'aimable Désirée de Lamothe-Hosten, épouse de Jean-Henri de Croisœuil a tout juste quinze ans. Elle

1. *In Mémoires, op. cit.*, pp. 10 et suiv.
2. Joséphine fit intervenir Sulkowski, aide de camp de Bonaparte, auprès de Rousselin de Saint-Albin, le futur « teinturier » des *Mémoires* de Barras, alors attaché à l'état-major de Hoche, dont il recueillit les papiers après la mort, survenue en septembre 1797.

paraît d'autant plus touchante à ses compagnons qu'elle est enceinte. Sa présence enflamme un jeune officier, Ange de Beauvoir, qui lui dédie, avant de monter à l'échafaud, quelques vers éloquents, s'ils n'ont pas la pureté de ceux qu'André Chénier compose pour une autre *Jeune Captive*, la spirituelle Aimée de Coigny.

Et précisément, « quoique l'heure présente ait de trouble et d'ennui », Alexandre, lui aussi, s'éprend d'une jeune femme qu'il avait rencontrée dans le monde, avant qu'elle ne partage la cellule de la duchesse d'Aiguillon, de Mme de Lameth et de Mme de Beauharnais : il s'agit de Delphine de Sabran, veuve du marquis de Custine, le fils du général guillotiné l'année précédente, qui, pour s'être montré solidaire de son père, est monté, à son tour, dans la charrette, en janvier 1794. Alexandre et Delphine sont faits pour s'entendre. Ils sont dotés d'une nature chaleureuse, d'un cœur vif, d'un fort pouvoir de séduction et d'une élégance parfaite. Délibérément vêtue de noir — ce qui passait pour une provocation envers le bariolage de la tenue sans-culotte —, rayonnante malgré ses deuils, Delphine fait naître chez Alexandre une passion qu'exaltent les circonstances exceptionnelles dans lesquelles elle s'épanouit, l'état de tension que créent ces enfermements subits, la perpétuelle attente de l'issue fatale. Chaque jour, en effet, à heure fixe, on fait l'appel de ceux qui partent pour ne plus revenir. Et, dans ce milieu, on met un point d'honneur à prendre congé sobrement, comme si on quittait un salon. On saura mourir. Ceux qui restent n'ont qu'une certitude : encore une journée à vivre, dont chaque heure, chaque minute, devra être savourée. Jamais passion et mort n'ont été si intimement liées.

Delphine a un frère, Elzéar, comte de Sabran, qui, plus tard, charmera la reine Hortense, lui écrira des romances qu'elle mettra en musique, courtisera Mme Récamier et deviendra l'un des fidèles commensaux de Mme de

Staël. Delphine mêlera ce frère qu'elle adore aux sentiments qu'elle voue à Alexandre : sans cesse, ils évoquent l'absent, qu'ils voudraient témoin de ce qui les
occupe. Dans l'une des deux lettres d'Alexandre à Delphine qui nous soient parvenues, on trouve l'expression
de cette intrusion, pour le moins étrange :

> Hier, dans mes injustes fureurs, j'avais cessé de te croire
> digne d'être la sœur d'Elzéar. Aujourd'hui, si je peux croire
> que cet être surnaturel ne soit pas une fiction, c'est parce
> que je me dis : il est le frère de Delphine, et la nature voulut
> racheter les malheurs de ces temps par la production de ces
> deux étonnants phénomènes. J'identifie tellement avec vous
> cet admirable jeune homme, qu'il n'est pas de soins que je
> n'eusse, pas d'efforts que je ne fisse pour mériter son
> estime, pour obtenir son intérêt.
>
> Ah ! ma chère Delphine ! si, comme toutes les probabili-
> tés l'indiquent, tu me survis, et si un jour heureux te rappro-
> che jamais d'Élzéar, prononce-lui mon nom, dis-lui qu'il
> était dans mon cœur avec toi à mes derniers instants, qu'il
> fut l'objet continuel de nos conversations, qu'il aida à aug-
> menter le charme de notre liaison. Appelle son intérêt sur
> ma mémoire, en lui disant combien j'étais tendre. Peins-moi
> à ses yeux d'une manière avantageuse, pour qu'il entre-
> tienne dans ton âme un souvenir durable de celui qui n'avait
> pu cesser de t'aimer qu'en cessant de vivre. Rappelle-toi
> dans les temps cette prière que je t'adresse aujourd'hui. Elle
> contribuera, si tu l'exauces, à me faire croire à une vie éter-
> nelle où je jouirai d'habiter encore sur la terre dans les
> cœurs d'Élzéar et de Delphine, dans les cœurs des deux êtres
> qui m'y seront les plus chers [1].

De Suisse, l'année suivante, Elzéar se fera l'écho de
cette intimité enflammée, en prenant connaissance des
lettres du général à sa sœur :

> Ma sœur, je suis touché jusqu'au fond de l'âme, en lisant

---

1. *In* Gaston Maugras, *Delphine de Sabran, marquise de Custine*,
Paris, Plon, 1912, pp. 234-235.

les expressions dont se servit ton amant pour te parler de
moi, en voyant les illusions qu'il se faisait, d'après les traits
dont m'avait peint à ses yeux ton aveugle tendresse.
L'amour enchérissait encore sur l'amour fraternel pour me
peindre avec avantage, il ne voyait que ton frère.

[...] Oui, Delphine, c'était là peut-être le seul être digne de
toi ; quand on l'a trouvé une fois, comment peut-on espérer
rencontrer le second de cet être unique, et comment se
contenter à moins ? Comment même avoir le désir, le pouvoir de le chercher ? Tout autre choix, en faisant écrouler
l'édifice romanesque dont ta jeune tête s'est entourée, te
livrerait subitement à l'amertume des remords, en te privant
du seul bonheur qui reste à ta vie, de la volupté des regrets
et des souvenirs, qu'il changerait en poison. Et quel amant
assez présomptueux oserait être le rival de l'amant qui n'est
plus ? Delphine, tu es forcée de convenir qu'après l'amour
d'Alexandre, tout autre amour serait de la dégradation [1].

*
* *

Le 5 thermidor an II (23 juillet 1794), Alexandre de
Beauharnais, en compagnie de son ami le prince de Salm
et d'une quarantaine de prisonniers des Carmes, monte
à l'échafaud de la Barrière du Trône renversé.

Quelles étaient ses ultimes pensées ? Allaient-elles à
cette vie qu'il devait quitter et qu'il avait, pendant trente-
quatre années, si ardemment aimée ? A la belle Delphine, dont il venait de s'arracher comme on se brûle ?
A la Révolution, qu'il avait espérée, puis servie avec
tant d'enthousiasme et qui, partie d'en haut, finissait
bien bas ? A sa femme, à qui il avait pris le temps
d'écrire une admirable lettre d'adieu, demandant qu'on
réhabilitât sa mémoire ? A ses enfants qu'il avait
entr'aperçus, quelques jours auparavant, au-delà du jardin, menés discrètement par leur gouvernante ? Eugène,

---

1. *In* G. Maugras, *op. cit.*, pp. 272-273.

qu'il ne verrait pas grandir, et qui saurait illustrer son nom ; Hortense, si émouvante, si tendre, que son supplice marquerait durablement... Qui le saura jamais... ?

Nous reste sa dernière lettre aux siens, testament politique et profession de foi familiale, où il se peint en pied, dans la dignité sans faille de qui sait affronter le tragique d'une mort imméritée :

> Le 4 thermidor l'an II de la République
> une et indivisible.

Toutes les apparences de l'espèce d'interrogatoire qu'on a fait subir à un assez grand nombre de détenus sont que je suis victime des scélérates calomnies de plusieurs aristocrates, soi-disant patriotes, de cette maison. La présomption que cette infernale machination me suivra jusqu'au Tribunal révolutionnaire ne me laisse aucun espoir de te revoir, mon amie, ni d'embrasser mes chers enfants.

Je ne te parlerai point de mes regrets ; ma tendre affection pour eux, l'attachement fraternel qui me lie à toi ne peuvent te laisser aucun doute sur le sentiment avec lequel je quitterai la vie sous ces rapports. Je regrette également de me séparer d'une patrie que j'aime, pour laquelle j'aurais voulu donner mille fois ma vie, et que non seulement je ne pourrai plus servir, mais qui me verra échapper de son sein en me supposant un mauvais citoyen. Cette idée déchirante ne me permet de ne te point recommander ma mémoire ; travaille à la réhabiliter, en prouvant qu'une vie entière consacrée à servir son pays et faire triompher la liberté et l'égalité doit aux yeux du peuple repousser d'odieux calomniateurs, pris surtout dans la classe des gens suspects. Ce travail doit être ajourné, car dans les orages révolutionnaires, un grand peuple qui combat pour pulvériser ses fers doit s'environner d'une juste méfiance et plus craindre d'oublier un coupable que de frapper un innocent.

Je mourrai avec ce calme qui permet cependant de s'attendrir pour des plus chères affections, mais avec ce courage qui caractérise un homme libre, une conscience pure et une âme honnête dont les vœux les plus ardents sont pour la prospérité de la République.

Adieu, mon amie, console-toi par mes enfants, console-les en les éclairant, et surtout en leur apprenant que c'est à la force de vertus et de civisme qu'ils doivent effacer le souvenir de mon supplice, et rappeler mes services et mes titres à la reconnaissance nationale. Adieu, tu sais ceux que j'aime, sois leur consolateur et prolonge par tes soins ma vie dans leur cœur.

Adieu, je te presse ainsi que mes chers enfants, pour la dernière fois de ma vie, contre mon sein.

Alexandre Beauharnais [1].

Mme de Beauharnais n'échappe à la guillotine que par miracle : lorsqu'on vient la chercher, elle s'évanouit. Un médecin polonais assure à ses gardiens que les jours de la jeune femme sont comptés [2]. On diffère le supplice. Le 9 thermidor, qui provoque la chute de Robespierre, la sauve. Dix jours plus tard, elle est libérée, grâce, nous disent ses enfants, à l'intervention de Mme Tallien.

Elle aura à cœur d'accomplir l'ultime désir d'Alexandre. Elle défendra sa mémoire. Mme de Custine aussi. Comme Joséphine, elle sera bientôt aimée d'un grand homme : si Bonaparte succéda à Alexandre dans la vie de la première, c'est Chateaubriand qui le remplaça auprès de la seconde. Et sans doute, cette « Dame de Fervacques » qui suscita, dans les *Mémoires d'outre-tombe*, quelques belles évocations, qui donna son prénom à l'un des romans de Mme de Staël, reconnaissante de son obligeance envers elle, n'oublia-t-elle jamais les heures enfiévrées des Carmes, aux côtés d'un des hom-

---

1. A.N. 400 AP 25.
2. Le comte de Lavalette, époux d'Émilie de Beauharnais, nièce de Joséphine, l'affirme dans ses *Souvenirs* (Paris, 1905, p. 115). Il se trouve que la duchesse de Duras, née Noailles, dans son *Journal de mes prisons...* (Paris, 1889, pp. 124 et suiv.), évoque un apprenti médecin polonais, Markoski, qui la soigna pendant la Terreur, et dont la serviabilité était proverbiale. Il avait ses entrées dans toutes les prisons parisiennes et intervenait autant qu'il le pouvait en faveur des détenus. C'est probablement lui qui vit Joséphine aux Carmes et la sauva.

mes les plus fougueux et les plus aimables de sa génération.

La Révolution qui s'achève aura d'autant plus marqué les Beauharnais qu'ils en ont été les acteurs avant d'en devenir les victimes. Comme tous ceux qui partageaient leur désir de changement, leur courage à se dépouiller du passé, leur générosité égalitaire, leur foi — naïve — en la bonté de la nature humaine, ils ont payé. Souvent, de leur vie. Et il n'est pas sûr que leurs bourreaux eussent des mobiles aussi élevés, lorsqu'ils terrifiaient Paris, incapable pendant plusieurs mois d'un sursaut libérateur. La capitale des Lumières et de l'esprit, le modèle de la civilisation, s'était muée en une cité apeurée, soumise à une stupeur malsaine, dont les habitants se muraient dans un silence de mauvais aloi, et dont les bêtes renâclaient à suivre les pavés sanglants...

Quand les fragiles barrières du code social et du respect humain s'effondrent, toute communauté redevient une jungle, livrée à l'impunité de l'exaction, aux pulsions de haine et d'envie, quand ce n'est à une irrépressible logique de mort. Près de dix-sept mille têtes sont tombées pendant ces dix mois qu'a duré la Terreur. Et quoi ? Privé d'une partie de ses élites, le pays, exsangue, engourdi, attend sa reconstruction. Et ce sont le Directoire puis, surtout, le Consulat qui accompliront cette œuvre exaltante. La Révolution a failli le jour où le pouvoir a perdu la raison. Et, lorsque la *res publica*, la chose — et la morale — publique tombe aux mains des émeutiers et des démagogues qui les encadrent, on ne tarde pas à voir ce qu'elle devient. Les survivants à la Terreur, à commencer par les Beauharnais, n'oublieront jamais cette leçon.

III

EN PENSION
CHEZ LA CITOYENNE CAMPAN

> *... une éducation bien donnée, bien sentie, est une sorte de création qui ressemble à la maternité.*
>
> Mme CAMPAN à la reine Hortense
> (*Lettres*, XXII).

En fructidor an III (août-septembre 1795), Hortense franchit, pour la première fois, la grande grille de l'ancien hôtel de Rohan, à Saint-Germain-en-Laye, devenu depuis le mois de mai précédent le nouveau siège de l'« institution nationale » d'éducation, que dirige la citoyenne Campan, ci-devant première femme de la reine Marie-Antoinette. A deux pas de Paris, dans ce cadre élégant, agrémenté d'une terrasse, de portiques, de jardins en quinconce et de belles futaies, Hortense passera près de cinq années, sous la férule d'une éducatrice intelligente, entourée de compagnes de son âge, dont certaines deviendront de véritables amies. Cinq années heureuses. Cinq années formatrices, car cette enfant bien née sera, de plus, une enfant bien élevée.

**

Un conseil de famille s'était réuni le 23 juin précédent, pour décider du sort — financier — des petits Beauharnais : parmi les participants se trouvaient Calmelet, l'homme d'affaires de leur mère et son notaire, maître Raguideau, tous deux dévoués aux intérêts de la famille. Car Mme de Beauharnais, depuis sa sortie de prison, s'était activement préoccupée de réorganiser son existence. Côté La Pagerie, son père étant mort en novembre 1790, suivi de peu par la jeune Manette, c'est sa mère, désormais maîtresse de sa fortune, qui s'efforçait de lui faire tenir des fonds sur Londres ou Hambourg. Dès le printemps 1795, les banquiers Emmery et Vanhee, de Dunkerque, Matthiesen et Sillem, de Hambourg, en liaison avec son ami Rougemont, lui assurent quelque mille livres sterling, en provenance des Antilles. Côté Beauharnais, elle passe procuration sur les revenus de ses enfants à Saint-Domingue. Qui plus est, elle obtient, grâce à la loi du 9 juin 1795, visant à restituer les biens des condamnés, une indemnisation sur les chevaux laissés par le général de Beauharnais à l'armée du Rhin, ainsi que la restitution de l'argenterie et des livres de La Ferté. On lui verse un acompte de 10 000 livres sur les meubles d'Alexandre vendus par l'administration. Dans un an, le séquestre sera levé. Elle emprunte 50 000 livres à sa tante, Mme de Renaudin, et peut, dès le mois d'août 1795, louer à Julie Talma son petit hôtel de la rue Chantereine, n° 6, au cœur de la Chaussée d'Antin.

Ces arrangements permettent à Mme de Beauharnais de retrouver, malgré sa précarité, un semblant d'assiette financière. Ils lui permettent aussi de placer ses deux enfants en pension : Hortense, chez Mme Campan, et Eugène, dans une maison voisine, le « Collège irlandais », tenu par Mac Dermott. Il lui faut, maintenant, au sein d'une ville ruinée, encore endolorie par ce qu'elle vient de subir, consolider sa position sociale. Elle y réussira grâce au nom qu'elle porte — le Paris thermidorien ayant à cœur de se légitimer en réhabilitant les victimes de Robespierre —, grâce à ses qualités personnelles et grâce à l'amitié des Tallien : la belle et fraîche Térésa Cabarrus, ci-devant marquise de Fontenay, épouse reconnaissante de son libérateur, Jean Lambert Tallien le tombeur de l'Incorruptible. Ils jouissent l'un et l'autre d'une vraie popularité. Mme Tallien est devenue « Notre-Dame de Thermidor » ou « Notre-Dame de la Délivrance », et son époux possède une influence notable à l'Assemblée. Tous deux déploient des trésors d'obligeance et d'habileté pour établir, autour d'eux, un nouveau pouvoir et une nouvelle société. C'est par leur entremise que Mme de Beauharnais se lie avec Barras, l'« homme du jour » comme on dit alors, l'un des cinq Directeurs en charge de l'exécutif, et qui mène avec souplesse les affaires du pays. Sa puissance autant que son charme d'aristocrate provençal de bonne maison et de belle prestance lui vaudront d'être recherché par tous, notamment par Mme de Beauharnais.

Nous commençons à la mieux connaître, et nous discernons l'un de ses principaux intérêts : les arcanes du pouvoir politique. Comme le remarque son plus récent biographe, depuis son retour des Iles, en 1790, elle se tient au cœur des centres de décision et, quels que soient les régimes, elle s'y maintiendra, envers et contre tout, « jusqu'à sa mort ». Elle y est influente et, en peu de temps, elle est devenue une redoutable, une efficace solliciteuse. Son élégance et les formes qu'elle y met n'empêchant rien, au contraire. Le jeune général Bonaparte, non plus qu'une partie de l'ancienne aristocratie décimée par la guillotine, dispersée par l'émigration ou ruinée par la vente des « biens nationaux » et le vandalisme révolutionnaire, ne s'y tromperont pas. C'est à elle qu'infatigablement ils auront recours, rarement en vain. L'intelligence très réaliste de Joséphine, sa connaissance parfaite des leviers du pouvoir, son aptitude à les faire se mouvoir discrètement, expliquent, pour une large part, l'immense popularité qui sera la sienne. Ce persistant hommage rendu à « ses bontés » tient, en fait, à la science qu'elle a du monde, à son appréciation juste du terrain et du personnel politiques, de ce qu'elle est en mesure d'en obtenir. N'en déplaise, une fois de plus, à ses détracteurs, et quels que soient sa puissance de séduction et son charme, ressentis comme exotiques, « américains », Mme de Beauharnais est devenue une Parisienne, au plein sens du terme. Non pas version Belle-Époque, comme une petite femme, révérence parler, « qui s'habille, babille et se déshabille », mais à la façon autrement élégante, raffinée et intelligente du XVIIIe siècle finissant : comme une médiatrice sachant asseoir son rayonnement à force d'entendement et de goût d'obliger autrui. Il s'agit, on l'aura compris, d'un pouvoir moral, parallèle, indiscernable mais cependant bien réel.

Mme de Beauharnais n'est en rien une déclassée. Au contraire, elle incarne ce qui, de son ancienne caste, aura su accompagner et accepter les évolutions de l'Histoire, et malgré ses récents malheurs n'aura pas de peine à s'adapter aux temps nouveaux. Car enfin, si la noblesse a perdu ses privilèges, ses biens et une partie de ses têtes pensantes, elle garde son passé et ses valeurs. Il y a eu ébranlement, traumatisme, du fait des excès de la Révolution. Ce serait une erreur de croire qu'il y a eu rupture de culture et de civilisation. Le peuple s'éveille, la bourgeoisie se fortifie, l'aristocratie se transforme, Mis à part la future fraction « ultra » que sa morgue, son intransigeance et ses préjugés écarteront de toute compréhension du mouvement du monde, la majeure partie de l'ancienne classe dominante va désormais vivre autrement, dans une société obéissant à de nouvelles lignes de force, suivant de nouvelles mœurs et de nouvelles modes, dont il ne tiendra qu'à elle qu'elle les adoucisse, car elle saura, quand elle le voudra, ne pas abandonner son identité. Les Beauharnais en sont le meilleur des exemples.

*
* *

La petite Hortense, dont le visage encore empreint de douceur enfantine acquiert l'ovale allongé qu'elle tient de son père, doit rattraper le temps perdu. Bousculée par la Révolution, son éducation a besoin maintenant de régularité et de suivi. Hortense a bénéficié, chez son grand-père, à Fontainebleau, de ce qu'on appelait l'« éducation du manteau de la cheminée », c'est-à-dire qu'elle s'est formé l'esprit, comme la plupart des enfants de son milieu, en entendant au salon converser les grandes personnes. Les anciens savaient, alors, transmettre au fil de leurs causeries, émaillées de faits vrais et d'anecdotes bien venues, l'histoire de leurs familles, de leurs voyages ou, simplement, ce qu'ils pensaient de la marche des affaires. Avec naturel, avec évidence, on apprenait ce qu'on avait été, ce qu'on était. On rêvait à ce qu'on pouvait devenir. Et, qui plus est, on s'imprégnait, sans effort, d'une langue élégante, expressive, judicieuse. Sur cette base s'était ensuite greffée l'« éducation du malheur », partagée avec Eugène. Chez Hortense, le poids de la Terreur avait eu une résonance particulière. Elle était devenue, par la force des choses, aussi observatrice qu'imaginative, mais son affectivité, naturellement forte, s'était par trop resserrée sur elle-même. En un mot, cette enfant avait, aussi, besoin de trouver un équilibre, Mme Campan va le lui donner.

Le « Saint-Cyr » du Directoire

Mais, d'abord, qui est Mme Campan ?

Au moment où Hortense lui est confiée, elle a dépassé la quarantaine. Son léger embonpoint sanglé de noir, son calme et son affabilité ne dissimulent qu'à peine la fermeté de son caractère. Fille d'un commis aux Affaires

étrangères, Henriette Genet est entrée, à l'âge de seize
ans, au service de Mesdames, filles du roi Louis XV, en
qualité de lectrice. Elle a reçu une bonne éducation,
parle l'italien que lui a enseigné Goldoni, le maître véni-
tien, ainsi que l'anglais, dont elle donnera des leçons à
la Dauphine, future Marie-Antoinette. Excellente musicienne formée par Albanese, elle aura l'occasion
d'accompagner celle-ci à la harpe. En 1774, Louis XV
meurt, Henriette Genet épouse François Berthollet Campan, au service de la comtesse d'Artois, et devient
femme de chambre de la reine, avec fonction de lectrice
et de trésorière. En 1786, elle est promue « première
femme » de la souveraine. Autant dire qu'elle vit régulièrement dans son intimité, jusqu'au 10 août. Comme
on lui refuse de continuer son service au Temple, elle
quitte Paris pour le château de Coubertin, en vallée de
Chevreuse, qu'elle partage avec l'une de ses deux sœurs,
étant, depuis 1790, légalement séparée de son mari.
Mme Auguié, sa cadette de quatre ans et ancienne
femme de chambre, elle aussi, de la reine, se suicide —
en se jetant d'un troisième étage — plutôt que d'être
arrêtée par des hommes en armes : elle laisse trois filles,
contemporaines d'Hortense, que Mme Campan élèvera
ainsi que son fils, deux autres nièces et un neveu du
même âge.

Comme beaucoup de membres de l'ancien personnel
de Versailles, puis des Tuileries, la chute de la monarchie
laisse Mme Campan passablement démunie. Cette
femme de tête, chargée de famille, décide, au lendemain
de la Terreur, de s'établir — de gagner sa vie, si l'on
préfère — en fondant un pensionnat. L'idée est bonne
car elle permet de combler une lacune, l'enseignement
privé ayant été désorganisé par la suppression des
communautés religieuses, et l'enseignement public étant
encore balbutiant. Outre qu'elle a reçu une éducation
soignée, Mme Campan possède une réelle vocation

pédagogique. Qui plus est, cette habile propagandiste ne
se prive pas de se prévaloir de son ancienne position
auprès d'une reine particulièrement impopulaire de son
vivant, mais que son martyre a grandie dans le cœur de
ses compatriotes. Grâce à cette excellente carte de visite,
Mme Campan réussit en peu de temps à se créer une
clientèle désireuse de « bon ton ». Lorsque les Bonaparte
arrivés au pouvoir lui accorderont leur protection, la
vogue de son établissement s'étendra à l'Europe
entière [1]. Joséphine, qui connaissait Mme Campan
depuis qu'à Croissy elle avait occupé la maison Bauldry,
habitée tous les étés jusqu'à la Terreur par les Campan,
lui était reconnaissante de ses services, qu'elle avait été
l'une des premières à requérir. Dès lors, Mme Campan
élèvera une pépinière de jeunes personnes, futures épouses des dignitaires des Cours consulaire et impériale,
civils et militaires. Elle finira sa carrière d'enseignante
nommée par Napoléon, directrice, puis, en 1809, surintendante d'Écouen, qui, avec Saint-Denis et Les Loges,
constitue les Maisons impériales d'éducation, d'où sorti-
ront les Demoiselles dites de la Légion d'honneur.

La chute de l'Empire la ruinera. Et la Restauration
qui, pourtant, sut réemployer le personnel impérial
compétent, quand celui-ci le souhaitait, ne la releva pas :
Louis XVIII et son entourage n'oubliaient pas les
anciennes amitiés girondines de Mme Campan, non plus
que la méfiance avérée de Louis XVI et de Marie-Antoinette, à son endroit. Dans d'opportuns *Mémoires*, destinés à lui valoir une pension — qu'elle n'obtiendra pas
— Mme Campan saupoudre une tardive profession de
foi royaliste de mille anecdotes, ragots et règlements de
compte — erronés, voire fantaisistes —, relevant du plus
pur esprit « Œil-de-bœuf », l'antichambre versaillaise de

---

1. Et même au-delà, puisqu'elle élèvera Elisa Monroe, la fille du
président des États-Unis. Devenue Mrs. Hay, elle aura une fille pré-
nommée Hortense-Eugénie.

la courtisanerie professionnelle. Cela ne suffira pas à redorer son blason. Aimée de Coigny en donne crûment la raison, lorsqu'elle évoque à plusieurs reprises, dans son *Journal* « Mme Campan, qui a tout été, fayettiste, orléaniste, ingrate et traîtresse à la reine Marie-Antoinette [1]... » Celle-ci n'osait pas s'en séparer, car, témoin de beaucoup de petits faits compromettants, Mme Campan était femme à savoir s'en servir. En revanche, il était de notoriété publique que la reine vouait une réelle affection à Mme Auguié, dont la fidélité et le bon esprit n'étaient pas suspects.

A la vérité, la première vertu de Mme Campan n'est pas la bonté. Outre cette inclination au dénigrement, qu'elle a héritée de la Cour, elle est en proie à l'obsession très bourgeoise du « qu'en-dira-t-on ». Aisément moralisatrice, elle évoque, sur le mode critique, son ancienne maîtresse, tout spécialement dans les lettres qu'elle adresse à Hortense, dès lors que celle-ci l'a quittée pour habiter les Tuileries : la légèreté de Marie-Antoinette, son peu de soin de l'opinion publique, son désir égoïste d'une existence privée au mépris de ses devoirs, son incapacité de comprendre les arts, d'aider les artistes, son absence de générosité envers ses domestiques, son goût immodéré pour les romans, tout cela est, en permanence, l'objet de ses réflexions ; autant de contre-exemples qu'Hortense ferait bien de méditer

---

1. *Journal* d'Aimée de Coigny, Perrin, 1981, pp. 50 et suiv., p. 90, etc. Mme Campan aurait fait échouer, au début de la Révolution, le départ pour Lille du roi et de la reine, en prévenant, par l'intermédiaire de Mme de Balbi, Monsieur, comte de Provence (futur Louis XVIII) de leur intention. Ce qu'on disait, surtout en haut lieu, c'est que Mme Campan n'avait échappé à l'emprisonnement qui frappa les femmes de la reine, au 10 août, qu'en livrant les papiers confidentiels qu'elle tenait des souverains. Elle essaie de s'en justifier dans ses *Mémoires*. Malheureusement, elle est peu crédible et ses assertions sont invérifiables. Son frère fut envoyé, par la Gironde, comme ministre plénipotentiaire aux États-Unis, où il se fixa définitivement.

maintenant que sa vie et celle de sa famille sont le point de mire des Français. Inutile de dire qu'Hortense retiendra ce qu'elle voudra de cette direction morale, cependant elle écoutera son institutrice à laquelle elle porte une estime fondée sur le courage et la capacité pédagogique de celle-ci, ses deux plus tangibles qualités.

Car Mme Campan a assimilé les leçons du Grand Siècle, et cette lectrice de Mme de Sévigné, cette admiratrice de Mme de Maintenon, aura l'ambition, qu'elle réalisera, de faire de sa maison d'éducation un nouveau Saint-Cyr, le Saint-Cyr du Directoire.

*   *
*

Elle envisage son enseignement comme une préparation complète à l'entrée dans la société de cette nouveauté, la jeune fille. Auparavant, quelle que fût son appartenance, l'enfant entrait directement, à la puberté, dans le monde adulte : les garçons embrassant leur futur état, les filles se mariant, selon le choix de leurs familles. La désorganisation révolutionnaire, autant que l'air du temps, retarde ces décisions. On accepte l'idée d'un passage de l'enfance à l'âge adulte, qu'on appellera plus tard adolescence, et qui, aujourd'hui, n'en finit pas de durer. Il s'agissait, déjà, de mettre à profit cette fin de croissance pour se préparer à son avenir, acquérir des connaissances, structurer son cerveau, raffiner ses talents et se forger une armature morale. Mme Campan entend former de futures jeunes femmes pour qu'elles soient capables de tenir une conversation avec esprit, d'écrire leurs lettres convenablement, d'animer le « temps libre » qui serait le leur d'activités agréables, en un mot, pour les rendre aptes à participer avec harmonie à la vie sociale qui les attend.

Pour cela, elle se donne les moyens de favoriser, en plus des disciplines générales autorisées, l'étude des langues étrangères, et les arts dits d'agrément : dans les quatre classes qu'elle institue, aux couleurs différentes — verte pour les petites, aurore, bleue et nacarat — on enseigne la danse, la harpe, le clavecin, le piano, le chant, le chant italien, les chœurs, l'accompagnement, le dessin — paysage, fleurs, portraits — mais aussi la conversation. Dans la classe nacarat, on décide, par exemple, d'un thème de causerie : un incendie, une partie de campagne manquée, la rupture d'un mariage. Bien évidemment, les problèmes d'argent ou d'organisation domestique sont bannis. Les jeunes personnes sont tenues d'avoir de bonnes manières, à table comme en toute occasion. Les visites aux pauvres sont régulières et soigneusement encadrées. En plus des exercices de déclamation, on monte des pièces de théâtre, comédies de paravent ou, quand les circonstances s'y prêtent, tragédies classiques.

Mme Campan sait admirablement suppléer aux carences républicaines. On se souvient que, sous le Directoire, l'enseignement de l'Histoire de France était interdit : n'était permis que celui de l'Histoire antique. Qu'à cela ne tienne, les lectures, les entretiens du dimanche, dans les appartements de la directrice, apporteront les bases indispensables. De même, pour l'Histoire sainte : Mme Campan essaiera de faire accepter à l'usage des élèves sa chapelle privée. Mal lui en prend : « Citoyenne, la nation ne reconnaît que l'Être suprême et l'immortalité de l'âme, arrange-toi là-dessus : des ordres s'exécutent et ne se commentent pas », lui est-il répondu. Une vieille religieuse, Mme de La Gouttaye, enseignera discrètement le catéchisme et la petite Hortense se préparera quasi normalement à faire sa première communion.

On savait, à Saint-Germain, punir modérément. Et surtout, on avait à cœur de créer une émulation chez les pensionnaires en récompensant les efforts et les bonnes actions. Mme Campan les invitait à prendre le thé, chez elle, elle organisait des parties de campagne et des pique-niques. Elle avait inventé le « prix du bon caractère », consistant en une rose artificielle que l'heureuse élue arborait les jours de fête ainsi que le titre de « Rosière ».

Pour former le jugement de ses élèves, Mme Campan leur contait ses souvenirs de l'ancienne Cour, en choisissant les anecdotes les plus édifiantes, en insistant sur l'urbanité des manières et sur les usages tombés en désuétude, comme celui par exemple qui voulait qu'on se levât et que l'on saluât les éternuements de la famille royale... Elle avait grand soin de suivre ses pensionnaires, à leur sortie de son établissement, et d'asseoir ainsi sa réputation, non usurpée, d'excellente directrice. Chaque année, au mois de juillet, elle réunissait élèves, familles et personnalités parisiennes, lors de l'*Exercice*, sorte de distribution des prix, destiné à montrer devant un jury de savants et de lettrés qui les interrogeait les progrès de ses classes et l'altitude de leur niveau. Ces *Exercices* deviendront rapidement une de ces réjouissances mondaines dont on parlait dans Paris. On assortissait la réception de concerts ou de pièces de théâtre exécutés par les élèves. La belle Mme Récamier s'y rendra, et cela fera date. L'apothéose professionnelle de Mme Campan, à Saint-Germain, aura lieu le jour béni où devant un parterre de trois cents personnes, au premier rang desquelles le Premier Consul et Mme Bonaparte, on interprétera *Esther* comme un siècle auparavant devant le Roi-Soleil.

Hortense, Émilie, Caroline et les autres...

Les premières compagnes d'Hortense à Saint-Germain sont les trois nièces de Mme Campan, filles de la sensible Mme Auguié et d'un receveur général des

Finances qui, au sortir de la prison terroriste, s'est retiré
au château de Grignon, en Seine-et-Oise, où les enfants
feront quelques séjours. Antoinette, l'aînée, est née en
1780 et quittera bientôt son collège pour se marier avec
M. Gamot. Églé, de deux ans sa cadette, une jolie brune,
mince, dotée d'une voix ravissante, fera les délices de
ses contemporains : mariée la même année qu'Hortense,
en 1802, avec le futur maréchal Ney, elle étonne l'Allemand Reichardt en visite à Paris : « Je ne crois pas avoir
entendu, nous dit-il, de cantatrice de profession
déchiffrer comme elle, à première vue, les passages les
plus ardus. Elle m'a stupéfait en chantant ainsi, avec
Mme Bonaparte [Hortense] et moi, plusieurs scènes de
mon « Biennus » et de ma « Rosamonde »[1]... » Pour
mieux comprendre cet enthousiasme, il faut se souvenir
que la danse et la musique étaient alors les deux suprêmes divertissements d'une société jeune, gaie et qui,
bien évidemment, n'avait pour s'amuser aucune de nos
ressources technologiques. Quant à la dernière petite
Auguié, Adélaïde dite Adèle, née en janvier 1784, elle
va se lier intimement avec Hortense pour devenir, nous
confie celle-ci, « la dépositaire de toutes [ses] pensées ».
Cette inséparable, comme on disait avant la Révolution,
cette amie de cœur, la sœur qu'elle aurait souhaitée, ne
la quittera plus.

A ce noyau originel se joint bientôt la cousine germaine d'Hortense, Émilie de Beauharnais, fille de François, « Beauharnais sans amendement », émigré, divorcé
de son épouse, Françoise, née Beauharnais, puisqu'elle
était fille de la comtesse Fanny, marraine d'Hortense. La
mère d'Émilie, emprisonnée sous la Terreur et libérée
grâce à sa belle-sœur, la future Joséphine, à l'automne 1795, se remariera bientôt avec un indigène des

---

1. *Un hiver à Paris sous le Consulat*, d'après les lettres de Johann-
Freidrich Reichardt, adaptées par A. Laquiante, 1802-1803, Paris,
Plon, 1896, pp. 314-315.

Iles, M. Castaing — un « nègre », dira Bonaparte — et n'est pas en mesure d'assurer l'éducation de sa fille. C'est la mère d'Hortense qui se charge de la placer chez Mme Campan, moyennant au passage avec cette dernière un arrangement financier : celle-ci accueillera les deux petites filles pour le prix d'une. Ce que Mme Campan aura le bon goût d'accepter. A quoi s'ajoute, pour compléter le cercle, Eugène et un neveu Campan. Tous ces enfants ont souffert de la tourmente révolutionnaire et tous seront heureux à Saint-Germain. Ils y sont encadrés, rassurés, stabilisés. Ils étudient et, dans l'ensemble, sont bons élèves.

Hortense se démarque du groupe, déjà. Elle l'avouera joliment dans ses *Mémoires* :

> Jamais je n'exerçai une plus véritable royauté que celle que mes compagnes s'étaient plu à m'accorder. Quelle en était la raison ? Rien alors ne faisait prévoir l'élévation de ma famille. Étaient-ce quelques talents brillants qui font effet dans une pension comme dans le monde ? La plus avancée à la musique, au dessin, à la danse, la plus vite à la course, la première au travail comme au jeu, avais-je ainsi mérité cette espèce de petit empire ? Non, je crois plutôt que je le devais à ce désir d'être aimée, dont mon cœur était plein, et qui pénétrait dans toutes mes actions. Je redoutais tant la jalousie, qui exclut l'affection, que je cherchais à me faire pardonner la moindre apparence de supériorité. Je ne pouvais souffrir qu'une maîtresse me donnât pour exemple aux autres. J'aurais voulu me rendre coupable, de peur d'humilier celle qu'on accusait, et je parvenais toujours à la justifier. On m'accordait aussi la plus grande confiance. S'élevait-il une discussion entre deux pensionnaires ? Elles venaient me consulter et se soumettaient à ma décision. Entrait-il parmi nous une jeune personne embarrassée, sans maintien, et qui était un objet de ridicule ? Je la prenais sous ma protection. Alors les railleries cessaient [1].

---

1. *In Mémoires, op. cit.*, pp. 19 et 20.

On comprend sans mal pourquoi les compagnes d'Hortense la surnommaient « petite Bonne ». On comprend aussi quelle aisance est la sienne, innée, et cependant renforcée chaque jour, au sein de ce microcosme, la première société étrangère à sa famille dans laquelle il lui soit donné d'évoluer, et dont, sans effort, elle devient l'emblème, pour ne pas dire l'idole. Le pli est pris : toute sa vie, Hortense aura à cœur de se maintenir dans cette position d'excellence, au centre de ce qui l'entoure.

Et cet entourage, précisément, en voici un échantillon qui mérite attention, car toutes ces jeunes personnes graviteront dans les sphères du pouvoir consulaire ou impérial. Hortense se montrera solidaire de ses anciennes compagnes, les protégera quand il le faudra, les placera à la Cour, parfois auprès d'elle, comme sa chère Adèle, ou, plus tard, Louise Cochelet qui deviendra sa lectrice et la suivra dans son exil, ou plus simplement elle les aidera à faire de bons mariages. Avoir appartenu à la maison de Mme Campan demeurera toujours auprès de celle qui fut son élève préférée le meilleur titre à obtenir son appui, tant « la ceinture de pensionnaire » et « le petit chapeau de percale » lui rappelaient, se plaisait-elle à dire, « de vrais moments de bonheur ». Ses contemporaines de Saint-Germain étaient, entre autres : Agathe Rousseau (Mme Bourboulon de Saint-Elme) et Alexandrine Pannelier (baronne Lambert), toutes deux nièces de Mme Campan, Eugénie Hulot (future épouse du général Moreau), Nancy Clarke (Mme Perregaux, belle-sœur d'Hortense Perregaux, Mme Marmont, duchesse de Raguse), Adèle Macdonald (fille du futur duc de Tarente, qui épousera Régnier, le duc de Massa), Caroline d'Hyenville, Olympe Crattarel, Victorine Victor, Aimée Leclerc (sœur du général, premier mari de Pauline Bonaparte, elle épousera Davout, prince d'Eckmühl), Niévès Hervas (Mme Duroc, duchesse de

Frioul), Élise Oudinot (comtesse Pajol), Félicité de Fau-
doas (Mme Savary, duchesse de Rovigo), Sophie de
Marbois (Mme Lebrun, duchesse de Plaisance), Zoé
Talon (comtesse du Cayla), Annette de Mackau (Mme
Wattier de Saint-Alphonse), Anna Leblond (Mme
Duphot, belle-sœur du général tué à Rome, en 1798),
Rose du Vidal (Mme Lavollée), sa sœur Émilie, Victo-
rine Masséna (la maréchale Reille), Élisa de Lally-Tol-
lendal (Mme d'Aux), les deux petites-filles de Mme de
Genlis, Mlles de Valence (Mme de Celles et la maré-
chale Gérard), Virginie Churchill, Sophie Simons, Elisa
Monroe, Louise Cochelet (Mme Parquin), Léontine de
Noailles (Mme A. de Noailles), etc.

S'y ajouteront, sorte de deuxième génération, la petite
Isabey, fille du célèbre artiste, Stéphanie de Beauharnais,
autre petite-fille, avec Émilie, de la comtesse Fanny,
donc cousine d'Hortense, qui deviendra grande-duchesse
de Bade, Stéphanie de Tascher, filleule de Joséphine,
future princesse d'Arenberg, ainsi que d'autres parents
ou amis des Iles, tels les enfants Sainte-Catherine
d'Audiffredy, sans oublier Lolotte, fille de Lucien Bonaparte, qui sera renvoyée de la cour de son oncle pour
impertinence épistolaire et mauvais esprit.

Mme d'Arjuzon reproduit un document parfaitement
renseignant sur le soin et le sérieux qu'apportait Mme
Campan à la marche de son établissement : non seulement, elle offre à ses élèves un programme d'études
complet, varié, mais elle est attentive à chaque enfant,
elle suit chacune dans le détail de son effort et des progrès qu'elle accomplit, et tient les familles informées
avec régularité et précision. Voici l'exemple d'un « bul-
letin » de la citoyenne Eugénie *(sic)* Beauharnais,
envoyé à sa mère, en date du 1er germinal an VI (21
mars 1798). L'enfant pèche par son orthographe. Qu'on
se rassure, celle-ci s'améliorera :

INSTITUTION NATIONALE DE SAINT-GERMAIN
DIRIGÉE PAR LA CITOYENNE CAMPAN

La citoyenne Hortense-Eugénie Beauharnais, 4e division, 8^e
section (bleu-liséré) composée de 22 élèves.

DÉSIGNATION	N^{os} DES PLACES
Ordre, propreté, exactitude	3
Lecture et écriture	9
Mémoire *(ne la cultive pas assez)*	9
Calcul	9
Dictée	14
Histoire	14
Géographie	6
Extrait et composition *(peu correcte)*	6
Ouvrages à l'aiguille	3
Application et soumission *(satisfaisante)*	3
Botanique usuelle	3
Dessin de fleurs	4
Figure et paysage	1
Déclamation	2
Chant *(bien)*	2
Solfège	2
Piano	2
Harpe	6
Danse *(première deux fois de suite)*	6
Santé *(délicate)*	6

OBSERVATIONS

La citoyenne Eugénie Beauharnais est douée des qualités les
plus précieuses ; elle est bonne, sensible et toujours prête à
obliger ses compagnes ; son humeur est égale. Elle aurait
tout ce qu'il faut pour bien-faire si elle était un peu moins
étourdie. Elle a été quatre jours à l'infirmerie pour un mal

d'aventure au pouce de la main gauche [1]. Du reste, elle est beaucoup moins gourmande et continue d'avoir pour ses parents toute la tendresse et l'admiration dont ils sont dignes à tant de titres.

La Directrice,
GENET-CAMPAN [2].

* *
*

Au cours de l'année qui suit son entrée, Hortense fait sa première communion dans la chapelle privée de sa directrice : elle reçoit les encouragements de son grand-père, le marquis de Beauharnais, qui a épousé Mme de Renaudin et se dispose à quitter Fontainebleau pour Saint-Germain, afin de se rapprocher de sa petite-fille :

> Vous m'avez fait beaucoup de plaisir, ma chère fille, de m'avoir donné de vos nouvelles, et de m'avoir appris que vous aviés fait votre 1re Communion. Cette acte de Réligion vous en doit estre un, qui doit estre votre guide sur la conduite que vous aurés à suivre lorsque vous serés dans le monde.
>
> Je conçois aisément que vous ne vous en tiendrés pas au prix que vous avés remporté cette année cy, votre attachement aux ouvrages et travaux auxquels Mme Campan vous occupe m'est un sûr garant de vos succès. Je seray toujours enchanté lorsque je vous voiray contente de vous mesme [3].

Cette petite lettre (inédite) du 6 septembre 1796 évoque ensuite l'absence de la maman d'Hortense, la « grande tournée qu'elle effectue en Italie » et son signataire prie « Dieu qu'il nous la ramène dans ses foyers ».

C'est qu'un événement soudain a bouleversé la quiétude des Beauharnais : l'entrée dans leur vie du jeune

---

1. Hortense s'était blessée avec un hameçon, en pêchant à la ligne, à Grignon, chez M. Auguié.
2. *In Hortense de Beauharnais, op. cit.*, pp. 118 et 119.
3. A.N. 400 AP 25.

général Bonaparte. Voici comment Hortense fit sa
connaissance, lors d'un dîner au palais du Luxembourg,
siège du Directoire, en l'honneur du troisième anniversaire de la mort de Louis XVI :

> La société réunie par Barras était fort nombreuse. Tallien
> et sa femme étaient les seules personnes que j'y connusse.
> A table, je me trouvai placée entre ma mère et un général
> qui, pour lui parler, s'avançait toujours avec tant de vivacité
> et de persévérance qu'il me fatiguait et me forçait de me
> reculer. Je considérai ainsi, malgré moi, sa figure qui était
> belle, fort expressive, mais d'une pâleur remarquable. Il
> parlait avec feu et paraissait uniquement occupé de ma
> mère. C'était le général Bonaparte [1].

Nous sommes le 1er pluviôse an IV, 21 janvier 1796.
Hortense n'a pas treize ans. Qu'on se représente son
trouble et sa tristesse à l'idée que sa mère va se remarier.
Elle sait, sans doute, par leur vieille amie, la princesse
de Hohenzollern, revenue à Paris depuis peu, à la recherche de la sépulture de son frère, le prince de Salm, guillotiné en même temps que son père, que celle-ci vient
d'acheter et de faire enclore la fosse de Picpus, dans
laquelle les suppliciés ont été placés [2]. Le souvenir de
son père est encore présent, douloureux. Et comment en
serait-il autrement ?
Hortense est en proie à un double sentiment d'abandon : celui de sa mère envers la mémoire de son père,
qui s'estompera, nous dit-elle, dès qu'elle saura que le
général Bonaparte n'a « en rien trempé dans les horreurs
de la Révolution », et celui de sa mère envers elle, qui
« ne l'aimera plus », pense-t-elle à tort. Si Eugène se
laisse amadouer par ce brillant « général Vendémiaire »

---

1. *In Mémoires, op. cit.*, p. 21.
2. C'est l'acte fondateur du futur cimetière privé de Picpus, qui,
après 1802, sera, pour une autre part, propriété d'une société regroupant les familles concernées : Noailles, Montmorency, Beauharnais,
etc.

qui, à la demande de Barras, vient de réprimer une tentative d'insurrection parisienne en faisant mitrailler le parvis de Saint-Roch, et qui, fait déterminant pour le petit Beauharnais, lui a permis de garder le sabre de son père — malgré son ordre de désarmement des particuliers —, Hortense, elle, résiste. Bonaparte se pique au jeu : à dessein, il attaque devant elle les femmes. Elle les défend. Il surenchérit. Elle se fâche. Il sait qu'elle prépare sa communion, il la traite de dévote. Elle lui rétorque qu'il l'a bien faite, lui. Alors, pourquoi ne la ferait-elle pas ? Il rit aux éclats du sérieux de la petite fille. Il est trop fin pour ne pas sentir ce que représente pour elle cette nouvelle situation. Et il est bien trop épris pour ne pas se mettre en frais auprès des enfants de Joséphine. De fait, il saura désarmer cette première animadversion, et non seulement, il aimera profondément ses beaux-enfants, mais il ressentira avec plénitude cette paternité, l'une des plus pures facettes de sa vie affective.

C'est Mme Campan qui est chargée d'annoncer à Hortense et à Eugène le remariage de leur mère, les 8 et 9 mars 1796. Elle leur fait mesurer les avantages de cette union avec le nouveau général en chef de l'armée d'Italie, qui peut devenir un puissant protecteur d'Eugène. « Sa famille était ancienne et honorable en Corse » et, à tous points de vue, « cette alliance paraissait convenable », nous dit Hortense. Et, en vérité, elle l'était.

La veuve du général Beauharnais, qui, depuis deux années, n'avait cessé de se battre pour sauvegarder ce qu'elle avait pu du patrimoine de ses enfants — dont elle gardait la tutelle —, est en âge et en position de s'assurer, par un remariage, la sécurité qu'il manque à une femme seule, fût-elle bien introduite chez les puissants du moment. Le général Bonaparte est jeune, décidé à faire son chemin, et ses idées tout à fait inédites sur la politique extérieure de la France, comme par exemple attaquer les Impériaux en Italie du Nord, à travers les possessions et les alliés qu'ils y comptent, peuvent lui valoir de vrais succès. Il emporte les suffrages par son indiscutable conviction, par la rapidité de son intelligence, la puissance de sa concentration intellectuelle. Aux yeux de Joséphine, sa principale séduction réside dans sa fougue, ce feu dont il brûle, et qu'il sait rendre communicatif. Lui, pour sa part, est extrêmement sensible à la féminité et à l'élégance de la ci-devant vicomtesse, l'incarnation du raffinement « à la parisienne », autant qu'à l'influence que peuvent lui valoir ses amitiés politiques. Quoi qu'en penseront leurs familles, il veut ce mariage bien assorti, où chacun des partenaires trouve son compte et qui a tout pour réussir.

Les nouveaux époux Bonaparte, avant leur départ pour l'Italie, prennent le temps d'une longue visite à Mme Campan. Le général est à ce point intéressé par la pension et les méthodes de sa directrice qu'il décide sur-le-champ de faire venir à Saint-Germain ses deux derniers frère et sœur. Jérôme, né en 1784, rejoindra Eugène au « Collège irlandais » dirigé maintenant par M. Mestro ; quant à la petite Bonaparte, voici comment il arrange son affaire : « Il faudra que je vous confie ma petite sœur Caroline, Mme Campan, je vous préviens seulement qu'elle ne sait absolument rien, tâchez de me la rendre aussi savante que la chère Hortense [1]. »

Caroline, d'un an plus âgée qu'Hortense, est si en retard dans ses études qu'on décide, pour lui éviter toute humiliation auprès de ses compagnes, de lui faire prendre ses leçons en particulier. Son intelligence nette, son esprit très piquant lui permettent de se mettre à niveau rapidement. Son éclat, son tempérament, la précocité de son intérêt pour la société — qu'elle connaît déjà — et son inclination pour celui qu'elle épousera dès qu'on le

---

1. La scène est racontée par la baronne Lambert, née Alexandrine Pannelier, et reprise dans le livre de Mme d'Arjuzon.

lui permettra et qui n'est encore que le colonel Murat, lui valent un grand prestige parmi ses camarades. Si elle prend un peu d'ombrage du sempiternel exemple qu'on lui fait d'Hortense, devant les efforts et la gentillesse de celle-ci, Caroline s'apaise. Elles deviennent amies le jour où la jeune Beauharnais reçoit les confidences amoureuses de la jeune Bonaparte.

Car le contraste entre elles est à l'image du contraste entre leurs familles : d'une part, les Beauharnais, éminemment civilisés, épris de bonnes manières, occupés à juguler leur sensibilité très forte, empreints d'une grande aisance et d'une élégance notables, et, d'autre part, les Bonaparte, encore peu faits à la sociabilité française, déterminés cependant à obtenir ce qu'ils veulent, et trouvant en eux les moyens de leur volonté : leur finesse, leur charme, leur intelligence rapide leur valant presque toujours une sorte d'ascendant sur leur entourage. En un mot, les uns sont exquis et les autres, irrésistibles.

Ainsi, Hortense, dont la douceur — « Tu es une douce entêtée », lui répète Eugène — et l'attention aux autres, autant que la sagesse, lui valent tous les suffrages, et Caroline, virulente, sûre d'elle au point d'être péremptoire — sa future belle-sœur, l'impératrice Marie-Louise ne l'appellera que « la Mère-emptoire » ! —, dont l'égoïsme peut blesser, mais qui, toujours, atteint les objectifs qu'elle s'est fixés. Le sort les a réunies et, quelles que soient leurs futures dissensions, elles ne renieront jamais leurs enfances partagées chez Mme Campan, tant elles vivent fortement ces heureux temps de formation, de relative insouciance et de promesses délicieuses. Au seuil de la mort, la seconde le rappellera une ultime fois, affectueusement, à la première.

Pendant les dix-huit mois que dure l'absence de sa mère partie rejoindre, sur le terrain de sa campagne, le général Bonaparte, Hortense, qui se sent délaissée, d'autant plus que son frère la quittera bientôt, lui aussi,

pour rallier l'Italie en qualité d'aide de camp du général
en chef, trouve une nécessaire compensation à son chagrin, dans sa vie de pensionnaire :

> L'amitié de mes compagnes, l'affection de Mme Campan
> purent seules me consoler. Cette dernière remarquait avec
> peine la vivacité de toutes mes impressions. Elle mettait tous
> ses soins à fortifier ma raison contre ce qu'elle appelait un
> excès de faiblesse [...]. J'étais habituellement très gaie, très
> rieuse même, ce qui tempérait beaucoup le mal qu'aurait pu
> me faire cette activité, cette chaleur de cœur. Je semblais
> disposée à ne laisser échapper aucune occasion de sentir ;
> rien ne glissait sur moi, tout y pénétrait profondément [1].

Elle suit, à travers les commentaires de sa directrice
et la lecture des gazettes, les éblouissants succès de son
beau-père. Elle y demeure encore un peu rétive, témoin
ce mot, qui fera le tour de Paris : « Savez-vous, lui dit
Mme Campan, que votre mère vient d'unir son sort à
celui d'un homme extraordinaire ? Quels talents ! quelle
valeur ! A chaque instant de nouvelles conquêtes ! » —
« Madame, lui répond-elle, je lui laisse toutes ses
conquêtes, mais je ne lui pardonnerai jamais celle de
ma mère. »

Tous les siens, y compris le général, prennent soin de
lui écrire, de lui faire passer de petits cadeaux ; tantôt
un éventail, des crayons, « un shall turc brodé en
argent » choisis par Eugène, tantôt « un collier charmant
d'après l'antique, les boucles d'oreilles pareilles et les
bracelets » ou une pièce de crêpe, envoyés par sa mère,
quand ce n'est pas des chaînes de Venise ou « une belle
montre, émaillée et entourée de perles fines » venant de
son beau-père, qui commente dans une missive à sa
femme ses sentiments pour elle : « J'ai reçu une lettre
d'Hortense, elle est tout à fait aimable. Je vais lui écrire.

---

1. *In Mémoires*, pp. 23-24.

Je l'aime bien et je lui enverrai bientôt les parfums qu'elle veut avoir [1]... »

Lorsque le général victorieux revient, on accorde à Hortense la permission de passer un temps à Paris. Ces sortes de vacances mondaines consacrées à suivre, dans une atmosphère de liesse généralisée, les cérémonies officielles qu'offre le Directoire à Bonaparte, puis M. de Talleyrand, en charge des Affaires extérieures, à l'épouse de celui-ci, déplaisent hautement à Mme Campan. Elle réprouve ces perturbations dans la vie scolaire de son élève, elle n'est pas sans mesurer combien Hortense représente sa maison d'éducation, comme une vivante enseigne de celle-ci, et elle la souhaiterait plus formée, plus affinée, avant qu'on ne la laisse aller dans le monde. D'un autre côté, il lui est difficile de refuser à cette famille si populaire depuis la paix de Campoformio, en passe de devenir plus influente encore, le plaisir de se réunir enfin. Hortense ne s'étendra pas sur cet interlude parisien : elle aura été tenue à l'écart du Paris du Directoire, qu'elle ne connaît pratiquement pas, et, à la différence de Caroline, elle ne fait montre d'aucune impatience à entrer dans la vie sociale. On la sent heureuse de retrouver son collège, ses compagnes et ses chères études.

Il faut attendre la veille du départ de son beau-père

---

1. Extraits de lettres de Joséphine et d'Eugène à Hortense (AN 400 AP 25 et 28). Quant à la lettre de Bonaparte, elle figure au même fonds, mais nous préférons l'emprunter à l'édition intégrale de ses *Lettres* à Joséphine (24 avril 1796), établie par Chantal de Tourtier-Bonazzi, Fayard, 1981. Cette édition, sous la houlette de Jean Tulard et de Jean Favier, est précieuse, car on sait combien la graphie de Napoléon est difficile à déchiffrer : ainsi, la lettre qu'il promet d'envoyer à la petite Hortense demeura illisible à sa destinataire. Elle la signale, dans ses *Mémoires*, en expliquant que, plus tard, le secrétaire du Consul la lui *traduira*, en quelque sorte. A retardement, Hortense put apprécier la prose de son beau-père, qui s'employait à justifier le choix qu'il avait fait d'épouser sa mère.

pour l'Égypte, au printemps 1798, pour qu'un événement bouleverse la pension de Saint-Germain et fasse
rêver ces demoiselles : le général Bonaparte décide, huit
jours avant de s'embarquer, qu'il faut marier la charmante mais immariable Émilie — à cause de l'émigration du père et des secondes noces de la mère avec le
« nègre » —, avec l'un de ses aides de camp, le jeune
Chamans de Lavalette. En compagnie de Joséphine,
d'Eugène et du prétendu, les voilà chez Mme Campan :
grand émoi, « toutes les pensionnaires étaient aux fenêtres, dans le salon, dans les cours, car on avait donné
congé [1] ». On fait les présentations, la jeune Émilie est
trouvée ravissante, mais d'une timidité qui provoque le
rire du général. Eugène, prié de conduire les intéressés
dans une allée du parc, les laisse seuls. Ils s'expliquent.
Émilie sourit et tend à Lavalette le bouquet qu'elle tient
à la main. Le mariage est bientôt célébré : on va même
dénicher un prêtre insermenté, pour respecter le désir de
la jeune fille. Et voilà ! C'est un scénario que nous verrons si souvent se reproduire qu'il convient de s'y
accoutumer ! Hortense décèle sur le visage de son obéissante cousine un voile de tristesse : Émilie lui avoue son
inclination pour l'un des jeunes frères du général, le
dénommé Louis, jeune officier au regard doux et au
cœur sensible. Inclination, comme on le saura plus tard,
parfaitement réciproque. Émilie aura un destin héroïque : en 1815, elle sauvera son mari du peloton d'exécution en se substituant à lui dans sa prison parisienne. Il
s'échappera grâce aux vêtements de sa femme, qu'elle
l'a forcé d'échanger avec les siens. La réussite de
l'entreprise ne fut pas totale, car Émilie était alors
enceinte et les angoisses qu'elle éprouva lui firent perdre
la raison. Elle survivra, dans cet état, de nombreuses
années, et le sculpteur David d'Angers lui rendait

---

1. Comte de Lavalette, *Mémoires et Souvenirs*, Paris, 1905, p. 115.

encore, vers 1840, de régulières visites. Elle mourra en 1855.

Pour la première fois depuis qu'elle y est entrée, Hortense manque, l'été 1798, l'*Exercice* annuel de son collège. Sa mère, ayant renoncé à s'embarquer à Toulon pour rejoindre Bonaparte dans les sables du Nil, est partie prendre les eaux de Plombières, dans les Vosges. Un balcon de bois s'effondre malencontreusement sous elle. Elle en est quitte pour la peur et quelques contusions : elle demande qu'on lui envoie sa fille, qui égaiera son immobilité forcée. Hortense va passer le mois de juillet et le début du mois d'août dans la tranquille petite station thermale : « J'arrivai promptement, nous dit-elle, et mes tendres soins lui [à sa mère] rendirent la santé. » Mme Campan la fait mourir de regret en lui détaillant la fête du 5 thermidor an VI (24 juillet 1798), à laquelle elle ne peut assister : « L'Exercice, ma bonne Hortense, a été le plus brillant de ma maison depuis qu'elle existe », lui écrit-elle, c'est Isabey qui remet le prix de dessin d'Hortense à « sa chère bonne-maman ». Mme Récamier a embelli les lieux de sa présence, le vieux marquis de Beauharnais n'est venu qu'au bal du soir et « Tout-Paris a parlé avec éloge de [son] établissement [1] ». Voilà qui ne laisse indifférentes ni l'élève ni, surtout, sa directrice.

Au printemps suivant, Hortense éprouve une vive alarme — il y en aura beaucoup d'autres — pour son frère qui vient d'être blessé sous les murs de Saint-Jeand'Acre. Une bombe éclatant au milieu de l'état-major avait atteint Duroc et Eugène. Blessé à la tête, Eugène « tomba roide sous le coup, on le crut mort », nous dit sa sœur. Elle fait là l'apprentissage de la triste condition des femmes, en ces temps de guerre perpétuelle : il n'est pas question de ne pas encourager les hommes de son

---

1. *In Lettres, op. cit.*, I, pp. 8 et suiv.

entourage à partir, à combattre, à se couvrir de gloire et, en même temps, le cœur tressaille au reçu des nouvelles, qui peuvent être fausses, incertaines, différées. On se tourmente d'autant plus qu'on ne sait rien de précis, on s'exagère les périls, les blessures. On rassure celles qui ont moins d'occasions de courrier. On console celles qui s'affligent. On fait bonne figure, quoi qu'il arrive. En un mot, on souffre et on se maintient.

Pour se distraire, Hortense rend visite à sa mère, en voisine, maintenant que Mme Bonaparte vient d'acquérir ce qui deviendra sa résidence préférée : la Malmaison. Nous y reviendrons, comme Hortense, quand les travaux d'aménagement de la demeure et d'embellissement des jardins seront accomplis. Hortense a-t-elle conscience des difficultés qui s'élèvent dans le ménage de sa mère ? Est-elle avertie de la relation qu'entretient celle-ci avec un jeune officier dont les facéties et les calembours la font mourir de rire ? Est-elle au fait des réticences de la famille Bonaparte envers cette élégante trop en vue ? Imagine-t-elle qu'on monte la tête au général contre son épouse ? Eugène, lui, se rend compte des manèges autour de son beau-père : il essaiera d'en avertir sa mère et de tempérer les colères du général. Mais, probablement, sa sœur devra-t-elle attendre son retour pour comprendre dans quel guêpier familial ils sont fourrés.

Ce qu'Hortense constate, dans une lettre à son frère, c'est que « seule, Mme Bonaparte la mère est aimable » avec elle. Les autres, curieusement, ne se manifestent pas. En effet, les beaux-frères de Joséphine sont décidés à évincer l'intruse : leur famille, ce clan soumis à leur seule influence, doit retrouver son homogénéité. N'ignorant rien des écarts de l'imprudente, ils mettent tout en œuvre pour la discréditer aux yeux de son trop crédule époux. La cabale est venimeuse. Elle pourrait bien être mortelle aux Beauharnais. Si elle échoue, c'est qu'à son retour impromptu le général, qui s'apprête à jouer un grand rôle politique en France et à confisquer à son profit un pouvoir en décomposition, sait dominer sa colère conjugale pour, une fois encore, avoir recours aux précieuses amitiés de sa femme. Avec une diligence à la mesure du danger auquel elle vient d'échapper, Joséphine lui rallie trois des cinq Directeurs en place, lui facilitant grandement le coup d'État qu'il prépare. La complicité politique des époux Bonaparte permet à ce dernier d'accélérer le mouvement : débarqué à Fréjus, le 9 octobre, il arrive à Paris le 16. Joséphine, en compagnie de sa fille, est allée au-devant de lui, par une mauvaise route. Qu'à cela ne tienne, le 7 novembre (16 brumaire), il renvoie à Saint-Germain Caroline et Hortense. Elles protestent. « Il fut inexorable », nous dit Hortense. Et pour cause [1].

Dans la nuit du 19 brumaire an VIII, 10 novembre 1799, quatre grenadiers font un tapage épouvantable aux fenêtres de la respectable pension de Mme Campan : on parlemente, on ouvre, et ils annoncent les récents événements de Saint-Cloud, la mise en déroute des députés par Murat à la tête de ses dragons, la création du Consulat, l'accession du général Bonaparte au pouvoir suprême. Caroline, car c'est à elle, bien entendu, que Murat envoyait des nouvelles fraîches, est aux anges. La bruyante galanterie de son héros la transporte d'aise. Hortense est ravie : tous la félicitent. Mme Campan commence par « blâmer hautement » ces façons d'agir, puis, comprenant quels avantages lui vaudra ce coup de

---

1. La prétendue « scène du retour », où Joséphine et ses deux enfants en larmes supplient le général de leur ouvrir sa porte et de ne pas les abandonner, est bien trop vaudevillesque pour être crédible : elle vient, sous la plume notoirement fantaisiste de la duchesse d'Abrantès (Mme Junot), avec des couleurs accentuées de drame romantique. Le mécontentement de Bonaparte était réel, mais l'enjeu politique autrement vital pour lui. Rallier Gohier, notamment, valait mieux que l'éphémère plaisir d'un éclat domestique, fût-il mérité.

théâtre politique, fait ouvrir le salon et servir des rafraî-
chissements à tous.

* *
*

Ainsi donc, Hortense va quitter Saint-Germain. Déjà,
ses parents ont pris possession du palais du Luxembourg, et l'y attendent. Son éducation est finie. Et le
siècle s'achève, emportant avec lui l'ancien monde féo-
dal, les soubresauts et les drames qui ont accompagné
sa disparition. Un nouveau siècle s'ouvre, empli des
espérances issues des Lumières et des promesses de la
génération montante, celle d'Hortense, d'Eugène et de
leurs amis. Cette jeunesse dont la vitalité est le meilleur
garant de la reconstruction nationale, à quoi tous aspi-
rent, quels sont ses rêves ?

A quoi songent ces demoiselles que Tout-Paris va
découvrir avec un intérêt quelque peu voyeur ? Caroline
est comblée car elle va épouser son bel officier, mais
Hortense, elle, se mariera-t-elle bientôt ? La nouvelle
élévation de son beau-père lui sera-t-elle un obstacle ou
un tremplin ? Son cœur « parlera-t-il », comme on disait
alors ? Sous les verdoyants berceaux de sa pension, elle
« faisait le roman de sa vie » avec sa chère Adèle. Mais
demain, précisément, la vie sera-t-elle un roman ?

Mme Campan s'est appliquée à accomplir ce qu'elle
considère comme son chef-d'œuvre. Toutefois, dès
qu'un brillant sujet a tant soit peu d'étoffe, il échappe
au moule conformiste qu'on lui impose, pour vivre sa
vie. C'est exactement ce que va faire Hortense : aller, la
tête haute, d'un pas léger, à la rencontre d'elle-même.
Ou de ce qu'on appelle, plus communément, son Destin.

IV

LA FÊTE CONSULAIRE

Cependant la France prospérait, le gouvernement s'organisait. Les travaux étaient immenses ; le luxe, indispensable dans un grand État, reparaissait.

La reine HORTENSE
(*Mémoires*, p. 35).

Entre tout cela poussait une génération vigoureuse semée dans le sang, et s'élevant pour ne plus répandre que celui de l'étranger : de jour en jour s'accomplissait la métamorphose des républicains en impérialistes et de la tyrannie de tous dans le despotisme d'un seul.

CHATEAUBRIAND
(*Mémoires d'outre-tombe*, 2e partie,
Livre Ier, 5).

Un nouveau régime s'installe en France, dont la finalité est une reprise en main politique, institutionnelle, économique, diplomatique et sociale, pour ne pas dire morale. Tout va changer, désormais, selon les vues du Consul, le premier des trois dirigeants institués par le Coup de Brumaire. Après la passion, ses éblouissements et son anarchie, l'intelligence revient au pouvoir. Il est particulièrement intéressant de voir se dessiner les nouvelles lignes de force qui vont mouvoir une société, toute à sa restructuration, dans le sillage d'un homme de volonté. Le génie ordonnateur du Consul se met au service de la Nation, appauvrie par dix ans de troubles. Il attend qu'elle retrouve sa cohésion, ses valeurs et son prestige. Elle en a le plus profond désir. Il va lui en donner les moyens.

*   *
*

Le Directoire avait fait ce qu'il avait pu pour gérer l'ingérable situation engendrée par les excès révolutionnaires. Désireuse de se garder des factions, la Constitution de l'an III avait précautionneusement séparé les pouvoirs : l'Exécutif avait été confié à cinq membres, fréquemment renouvelés, et le Législatif réparti entre deux assemblées : celle des Anciens et le Conseil des Cinq-Cents. Les attaques répétées d'une double et virulente opposition — jacobine et royaliste —, fomentant à tour de rôle des coups d'État, affaiblissaient l'autorité gouvernementale, jamais en mesure de les contrer durablement. D'où une politique de louvoiement qui, à la longue, avait créé une pernicieuse instabilité.

Cette dilution malsaine, cause et effet de la corruption et de l'esprit d'intrigue, s'accompagnait d'une crise financière qui semblait inextricable. Un facteur plus dangereux encore la renforçait, attisant la profonde discorde nationale : la guerre civile en Vendée, que la chouannerie revivifiait et dont on ne voyait pas la fin.

La situation extérieure du pays était moins mauvaise, toutefois les conquêtes successives de ce que nous appelons aujourd'hui la Belgique, des Pays-Bas (la Flandre et Maestricht), de la frontière rhénane et d'une partie du Pays basque, demeuraient aléatoires. Tout comme l'établissement d'un certain nombre de « Républiques-sœurs », en Italie. Les victoires de Bonaparte sur les Impériaux, suivies du traité de Campoformio, avaient infléchi avantageusement l'équilibre diplomatique, mais là encore la précarité avait de quoi inquiéter.

Aussi, la première urgence pour Bonaparte, lorsqu'il prend le pouvoir, est-elle de résorber cette incertitude généralisée : avec une infatigable énergie, une clair-voyance et une rapidité mentales incomparables, une puissance de travail que soutiennent, à son côté, des esprits expérimentés, Sieyès, le concepteur de la nou-velle Constitution, qui a enfin trouvé l'« épée » qu'il cherchait pour mettre fin à dix ans d'agitation, Talley-rand, le grand seigneur diplomate, en charge des Rela-tions extérieures, Fouché, l'homme le mieux informé de France, à la direction de la Police, il se met à la tâche.

Les deux axes de sa politique sont la centralisation et la pacification. La première s'exerce à partir de la nou-velle Constitution, dite de l'an VIII, rédigée par Sieyès. L'Exécutif, confié à trois Consuls élus pour dix ans et rééligibles, repose en fait entre les mains du premier d'entre eux, Bonaparte, qui choisit les ministres, les offi-ciers, les juges, les membres de deux des quatre assem-blées : le Conseil d'État, responsable des projets de loi, et le Sénat, appréciateur de leur constitutionnalité. Le pouvoir législatif comprend, outre ces deux assemblées, les cent membres du Tribunat et les trois cents du Corps législatif, tous désignés par les sénateurs, donc par le Premier Consul. Immédiatement après son arrivée aux affaires, celui-ci fait voter le renforcement de l'adminis-tration civile, par le biais de préfets et de sous-préfets. Pour plus de sécurité, il les place sous l'autorité de son frère Lucien, devenu ministre de l'Intérieur. A ces lois de pluviôse succèdent celles de ventôse, améliorant, en en réformant la hiérarchie, le pouvoir judiciaire. La créa-tion de la Banque de France accompagne les mesures d'assainissement des finances. Dans le même temps, il met en chantier l'admirable mise au clair des lois natio-nales, ces Codes napoléoniens, dont le plus célèbre, le Code civil, verra le jour en 1804.

Quant à la pacification, sans laquelle nul épanouissement n'est envisageable, Bonaparte la mène sur plusieurs fronts, simultanément. « Ni bonnet rouge, ni talons rouges », prévient-il d'emblée : autrement dit, il tente de désamorcer le jacobinisme militant en incluant un certain nombre de proscrits dans le personnel politique et, après une autorisation massive de retour aux émigrés qui le souhaitent — ils sont évalués à cent quarante-cinq mille en 1800, desquels cinquante-deux mille reviendront alors —, il les amnistie deux ans plus tard.

Pour fortifier cette paix civile, il entreprend avec Rome de longues négociations en vue du rétablissement du catholicisme : le Concordat consacrera un apaisement unanimement souhaité. L'avaient précédé quelques mesures de tolérance envers les anciens usages, comme par exemple, le retour du Jour de l'An, du Dimanche chômé, au lieu du Décadi — réservé, dès lors, aux seuls fonctionnaires —, du Carnaval et des Bals de l'Opéra, si populaires qu'on s'y précipite en foule, sans compter les appellations d'avant la Révolution, pour les femmes. Seuls, les hommes de nationalité française, bénéficiant de leurs droits civiques, garderont le titre de « citoyen ». Si on devra attendre quelques années avant de reprendre officiellement le calendrier grégorien (le 1er janvier 1806), on cesse de fêter le 21 janvier (exécution de Louis XVI), le 10 août (chute de la monarchie) et le 10 thermidor (chute de Robespierre). Ce sont des détails, mais qui ont leur charge de symboles, et Bonaparte n'est pas homme à mésestimer leur importance dans l'affectivité et la vie quotidienne de ses compatriotes.

Ce qui décuple la popularité du Consul, c'est son départ en campagne, en juin 1800, pour, paradoxalement, gagner la paix avec les ennemis coalisés contre la France : Marengo, sa victoire la plus fêtée, amène la paix de Lunéville, bientôt suivie, en 1802, de celle d'Amiens qui désarme, du moins provisoirement, l'agressivité anglaise. Fort de l'enthousiasme qu'il suscite, Bonaparte se fait élire Consul à vie et peut désormais renforcer son œuvre, accroître la prospérité du pays cependant qu'il accentue son autorité sur lui.

C'en est bientôt fini du climat vénéneux dont s'entouraient ses prédécesseurs, de l'avidité des affairistes, de leur désir outrancier d'enrichissement facile, des débordements et des voyants étalages de ce que les parvenus, issus du pavé thermidorien, prenaient pour du luxe et, dans leur absence de goût, d'éducation, de sens éthique, pour de la supériorité. C'en est fini des trafics d'influence gangrenant le tissu social : en Italie, Joséphine et Bonaparte lui-même n'avaient pas dédaigné « prospecter », comme nous dirions aujourd'hui, de fructueux marchés. A l'ostentation vulgaire, au relâchement du « monde de la bamboche » — comme dans un siècle le « monde de la noce » —, aux relations de mauvais aloi qu'autorisaient le dérèglement de l'ancienne hiérarchie sociale, la promiscuité et la familiarité — le tutoiement systématique — engendrés par la Terreur, va se substituer un nouveau ton.

Et c'est le premier des changements qui frappent tous les témoins : un désir de redressement et la réapparition d'une tenue qu'on croyait disparue. La prospérité renaissante va contribuer à asseoir cette transformation des mœurs, et, l'exemple venant d'en haut, les manières raffinées et l'élégance d'antan sont remises à l'honneur. Joséphine et sa fille Hortense ne seront pas les dernières à montrer aux Parisiens ce qu'il convient de faire.

Le Palais au Bois-Dormant

Après deux mois passés au Petit-Luxembourg où il se trouve à l'étroit, Bonaparte prend la décision de transporter le gouvernement, les Consuls et leurs familles aux

Tuileries. C'est là une audacieuse initiative, car enfin, prendre possession le plus franchement du monde de l'ancien palais des Rois, c'est se poser non seulement en chef d'État républicain, liquidateur de la Révolution, mais aussi en restaurateur possible de la monarchie, voire en monarque virtuel. Il entend donner à l'événement une touche de solennité et de spectaculaire, calculée comme un premier sondage de l'opinion.

Celle-ci réagit bien : les Parisiens sont manifestement charmés de voir passer un long cortège, insolite mais ne manquant point d'allure, qui, ce 30 nivôse an VIII, 19 février 1800, s'achemine vers la rive droite de la Seine, avec à sa tête les troupes d'élite précédant, en bon ordre, les voitures des conseillers d'État, celles des ministres, que suivent l'état-major de la capitale, les officiers généraux à cheval, parmi lesquels Murat, Lannes et Bessières, puis le carrosse des Consuls tiré par six chevaux blancs. La musique militaire, la Garde consulaire en grande tenue, tout concourt à séduire la foule, qui n'est pas sans évoquer les anciennes « entrées » monarchiques. Comme la revue qui a lieu au centre de la place du Carrousel, devant le Pavillon de l'Horloge, des drapeaux les plus criblés, les plus valeureux, ceux des 30ᵉ, 43ᵉ et 96ᵉ demi-brigades, et qui provoque une réelle émotion et une ovation prolongée.

Depuis les fenêtres du Pavillon de Flore (côté Seine), Joséphine, Hortense et Caroline assistent à cette arrivée triomphale. L'allure décidée et pleine d'aisance du Consul est remarquée de tous : son maintien force l'adhésion. Seuls quelques esprits chagrins ou, tout bonnement, observateurs notent que les voitures des ministres sont, en fait, des fiacres dont on a pris soin de couvrir les numéros d'immatriculation avec du papier ton sur ton. Éphémère frugalité ! Et signe des temps ! Cette pompe encore mal affirmée a quelque chose de touchant. Il y aura, dans cette cour du Carrousel, des centaines de revues pendant les quinze années à venir. En fut-il une plus authentique ? Et surtout, plus significative ?

*
* *

Les voici dans la place. Et quelle place ! Comme l'Hôtel de Ville, les Tuileries sont chargées d'une Histoire illustre et mouvementée, celle des relations entre un peuple et les centres de pouvoir de sa capitale. Nous avons du mal à nous représenter l'importance du château royal, incendié par la Commune, et dont il ne reste que les deux Pavillons extrêmes, Flore et Marsan (reconstruit). Nos prédécesseurs, eux, savaient son origine et les épisodes marquants dont il avait été le décor. Ils y sentaient les grandes présences de Catherine de Médicis, qui en avait confié la première édification à Philibert Delorme, et du Béarnais, qui n'avait eu que le temps d'y raccorder le Louvre, par la Grande Galerie, le long de la Seine. Sauf pour quelques belles fêtes, comme celle de l'élection d'Henri III au trône de Pologne, ou du mariage du duc de Joyeuse avec Marguerite de Vaudémont, on n'ouvrait les Tuileries que le temps d'un caprice royal, déjeuner ou promenade à la belle saison. Anne d'Autriche se plaignit d'avoir reçu du plomb dans les cheveux alors qu'elle en parcourait les jardins bruissants d'oiseaux. En fait, jusqu'à la Révolution, les Tuileries ne seront guère plus qu'une sorte de « Plaisance » au Bois-Dormant. Seule la Grande Mademoiselle, la turbulente cousine de Louis XIV, l'avait habitée : de ses fenêtres, elle avait vu les débuts d'un soulèvement dont elle n'allait pas tarder à prendre la tête. Il s'agissait de la Fronde qui la fit exiler. Et la demeure retourna à sa solitude.

Louis XIV y commanda des remaniements : Le Vau les accomplit non sans lourdeur, cependant que Le Nôtre ordonnançait les jardins tels qu'encore nous les connaissons. Mais on sait que le Grand Roi préféra Versailles. Il n'utilisa les Tuileries que pour immortaliser l'espace sur lequel eut lieu le fabuleux Carrousel de 1662, qui, depuis, porte son nom : devant quinze mille spectateurs, le jeune souverain mena son quadrille à cheval, figurant les Romains. Suivirent celui des Perses, puis des Turcs, de l'Inde et des « Amériquains ». Sous la Régence, le petit Louis XV y tint quelques lits de justice, y reçut le tsar Pierre le Grand puis une ambassade ottomane. A sa majorité, il rejoignit Versailles. Et, une nouvelle fois, le château retrouva son silence.

1789 l'en fit sortir. Le 6 octobre, une troupe d'émeutiers y amène la famille royale. Dans une sorte d'indescriptible campement, elle va s'y établir, ainsi que les six cent soixante-dix-sept personnes qui l'entourent, pendant près de trois ans. L'Assemblée nationale avait suivi — on appelait cela « se recapitaliser » —, et prenait possession de la salle du Manège, dans l'ancienne académie d'équitation située à l'ouest du Pavillon de Marsan, le long de ce qui est actuellement la rue de Rivoli. Elle réquisitionne certaines salles des couvents voisins des Feuillants et des Capucins, pour y entreposer ses archives. A deux pas, de l'autre côté de la rue Saint-Honoré, se trouve le Club des Jacobins, autre centre névralgique de la vie politique. Commence alors, pour les Tuileries, une sorte de double existence : côté château, la Cour, ou ce qu'il en reste, vivant resserrée, inquiète, livrée aux hésitations et aux contradictions des souverains, et côté jardin, la Ville, se révolutionnant avec entrain, au gré de ses séances quotidiennes qu'animent la fougue des orateurs et l'effervescence du public.

Le pitoyable feuilleton de la fuite à Varennes met un terme à ces enthousiasmes. De plus en plus triste, le château est envahi, le 20 juin 1792, puis, le 10 août suivant, il est pris d'assaut. La monarchie succombe dans

une tuerie et un saccage sans pareils : vacarme qui monte
de partout, des caves d'où on extirpe le vin du sable
dans lequel on le conservait, des cuisines, où les émeutiers non armés se saisissent des ustensiles propres à
l'attaque, des salons et des cabinets où pas une vitre, pas
un miroir ne seront épargnés. Les cadavres s'amoncel-
lent : l'escalier du Pavillon de Flore est impraticable. A
cinq heures de l'après-midi, la chapelle regorge de corps,
sur lesquels bourdonnent, déjà, des essaims de grosses
mouches... Pillé, démeublé, dévitalisé, le palais devient
« National ». Jusqu'à Thermidor, il abritera les Comités
dans les Pavillons dévastés : Marsan devenu Égalité,
l'Horloge, au centre, surmonté d'un dôme, l'Unité, et,
paradoxe ! Flore, où se réunit le Comité de salut public,
Liberté. La Convention s'est établie dans l'ancienne
Salle des machines, destinée aux effets spéciaux du
Théâtre (où Voltaire avait été couronné peu de jours
avant sa mort), située entre la Chapelle et Marsan :
David l'a redécorée, pour la circonstance, à l'antique.
La dernière apothéose patriotique aura lieu, le 20 prairial, pour la fête de l'Être suprême, dans les jardins : on
se souvient de ce qu'il en coûta à la petite Beauharnais,
et à sa jolie robe de linon blanc, lorsque l'Incorruptible
incendia les statues en carton-pâte, représentant
l'Athéisme, l'Ambition, l'Égoïsme et la Fausse Simplicité. Devait émerger du brasier, la Sagesse. Sans doute
les Parisiens entendirent-ils la leçon, qui, dans la foulée,
mirent un terme à cette sanglante dictature n'osant pas
dire son nom, mais les abreuvant de mascarades aux
symboles grossièrement moralisateurs.

Sous le régime consulaire, puis sous l'Empire, Napoléon va enfin permettre aux Tuileries de vivre conformément à leur vocation de résidence monarchique :
remeublé, embelli, dégagé des petits bâtiments qui en
parasitaient les abords, le Palais accueillera avec une élégance quelque peu militaire le nouveau pouvoir français.

Il connaîtra, après le Sacre, les fastes guindés et mémo-
rables de la Cour impériale, qui susciteront l'étonnement
et l'admiration de tous ses visiteurs, à commencer par
les étrangers. Avec les Bourbons restaurés, par deux fois,
le vieux palais devenu « le Château » retrouvera
l'ancienne étiquette. Celle-ci s'assouplira pendant les
dix-huit ans du règne du roi-bourgeois, Louis-Philippe.
Enfin, véritable Palais des Merveilles, il vivra comme
une ultime apothéose les fêtes du Second Empire, ses
valses et ses crinolines, dont s'étourdira le fils d'Hortense. En s'embrasant, les Tuileries entraîneront dans
leurs décombres près d'un siècle d'Histoire, sept régimes successifs, trois révolutions et deux invasions étrangères. Tous les souverains qui les ont habitées en ont été
chassés ou les ont quittées précipitamment : Louis XVI
pour le Temple et l'échafaud, Napoléon pour l'île
d'Elbe, en 1814, et pour Waterloo et Sainte-Hélène en
1815, Louis XVIII pour Gand, en 1815, Charles X pour
Saint-Cloud et Holyrood, en 1830, Louis-Philippe pour
Claremont House, en 1848, et Napoléon III, enfin, pour
Sedan et l'exil.

En 1800, cette malédiction n'est qu'à peine perceptible. Seul le passé récent, lugubre, impressionne Joséphine et ses enfants, lorsqu'ils s'installent au rez-de-
chaussée, sur le jardin, dans l'aile qui jouxte le Pavillon
de Flore. Joséphine ne se plaira jamais aux Tuileries, ce
qui explique ses fréquentes évasions vers la demeure de
son cœur, la Malmaison. Hortense y vivra peu — jusqu'à
son mariage —, confinée dans un petit appartement
contigu à celui de sa mère. Elle est réceptive à la tristesse de ces pièces aux lourdes tentures fanées — l'une
est un ancien oratoire de la reine —, que semble animer
l'ombre de l'infortunée Marie-Antoinette. Tristesse que
le conseiller Roederer fait remarquer au Consul. « Oui,
commente celui-ci, comme la grandeur. » Il travaille et
reçoit au premier étage, au-dessus de sa famille, dans

l'espace qui relie le Pavillon de Flore au Pavillon de l'Horloge : les grands salons de Diane, des Maréchaux vont sous peu devenir des lieux d'apparat très recherchés. La solennité compensera la tristesse.

Les deux autres Consuls ont préféré s'installer hors les Tuileries : Cambacérès, qui aime ses aises, occupe l'hôtel d'Elbeuf, près du Carrousel, et Lebrun, l'hôtel de Noailles, voisin du manège. De ce fait, Hortense et sa famille demeurent les maîtres de ce que Mme Campan appelle pompeusement le « palais le plus célèbre de l'Univers ». L'a-t-elle assez souvent répété à sa chère élève : le bonheur n'habite pas les palais. Qu'en sera-t-il, en vérité ?

Le cercle de famille

Pour commencer, essayons de nous en représenter les habitants.

Hortense aura bientôt dix-sept ans. Si elle est encore peu faite aux plaisirs de la vie citadine, sa personnalité, déjà, est structurée. Un autoportrait ravissant nous la montre en pied, vêtue d'une longue robe blanche, sous les ombrages de la Malmaison. La fraîcheur et la légèreté de ce qui paraît être du linon, ou de la mousseline des Indes — si prisée avant que le Consul n'en interdise le commerce —, dévoilent de beaux bras, un décolleté sage que souligne la ceinture haut placée, alors en vogue. Nous savons qu'elle était de la même taille que sa mère — celle-ci le note dans une lettre à Mme de La Pagerie —, mais elle semblait plus grande tant son port était alluré. Son visage offre désormais un ovale régulier qu'accentuent, sans l'embellir, un menton décidé — celui de son père — et une bouche qui manque, selon les canons de l'époque, de la finesse requise pour être parfaite. En revanche, un splendide regard bleu-violet, dont héritera, disent les témoins autorisés, le prince impérial, fils de Napoléon III, capte et transmet toute la profondeur du monde. Étrange regard, d'une douceur quelque peu rêveuse, et cependant serein pour ne pas dire décidé, ferme. Eugène a raison : sa sœur est *une douce entêtée* comme le sera plus tard son fils Napoléon III. Autre point fort d'Hortense : sa chevelure blond cendré, coiffée en repentirs, ces sortes de légères anglaises qui encadrent les joues, suffisamment floues pour en souligner l'arrondi. La masse des cheveux relevés en chignon rehausse son long cou. Nous savons par sa lectrice future, Mlle Cochelet, qu'Hortense ne supportera qu'impatiemment les longues séances de coiffure que lui imposeront quotidiennement ses obligations de Cour. Ses cheveux étaient si longs — ils lui descendaient jusqu'aux pieds — qu'il fallait, pour les lui brosser, les étendre sur le dossier d'une chaise, et ses enfants jouaient à passer et repasser sous cette voûte improvisée. Hortense se déclarait satisfaite et se dégageait, dès qu'elle le pouvait, des doigts réticents de son coiffeur. Elle possède cette gestuelle particulière aux jeunes femmes pressées qui, d'une main légère, retiennent sans cesse une mèche, un peigne, une épingle sur le point de s'échapper. Cette imperceptible touche de négligé rend encore plus attrayante son élégance très sûre, mais sans apprêt. Dans tout ce qu'elle est, dans tout ce qu'elle fait, on perçoit le battement de la vie qui donne à sa présence une aura très féminine.

Sans être une beauté parfaite, comme Mme Récamier, ou exotique, comme sa mère, sans être non plus une « belle-laide », Hortense se distingue, dès son entrée sur la scène parisienne, par un charme que toutes ses compagnes reconnaissent et que son autoportrait exprime assez : son rayonnement vient de sa force, sa grâce est le reflet de son être. Qu'elle ait choisi de se placer, pour fixer cette image très sincère d'elle-même, dans un cadre naturel, dont la verdeur sombre et légèrement accidentée recèle un mystère, est explicite. Cela témoigne de cette poésie nouvelle qui émeut les âmes : l'heure est à ce que nous appelons le préromantisme, à la découverte des parcs, des étangs, des bois, aux promenades solitaires qu'a chantées Rousseau, qui permettent à l'être humain de mieux sentir sa spécificité. À la nature, insensible et immortelle pense-t-on, on oppose l'éphémère de la vie humaine, les sentiments qu'on se plaît à analyser longuement et les élans du cœur dont les nuances favorisent la délectation plus ou moins morose [1].

Dans son beau et triste palais, Mlle de Beauharnais s'adonne aux plaisirs de la vie intérieure. Elle n'a garde, toutefois, d'oublier les avis de Mme Campan. Celle-ci l'abreuve de conseils — ne pas s'user au tourbillon du monde, garnir ses fenêtres, accessibles au public, à cette époque, de rideaux opaques — et aussi de directives : pas trop de lectures romanesques, mais un programme bien établi d'études quotidiennes, avec chaque jour un maître différent. Hortense, qui est une sérieuse, s'y emploie.

Elle s'est aménagé une sorte de salon-cabinet de travail, où elle a placé son piano-forte et ses chevalets. Elle est déjà une excellente musicienne, comme son frère, et se perfectionne sous la direction de son maître de piano, Hyacinthe Jadin, du violoniste Grasset et du maître de chant italien Bonesi. Nous la verrons bientôt suivre ses parents au concert et à l'Opéra, suprêmes divertissements, avec le théâtre, de la vie consulaire : Bonaparte, nul ne l'ignore, était particulièrement sensible aux voix. Mme de Rémusat, contemporaine d'Hortense, et qui sera prochainement dame du Palais de Joséphine — que sa famille, les Vergennes, connaissait depuis Croissy —

_____

1. Ce fusain, de 80 centimètres par 52, se trouve au musée d'Arenenberg.

raconte dans ses *Mémoires* comment, dès cette époque, il « écoutait des morceaux de musique lents et doux, exécutés par des chanteurs italiens, accompagnés seulement d'un petit nombre d'instruments légèrement ébranlés. On le voyait alors tomber dans une rêverie que chacun respectait, n'osant ni faire un mouvement, ni bouger de sa place. Au sortir de cet état qui semblait lui avoir procuré une sorte de détente, il était ordinairement plus serein et plus communicatif [1] ».

Hortense est tout aussi douée pour le dessin et la peinture. Quand David fait pression sur elle pour placer un de ses élèves, aux Tuileries, elle est perplexe. Mme Campan lui conseille ceci : « Vous ne pouvez pas quitter Isabey pour maître de dessin, vous le désoleriez, vous vous feriez des ennemis dans son parti, car chaque artiste a le sien. Voici ce qu'il faut faire, sans céder ni à Isabey ni à David : prendre des leçons de peinture du jeune élève qu'on vous a indiqué, et continuer de dessiner de temps en temps avec Isabey [...]. Vous pouvez avoir toujours un dessin commencé. Isabey vous dira : "Je veux vous faire peindre." Vous répondrez : "Je compte toujours sur vos soins pour la partie du dessin ; mais j'ai promis d'apprendre à peindre avec un élève de David." Celui-là vous dira : "Ne dessinez pas, cela vous refroidit." Vous continuerez sans le croire, et vous ferez bien. Ne donnez point de cachets à Isabey ; il ne tient qu'à l'avantage d'aller chez vous, et d'y avoir un libre accès [2]. »

Peu après, Mme Campan demande à Hortense de lui faire une belle étude du mamelouk Roustan, que Bonaparte avait ramené d'Égypte, et dont le type et le costume étaient très saisissants. Elle souhaite la placer dans son bureau, à Saint-Germain. Hortense s'exécute avec

1. Mme de Rémusat, *Mémoires*, I, pp. 102-103.
2. *In Lettres* de Mme Campan à la reine Hortense, avril 1800. I, p. 69.

plaisir. Un jour, elle est si absorbée par son œuvre qu'elle en oublie l'heure de passer à table. Sa mère finit par venir la chercher et, devant l'application de sa fille, elle lui demande si elle compte gagner son pain en artiste pour travailler avec une telle ardeur : « Maman, lui répond Hortense, dans le siècle où nous sommes nés, qui peut répondre que cela ne sera pas [1] ? »

Hortense, on le voit, avait assimilé les leçons du bouleversement révolutionnaire : tant de ci-devant grandes dames avaient été contraintes, pendant les années de leur émigration, de vivre de leurs talents. Combien avaient survécu en se faisant miniaturiste, brodeuse ou modiste en chambre... Le futur Louis-Philippe ou le jeune Chateaubriand étaient devenus professeurs, Mme de La Tour du Pin-Gouvernet, fermière en Amérique, Mme de Flahaut, romancière à succès. Mme Campan, elle-même, avait opéré son spectaculaire redressement avec un unique assignat en poche. Hortense admirait cette professionnalité improvisée qui aide, lorsque les circonstances y contraignent, à faire face à l'adversité. Elle se félicitera, après 1815, de ce que son éducation très complète lui permette dès lors d'occuper sa vie avec intelligence et agrément. En plus de cette faculté de ne s'alimenter qu'à soi-même, l'aristocratie découvrait qu'une occupation pouvait devenir profitablement un travail, et que rien n'était moins ridicule qu'un talent, pour peu qu'il fût de qualité.

*
* *

Les Tuileries sont, alors, un modèle d'activité incessante. Le Consul est à ce point requis par la marche des affaires, qu'il passe relativement peu de temps avec sa

---

1. *In Lettres* de Mme Campan qui rappelle opportunément cette anecdote à son ancienne élève, le 5 juin 1816.

famille. Encore est-il souvent soucieux, ce que tous remarquent, car il se tait. Et tout le monde en fait autant. D'ailleurs, il n'aime pas qu'on parle politique au salon. Cela ne l'empêche pas d'être affectueux et attentif envers les siens. Maintenant qu'elle partage sa vie, Hortense découvre les facettes de la complexe personnalité de son beau-père. Comme tous, elle est sensible à son brio, son énergie, son allant et, même, son mordant, qui en imposent. Elle admire ce meneur d'hommes, mais elle le craint, sentiment qu'elle ne surmontera jamais. Nul, dès cette époque, n'ose le contredire tant son intelligence pénétrante foudroie l'interlocuteur. Son parler net, son caractère autoritaire, sa connaissance approfondie du sujet — quel qu'il soit —, l'imprévu ou l'originalité de sa pensée ont quelque chose de fascinant. Comme chez tous les Bonaparte, il y a chez lui de l'impérieux qui entraîne mais aussi un grand charme qui déconcerte. Le Consul est un homme jeune, vibrant, dont la puissance de séduction assujettit les plus endurcis. Arrêtons-nous un instant à la première impression qu'il produit sur son aîné d'un an, le vicomte de Chateaubriand, fraîchement revenu d'émigration, et qui l'approche chez son frère Lucien :

* *

[...] il me frappa agréablement ; je ne l'avais jamais aperçu que de loin. Son sourire était caressant et beau ; son œil admirable, surtout par la manière dont il était placé sous son front et encadré dans ses sourcils. Il n'avait encore aucune charlatanerie dans le regard, rien de théâtral et d'affecté. [...] Une imagination prodigieuse animait ce politique si froid : Il n'eût pas été ce qu'il était, si la muse n'eût été là ; la raison accomplissait les idées du poète [1].

Voilà qui est bien démêlé. Hortense, et c'est de son

---

1. *Mémoires d'outre-tombe*, Deuxième partie, Livre deuxième, 4.

âge, est sensible à la juvénilité de Bonaparte, à son extrême vivacité, à sa gaieté débridée quand l'heure et l'humeur sont à la détente, ainsi qu'à un aspect moins connu de lui : sa grande humanité. Elle raconte, dans ses *Mémoires*, une scène significative qui a lieu peu après leur installation aux Tuileries. Elle se trouve avec sa mère, son frère et le Consul, dans les appartements du rez-de-chaussée, dont on a déjà dit qu'ils étaient, côté jardin, à la vue du public. Ils observent un vieil homme, décemment vêtu, qui tend avec une gêne manifeste la main aux passants. Cette pauvreté digne est si cruelle, si poignante, que le Consul charge Eugène de porter quelque argent au vieillard. Devant la joie de celui-ci, il décide de l'envoyer chercher et le reçoit, ès qualités, s'informant de ses malheurs, et faisant ce qu'il faut pour y mettre un terme. Le politique est froid, mais l'homme est susceptible de compassion.

La mère d'Hortense est devenue la première dame de France. La Consulesse, comme on l'appelle parfois, a beaucoup gagné à cette élévation. De même que son époux s'est transformé — il a sacrifié ses oreilles de chien qui lui valaient le surnom de « Corse aux cheveux plats », et soigne son apparence —, Joséphine a rajeuni et embelli. Maintenant que le Consul vient d'apurer les deux millions de dettes qu'elle avait faites pour acheter et aménager la Malmaison, elle dispose d'un budget personnel, destiné à soutenir le rôle qui lui est imparti : ranimer autour d'elle une société digne de ce nom, le noyau de ce qui deviendra prochainement la Cour consulaire. Elle va s'entendre à le mettre à profit pour son installation et sa parure.

Autant ses enfants cultivent le naturel et la simplicité, autant Joséphine excelle à s'entourer à profusion de belles choses. En ce début de « règne », elle donne la priorité à ses toilettes, qui deviendront sous l'Empire le fabuleux département des « Atours ». Elle commence à collectionner les étoffes de prix, les dentelles, les *shalls* du Cachemire ou du Moyen-Orient — en vogue depuis l'expédition d'Égypte —, les chapeaux agrémentés à satiété de plumes exotiques, ces « esprits » ou aigrettes dont elle raffole, ainsi, bien sûr, que les bijoux qu'elle fait continuellement remonter. Dès cette époque, elle devient la providence des fournisseurs car elle aime changer, innover, impulser la mode, que Paris s'empresse de suivre, pour le plus grand bien de l'artisanat.

Ce goût du luxe qui la distingue est plus que frivolité superlative de créole prodigue, comme on a voulu le faire croire. Encore que « luxe » et « luxuriant » aillent de pair, et l'on ne saurait oublier que Joséphine vient d'un monde où le foisonnement et la richesse de la nature façonnent les êtres. Le luxe est plutôt, pour elle, une valeur de civilisation extrême, dans ce qu'elle offre de plus raffiné et de plus beau à une jolie femme, pour vivre en exacte adéquation avec l'idéale image qu'elle a d'elle-même. Cette projection de soi et de son cadre de vie, comme une œuvre d'art dont on ne cesse jamais de rehausser la finition, vient en droite ligne de son appartenance à l'Ancien Régime où, tant à la Ville qu'à la Cour, la parure était l'un des éléments du code social. Suprêmement, le vêtement était un langage. Joséphine ne l'oubliera jamais. Mais là où elle se démarque de l'ancienne aristocratie qui n'en a pas les moyens, c'est qu'elle va savoir en faire, comme ses plus belles et ses plus riches contemporaines, Mme Récamier en tête, une expression personnelle.

Elle se soigne, se coiffe, se farde, se parfume longuement chaque matin, elle choisit ses robes, ses *shalls*, ses accessoires, avec minutie, elle enrichit son écrin avec l'idée permanente que tout cela lui permet d'apparaître au mieux de ce qu'elle est : une femme jeune, mais éprouvée par son passage à la prison des Carmes, par les angoisses qui l'ont alors précocement vieillie — d'où les incertitudes récentes, les intermittents espoirs de grossesse, signes d'une ménopause encore douteuse —, et qui, maintenant qu'elle est installée au sommet du pouvoir parisien, n'a aucune intention de s'en laisser évincer, non plus que de n'être pas à la hauteur de ce que le Consul attend d'elle. D'où cet art de soi-même, pour se plaire et pour plaire aux autres.

Car les invités affluent : chaque décade, les salons du premier étage accueillent les diplomates, les ministres, les membres des assemblées, les militaires et les personnalités du monde scientifique et artistique, lors de dîners de deux cents couverts. Joséphine reçoit chez elle, presque chaque jour, ses amies, lors de ces déjeuners de femmes dont elle gardera l'habitude toute sa vie. Le soir, si elle ne sort pas pour aller au spectacle, elle regroupe autour d'elle une société encore intime dont, toutefois, le Consul a souhaité évincer certaines anciennes relations directoriales par trop voyantes : en premier lieu, l'aimable Mme Tallien, qui vit maintenant avec le banquier Ouvrard, et s'est faite l'infatigable animatrice du château du Raincy.

Le rôle social et politique de Joséphine est essentiel : elle s'emploie à la réconciliation nationale souhaitée par le Consul, en se chargeant du délicat problème des émigrés, donc de la réinsertion de l'ancienne aristocratie passablement blessée, ruinée et dispersée par la Révolution. La consigne est à l'apaisement, et c'est tout naturellement vers elle qu'affluent les multiples sollicitations, les demandes de radiation de la fatidique « Liste », ou de restitution des biens invendus, ceux qui n'ont pas figuré parmi les biens « nationaux ». Mille témoignages s'accordent à vanter son obligeance et son efficacité : la duchesse de Saulx-Tavannes, le futur chancelier Pasquier — qui avait été son voisin à Croissy —, des membres d'éminentes familles, les Nicolaï, Lévis,

Montmorency, Gontaut, de Mun, Matignon, et bien
d'autres, ne peuvent que se féliciter d'avoir recours à
elle. Cette reconnaissance, sans lui créer un parti, lui
vaut une sympathie qui commande un bon nombre de
ralliements au Consul. Ce qui n'est pas sans inquiéter le
prétendant en exil, Louis XVIII. Celui-ci, pourtant, ne
désespère pas d'entrer discrètement, à travers elle, en
relation avec le nouveau pouvoir parisien, dont il attend
une hypothétique restauration. En vain. Cependant, Joséphine, dont, à Mittau, l'ancien gouverneur des Iles, Viomesnil, et l'ami de Fontainebleau, François Huë, vantent
les bonnes dispositions, se garde bien de décourager quiconque. Dès qu'il apparaîtra aux royalistes de l'exil que
Bonaparte n'est décidément pas Monk (restaurateur de
la couronne britannique), ils redeviendront subversifs.
Nous verrons à quoi cela mènera.

En attendant, la plupart des royalistes de l'intérieur
doivent à Mme Bonaparte, ainsi qu'à Fouché sur lequel
elle s'appuie, de réintégrer la société de leur pays. A
Paris, carrefour de tous leurs espoirs, ils se retrouvent,
s'étonnent, tentent de s'adapter au changement — ce qui
est plus facile quand ils sont jeunes —, et créent déjà
une myriade de petits cercles, qui ne sont pas encore de
vrais « salons » mais des foyers vivaces, gais, intelligents, comme celui de Mme de Beaumont, l'amie de
Chateaubriand, cette spirituelle jeune femme qui s'en ira
bientôt expirer sous le beau ciel romain. Personne, dans
ces coteries, ne songerait à critiquer Joséphine. Tous, au
contraire, rendent hommage à son tact, à son élégance,
à sa douceur. Sa plus fervente admiratrice est l'une de
ces fortes personnalités qui font l'opinion. Il s'agit de la
marquise de Montesson, épouse morganatique de feu le
duc d'Orléans, le père de Philippe-Égalité, qui a traversé
la tourmente sans trop de dommages. Aussi verte qu'il
est possible — tante de Mme de Genlis, elle a dans sa
vie un jeune homme qui est le gendre de celle-ci, M. de

Valence ! —, cette fine mouche séduit les Bonaparte. Elle assure ses vieux jours en se faisant leur conseillère en matière de protocole, et commence à enseigner à la Consulesse, qui ne demande pas mieux, les subtilités de l'étiquette et les usages d'une vie de cour. Ces profitables leçons vaudront à leur dispensatrice hôtel et pension jusqu'à sa mort en 1806. Quant à l'élève, c'est merveille comme elle assimilera et dominera tout ce qui a trait à la vie officielle, ses rites, ses finesses et ses obligations.

Les deux enfants Beauharnais, eux aussi, sauront tenir leur rang, Eugène plus naturellement que sa sœur parce qu'il est plus docile. Il a d'ailleurs la passion de son devoir, sans quoi, pense-t-il, il n'est pas de paix intérieure. Formé dès son jeune âge à la discipline militaire, il a déjà accompli un parcours brillant, qu'on cite en exemple : au lendemain de Thermidor, sa mère se trouvant, on s'en souvient, bien démunie, l'a confié au général Hoche qui, en septembre 1794, avait reçu pour mission de pacifier l'Ouest du pays. A treize ans, Eugène part faire ses classes, ses « enfances », disait-on au Moyen Age, au côté d'un des grands chefs de guerre de la Révolution. Depuis Cherbourg ou Mortain, il écrit fidèlement à sa petite sœur, lui faisant part avec fierté de ses premières chevauchées nocturnes, de ses premières actions d'avant-garde. Au bout de quelques mois, il revient près d'elle poursuivre son éducation. Il peut se féliciter de ce que sa mère aime les généraux : Bonaparte décide de le faire venir auprès de lui, en Italie, et, sous-lieutenant de hussards, Eugène reçoit sa première blessure à Roveredo. Il a quinze ans. Son beau-père, qui, déjà, a toute confiance en lui, qui a pris la mesure de sa rectitude, de sa loyauté, de son esprit de sérieux ne se laissant démonter par rien, l'envoie, après Campoformio, représenter la France dans les îles Ioniennes. Pendant la campagne d'Égypte, Eugène, devenu aide de camp du général en chef, est bientôt fait lieutenant. On se sou-

vient de sa blessure devant Saint-Jean-d'Acre où il fut
moins chanceux que son ancêtre maternel, Renaud de
Tascher, six siècles auparavant. Le voilà maintenant
capitaine des chasseurs à cheval de la Garde consulaire.
Il n'a pas tout à fait vingt ans, et toutes les séductions
d'un *beau cavalier*, comme on dit dans son milieu, auxquelles s'ajoute le prestige de l'officier.

Autre passion d'Eugène : la famille. Des blessures de
la Terreur qui a détruit la sienne, il a gardé un attachement très vif pour le trio qu'il forme avec sa mère et sa
sœur. Toujours plein d'attention, il ne s'éloigne jamais
sans leur écrire ponctuellement, sans leur acheter mille
petits cadeaux, comme autant de témoignages de ce que,
à aucun moment, il ne les oublie. Il a avec Hortense une
complicité sans pareil. Affective, pour commencer, car
ils sont l'un à l'autre un irremplaçable miroir. Vingt fois,
Hortense a dit à ses familiers qui le rapporteront : « Je ne
vis que de la vie d'Eugène. » Elle aura ce mot superbe :
« L'amitié d'une sœur pour son frère, c'est l'amour sans
la douleur. » Ils partagent toutes leurs impressions, ils se
rassurent, ils se consolent, comme lorsqu'ils sont sans
nouvelles de leur mère : ils savent ses travers, ce qu'ils
appellent « sa paresse » à leur écrire, ou « son silence »
qui les blesse. Ils aiment leur beau-père et sont attentifs
à lui plaire, à lui obéir. Ils feront bientôt, cependant,
les mêmes analyses politiques, de type « prévisionnel »
comme on dirait aujourd'hui. Souvent, ils les feront à
distance, car le drame de leur vie sera que l'Empire les
séparera, ce dont ils souffriront intensément.

Enfin, ils ont le même sens de la vie sociale, ils
aiment autant l'un que l'autre les plaisirs mondains.
Eugène brille dans un salon : c'est un beau garçon, au
visage plus régulier que celui de sa sœur, mais comme
elle, très Beauharnais. De sa mère, il possède le tact et
l'affabilité. Sa maturité précoce, due aux tribulations de
son enfance, est corrigée, comme chez Hortense, par

l'entrain et la gaieté. Toujours Eugène est partant, pour la guerre ou pour le bal, où il se conduit avec la même fougue et la même sûreté de soi. Combien de fois écrira-t-il à sa sœur qu'« il est à cheval depuis l'aube, sans avoir dormi » la nuit précédente, qu'il a tout simplement passée à danser ! Car il aime la danse, il aime chanter — le compositeur allemand Reichardt admirera plus la beauté de sa voix de basse que sa pure technique musicale —, et cela lui vaudra d'être recherché, comme son père avant lui, du beau sexe. Comme son père, il le lui rend bien. Pour l'heure, il est reçu régulièrement dans la société particulière la plus élégante de la capitale, celle de la belle Récamier, la jeune épouse de l'influent banquier, maintenant régent de la Banque de France que vient de créer le Consul. Ce que Joséphine s'applique à faire au Palais, Juliette le réalise à la ville, chez elle : offrir un terrain de rencontre, dans un esprit d'élégance œcuménique, à ses contemporains désireux de se retrouver. Eugène, beau-fils du chef de l'État et commensal agréable, s'impose avec naturel dans les deux mondes, l'officiel et le privé. Le contraire serait étonnant.

La tribu Bonaparte

Face à ce cercle familial uni, aimant, de bonne compagnie, habitant ce palais avec la même aisance que s'il s'agissait d'une maison ancestrale, face à ces Beauharnais élégants et raffinés se profile la tribu Bonaparte, nombreuse, récemment installée à Paris et décidée à ne pas perdre une miette de ce que l'éminente position du Consul peut leur valoir. Il est temps de faire sa connaissance.

Une figure s'en détache, comme si elle en était l'essence : celle de la mère, Letizia. Comme Joséphine, c'est une insulaire, mais entre l'« Américaine » et la

Méditerranéenne, il y a un abîme qui tient à la disparité de leur origine et de leur culture. A la sociabilité très aristocratique et très française de l'une s'oppose la simplicité à l'antique, pour ne pas dire l'austérité, de l'autre. Ni luxe ni colifichets pour Letizia Bonaparte dont la beauté sévère, bien qu'un peu passée, se suffit de la régularité et de la finesse de ses traits, qu'elle a léguées, à ses enfants, Joseph et Napoléon, particulièrement. Au contraire, le signe distinctif de cette femme aux valeurs simples et fermes est la sobriété.

Les épreuves qu'elle a connues — un veuvage précoce, une fortune amenuisée, la charge de huit enfants, les agitations révolutionnaires en Corse, suivies de la proscription des siens — n'ont pas altéré son courage. Rien ne la désespère ni ne la grise. Égale à elle-même, cette femme sensée, cette patricienne solide, suit le chemin de sa vie comme s'il était tracé de toute éternité. L'exceptionnel destin de son fils Napoléon ne lui tournera pas la tête. A l'inverse, elle est trop pénétrée de ce que la Fatalité règle toute chose humaine, pour ne pas attendre un correctif à ce qu'a d'anormal cette trajectoire. D'où son constant souci de thésauriser : pour après. Dieu sait qu'on s'est gaussé de cet esprit de prévoyance, que Napoléon jugeait excessif. Il n'empêche que c'est elle qui avait raison. Après la chute, elle pourvoira aux besoins de sa progéniture, jusqu'à sa mort, survenue en 1836.

Elle ne se plaît pas à Paris malgré les succès qu'y connaissent ses enfants. Cette ville trop frivole, trop éprise de sa propre virtuosité, en proie au mouvement perpétuel et à la folie du paraître, cette foire aux vanités en un mot, contrarie en elle le sens de la mesure, et la profonde authenticité. Sa bru, Joséphine, incarne tout ce qu'elle réprouve ; cependant, elle est trop digne pour se montrer vindicative. Si elle déplore le choix de Napoléon, elle n'a guère plus de chance avec ses autres enfants qui, tant s'en faut, se marient selon leur goût et non le sien.

Ses fils en premier lieu. Joseph, son aîné, conscient de sa prérogative, le plus sociable et sans doute le plus ressemblant à son père, a fait, en son temps, un mariage avantageux avec la discrète Julie Clary, issue d'une prospère famille marseillaise. Elle ne lui a donné, pour le moment, qu'une fille (la seconde naîtra en 1802). Letizia vit chez lui, rue du Rocher, et se félicite de sa position actuelle de conseiller d'État. Lucien, son préféré, la tête politique du clan, du moins, le pense-t-il, depuis ses brillants débuts républicains, est ministre de l'Intérieur. Il vise plus haut et sa mère le sait. Incessamment il sera veuf de la gracieuse Christine Boyer qui ne laissera que deux filles. Non que la relève soit urgente. On en parle cependant. La solidarité conjugale de Napoléon les gêne. Les vues du Consul sont impénétrables, mais on fomente à petit bruit des scénarios, pour le cas où... Le cas où il arriverait quelque chose à ce chef de guerre, le cas où il serait, enfin, décidé à divorcer de la « vieille femme » qu'il a sottement épousée, et qui ne fait pas grand cas d'eux... Qui demeure stérile. Qui, de plus, et c'est une circonstance aggravante, a près d'elle ces deux grands enfants que le Consul considère un peu trop à leur gré...

Les trois sœurs Bonaparte, elles, mènent leur barque sans que leur mère ait grande autorité sur elles. Ce sont des volontaires qui n'en font qu'à leur tête. Élisa, le bel esprit, élevée à Saint-Cyr, domine sans peine son tranquille Bacciochi et ne songe qu'à réunir un salon ouvert aux écrivains et aux savants. Elle est, en cela, soutenue par l'académique M. de Fontanes, son intime ami — qui lui présentera le jeune Chateaubriand —, et par son frère Lucien avec lequel, depuis toujours, elle a partie liée. Elle fait les honneurs de sa maison, rue Verte, à Paris, et de sa propriété du Plessis-Chamant, à la campagne. Car les fils Bonaparte ont acheté en « biens nationaux »

de beaux domaines. Joseph est l'heureux propriétaire de
Mortefontaine, où s'est déroulé le mariage de Caroline.
Cela dit, Élisa ne réussit pas comme elle le voudrait dans
la société : elle manque de liant, d'aménité et sa séche-
resse, son ton cassant la rendent aisément antipathique.
Elle est entourée de flatteurs, de solliciteurs plus ou
moins avoués, d'ambitieux désireux d'accéder, par son
intermédiaire, au Consul. Rien qui ressemble à un céna-
cle éclairé. Tout au plus, un début de clientèle. Et
encore...

Pauline est belle à miracle. Et elle fait ce qu'elle veut
de son mari, le général Leclerc. Elle s'étourdit déjà de
ce narcissisme qu'elle cultive et dont elle se fera une
légende. A la différence d'Élisa, elle est trop attrayante
pour n'être pas recherchée. Mais son cercle n'est
composé que de soupirants, d'adorateurs plus ou moins
transis, d'admirateurs en attente d'être comblés. Rien de
bien intelligent ne peut advenir autour d'elle, car elle est
aussi capricieuse et vaine qu'elle est jolie. C'est elle,
hélas, qui vaudra à sa famille la méchante réputation de
sottise et de vulgarité qu'on lui a faite. Les Bonaparte
valent évidemment beaucoup mieux que cela, néanmoins
l'absence d'altitude et d'exigence de la plus admirée
d'entre eux leur aura nui.

Caroline, en revanche, a de l'étoffe et se trouve être
la plus intéressante des trois sœurs. Comme les autres,
elle a voulu son mari, le beau Murat. Elle, du moins, vit
un bonheur éclatant, que couronneront plusieurs enfants,
dont l'aîné, Achille, sera le filleul d'Hortense. Elle est
fraîche, enjouée, piquante et, surtout, intelligente. Plus
même, elle possède un sens politique aigu, que lui
reconnaît son frère Napoléon. Talleyrand, qui s'y entend,
dira d'elle qu'elle a « une tête de Machiavel sur les
épaules d'une jolie femme ». On le verra le jour où elle
régnera. Cela étant, son ambition et son avidité croîtront
avec le temps, à la mesure de ses réelles capacités.

Curieusement, des trois filles Bonaparte, c'est elle qui déteste le plus franchement Joséphine. Là où Élisa n'est que dédain, Pauline, que rivalité coquette, Caroline sécrète envers l'influente Consulesse une de ces haines de femme frustrée de pouvoir. Ce sont les pires.

Quant aux deux fils restants, Louis et Jérôme, ils font encore peu parler d'eux. Le premier, élevé par Napoléon et considéré par celui-ci comme son fils, est occupé à finir ses classes d'officier. C'est un jeune homme sensible, au charme doux, que son amour malheureux pour Émilie de Beauharnais, depuis Mme de Lavalette, ne rend pas gai. Il est un peu raisonneur, se laisse volontiers aller à des rêveries et des digressions de type rousseauiste, et suit ses aînés si on le lui demande. Le petit Jérôme sort de son collège et se montre des plus affectueux envers Joséphine et Hortense. Contre toute attente, il le restera.

Les Bonaparte à Paris, à l'aube du siècle, dans le sillage du prestigieux Napoléon, forment une famille disparate mais toujours prête à se souder quand ses intérêts sont en jeu. Et ceux-ci, pour le clan récemment propulsé sur la scène politique et sociale, sont moins de pouvoir que de confort : dans peu de mois, Joseph va acquérir l'hôtel Marbeuf, faubourg Saint-Honoré, Lucien s'installera dans l'hôtel de Brienne, rue Saint-Dominique, cependant que Letizia prendra possession, en compagnie de son demi-frère Fesch, de la belle maison Hocquart, au sein de la Chaussée d'Antin. Cette opulence les rassure, mais aussi, elle déclenche chez eux un appétit qui, rapidement, deviendra insatiable...

Leur qualité générique est, nous l'avons déjà noté, un intéressant mélange de volonté, d'énergie et de magnétisme. Ce sont des « battants », comme nous dirions aujourd'hui, qui, constamment, font montre d'une séduction traduite en rapports de forces, qui favorise leur marche en avant. Et, contrairement aux clichés superfi-

ciels — cultivés par les romantiques —, leur appartenance à la vieille civilisation méditerranéenne du Nord
exalte, en eux, moins le passionnel que le rationnel. Leur
esprit de finesse, hérité en droite ligne de la latinité,
s'étaie sur une virulente aptitude à saisir chez autrui ce
qui peut renforcer leurs desseins.

On n'aurait garde, pour comprendre la suite de leur
histoire, de perdre de vue leurs dominantes particulières : la fermeté de la mère, l'insignifiance doucereuse de
Joseph, l'ambition politique de Lucien et de Caroline, la
prétention d'Élisa, la vacuité de Pauline et, bientôt, la
susceptibilité de Louis et la légèreté de Jérôme. Ils sont
encore peu agissants, mais cela ne durera pas. D'ici peu,
Napoléon, malgré son autorité et à cause de sa réelle
indulgence à leur égard, aura du mal à les contenir.
Quant aux Beauharnais, ils feraient bien, on l'aura
compris, de les surveiller de près.

Une escouade de jeunes gens, un essaim de jeunes filles

L'un des premiers apprentissages politiques d'Hortense se fait, de façon soudaine, à l'automne 1800. Elle
n'ignore pas qu'accéder au pouvoir, au sortir de temps
troublés, comporte un certain nombre de désagréments,
comme celui de devenir une cible permanente pour les
conspirateurs pressés de se défaire du chef de l'État.
Jacobins et royalistes complotent encore avec virulence.
Un jour qu'Hortense se faisait une joie d'aller à l'Opéra
assister à la première du ballet *Pygmalion*, elle est
surprise de voir arriver aux Tuileries, à six heures de
l'après-midi, ce qui est insolite, son frère Eugène, en
compagnie de tous les aides de camp. Eugène lui explique qu'on doit assassiner le Consul le soir même. Le
complot est découvert, les assassins se trouveront dans
la loge située au-dessus de la loge officielle. Le Consul

souhaite que la soirée se déroule normalement : on arrêtera les conspirateurs « in situ ». C'est pourquoi il tient à s'entourer de ses aides de camp. Surtout, qu'elle n'en dise rien à leur mère, toujours prompte à s'effrayer, et qui risquerait de compromettre les plans de Bonaparte. « Qu'on juge de mes alarmes », confie Hortense qui assista, comme si de rien n'était, à la soirée. Les Jacobins Cerachi et Arena furent pris pendant le spectacle et jugés.

A quelque temps de là, le soir du 3 nivôse, 24 décembre 1800, sa famille s'apprête à aller entendre pour la première fois l'oratorio de Haydn, *La Création du monde*. Bonaparte est fatigué, il n'a pas envie de sortir. « Cela te distraira, tu travailles trop », lui dit Joséphine qui finit par le convaincre. Au moment de partir, Bonaparte, comme cela lui arrive souvent, inspecte les toilettes des dames et critique celle de sa femme. Le temps de draper plus souplement son châle, Joséphine se met légèrement en retard sur la voiture du Consul. La sienne, où prennent place Hortense, Caroline et l'aide de camp Rapp, n'a pas le temps d'entrer dans la rue Saint-Nicaise — l'artère qui relie la place du Carrousel à la rue de Richelieu, où se trouve l'Opéra — qu'une explosion la soulève. Les vitres se brisent, les chevaux s'emballent. Joséphine panique : elle est persuadée que Bonaparte a été atteint — alors qu'il est passé sans encombre, avant l'explosion. Caroline, fortement enceinte, garde un parfait sang-froid. Hortense, blessée à la main, se joint à elle pour tenter de calmer sa mère. Rapp se précipite rue Saint-Nicaise. Spectacle désolant : des cadavres d'hommes, de femmes et d'enfants, partout. Une maison a été soufflée par un baril de poudre dissimulé dans une charrette. Le Consul aura le mot juste lorsqu'on lui fera le rapport détaillé des événements : « Quelle horreur ! Faire périr tant de monde parce qu'on veut se défaire d'un seul homme ! » Éternel problème du terrorisme à la voiture piégée...

La soirée, à l'Opéra, s'est terminée tant bien que mal. Tous reviennent aux Tuileries où accourent les ministres et les personnalités politiques. On commente longuement l'attentat. Le Consul est persuadé qu'il s'agit, une fois de plus, des Jacobins. Fouché, seul, lui tient tête : il pense que ce sont les royalistes. Il avait raison. Les fanatiques d'alors n'étaient guère plus imaginatifs que ceux d'aujourd'hui : le sacrifice d'innocents horrifie l'opinion et n'aboutit qu'à renforcer la sympathie pour le Consul. Leurs récidives accéléreront la marche de Bonaparte vers un pouvoir de plus en plus personnel.

La vie d'Hortense n'est pas toujours soumise à ces tensions dramatiques. Elle devient même franchement agréable lorsque, aux beaux jours, ses parents se transportent près de Paris, à la Malmaison. La jeune fille, amoureuse de la nature et des longues promenades, est enchantée de s'y trouver : « La Malmaison était un endroit délicieux », nous dit-elle, et l'on sent qu'elle y situe les plus heureux souvenirs de sa jeunesse.

A l'ouest de la capitale, dans la direction de Saint-Germain-en-Laye, sur la rive gauche de la Seine, le domaine avait été, au milieu du IXe siècle, investi par les envahisseurs normands et à partir de là ils ravageaient les environs. Au XIIIe, cette « Mala Domus » apparaît, sous cette appellation, dans les archives : son seigneur Hugues de Meulan, *prévost* de Paris, devant hommage en mainmorte à la puissante abbaye de Saint-Denis. Au fil des siècles et des propriétaires, la Malmaison s'était constituée de terres autour d'un château, originellement simple, reconstruit sur ses bases au début du XVIIIe siècle, puis embelli au siècle suivant entre les mains du financier Le Coulteux du Molay, auquel Joséphine l'avait acheté.

Depuis Croissy, aux heures révolutionnaires, elle rêvait à cette superbe campagne [1], qu'elle contemplait sur l'autre rive du fleuve. L'affaire ne fut pas simple. Disons en bref que, si Joséphine l'achète (environ 260 000 francs) pendant l'expédition d'Égypte, c'est Bonaparte qui la paie. Jusqu'à l'automne 1802, il y fera de fréquents séjours, y commandera des travaux et s'y comportera en propriétaire. Comme il préfère ensuite s'établir au château de Saint-Cloud, Joséphine disposera de la Malmaison qu'elle ne cessera d'améliorer. Elle ne l'acquerra légalement que le 16 décembre 1809, lors de son divorce. Elle y résidera aussi souvent que les circonstances le lui permettront, et elle y mourra.

Restauratrice du goût, Joséphine a donné sa pleine mesure en faisant de sa demeure un séjour enchanté qui, encore aujourd'hui, conserve ce « parfum de femme » qui lui ressemble. Nulle part ailleurs on ne la comprend ni ne la perçoit si bien que là : sa plus parfaite et plus élégante création est ce décor, intérieur et extérieur, qu'elle ne se lassait d'enrichir et d'affiner. Plus qu'un décor, un monde à son image, à celle de son désir. Cette magicienne a réussi à faire mentir l'étymologie : la Mala Domus, la « mauvaise maison », est devenue le lieu de tous les agréments d'une société d'élite, qui s'y retrouve et s'y reforme, autour d'une femme exquise, et par elle [2].

---

1. Nous renvoyons à l'incomparable travail d'érudition de Bernard Chevallier, *Malmaison, château et domaine, des origines à 1904*, Éditions de la Réunion des Musées nationaux, Paris, 1989.
2. Ce qui, pendant des siècles, fut *la Malmaison*, demeure et domaine, devint, par décision de l'Empereur, *Palais impérial de Malmaison*. Son appellation officielle, actuellement, est *Château de Malmaison*, sans l'article défini. Cependant l'ancien usage persista, conforme d'ailleurs à l'esprit des lieux et à l'étymologie : Hortense, son entourage, Talleyrand et bien d'autres — tenant par leur naissance à l'Ancien Régime, souvent — continuèrent de dire et d'écrire : *la Malmaison*. Et il en fut ainsi pendant tout le XIXᵉ siècle. Nous respectons cette habitude. Que l'orthodoxie nous pardonne, il ne s'agit, après tout, que de conventions.

Après l'avoir acquise, Joséphine s'était préoccupée d'y commander les plus urgentes réparations, mais c'est le Consul qui, au début de l'année 1800, charge Percier et Fontaine des aménagements décisifs qui vont donner à la Malmaison son nouveau visage. Les deux brillants décorateurs (le premier étant le concepteur, le second, le technicien), présentés à Bonaparte par l'ébéniste Jacob et le peintre David, venaient de faire leurs preuves en restaurant l'hôtel acquis par les Récamier, dans l'opulente Chaussée d'Antin [1]. Achetée en octobre 1798 à Necker, la nouvelle résidence du banquier et de sa jeune femme avait été l'objet de travaux pendant toute l'année 1799, pour qu'à la mi-décembre, précisément, au lendemain du Coup de Brumaire, ses impatients propriétaires puissent, enfin, en faire les honneurs. Ce fut un succès sans précédent. On se précipitait à la découverte de cette petite merveille à la pointe de la mode. Car tout y était nouveau : l'agencement et la distribution de l'espace voué au seul bien-être des maîtres de maison, les matériaux — le marbre et l'acajou —, le mobilier à l'antique — cette « antiquité » réinventée, grecque, étrusque, pompéienne, on ne savait trop —, les motifs rehaussant le décor, ces débauches de palmettes, de chimères ailées, de cols de cygne, mais aussi de sphinx, évoquant la campagne d'Égypte, et qui ne vont pas tarder, avec les cariatides, les obélisques, les pyramides et les scarabées, à connaître une vogue extraordinaire. Un petit mobilier de torchères, athéniennes, bonheurs du jour ou travailleuses, ponctuait salons et boudoirs de touches amusantes et relayaient les méridiennes, les psychés, les lits en

---

1. Les Récamier avaient passé contrat avec l'architecte Jacques-Antoine Berthault, le décorateur Charles Percier et les ébénistes Georges et François Honoré Jacob. Percier étant le concepteur, il est généralement admis que Fontaine qui, déjà, avait réalisé à ses côtés la réfection de la salle de la Convention, a travaillé à la restauration de l'hôtel Récamier.

estrades, par trop solennels. Une salle de bains à la baignoire transformable en sofa, recouverte alors de maroquin rouge, faisant jeu avec une série de fauteuils bas, semblait à toutes les élégantes le comble du raffinement. Partout, les harmonies de violet et de chamois, de vert et de vieil or rendaient les tentures — de damas de soie ou de gros-de-Tours — plus spectaculaires et plus luxueuses encore. Percier et Fontaine venaient de signer là une étonnante réalisation qui leur valut une notoriété immédiate.

C'est à la Malmaison qu'ils vont accomplir maintenant leur premier chef-d'œuvre, et, suivant les directives du Consul et de Joséphine, épurer leur manière, affirmer ce qui demeurera le meilleur du style consulaire, plus masculin, plus guerrier que le style Directoire, moins rigide, moins fastueux que le style Empire dont ils deviendront les promoteurs officiels. Cette résidence, somme toute simple, mais bien située, enchâssée, au-delà du parc, dans un ensemble verdoyant de bois, de prés et de vignes, y gagnera une fraîcheur et une grâce inédites.

La belle ordonnance classique du bâtiment, au corps central flanqué de pavillons symétriques, s'ouvre à la fois sur la cour d'arrivée et sur le jardin, dont les savantes perspectives en font un prolongement naturel de la demeure. Ce dialogue entre l'intérieur et l'extérieur ou, si l'on préfère, entre la nature et la culture, donne un charme typiquement français aux pièces de réception disposées sur tout le rez-de-chaussée. Les visiteurs passent sous une tente de coutil rayé — destinée aux domestiques —, qui précède le vestibule d'honneur aux imposantes colonnes de stuc. D'emblée, un ton est perceptible, qui évoque les récentes campagnes militaires du Consul. Beaucoup plus tard, dans son exil aux rives du lac de Constance, la reine Hortense voudra reconstituer ces décors à la fois nets, parlants et légers qu'elle

avait connus sous le Consulat. Elle se souviendra de la
Malmaison, de sa galerie, de sa salle de billard — qui la
réjouissait, car toute sa vie, elle s'y montra de première
force —, du salon de compagnie, lambrissé d'acajou sur
quoi ressortent deux grandes compositions préromanti-
ques de Girodet et de Gérard, de la salle à manger aux
grands panneaux décorés de danseuses pompéiennes, sur
fond ocre orangé, de la nuance alors en vogue, dénom-
mée « terre d'Égypte ». Sans oublier, bien sûr, la salle du
Conseil, en forme de tente — toujours de coutil rayé —,
retenue par des piques et des faisceaux, agrémentés de
trophées, et qui rappelle, pour le cas où on l'oublierait,
chez qui on se trouve. Le Consul y travaille, ainsi que
dans sa merveilleuse bibliothèque, que Percier et Fontaine ont obtenue en reliant trois petites pièces en enfi-
lade, par des jeux de colonnes. La série de coupoles
formant le plafond est peinte à la gloire d'Apollon et de
Minerve. Le Consul, pendant les travaux, persiflait : cela
ressemblait à une sacristie. Le résultat final est remarquable d'élégance, d'intimité, d'incitation à la vie de
l'esprit. Au premier étage sont les appartements des maîtres de maison. Au second, une dizaine d'autres logis,
pour leurs invités et leur domesticité.

Le parc n'a pas encore sa physionomie idéale, selon
Joséphine qui, en la matière, possède des goûts précis,
à l'anglaise. Elle se séparera de Percier et Fontaine, et
continuera, à son gré, les aménagements qu'elle souhaite
et, notamment, l'édification des serres destinées à ses
collections botaniques qui seront parmi les plus belles et
les plus rares de l'époque. Il a, pour l'heure, l'attrait de
l'étendue. Des corps de garde sont implantés de façon à
garantir la sécurité du Consul et des siens, ce dont on se
soucie depuis l'attentat de la rue Saint-Nicaise.

*
* *

« Les habitudes du Consul à la Malmaison étaient à
peu près les mêmes qu'à Paris, explique Hortense. Il

travaillait toute la matinée, seul ou avec ses ministres qui venaient de Paris. Il invitait à dîner des savants qui passaient ensuite la soirée et avec lesquels il aimait à causer. Ceux que j'y ai vus le plus souvent : Monge, Berthollet, Fourcroy, Volney, Laplace, Lagrange, Prony [1]. » Le ton était à la détente intelligente. En plus des membres du personnel politique, les généraux et les aides de camp — une escouade de jeunes gens — comptaient parmi les hôtes de Bonaparte. S'y ajoutaient Hortense et ses amies — une escouade ou, plutôt, un essaim de jeunes filles. On imagine, sans peine, la gaieté de la vie ordinaire dans ces beaux lieux.

Les plaisirs sont de deux types : de plein air et de société. Hortense excelle aux deux. Elle se révèle être ce qu'on appellera bientôt une sportive, le mot et la chose étant empruntés aux pratiques d'outre-Manche. Disons, en bon français, qu'elle avait le goût de l'exercice : cavalière intrépide, marcheuse endurante, infatigable amateur de randonnées, elle restera célèbre, sous l'Empire, pour le char à bancs qu'elle mettait à la disposition de ses invités, leur faisant parcourir les allées de Saint-Leu, ou de la voisine forêt de Montmorency. Mme de Staël ou le tsar Alexandre, en personne, n'y échapperont pas... Au temps de ses jeunes années, elle affectionne l'escarpolette et le jeu de barres — ancêtre du populaire « ballon prisonnier » —, où elle rivalise avec son beau-père d'entrain et de rapidité. On sait que le Consul s'y dépensait avec ardeur, étourdissant la jeune compagnie de ses tricheries et de ses fous rires.

Généralement Hortense déjeune avec sa mère, et les amies de celle-ci, dans une petite salle à cet effet, à l'étage, et elle assiste au dîner de ses parents, à six heures, ainsi qu'à la soirée. Pour son plus grand profit : non

---

1. *In Mémoires, op. cit.*, p. 46.

seulement, elle voit défiler tout le haut personnel politique, mais aussi, elle nous l'a dit, des savants, des acteurs, des artistes. Sa mère fait des réussites, ce qui ne la tente guère, son beau-père lui demande parfois une lecture (à haute voix, selon l'usage), ce qui la terrifie s'il s'agit d'un texte nouveau comme cet *Atala* de M. de Chateaubriand, foisonnant de mots bizarres qu'elle écorche... Le dimanche, il y a bal et là elle est à son affaire. Mais le reste du temps... Alors lui vient l'idée de monter, avec ses amis, des charades, puis des comédies de paravent. Elle adore cela. Le Consul aussi, qui bientôt patronne une véritable petite troupe : Hortense et Eugène en sont les directeurs, Talma, le conseiller technique, et Caroline, les Junot, Bourrienne, le secrétaire du Consul, ou tous autres jeunes gens de bonne volonté, les acteurs. On s'attaque au répertoire classique : Beaumarchais, Marivaux, Molière. Un franc succès. Le Consul se laisse convaincre de construire un « théâtre portatif ». Percier et Fontaine font diligence : deux cents personnes pourront y prendre place. Et ce sera un engouement généralisé...

Si nous pouvons nous représenter l'entrain de cette jeunesse, nous pouvons aussi nous figurer les idylles, les petites intrigues qui se nouent et se dénouent. Hortense, souvent, se trouve seule avec les aides de camp, ce qui n'est pas une situation facile. Elle l'analyse finement : « D'abord embarrassée, je m'y habituai bientôt. J'avais senti qu'il fallait bannir une timidité qui eût porté ces jeunes gens à se mettre trop à leur aise avec moi, ou en ne me comptant pour rien ou en s'occupant trop de l'embarras qu'ils me causaient. Je pris avec eux l'air naturel d'une femme qui est chez elle et qui y donne le ton. » Elle réussit parfaitement auprès d'eux en les faisant parler de leurs campagnes, de leurs faits d'armes. « J'avais tellement leur confiance, ajoute-t-elle, qu'ils me consultaient sur toutes les propositions de mariage qu'ils recevaient. »

L'un d'entre eux l'intéresse, c'est Duroc. Il est bien né, il a de l'allure et, bientôt, il tombe amoureux d'elle et se déclare. Mais Joséphine s'oppose « formellement » à ce qui aurait pu être une union convenable. Hortense éprouve une réelle souffrance à l'idée qu'elle pourrait contrarier sa mère. Elle se tourmente, se contrarie elle-même, comprend peu à peu ce qui va empoisonner les quelques mois qui la séparent de son mariage : elle est un enjeu. Obtenir sa main, c'est entrer dans la famille qui gouverne la France. Son mariage ne peut être anodin, ou simplement une affaire qui la regarde. Il aura un sens politique et, sur l'échiquier complexe des tensions et arrière-pensées familiales, il aura un poids stratégique indéniable.

Jusqu'à présent les prétendants n'avaient pas manqué. Mais aussi, son cœur était resté de glace. Sa mère avait eu l'idée de lui faire rencontrer le fils de Rewbell, au temps du Directoire : le jeune homme n'avait pour lui que la position de son père, au palais du Luxembourg. Hortense n'en avait fait aucun cas. Depuis Brumaire, c'étaient les jeunes gens du faubourg Saint-Germain, qu'adroitement Joséphine mettait sur son chemin : Adrien de Mun, Just de Noailles, Charles de Gontaut. Charmants, mais sans plus : elle les regarde et détecte immédiatement un travers, un empêchement rédhibitoire. L'un a eu une liaison avec Mme de Staël, l'autre est surpris par elle se roulant par terre avec son petit chien... Foin de ce débauché et de ce puéril ! Aucun ne lui agrée. Et puis, elle n'est pas pressée. Elle est heureuse entre ses boîtes de couleurs et ses partitions de musique. Mais Duroc a fait battre son cœur. Légèrement, d'après ce qu'elle nous dit : « Il n'était pas l'homme que [son] imagination lui représentait. »

L'imagination, ce pourrait être son problème : « Ne lisez pas de romans, et surtout n'en faites pas : le bonheur est loin de toutes ces catastrophes », lui serine Mme

Campan. Bien. Mais à son âge, surtout quand on appartient à cette génération nouvelle qui, précisément, découvre le bonheur et y aspire, comment ne pas rêver, comme le fait Hortense, d'un mariage selon son cœur ? Durant des siècles, les femmes de qui elle descendait s'étaient arrangées comme elles pouvaient pour être, ou n'être pas, heureuses. Le bonheur, c'était loin d'être essentiel : état ou circonstance, qu'on traversait ou dans quoi on s'installait, ou qu'on effleurait en en gardant un regret comme une blessure... Peu importait. En revanche, le mariage importait, et c'est pour cela qu'il était décidé par les adultes, car on en jugeait l'excellence non à la félicité qu'il pouvait apporter, mais à la qualité de l'assortiment qu'il offrait. La cohésion du tissu social primait l'exigence personnelle, si elle existait. Cela dit, les ancêtres d'Hortense, du moment qu'elles avaient fait un mariage convenable et qu'elles avaient produit les enfants nécessaires, étaient libres de se trouver heureuses ainsi, ou de chercher discrètement, autour d'elles, de quoi satisfaire les aspirations de leur cœur. Tout était clair.

Les temps ont changé : on consulte maintenant les protagonistes. On respecte ce qu'on appelle les « répugnances » des jeunes demoiselles. Elles ont le temps de s'interroger, de refuser et, surtout, de rêver au héros de leur vie. L'épouser est devenu le « nec plus ultra ». La pauvre Hortense est donc sérieusement bousculée dans ses secrets élans. D'autant qu'elle est une excellente fille, désireuse de plaire à ses parents. Aussi pressent-elle qu'il va lui falloir s'incliner et, comme elle le confesse, « sacrifier (ses) idées romanesques au bonheur de [sa] mère ». En effet, Bourrienne est chargé, de la part du Consul et de son épouse, de lui faire part de leur proposition. Le candidat est le jeune frère du Consul, le colonel Louis, et les arguments en sa faveur sont solides :

Il est bon, sensible. Il a des goûts simples. Il appréciera tout ce que vous valez et c'est le seul époux qui puisse vous convenir. Cherchez autour de vous ; qui voudriez-vous épouser ? Le moment est venu d'y songer sérieusement. Personne jusqu'à présent ne vous a plu et si votre cœur s'arrêtait à un choix qui ne fût pas agréé de vos parents, consentiriez-vous à leur désobéir ? Vous aimez la France. Voudriez-vous la quitter ? Votre mère ne pourrait supporter la pensée de vous voir unie à un prince étranger qui vous séparerait d'elle pour toujours. Son malheur, vous le savez, est de ne plus espérer d'enfants. Il est en vous de le réparer et d'en prévenir peut-être un plus grand. Sachez qu'on ne cesse de former des intrigues autour du Consul pour l'amener au divorce. Votre mariage est seul capable de resserrer et de raffermir des nœuds dont dépend le bonheur de votre mère. Hésiteriez-vous à le faire [1] ?

Elle n'hésitera pas longtemps : elle demande huit jours de réflexion. Eugène est absent et, de toute façon, elle sait qu'elle doit se décider seule. Elle réfléchit bien. Et c'est oui.

Le mariage forcé

En soi, l'idée d'unir Louis et Hortense se défend. Le Consul pense, d'ores et déjà, à son éventuelle succession. Avec Joséphine ils en ont longuement parlé, y compris devant le conseiller Roederer, qui s'en est fait l'écho. Ils ont écarté Joseph, aimable mais nullement apte aux affaires. Puis Lucien, « plein d'esprit » et « mauvaise tête politique », qu'on décide d'éloigner, en l'envoyant représenter la France à Madrid. Reste Louis, « un excellent cœur, un esprit très distingué [2] ». Qui plus est, malléable, pense-t-on, dévoué à Napoléon qui l'a

---

1. *In Mémoires, op. cit.,* p. 61.
2. Ce sont les termes de Joséphine, rapportés par Roederer.

élevé. Il a vingt-trois ans, âge en rapport avec celui d'Hortense. Les marier, c'est faire d'une pierre deux coups : leur alliance scellera l'union des familles et consolidera les projets du Consul, qui, le cas échéant, s'appropriera leurs fils. Louis et ses enfants assureront une relève idéale. Par la même occasion, Joséphine se trouvera assurée dans son actuelle position, sa stérilité cessant de faire problème. Obtenir ce mariage est, pour elle, garantir son statut et neutraliser les intrigues des Bonaparte. C'est bien joué.

Les intéressés se connaissent, sans être intimes, Louis ayant été souvent absent de Paris, depuis l'accession de son frère au pouvoir. Colonel commandant le 5e régiment de dragons, il revient d'un séjour à la cour de Prusse et, en cet automne 1801, il comprend ce qu'on attend de lui. Comme Hortense, il n'avait pas été sans pressentir ce qu'on leur préparait, mais plus qu'elle, il y avait résisté. Et puis, soudain, il se décide. Il expliquera, beaucoup plus tard, dans ses *Notes et réflexions historiques*, comment il s'est laissé convaincre :

> Hortense et moi ne nous convenions ni sous le rapport des caractères ni sous celui des opinions et des sentiments. Attaché à la Religion, persuadé que le mariage et les jouissances de la famille sont les seules réelles et positives, je voulais me marier et n'aspirais qu'à cela ; mais celle que j'aimais depuis longtemps [Émilie de Beauharnais] fut donnée malgré elle et pour son malheur aussi à un autre. Je résistai aux qualités et aux attraits d'Hortense pendant plusieurs années, jusqu'au jour où tout-à-coup je cédai sans moi-même en comprendre la cause, et pour notre malheur réciproque, je dois le croire [1]...

Si Hortense se sacrifie et avoue, depuis son acceptation, ressentir un grand calme, Louis joue le jeu, et se dit qu'après avoir été le parti le plus brillant de France,

---

1. A.N. 400 AP 36.

Hortense peut devenir une excellente épouse. Hortense se marie sans amour, mais intimement satisfaite de sa conduite envers le Consul et sa mère. Louis, au contraire, est prêt à aimer celle qu'on lui impose. Hortense, même si elle fait bonne figure, est froide et docile. Louis est chaleureux, et sera bientôt blessé de constater chez elle une absence de sentiments. Le déséquilibre initial de leur ménage est là. Nous en verrons l'évolution, toutefois, ils essaieront de donner le change. Napoléon, qui se trompait rarement sur les êtres, le redira à Sainte-Hélène : il était persuadé « qu'en s'épousant Louis et Hortense s'aimaient... » Louis avouera que « jamais époux ne reçurent plus vivement le pressentiment de toutes les horreurs d'un mariage forcé et mal assorti ». Cela dit, il reviendra à plusieurs reprises, peu après, dans ses lettres à sa femme, sur « tout ce qu'[il lui a] juré le 14 Nivôse au soir... » Il y a eu engagement réel, les enfants qui résulteront de leur cohabitation, chaque fois qu'elle aura lieu, en témoignent assez. Et ces excellents parents trouveront là une communion, un puissant intérêt partagé.

Leur mariage a lieu, en deux temps, comme il se doit, les 13 et 14 nivôse an X, 3 et 4 janvier 1802, aux Tuileries. Le premier jour, le contrat notarial est signé, devant Calmelet et Raguideau, établissant un régime de communauté entre les futurs époux. Louis apporte sa propriété de Baillon, près de Luzarches, en Seine-et-Oise, et 280 000 francs de biens. Hortense reçoit 100 000 francs de sa mère, à condition d'abandonner, à sa majorité, ses droits sur la succession non réglée de son père. A quoi s'ajoutent 100 000 francs de biens, quinze actions de la Banque de France, de mille francs chacune, et qui seront bientôt doublées, plus les 250 000 francs dont la dote le Consul. Sont présents Mme Bonaparte mère, le Consul et son épouse, Lucien, sa sœur Élisa, les Murat, Joseph Fesch, oncle maternel de Louis et les Lavalette, ceux-ci pour Hortense. Pour Louis, les deux autres Consuls, Cambacérès et Lebrun, le Conseiller Portalis et le général Bessières. Un grand absent, Eugène, alors à Lyon, fulmine de n'avoir pas été prévenu à temps, mais le Consul a précipité les choses, qu'il voulait en ordre à la veille de son départ de Paris.

Le lendemain ont lieu le mariage civil, devant le maire du Iᵉʳ arrondissement, déplacé pour la circonstance au palais du Gouvernement, et la bénédiction nuptiale, tard dans la soirée [1]. Comme la chapelle des Tuileries n'est pas encore rendue au culte, on décide que la cérémonie — encore peu usuelle — se tiendra dans le salon de l'hôtel de la rue des Victoires, que les parents d'Hortense ont continué d'habiter jusqu'au Coup de Brumaire. Insolite décor — au raffinement directorial — pour une consécration religieuse à laquelle préside le Légat du Pape, le cardinal Caprara. Caroline et Murat profiteront de l'occasion pour faire bénir — à retardement — leur mariage. Hortense éprouve « une impression pénible de voir cette double union. Cet autre ménage est si heureux ! Ils s'aiment tant ! ». Elle a refusé de porter la robe élégante, garnie de fleurs, commandée pour elle par sa mère, non plus que la parure de diamants que lui offre le Consul. Elle a choisi la simplicité du crêpe blanc, des perles, et, à la main, des fleurs d'oranger. « Aurais-je été si simple si j'eusse été plus satisfaite ? C'est ce que j'ignore », avoue-t-elle. Nous ne le savons pas plus qu'elle. Mais est-elle si simple ?

---

1. Louis et Caroline d'Arjuzon situent les trois actes successifs du mariage le 14 nivôse. Hortense, dans ses *Mémoires*, évoque la date du 13. Elle a raison, en ce qui concerne le contrat — dont nous avons vu l'original —, et qui est bien daté du 13. Louis se réfère au 14, parce que c'est la date à laquelle ils commencent leur vie conjugale, à la suite des dernières cérémonies.

*
* *

Si Hortense est le petit chef-d'œuvre de Mme Campan, Louis est celui de son grand frère Napoléon. En janvier 1791, lorsque, jeune officier, celui-ci rejoint son régiment à Auxonne, il est accompagné du petit Louis, âgé de douze ans, que sa mère n'a pas les moyens de mettre dans un collège. Napoléon s'institue le précepteur de l'enfant, il l'habille, il l'héberge, en se privant lui-même de toute espèce de dépenses superflues. C'est merveille comme il y est attentif, comme il le couve, comme il est fier de ses progrès. Une lettre à Joseph, de cette époque, en témoigne :

Louis a écrit cinq ou six lettres, je ne sais pas ce qu'il baragouine. Il étudie à force, apprend à écrire le français ; je lui montre les mathématiques et la géographie ; il lit l'histoire. Il fera un excellent sujet. Toutes les femmes de ce pays-ci en sont amoureuses. Il a pris un petit ton français, propre, leste ; il entre dans une société, salue avec grâce, fait les questions d'usage avec un sérieux et une dignité de trente ans. Je n'ai pas de peine à voir que ce sera le meilleur sujet de nous quatre. Il est vrai qu'aucun de nous n'aura eu une aussi jolie éducation. Tu ne trouveras peut-être pas ses progrès fort rapides dans l'écriture, mais tu songeras que, jusqu'ici, son maître ne lui a encore appris qu'à tailler ses plumes, à écrire en gros. Tu seras plus satisfait de son orthographe. C'est un charmant sujet, travailleur par inclination autant que par amour-propre et puis pétri de sentiment. C'est un homme de quarante ans qui en a l'application et le jugement. Il ne lui manque que l'acquis.

Dans ses *Notes*, que personne ne regarde et qui sont si renseignantes parce que si sincères, Louis se souvient qu'à cette époque il tentait déjà, en plus de ses études, d'écrire : « Malgré la sévère surveillance de mon frère, rien ne put me détourner de mes réflexions morales et politiques. Dans un âge si tendre, j'avais conçu le plan d'un ouvrage sur l'homme, je l'avais même commencé

mais on me l'arracha, et il fut brûlé [1]. » Comme tous les
Bonaparte, Louis a des velléités littéraires, et il est loin
d'être le moins doué. Cela dit, cet autodafé dut être ressenti cruellement par le petit garçon qui, consciemment
ou non, s'opposera de plus en plus fortement, à mesure
que passent les années, à l'autorité, et surtout à la pensée
de Napoléon. Qu'on s'étonne après cet épisode enfantin,
que relate soigneusement un homme devenu vieux, de
sa future rébellion, en Hollande !

S'il est l'« intellectuel » de la famille, celui qui se plaît
le plus à la lecture, à la méditation, qui écrit précocement
à Bernardin de Saint-Pierre, le prestigieux auteur de *Paul
et Virginie*, qui démontre un réel intérêt pour les idées des
Lumières, à qui la guerre, y compris celle que mène son
frère, « semble un reste de barbarie que la civilisation doit
effacer un jour, quand elle sera parfaite », qui, sur le terrain, la trouve « aussi dégoûtante que ridicule », Louis est
aussi, on l'aura perçu, une âme sensible.

En cela, il peut s'entendre avec Hortense : il avoue
que « les hideuses folies de la Terreur » (à Marseille)
l'avaient tellement frappé « que [sa] mère [le] surprit
plusieurs fois dans [son] petit cabinet d'études, tout en
pleurs et plongé dans un état complet d'abattement et de
consternation [2] ». Pas plus qu'elle, il n'aime la violence,
l'injustice ou le mensonge. Comme elle, il recherche le
naturel, il aspire à de douces émotions et à de beaux
sentiments. Son grand frère lui a fait un deuxième mauvais coup en mariant intempestivement la délicieuse
Émilie de Beauharnais. Cet adepte de la sensibilité rousseauiste a cultivé sa mélancolie et son amour blessé.
Cela lui a valu un charme quelque peu ténébreux.

Dans son ménage, il prendra sa revanche sur ce destin
contrarié. Il se fera le champion de l'exigence conjugale,

---

1. A.N. 400 AP 36.
2. A.N. 400 AP 36.

de la transparence des sentiments. Ses mobiles sont nobles — la réussite intérieure —, sa manière est désastreuse. Cet ombrageux, ce susceptible, ce tyran domestique irritera bien vite la gaieté et les dispositions mondaines de sa femme, qui, cependant, essaiera — et réussira —, durant les premières années, de n'en rien montrer aux siens. Louis, de plus, s'aigrira précocement de ce qu'un rhumatisme paralysant s'attaque à sa main droite, dont il perdra peu à peu l'usage. Son handicap, mal soigné — malgré les continuelles cures qu'il entreprend pour y remédier —, lui apparaît comme une injustice du sort. Se sentir dépendant lui est insupportable. En bref, cet idéologue de l'amour doté d'un physique délicat, dès qu'il se croira trahi, par sa femme ou par son corps, sécrétera une véritable névrose obsessionnelle, qui empoisonnera non seulement son existence, mais aussi celle des autres, à commencer par Hortense.

En l'absence du Consul et de Joséphine, partis pour Lyon, ils s'installent à la Malmaison afin d'y passer leur lune de miel. Aux premiers signes de grossesse d'Hortense, c'est lui qui nous le dit, Louis la quitte pour aller s'occuper de son domaine de Baillon, puis pour rejoindre son régiment et, de là, aller prendre les eaux des Pyrénées, à Barèges et à Bagnères-de-Bigorre. Les premiers froissements survenus dans son ménage, que la jeune femme se plaît à analyser dans ses *Mémoires*, l'ont agacée, mais elle a près d'elle, qui adoucit son existence, sa chère Adèle, et son état la comble de bonheur. Elle a, de plus, un statut nouveau, celui de femme mariée, qui équivaut à une émancipation sociale. Désormais, elle mène sa vie à son idée.

*
* *

Cette relative indépendance coïncide avec le tournant décisif que prend, en ce printemps 1802, la vie consu-

laire : après deux années d'application à se redresser, le
pays entre dans une phase de prospérité qu'étayent un
sentiment de confiance et la détente provenant de la paix
d'Amiens. Signée le 25 mars avec l'Angleterre, dernier
ennemi déclaré de la France, elle est ressentie par l'opinion comme l'heureux complément de celle de Lunéville
qui avait suivi, on se le rappelle, la victoire de Marengo,
coûteuse, puisque six mille Français — dont le courageux Desaix — restèrent sur le champ de bataille, mais
aussi, avantageuse, puisqu'elle assurait au Consul une
position dominante dans la péninsule italienne. La
France doit maintenant évacuer Naples, mais elle est
satisfaite de cette pause qu'elle imagine, à tort, durable.
Le commerce reprend, les étrangers affluent à la découverte de cette « terra incognita » post-révolutionnaire
qui, depuis dix ans, les fascinait d'autant plus qu'elle
leur demeurait interdite. La société parisienne se ressent
de ce climat et ne craint plus d'affermir ses assises au
cœur d'une capitale qui retrouve, peu à peu, son éclat
perdu.

Dans la foulée, le Consul assortit cette paix extérieure
de deux mesures marquantes, destinées à établir la paix
intérieure. Il célèbre la réouverture des églises et amnistie tous les émigrés restants. La popularité qu'il en retire
est si grande qu'il n'a aucune peine à se faire élire
Consul à vie. Le sénatus-consulte, doublé d'un plébiscite
populaire largement en sa faveur, incite Bonaparte à pro-
mulguer une nouvelle Constitution, dite de l'an X, qui
renforce ses pouvoirs : il réduit le Tribunat, crée les
Lycées et la Légion d'honneur à l'usage des futures élites, surtout, il se réserve l'initiative des lois et peut,
désormais, s'il le souhaite, désigner son successeur. Le
mariage et la grossesse de sa belle-fille et belle-sœur
trouvent, ainsi, *a posteriori*, leur justification.

En l'absence de Louis, Hortense se rapproche de ses
parents, qu'elle accompagne dans leurs obligations offi-

cielles, comme lorsqu'ils visitent la Bibliothèque nationale. *Le Journal des débats* se plaît à signaler que Bonaparte « a examiné avec intérêt les armes de Henri IV et [qu']il a manié son épée [1]. » Huit jours auparavant, ils s'étaient rendus à Saint-Germain, chez Mme Campan, pour assister à une splendide représentation de l'*Esther* de Racine. Le parterre très parisien, présidé par le Consul et sa famille, avait consacré la réussite de l'éducatrice d'Hortense. L'ancienne femme de chambre de la reine n'allait plus aux Tuileries. Les Tuileries venaient à elle. O Gloire ! Qui avait son envers, malheureusement : son collège ne désemplira plus, mais la chère Mme Campan ne tardera pas à devenir l'héroïne d'un vaudeville intitulé *Le Pacha de Suresnes*, qui fera rire la capitale à ses dépens et qu'elle essaiera, en vain, de faire interdire.

Hortense prend part bientôt à une autre cérémonie officielle, la plus marquante qu'elle ait connue, si l'on excepte la fête de l'Être suprême, de sinistre mémoire, ou la prise de possession des Tuileries par Bonaparte, plus significative que grandiose : il s'agit du « rétablissement de la Religion », comme on disait alors, et qui a lieu, avec une pompe digne des fastes de l'Ancien Régime, le dimanche 18 avril 1802, jour de Pâques. Notre-Dame est rendue solennellement au culte, et Paris est en liesse. On se presse de partout pour assister, après l'audience du Légat au palais, au cortège des autorités se rendant dans la vieille cathédrale entendre la messe et le *Te Deum* de Paisiello. On admire la suite des voitures à quatre chevaux des conseillers d'État, du corps diplomatique et des ministres, suivies des carrosses à six chevaux des consuls Lebrun et Cambacérès, puis de celui, à huit chevaux, du Premier Consul, salué à son départ des Tuileries par soixante coups de canon.

---

1. La visite a lieu le 28 ventôse an X, 19 mars 1802.

L'escortent des mamelouks et des généraux de sa Garde. Le suit un impressionnant défilé de militaires en grande tenue : hussards, dragons, grenadiers, chasseurs, soldats d'infanterie, dont quatre bataillons prendront place dans la nef. Tout le monde remarque la réapparition des livrées, jaunes pour les ministres, bleues et rouges pour les deuxième et troisième Consuls, verte pour Bonaparte. Sur le parvis, le vénérable Mgr de Belloy répond à cet apparat par la dignité de son accueil : il donne l'encens et l'eau bénite aux arrivants, qu'attendent dans le chœur, sous un dais, trente évêques.

Notre-Dame, qui cache comme elle le peut les traces du vandalisme révolutionnaire — statues mutilées, piliers endommagés que masquent des tentures —, est pleine à craquer. Étrange assemblée, disparate, à l'image de l'époque : la réunion, dans la même enceinte, de l'ancienne et de la nouvelle société est trop perceptible pour ne pas offrir un spectacle insolite : les grands noms de la vieille France côtoient d'anciens Conventionnels devenus dignitaires de la nouvelle, au premier rang desquels, Fouché et Talleyrand, un ex-oratorien et un ex-évêque, qui, du moins, ne sont pas dépaysés. A la différence des militaires, des généraux, frères d'armes du Consul et, pour la plupart, républicains endurcis, qui assistent, pour la première fois de leur vie, à un office religieux. Et encore, en service commandé, car la résistance a été grande dans leurs rangs ! S'ils ne bronchent pas, ils n'en pensent pas moins... Mais dans l'ensemble, la ferveur des uns et le scepticisme des autres communient dans une même attention. Depuis sa tribune, Hortense — dont le *Journal de Paris* remarquera la blondeur « d'épi de blé » —, que ressent-elle ? S'étonne-t-elle lorsqu'à l'élévation, les tambours battent aux champs, les soldats présentent les armes ? Ce symbolique rappel de l'essence d'un pouvoir qui vient de sceller brillamment le Concordat avec Rome, en apprécie-t-elle la portée ? Comme son beau-père, cette fille bien née, mais en rien bigote, sait que le peuple souhaitait ce retour à ses croyances séculaires. Elle sait qu'il a besoin de religiosité, ou de tout autre opium, qui l'aide à vivre. Et probablement est-elle sensible à ces retrouvailles magnifiques avec les rites de son enfance : les volées de cloches, le fracas des orgues, la beauté des chants, la force des chœurs que dirigent Méhul et Cherubini, et dont les hautes voûtes gothiques semblent démultiplier l'ampleur... Malgré son jeune âge, Hortense est en mesure de comprendre ce que révèle, opportunément, M. de Chateaubriand dans ce qui va devenir le succès du siècle, *Le Génie du christianisme*. L'expression esthétique de la religion n'est pas la moindre de ses vertus civilisatrices... En tout cas, une chose est sûre pour elle comme pour les admirateurs ou les détracteurs du Consul, la Révolution, aujourd'hui, est bel et bien finie.

Une ambiguïté subsiste, qui inquiète les salons libéraux, les milieux jacobins et les tenants du royalisme défunt : sous quel régime vit-on ? Quoi de plus démocratique, en effet, que ce retour au catholicisme, généralement souhaité par le peuple... ? Mais, aussi, quoi de moins démocratique que l'autorité du Consul qui, chaque jour, se montre plus incapable de partager son pouvoir... ? Malgré de sourdes oppositions — de Mme de Staël, de Fouché ou de Bernadotte — on marche vers le Consulat à vie, qui s'accompagnera d'une mise au pas des institutions représentatives, et qui, cependant, sera largement plébiscité. N'est-on pas déjà, *de fait*, dans une monarchie qui n'ose dire son nom ? Comme tous, Hortense peut se le demander : au soir de cette mémorable journée, lors du grand cercle diplomatique, elle doit, seule, tenir sa table de jeu, au vu et au su de tous les représentants étrangers accourus aux Tuileries. Exactement comme une princesse du sang, il y a treize ans...

La vie de château

Sa grossesse se déroule bien, autant dire que la nature
favorise ce qui, à cette époque, était considéré comme un
phénomène inéluctable, quelles qu'en soient les suites,
bonnes ou mauvaises. Mme Campan se fait un devoir de
lui répéter ce que tout le monde sait : « Prenez bien
garde aux imprudences : le premier enfant venu, vous
pourrez en faire ensuite une douzaine si cela vous
convient, sans avoir les mêmes craintes, mais prenez
bien garde au premier[1]. » Après des allées et venues
entre sa propriété de Baillon, qu'il entend améliorer
puisqu'il décide de vendre, et Paris, Louis est parti pour
un long périple qui le mène de villes de garnison en
villes d'eaux. Contrairement aux assertions des historiens, il « n'abandonne » pas sa jeune femme. Il lui écrit
très régulièrement et s'inquiète d'elle avec une réelle
attention, voire un peu d'anxiété, que trahit chez lui un
souci permanent du détail : « Vous ne me donnez pas de
nouvelles de votre santé, vous serez cependant dans huit
jours au milieu de votre grossesse », lui écrit-il, le 12
prairial, de Bagnères-de-Bigorre[2]. On reste confondu :
malgré son éloignement, Louis compte les jours, renou-
velle ses demandes quant à l'accoucheur qu'Hortense
tarde à choisir (ce sera Baudelocque), et, sans cesse, la
prie de le mieux informer.

A la vérité, Hortense se soucie peu de cette sollicitude. A part, nous dit-elle, un plus grand besoin de sommeil qu'à l'ordinaire, elle se porte à merveille. Dès les
beaux jours, elle quitte le petit hôtel de la rue de la Victoire, dont elle et Louis disposaient en attendant mieux,
et elle prend, pour sa plus grande joie, ses quartiers d'été
à la Malmaison. Elle s'entoure de ses amies de prédilec-

1. *In Lettres, op. cit.*, I, p. 201.
2. *In* Lettres de Louis à Hortense, A.N. 400 AP 26.

tion et se déclare ravie de retrouver la demeure qu'elle aime tant et où elle a ses habitudes. A défaut de vivre un roman sentimental avec son époux, du moins sait-elle conjuguer les avantages que lui vaut son état et les plaisirs de son ancienne vie de jeune fille.

Sa mère, la voyant si bien installée, décide d'aller prendre les eaux : désireuse de tenter, une ultime fois, de remédier à sa stérilité, Joséphine s'absente du 15 juin au 9 juillet. Les Bonaparte ricanent. Son beau-frère, Lucien, revenu de son ambassade à Madrid où il a gagné une respectable fortune — lors des négociations avec le Portugal — n'a, en revanche, rien perdu de son hostilité envers elle. « Allons ! ma sœur, faites-nous un petit Césarion ! » lui lance-t-il en guise d'adieu. On n'est pas plus aimable... Hortense, elle, est autrement plaisante. Pour rien au monde, elle ne voudrait tourmenter ceux qu'elle aime :

Ma mère fut à Plombières pour sa santé et me laissa faire les honneurs de la Malmaison. Toutes les jeunes femmes restées avec moi étaient grosses aussi. Nos matinées se passaient dans le même appartement à broder de petits bonnets pour les enfants que nous attendions et à causer de tous nos projets sur eux. A six heures seulement nous descendions au salon. Le Consul venait dîner et, dans la soirée, quand il ne travaillait pas, faisait des parties d'échecs avec moi. Il était si distrait que je le gagnais toujours, ce qui m'avait donné la réputation d'un grand talent. La vérité est que le Consul, assez faible à ce jeu, était toujours plus occupé de ses affaires que de toute autre chose. Habituellement peu galant, plutôt sérieux que gai, il faisait peur à toutes nos jeunes dames qui n'osaient répondre que oui ou non aux phrases courtes qu'il leur adressait. Aussi ma mère ne s'effraya-t-elle pas de voir les plus jolies personnes habiter près de son mari et peu de chose sur ce point l'aurait effarouchée, car sa tendresse était vive et inquiète [1].

_____

1. *In Mémoires, op. cit.* p. 75.

Sous sa houlette, l'agréable société d'Hortense va s'adonner à une activité moins bénigne que la confection des layettes. On avait inauguré, le 22 floréal (12 mai) précédent, le théâtre portatif de la Malmaison, autrement dit sa nouvelle salle de comédie. Pour l'occasion, la troupe des Italiens s'était déplacée et avait interprété, devant un public choisi, *La Serva padrona* de Paisiello. Hortense et Eugène sont bien décidés, maintenant, à leur succéder. On prépare durant tout le mois de juin la représentation du *Barbier de Séville* de Beaumarchais, et c'est une grande affaire, que le Consul commente avec soin dans ses lettres à Joséphine. Mme Campan, en personne, fera le déplacement : une voiture ira la chercher à Saint-Germain. Rien n'était plus divertissant que ces recrutements, ces répétitions, ces mises au point de costumes et d'attitudes. On craignait les réactions du Consul, très exigeant et, surtout, très démonstratif : quand un acteur lui paraissait un peu terne, il avait coutume de s'écrier : « Chaud ! chaud ! chaud ! », et le malheureux (ou la malheureuse) en perdait tous ses moyens...

Le 11 messidor (30 juin) a lieu, enfin, l'événement. C'est une réussite indiscutée, dont le mérite revient à Hortense, qui figure la sémillante Rosine, en l'occurrence enceinte de cinq mois ! Caroline d'Arjuzon nous donne, avec sa précision habituelle, non seulement la distribution, mais quelques indications précieuses sur ce spectacle et ceux qui le suivent tout l'été : on a oublié la plupart de ces chefs-d'œuvre d'une saison (à part bien sûr la pièce de Beaumarchais), l'affiche en demeure, cependant, délicieusement évocatrice :

LE COMTE ALMAVIVA	LE GÉNÉRAL DE LAURISTON.
BARTHOLO	M. DE BOURRIENNE.
ROSINE	MADAME LOUIS BONAPARTE.
FIGARO	M. DIDELOT.
DOM BASILE	LE COLONEL EUGÈNE DE BEAUHARNAIS.
L'ÉVEILLÉ	LE COLONEL SAVARY.

C'est un grand écueil, pour une femme grosse de cinq mois, que de représenter ce personnage de jeune fille andalouse ; Hortense combine cependant son costume avec tant d'art et de goût que personne ne s'aperçoit de l'alourdissement de sa taille qu'enserre un corselet de velours noir. Sa figure fraîche, encadrée dans un chapeau noir aux longues plumes roses, d'où s'échappe une profusion de boucles blondes, ses grands yeux bleus, rieurs et spirituels, la finesse de son sourire, la mutinerie gracieuse de toute sa personne, voilà surtout ce qui frappe les spectateurs et les laisse sous le charme. Trente ans plus tard, madame Junot (devenue duchesse d'Abrantès) en parlera encore avec enthousiasme : « Gaieté, esprit, sensibilité, gentillesse, tout ce que Beaumarchais a voulu mettre dans *Rosine*, madame Louis l'a compris... » Lauriston, à son dire, fait « un fort noble » *Almaviva* ; Bourrienne, un *Bartholo* « parfait », et Didelot un « excellent » *Figaro*. Quant à Savary, il obtient un succès de fou rire, personne n'éternuant mieux que lui dans le rôle de *l'Éveillé*. Le Premier Consul, lui aussi, est satisfait de la pièce : « Hortense a joué hier *Rosine*, dans *le Barbier de Séville*, avec son intelligence ordinaire », écrit-il à Joséphine le 12 messidor (1er juillet).

Depuis cette heureuse tentative, les représentations se succédèrent dans la coquette petite salle. Le répertoire, peu varié d'abord, mais bien choisi, se composait des pièces suivantes : *Défiance et malice ou le Prêté rendu* [1], une de celles que Bonaparte préférait, *Les Fausses Confidences* [2], *La Gageure imprévue* [3], *Le Florentin* [4], *Le Collatéral ou la Diligence de Joigny* [5], avec madame Davout dans le rôle principal ; *Les Projets de mariage ou les Deux Mili-*

---

1. Comédie en un acte et en vers, de Dieulafoy.
2. Comédie en trois actes et en prose, de Marivaux.
3. Comédie en un acte et en prose, de Sedaine.
4. Comédie en un acte et en vers, attribuée à La Fontaine.
5. Comédie en cinq actes et en prose, de Picard.

taires[1], *Les Étourdis*[2], *Crispin rival de son maître*[3], *Les Héritiers ou le Naufrage*[4], *L'Impromptu de campagne*[5], joué par Bourrienne et Caroline Murat ; *Les Rivaux d'eux-mêmes*[6] ; *Les Fausses Consultations*[7], où Eugène et Hortense obtinrent un vrai succès : l'un dans le rôle de M. Dunoir, l'autre dans celui de madame Dublanc, etc., etc[8].

Rien n'est plus gai, plus tonique, plus entraînant, que cette troupe de jeunes gens. Rien ne les révèle mieux que ces représentations théâtrales. Caroline, par exemple : elle a la voix fausse mais un aplomb sans pareil, que décuple son accent méridional, assorti d'un « ricanement bizarre » pour dissimuler ses éventuels trous de mémoire. Mme Junot, née Laure Permon — et dont les parents ont aidé, à Montpellier, Charles de Buonaparte, le père, pendant sa dernière maladie —, joue les soubrettes : rien qui convienne mieux à son esprit piquant et à sa langue acérée de « petite peste », comme l'appelle le Consul[9]. Mme de Lavalette, la douce Émilie, se montre sur scène parfaitement « incolore ». Mme Davout (Aimée Leclerc, la sœur du général) est franchement mauvaise. Certaines sont meilleures chanteuses qu'actrices, c'est le cas d'Églé

---

1. Comédie en un acte et en prose, d'Alexandre Duval.

2. Comédie en trois actes et en vers, d'Andrieux.

3. Comédie en un acte et en prose, de Lesage.

4. Comédie en un acte et en prose, d'Alexandre Duval.

5. Comédie en un acte et en vers, de Poisson ; il y a aussi, du même titre, un opéra-comique en un acte et en vers, de Delrieu, musique de Nicolo Isoard, de Malte.

6. Comédie en un acte et en prose, de Pigault.

7. Comédie en un acte et en prose, de Dorvigny.

8. *In* Mme D'Arjuzon, *Mme Louis Bonaparte*, pp. 46 et suiv.

9. Dans quelque trente années, à la lecture des *Mémoires* de Mme Junot, depuis duchesse d'Abrantès, Madame Mère écrira, de Rome, à Hortense, que « c'est un roman, et un mauvais roman ». Elle niera catégoriquement avoir jamais connu Mme Permon, la mère, en Corse. Cette espèce d'aventurière, bohème comme le deviendra sa fille, n'était certes pas, malgré l'ascendance byzantine dont elle se prévalait, de sa société. Encore une invention de la fantasque Laure...

Auguié, la sœur d'Adèle, et qui, de toute façon, a la tête ailleurs puisqu'elle s'apprête à convoler avec le magnifique Ney. Comme Niévès Hervas, autre compagne d'Hortense depuis Saint-Germain, qui, elle, épouse Duroc. Apprenant que son promis en avait été amoureux, elle aura l'élégance d'y voir une preuve de son bon goût...

Côté masculin, les plus notables sont Isabey, au dire des témoins, « étourdissant de gaieté », Junot qui, selon l'expression de Lucien, joue « les braques », Lannes et Murat qui « gasconnent avec entrain », Bourrienne qui n'a pas toujours le loisir d'apprendre ses rôles, et, parmi les aides de camp, Lauriston, à qui on réserve les emplois d'amoureux « un peu lourds ». Eugène, cela va sans dire, est le meilleur.

Contrairement aux Bonaparte qui vivent avec une certaine ostentation — et donc, une gêne certaine — sur leurs terres de Mortefontaine ou du Plessis, les Beauharnais animent la Malmaison à l'ancienne manière : en particuliers insouciants, désireux de se divertir sans autre contrainte que celle de leur bon vouloir. Au rythme de leurs jeux, de leurs promenades, de leurs soirées vouées à la danse, au théâtre ou à la causerie, ils reconstituent le charme de ce qu'on appelait avant la Révolution la « vie de château », toute de naturel et d'élégance.

Ainsi, quand Joséphine revient de Plombières, c'est en châtelaine qu'elle reçoit M. Fox, homme politique anglais, notoirement francophile, qui, comme nombre de ses compatriotes, a traversé la Manche et vient à Paris faire des recherches sur les Stuart. Chez Mme Récamier, on évoque l'accueil de Mme Bonaparte, à la Malmaison.

Mme Bonaparte nous en a fait les honneurs avec cette affabilité séduisante qui justifie aisément l'attachement du premier consul pour elle ; le parc est dessiné dans le goût des nôtres : plus de ces lignes imposées à la verdure et aux fleurs. Informée du goût de M. Fox pour l'agriculture et la botanique, elle nous fit parcourir ses magnifiques serres, nous y nommant ces plantes rares que l'art et la patience de l'homme font végéter dans nos climats.

— C'est ici, nous dit-elle, que je me suis sentie plus heureuse à étudier la pourpre des cactus qu'à contempler tout l'éclat qui m'environne. C'est ici que j'aimerais à trôner au milieu de ces peuplades végétales ; voici l'hortensia qui vient tout récemment d'emprunter le nom de ma fille, la soldanelle des Alpes, la violette de Parme, le lis du Nil, la rose de Damiette ; ces conquêtes sur l'Italie et l'Égypte ne feront jamais d'ennemis à Bonaparte ; mais voici ma conquête, à moi, ajouta-t-elle en nous montrant son beau jasmin de la Martinique : la graine semée et cultivée par moi me rappelle mon pays, mon enfance et mes parures de jeune fille, et, en vérité, en disant cela, sa voix de créole semblait une musique pleine d'expression et de tendresse [1].

C'est à la Malmaison que, tout l'été, Bonaparte travaille à l'instauration du Consulat à vie et à l'élaboration de la nouvelle Constitution. Chaque mercredi, il reçoit, lors des séances théâtrales de ses beaux-enfants, une quarantaine de convives. S'il fait beau, on fait servir dans le parc. Après le dîner, cent cinquante autres invités les rejoignent pour assister au spectacle et à la réception qui clôt la soirée : les ministres, les conseillers, les sénateurs, les membres de la maison militaire, ceux du corps diplomatique viennent, en compagnie de leurs femmes, passer un moment charmant, sans autre étiquette que celle qu'impose la bienséance. Tous ceux qui, parmi eux, en témoigneront, en garderont un souvenir particulièrement agréable. Et pour cause : ce bel été, libre et gai, sera le dernier du genre.

---

1. *In Revue des Études napoléoniennes*, 1913, I, Mémoires et documents, pp. 259-267.

Dès le mois de septembre, c'en sera fini de la vie de château. Commencera la vie de palais, à la ville comme à la campagne, autour de la Cour que crée le Consul et de l'étiquette qui se doit d'en réglementer l'existence. Encore discrète, elle vaut à Joséphine quatre dames, choisies parmi ses connaissances, Mmes de Talhouët, de Luçay, de Lauriston et de Rémusat, passant, à tour de rôle, une semaine auprès de leur maîtresse. La gracieuse mais étroite Malmaison sera délaissée par le Consul, qui choisit de réaménager Saint-Cloud, plus proche des Tuileries, mais aussi plus vaste et plus propice à la vie officielle. Cette ancienne plaisance royale, reconstruite par Mansart, sur ordre de Louis XIV, jouit d'une belle situation, au sommet d'un amphithéâtre dominant la Seine, et possède de spectaculaires jardins — dessinés par Le Nôtre — agrémentés de leur célèbre cascade. Rouverte et remeublée avec une élégance qui annonce les fastes à venir, la demeure a grande allure.

« N'oublie pas, Hortense, que tu n'es plus demoiselle »

De retour à Paris, Hortense s'installe dans l'exquis hôtel Dervieux, rue de la Victoire, n° 16, non loin de celui qu'elle occupait précédemment [1]. Elle a beaucoup gagné à cette donation du Consul. Mlle Dervieux, danseuse de l'Opéra, richement entretenue, avait requis l'architecte du comte d'Artois, François Bélanger, pour qu'il réalise, en 1774, sur des dessins de Brongniart, cette « folie » au goût du jour. Il y réussit si bien que la propriétaire l'avait épousé... Démeublé, passé par d'autres mains pendant la Révolution, l'hôtel avait néanmoins, au moment où Bonaparte l'achète pour le ménage

---

1. Il s'élevait sur l'emplacement de l'actuelle synagogue.

Louis — le 27 juillet 1802 —, conservé sa décoration originelle.

Sans être immense, il possède une cour d'honneur, une façade ornée de quatre colonnes corinthiennes, trois belles pièces de réception dont un salon en rotonde, de plain-pied sur un jardin qui s'étend jusqu'à la rue Saint-Lazare et qui offre, au cœur de Paris, le charme de ses ombrages, de ses kiosques, de ses treilles ponctuées de statues et, même, d'un petit étang surmonté d'un pont chinois. Turqueries et chinoiseries se retrouvent à l'intérieur de la maison, ainsi que les arabesques, les médaillons, les bas-reliefs néo-classiques. La salle à manger fait l'admiration des visiteurs pour son plafond à compartiments, façon Renaissance, et ses peintures mythologiques. Une salle de bains à l'antique, décorée de fresques pompéiennes, dallée de marbre, disposée autour de sa piscine, ravit Hortense. On disait, raffinement suprême, que pas un morceau de fer n'était entré dans la construction de son hôtel, Mlle Dervieux ayant peur du tonnerre : l'étage couronné d'une balustrade de pierre était recouvert de cuivre, toituré d'ardoises [1]. Bref, Hortense s'y plaît. C'est là qu'elle prépare ses couches.

Elles ont lieu le 18 vendémiaire an XI, 10 octobre 1802, « à neuf heures du soir » comme l'annonce *Le Moniteur*. En présence de Louis, rentré pour l'occasion, de sa mère, alertée par Eugène et accourue de Saint-Cloud, assistée de Mme Frangeau, sa sage-femme et de Baudelocque, son médecin accoucheur, Hortense met au monde un garçon, dont l'acte de naissance sera établi le 23 vendémiaire, 15 octobre suivant, avec pour premiers témoins le Consul et Joséphine. Il s'appellera Napoléon-Charles. Né neuf mois et six jours après le mariage de ses parents, il aurait pu, d'après Baudelocque, arriver une quinzaine plus tôt : Hortense avait immédiatement

---

1. Nous empruntons cette précision à Caroline d'Arjuzon.

averti Louis, qui s'était agacé du fait, probablement parce qu'il aurait dû avancer d'autant son retour de cure. Peu importe, maintenant qu'il est là, le « petit Napoléon », comme on dit, comble de joie le Consul, les Beauharnais et ses deux parents pour qui il est, Hortense le confesse, une véritable révélation :

> Le Consul vint me voir deux jours après. Il paraissait très content que j'eusse un garçon. Pour moi, mon bonheur était inexprimable. Je ne permettais pas que le berceau de mon fils quittât un instant ma chambre. Je l'avais toujours sur mon lit. Je regardais dormir cet enfant ; je le contemplais ; je regrettais vivement de ne pas le nourrir, mais mon mari, ma mère s'y étaient opposés et m'avaient représenté la difficulté d'être bonne nourrice avant vingt ans. [...] Lorque je commençai à retourner dans le monde, s'il ne pouvait venir avec moi, je restais. Je souffrais d'en être éloignée une minute. Mon mari partageait cette adoration [1].

C'est une grande aventure que la maternité. Hortense saura la vivre pleinement d'autant que, pour elle, c'est la raison même de son mariage, l'expression suprême de la vie conjugale. Louis restera tout l'hiver près d'elle et de leur fils. Plus tard, il précisera qu'ils vivaient « sous le même toit, mais à des étages différents, et constamment séparés de corps [2] ». Et ce n'était pas de son fait, contrairement aux assertions de certains historiens. Nous n'allons pas tarder à le comprendre. Deux problèmes se posent alors, qui s'entremêlent, que les témoins — souvent partisans — amalgament : d'une part, le fait que l'enfant de Louis et d'Hortense, dès avant sa naissance, déchaîne la haine et la calomnie, ce qui tient à la personnalité du Consul, et, d'autre part, le fait que le jeune ménage ne trouve pas son équilibre, ce qui tient à leurs

---

1. *In Mémoires, op. cit.*, p. 78.
2. Extrait de la lettre « récapitulative » de Louis à Hortense, datée de Rome, 14 septembre 1816.

caractères, et spécialement à la froideur d'Hortense envers son mari.

Nul n'ignore, depuis la proclamation du Consulat à vie, que Bonaparte voit en son frère Louis, époux de sa belle-fille, un successeur éventuel. L'enfant qu'ils attendent, si c'est un garçon, fera figure de Dauphin. Qui a intérêt à discréditer, dès avant sa venue au monde, la provenance de cet héritier ? Les deux ennemis des plans du Consul, bien sûr, c'est-à-dire les Anglais — et les royalistes irrédentistes réfugiés chez eux, qui, depuis août 1802, ne voient plus en Bonaparte que l'*Usurpateur* — et aussi, le clan Bonaparte qui, apparemment rallié à Napoléon, n'admet pas son choix de succession, favorisant un cadet et les Beauharnais. Qu'on s'étonne, après cela, des rumeurs malveillantes qui ne cessent d'alimenter les gazettes étrangères, relayées par les ragots les plus venimeux, sortis en droite ligne de l'entourage du Consul. On annonce, par exemple, qu'Hortense a accouché clandestinement, son mariage n'ayant été qu'une « urgence ». Bonaparte, en réponse, a obligé sa belle-fille, lors d'une fête à la Malmaison, à se joindre à la contredanse, devant tous ses invités, et il fait publier dans les journaux du lendemain la note selon laquelle « quoique grosse de sept mois, Mme Louis Bonaparte a dansé » ce soir-là. Plus fort, encore, on accuse le Consul d'inceste avec sa fille : l'enfant attendu serait de lui. Soit dit en passant, cela ne ferait que renforcer sa légitimité, si c'était vrai. Le Consul, révolté par tant de bassesse et d'absurdité, fait en sorte qu'Hortense reste ignorante de ces attaques. Elle ne s'en apercevra qu'au printemps suivant, et, immédiatement, en avertira son mari, qui sera prêt à faire front avec elle à ces ignominies, le mouvement naturel d'Hortense étant de les ignorer.

Le ménage Louis a d'autres sources de préoccupations, bien fondées celles-ci, qui ont trait à leur vie personnelle. Leur fils les transporte de joie, les réunit à tout

moment autour de sa barcelonnette — Louis demande à
Isabey d'en faire une miniature —, les requiert ou les
inquiète à l'unisson. Il promet d'être un amour d'enfant,
tenant aux Bonaparte — comme son cadet, alors que les
deux derniers fils d'Hortense seront parfaitement Beauharnais —, et sa précocité comme son charme font les
délices de sa famille, à commencer par Napoléon, qui
en raffolera. Cela dit, il y a mésentente entre les parents.
Lorsque, au printemps, Louis s'éloigne de nouveau, vers
Montpellier où il pense guérir définitivement sa main
rhumatisante, nous découvrons, à la faveur des lettres
très circonstanciées qu'il écrit à Hortense, quelle en est
la nature. Nul n'en est conscient autour d'eux car ils
prennent soin de n'en rien montrer, mais le malaise fait
l'objet de leurs réflexions. Hortense l'évoque dans ses
Mémoires, elle s'empresse de mettre l'accent sur la susceptibilité de Louis qui s'offense du moindre des plaisirs
qu'elle prend. La version de Louis est différente.

Dans une de ces explications écrites dont il a le secret,
datée de floréal an XI, avril 1803, Louis fait une analyse
très intéressante dont rien n'autorise à mettre en doute
la sincérité, et qui a le mérite d'être contemporaine de
ce qu'il ressent. Pour commencer, il s'informe de ces
horribles rumeurs en provenance d'Angleterre, qui le
désolent :

> Quel est donc ce bruit affreux dont tu me parles ? Je n'ai
> point lu les gazettes anglaises et je ne cherche point à les
> lire, mais s'il est vrai qu'il nous concerne l'un ou l'autre, je
> serais bien malheureux, il est des choses dont le seul soup-
> çon, dont l'ombre même du soupçon est le plus grand de
> tous les malheurs pour toute âme honnête. Combien de fois
> n'ai-je pas entendu mon frère le répéter à mes sœurs avant
> leurs mariages ! Je suis bien loin de penser que tu doives
> croire que la calomnie tombe de soi-même.

On sent combien sa solidarité conjugale serait active
si Hortense consentait à jouer le jeu du couple. Mais

voilà où le bât blesse : forte de son « sacrifice », entendons son mariage forcé, forte de ce que cette union voulue par ses parents a comblé leurs désirs, Hortense
entend, maintenant, rester libre d'elle-même. En toute
transparence vis-à-vis du monde : vivre dans la proximité de sa mère, d'Eugène, de ses amies, et surtout de
son fils... Mais sans faire grand cas de son mari, qui
ne peut qu'en être blessé. Il s'en plaint. Il revendique
l'obéissance conjugale. C'est là un argument mal venu ;
obéissante, Hortense a montré qu'elle savait l'être,
quand le destin de ses proches était en jeu. Convenons,
du moins, qu'à cette époque Louis fait tant d'efforts, que
tous les torts ne sont pas, loin s'en faut, de son côté :

> [...] Rappelle-toi que les premiers devoirs d'une femme
> sont envers son mari, qu'à l'autel tu as juré de suivre par-
> tout, que c'est là le premier nœud, le principal nœud du
> mariage. Si ta mère, si tes parents m'accablaient de leur
> inimitié, loin de t'identifier avec moi comme tu l'as juré si
> solennellement, tu me quitterais donc ?
>
> [...] Que veux-tu que je pense puisque dès les premiers
> jours, tu m'as préféré tout le monde. Trois mois n'étaient
> pas finis depuis notre mariage et je ne pus obtenir que tu
> restasses un jour de plus avec moi, à la campagne, parce
> que tu avais promis à tes compagnes d'être de retour à telle
> heure. Je te l'ai dit souvent, Hortense, et je ne le pense pas
> sans douleur, si cet état de choses devait durer, si je ne
> croyais que tu ne revinsses à moi bien sincèrement, que mes
> sentiments ne m'attirassent enfin la tendresse de celle de
> qui j'attendais mon bonheur ; si j'étais persuadé que tu ne
> m'aimeras jamais davantage, je préférerais la mort à une
> telle vie ! [...] La naissance de mon fils que je croyais devoir
> opérer un changement total en toi, ne l'a point fait.
>
> [...] Je ne t'empêche pas d'aller voir ta mère aussi souvent
> que tu le veux, mais je veux que tu n'habites pas d'autre
> maison que la nôtre, que tu t'accoutumes à vivre chez toi.
> Chérissons ceux à qui nous devons tout, mais n'oublions
> pas ce que nous nous devons réciproquement [...]. N'oublie

pas, Hortense, que tu n'es plus demoiselle, que tu es ma femme, la mère de mon fils.

[...] Songe, Hortense, que tu disposes de la vie, du bonheur d'un honnête homme qui s'est livré à toi sans réserve, qu'il attend son destin de toi, qu'il faut que tu t'accoutumes à l'idée que tu ne dépends que de lui [1].

Avouons qu'il est touchant...

Hortense n'est pas de cet avis : dans ses *Mémoires*, elle déclarera : « Il m'écrivit avec assez de tendresse mais ses lettres étaient toujours remplies de sentences et de recommandations que je ne pouvais m'expliquer [2]... » Non, certes... Recul du temps qui a alourdi le contentieux avec Louis ? Ou mauvaise foi d'une jeune femme toute à son devoir, et qui avoue, à la même époque : « Je tirai ma force de ma répugnance » ? Car, il semble qu'elle rejoigne, inconsciemment peut-être, la logique de ses ancêtres. Un mariage d'arrangement est un mariage d'arrangement. Qu'on n'attende pas d'elle, en plus, qu'elle aime ce fâcheux !

Quoi qu'il en soit, pendant toute l'année 1803, que marquent la détoriation puis la rupture des relations avec l'Angleterre, Hortense mène une existence plus casanière. Son mari demeurera absent du 3 mars au 10 septembre et, soucieuse de ne pas le mécontenter, elle vivra chez elle, dans un intérieur qu'elle aime, consacrant ses heures à cet enfant dont la venue n'a pas opéré le miracle amoureux qu'attendait Louis, mais qui toutefois a transformé sa vie. Elle nous l'a dit, elle ne supporte pas l'idée d'en être séparée. Aussi bien, passe-t-elle ses matinées à travailler sa harpe et son piano, s'immergeant dans ce

---

1. Lettre de Louis à Hortense, du 5 floréal an XI, A.N. 400 AP 26.
2. *In Mémoires, op. cit.*, p. 80.

qui apparaît déjà comme une compensation au peu
d'intérêt de sa vie affective, le monde musical, et, chaque jour, elle va dîner chez sa mère, à Saint-Cloud ou
aux Tuileries, emmenant son fils avec elle. Ce dîner, qui
avait lieu, nous l'avons dit, à six heures de l'après-midi
et qui était le plus souvent d'apparat, lui offrait l'occasion d'une vie mondaine active où elle avait à cœur de
seconder sa mère. Le Consul s'enchantait du petit Napoléon, qu'il plaçait au milieu de la table, riant de toutes
ses facéties. Passé la soirée, Hortense rentrait chez elle,
avec l'excuse de ses leçons matinales.

Lorsque ses parents, accompagnés d'Eugène, partent
pour un voyage officiel, en Normandie peu après ses
couches, puis, en juin 1803, vers le Nord et la Belgique,
Hortense séjourne chez les Auguié, au château de Grignon, où elle retrouve ses amies. Eugène avait espéré
qu'elle pourrait les rejoindre à Bruxelles, si Louis
consentait à revenir plut tôt de sa cure dans le Midi.
C'était trop demander, malheureusement, à cet anxieux
qui essaie les traitements les plus inattendus pour, l'écrit-
il à Hortense, « ne retourner qu'entièrement rétabli ».
Les médecins de Montpellier lui « font tenir toujours une
espèce de palette à la main qui oblige [ses] doigts à se
tenir droits » mais l'empêche d'écrire. Il passera bientôt
aux bains de tripes, de moût de raisin et aux applications
de linges souillés par un galeux, affreux détails que nous
empruntons à Frédéric Masson [1]. Présentement, Louis
s'est mis en tête de retrouver les restes de son père,
enterré dans le caveau des Cordeliers de Montpellier, en
1785. Il y parviendra et il enverra le squelette, entouré
de coton, dans une caisse plombée comme s'il s'agissait
d'une horloge (!), par la diligence de Paris. Louable
intention, en vérité, d'un fils malheureux qui se raccro-
che à ses ascendants, d'un cadet de famille nombreuse

---

1. Frédéric Masson, *Napoléon et sa famille*, Paris, 1927, II, p. 354.

qui s'approprie son père, par-delà la mort, et l'enterre dans son parc, comme pour signifier aux autres frères et sœurs que lui seul est digne du défunt... Au terme de cet étrange périple, Charles de Buonaparte repose, aujourd'hui, aux côtés de Letizia, dans sa bonne ville d'Ajaccio...

Bizarrerie de Louis, qui souffre, seul, loin des siens, s'excluant de lui-même de la chaleur familiale, refusant les distinctions que le Consul souhaite lui accorder — il met un point d'honneur à rester colonel de son régiment —, et se tourmentant à distance de « l'apparition de la troisième dent du petit », de la santé de la nourrice, des modalités du sevrage qu'il évoque, dans ses lettres à Hortense, avec un luxe de détails techniques dignes d'un pédiatre professionnel. Qu'on en juge, car c'est un document important pour notre héroïne, mais aussi, un témoignage très renseignant sur l'époque. Les hommes de cette génération sont déconcertants dans ce qu'ils offrent de mélange de rudesse guerrière et de sensibilité exacerbée. Comme Louis, Junot, Murat ou le général Bertrand iront aussi froidement au feu qu'ils pleureront à chaudes larmes, dans un salon, au récit d'une bluette quelconque. Et où qu'ils se trouvent, ils se feront un sang d'encre à l'idée que leurs femmes puissent faire une fausse couche, ou mal ordonner les bouillies de leur progéniture :

> Montpellier, ce 27 Messidor an XI
> J'ai appris avec bien du plaisir par votre lettre d'hier l'apparition de la troisième dent du petit. J'en fais bien mon compliment à sa nourrice et nous pouvons espérer qu'il en sera de même pour les autres dents jusqu'à la 20e. C'est à présent qu'il faudrait bien surveiller la santé de la nourrice et savoir si elle est toujours de même, parce que le moindre changement dans sa manière d'être en porterait un bien préjudiciable à son lait. J'imagine que le petit mange quelques fois et que ce n'est point de la bouillie qu'on lui donne. Vous aurez vu dans l'ouvrage que je vous ai indiqué d'excel-

lents avis sur la manière de se conduire pour le sevrage. Il
paraît qu'il faut s'en raporter [*sic*] à la santé de la nourrice,
que le moment où ses anciennes habitudes reprennent, le lait
devient moins bon et même dangereux. On s'aperçoit de ce
changement dans la nourrice en ce que cette double perte la
fait maigrir. Si celle du petit n'a encore rien, nous pourrons
ne le sevrer qu'à un an. Je ne crois pas qu'il faille aller plus
loin et comme il est très fort je voudrais qu'on commence
à lui donner de la panade ou des gruaux en observant bien
qu'on ne se serve ni d'huile ni de beurre pour la première
et seulement d'eau et de sel, et pour les gruaux qu'on
n'emploie pas de lait bouilli ni chauffé puisqu'il est si
contraire aux enfants [1]...

Pendant ce temps, Hortense, avec l'aisance que nous
lui connaissons, fait l'apprentissage de la vie de Cour.
Celle-ci se révèle encore peu contraignante et ses rituels
sont relativement souples. Voici un échantillon de ces
moments, une audience, rapportée par une visiteur étranger, d'autant plus réceptif aux lieux, à l'ambiance et au
personnel qui entourent le Consul, qu'il les découvre.
Nous ne pouvons rêver meilleur introducteur à cette
existence nouvelle au palais de Saint-Cloud :

Le pourtour du salon d'attente était garni de fauteuils destinés aux étrangères que les femmes des ambassadeurs
devaient présenter. Les Russes et les Polonaises se distin-
guaient par leur élégance : robes de soie de nuances violet,
vert foncé, lilas ou noir, bordées d'or dans le bas ; une Polonaise avait même des pierreries piquées sur le galon de sa
jupe.
Près de la cheminée étaient assises quatre dames d'honneur en toilette du matin, élégante, mais très simple. Un
préfet du palais présentait chaque arrivante à la dame de
service. Mlle de Lauriston, svelte et jolie personne, encore
peu ferrée, m'a-t-il semblé, sur ses fonctions : tout se bornait
de sa part à de légères inclinations et à des sourires. Comme
ses compagnes, elle était en mousseline de l'Inde blanche,

---

1. A.N. 400 AP 26.

avec un cachemire blanc enroulé sur les cheveux. Ses compagnes portaient la même coiffure, mais leurs cachemires étaient nuancés.

Vers quatre heures, tout le monde était arrivé. Quelques dames russes, déjà présentées, comme la princesse Dolgorouki, avec son port d'impératrice, Mme de Diwof et d'autres, étaient aussi là. Une première présentation donne le droit de revenir sans formalité nouvelle, à l'audience suivante. Un certain nombre de dames russes, habitant Paris, persistent à ne pas se faire présenter et ne paraissent pas aux « cercles » de Mme Bonaparte, qui se tiennent d'habitude entre huit et neuf heures du soir, le jour des grandes audiences du Premier Consul.

Il y avait environ cinquante femmes, plus les hommes présentés à la dernière audience du Consul ; enfin, beaucoup de militaires, tous cavaliers superbes. Talleyrand, en costume officiel, était le seul ministre présent.

Duroc, gouverneur du palais, se tenait dans le salon d'attente ; notre envoyé m'a présenté à lui. Il a été peu causant, bien que je me sois évertué à lui parler de son séjour à Berlin. Petit, large d'épaules, bouche grande, garnie de belles dents, teint clair et animé, il semble moins spirituel que l'on ne devrait s'y attendre chez le confident de Bonaparte. Son extrême politesse et sa réserve sont remarquables.

Pendant que nous faisions antichambre, j'ai parcouru la galerie de tableaux et les salons qui ouvrent sur le vestibule. La galerie a été récemment décorée de tableaux italiens pris au musée, mais le grand nombre de fenêtres et de glaces rend le jour peu favorable. J'ai constaté avec plaisir que les peintures du plafond n'ont pas été détériorées pendant la Révolution. Dans un des salons joignant la galerie, il y a un portrait de Mme Bonaparte, par Gérard. Elle est représentée de grandeur naturelle, à demi étendue sur un large sofa, au milieu de coussins mœlleux. C'est une peinture très soignée, mais sans grand effet. Le portrait est d'ailleurs flatté ; on a tort de le laisser voir avant que l'on ait été mis en présence de Mme Bonaparte ; c'est une déception qui vous attend.

A quatre heures sonnant, nous sommes entrés dans le salon d'audience. Les dames se sont rangées debout autour de la salle, les hommes derrière elles, et Bonaparte a paru en petit uniforme vert à parements rouges, gilet assez long en drap bleu, culotte de soie noire, bas de soie blancs, petit tricorne à la main, un court sabre de dragon au côté. Il s'est mis à causer avec la première dame qui s'est trouvée à sa portée, lui a fait quelques compliments et des questions qui, d'après ce que j'ai pu entendre moi-même ou apprendre par d'autres, ont invariablement porté sur le climat de son pays, sur le voyage, sur la durée du séjour à Paris. Son sourire n'a pas varié pendant toute l'audience. Comme il faisait plus clair que dans la salle des Tuileries et que je ne quittais pas mon lorgnon, j'ai pu examiner à loisir les yeux de Bonaparte. Je comptais déterminer leur couleur et y découvrir une flamme : la couleur reste non définie, et le regard ne s'est pas illuminé pour moi. Un physionomiste habile m'a fait remarquer que c'est souvent le cas chez les hommes à grandes passions ; ils les compriment violemment afin d'en supprimer la manifestation. Bonaparte n'a, il est vrai, qu'une grande passion, celle de dominer. Jamais meneur d'hommes ne s'est autant appliqué à la dissimuler.

Deux préfets du palais, plus petits que Bonaparte, se tenaient à ses côtés ; l'un demandait à la dame que Bonaparte allait aborder son nom, son pays, et le Premier Consul la saluait d'une inclination de tête avant de lui parler. Il était arrivé à la troisième dame, quand Mme Bonaparte entra, escortée par deux autres petits préfets. Elle commença le tour du salon, et comme elle était plus brève que son mari dans ses propos, elle ne tarda pas à le rejoindre. Elle m'a paru plus âgée et plus maigre que je ne croyais ; elle a montré beaucoup de politesse et de prévenance [...]. Les façons de Mme Bonaparte ont le cachet de l'ancienne cour ; sa fille, Mme Louis Bonaparte, qui, sans être belle, ne manque ni de charme ni d'aménité, a moins d'abandon.

Mme Bonaparte portait une toilette du matin en satin blanc, garnie de larges dentelles ; dans ses cheveux châtain foncé, une sorte de diadème à trois rangs de pierreries, au milieu desquelles ressortaient trois superbes camées antiques. Elle a causé assez longuement avec les Russes et les Polonaises qui se sont mises en frais pour elle ; mais il était amusant d'observer que les sourires les plus gracieux, les mines les plus séduisantes allaient à l'adresse du Premier

Consul. Quand il approchait, les plus belles embellissaient, et les plus impressionnables, surtout parmi les Polonaises, avec leur tête penchée d'un petit air langoureux, leurs grands yeux clairs et expressifs fixés alternativement sur le héros ou levés au plafond, étaient charmantes. Pour sa femme, les physionomies étaient avenantes, mais tout autres ; c'est son diadème qui fixait le regard, on ne levait pas les yeux plus haut. Lorsque le tour du salon fut terminé, Mme Bonaparte s'assit au coin de la cheminée, et les envoyés lui présentèrent successivement les étrangers venus pour la première fois. Ils les nommaient et, pour chacun, Mme Bonaparte inclinant la tête et se levant à demi disant : « Je suis charmée..., je suis bien aise..., enchantée de vous voir ! » Les femmes des envoyés ont ensuite rendu le même office aux dames de leur nation. Pendant ce défilé, Bonaparte causait avec quelques étrangers de connaissance. Les présentations finies, sa femme et lui ont salué l'assistance et sont rentrés dans leurs appartements.

Tout le monde se disposa alors au départ. On traversa la galerie pour arriver à un grand salon où était dressé un magnifique buffet qui eût été plus apprécié avant l'audience, pendant les longues heures d'attente. Chacun songea ensuite à regagner sa voiture. Comme il y avait sur la place du Palais près de deux cents équipages, parmi lesquels des attelages à quatre, il a fallu plus d'une heure avant que chacun fût casé. On attendait dans les beaux appartements du rez-de-chaussée que les valets de pied fissent avancer les voitures, suivant l'ordre des préséances. Nous sommes rentrés à Paris pour dîner, vers sept heures [1].

* * *

Ayant fini par accepter d'être promu au grade de général de brigade — composée des 6e, 9e, 12e et 21e dragons, auxquels s'ajoute son régiment, le 5e —, Louis part, le 1er décembre 1803, prendre le commandement de la garnison de Compiègne. Contre toute attente, Hortense le

---

1. *Un hiver à Paris sous le Consulat*, pp. 126-130.

suit. Ils s'installent dans l'hôtel dit des Relations extérieures, rue des Domeliers, n° 9. Elle est accompagnée de son fils et de Mme de Boubers, fille du chevalier de Folard, ruinée par la Révolution, et que Joséphine avait placée auprès d'elle en qualité de Dame, ce qui déplaisait à Louis, toujours désireux d'une utopique solitude à deux. Tout l'hiver, Hortense fera les honneurs de son salon aux notables et aux officiers de la place. Revues, bals, dîners priés et réceptions se succèdent agréablement. Dans une lettre à son amie Adèle — inédite, comme la plupart de cette correspondance regorgeant, pourtant, de confidences et de notations intimes —, elle raconte avec un entrain de pensionnaire le bal « superbe que tous les officiers de la garnison viennent de [lui] donner », les efforts des « dames de Compiègne qui avaient envoyé chercher à Paris » des étoffes précieuses, pour se montrer à la hauteur de la circonstance. « Moi, ajoute malicieusement Hortense, j'avais mon petit peplum rouge brodé de perles, tu penses l'effet que cela a dû faire. J'y suis restée jusqu'à trois heures du matin, mais le bal n'a fini qu'à huit heures [...]. Je suis montée ce matin un peu à cheval. Je vais souvent aux manœuvres. Je reçois le soir tous les militaires et les dames de la ville qu'on me présente. Nous jouons aux cartes et nous nous couchons à onze heures [1]... »

Parisienne accoutumée aux fêtes brillantes des Tuileries, elle n'est pas dénuée de préjugés envers le ton et les habitudes de cette société provinciale que l'hiver resserre encore. Cependant elle avoue à Adèle que, lorsque les colonels la reçoivent au château, « avec des soldats bien arrangés dans l'escalier », les trompettes « jouant des airs militaires » à son entrée, et qu'on la mène dans la grande salle des Gardes « très bien illuminée », « pour Compiègne, c'est fort beau... » Peut-être se prend-elle à

---

1. A.N. 400 AP 35.

rêver aux anciens séjours royaux qui, le temps d'un été,
animaient le vaste palais de Gabriel : Mme Campan les
évoque, pour elle, dans une lettre colorée et sensible.
L'éducatrice revit, au fil de la plume, les réjouissances
de sa jeunesse à la Cour, leur cortège de « camps, de
parties de chasse, les dîners dans la forêt, les promenades sur l'eau, sur le cours, à la nuit tombée, pour entendre de la musique, le grand concours d'étrangers, la
réunion des princes du sang, des ministres, des ambassadeurs... » Tout cela la ravissait, « jusqu'à Fanchon la
Vielleuse qui brillait alors dans les cafés et les promenades publiques [1] »... Hortense était loin de se douter que
son beau-père, un jour, ressusciterait ce faste, plaçant
Compiègne — et Fontainebleau — parmi les hauts lieux
de son Empire... Encore moins pouvait-elle imaginer que
l'un de ses fils saurait immortaliser ce somptueux décor,
devenu par sa grâce et celle d'une élégante impératrice,
son épouse, l'un des carrefours de l'Europe...

Eugène lui rend visite. Isabey aussi, ainsi que ses maîtres de chant et de musique, Alvimare, Plantade et Car-
bonnel. Comme elle le fera tant qu'elle aura une vie
publique, Hortense se repose de l'agitation par l'application. L'étude et la pratique de ses disciplines artistiques
de prédilection — le dessin et la musique, auxquels on
peut s'adonner chez soi — compensent ce qu'a de vain
et de répétitif une certaine vie mondaine toute de représentation obligée. Elle se délasse en lisant une histoire
romancée de Mme de La Vallière, qu'on redécouvrait,
ainsi que le délicieux *Valérie* de Mme de Krüdener. qui
venait de paraître et enchantait Paris. Les amours
malheureuses d'un jeune gentilhomme nordique tou-
chaient les cœurs, et le cadre dans lequel elles s'épan-
chaient dépaysait les lectrices : comme un an auparavant
l'*Atala* de M. de Chateaubriand les avait entraînées au

---

1. *In Lettres, op. cit.*, I, p. 223.

fond des savanes américaines, la talentueuse baronne balte les faisait rêver à la vasteté du Nord et, en contrepoint, aux rives de la Brenta...

A la faveur de cette existence paisible, Hortense se rapproche de son mari. Un nouvel enfant est attendu. « Je ne vous demande qu'une chose, lui dit Louis, c'est que cet enfant me ressemble. » « Comment faire ? » « Si vous m'aimez, si vous pensez à moi, il me ressemblera. Alors je vous adorerai et je serai l'homme du monde le plus heureux. » Charmante puérilité qui se moque des caprices génétiques. Hortense sourit. Et le vœu de Louis sera exaucé [1].

Lorsqu'en février 1804 ils regagnent Paris, la capitale est en émoi, presque en état de siège : un vaste complot royaliste vient d'être éventé. On en traque le chef, le redoutable Cadoudal, qui finira par être pris, carrefour de Buci, au terme d'une sanglante poursuite. L'affaire, et le procès qui la suit, va faire grand bruit. Elle suscitera la fureur de Bonaparte, son désir de mettre un terme à ces perpétuelles tentatives d'assassinat, sa décision de faire un exemple en arrêtant, hors des frontières, le duc d'Enghien, ce qui précipitera l'instauration de l'Empire. Dans ce climat troublé, Louis et Hortense s'émeuvent grandement d'une autre affaire, qui, celle-ci, les concerne personnellement : le soudain projet d'adoption, par le Consul, de leur fils Napoléon. Voilà comment ils en sont avertis : c'est Hortense qui le raconte. La scène se passe le 7 avril 1804 :

> Un jour, le Consul arriva chez moi avec ma mère. Contrarié de n'y point trouver mon mari, il ne dit rien et se promena seul dans le jardin. Ma mère m'apprit qu'il était venu dans l'intention de demander notre fils qu'il voulait adopter. Cette idée m'effraya, mais, résignée à remettre à la Providence les destinées de cet enfant, je n'osais pas avoir une

---

1. *In Mémoires*, p. 87.

volonté. Le soir, Caroline me dit que la famille, instruite des projets du Consul, les combattrait avec force, que ses frères avaient plus de droits que mon fils, qu'ils les soutiendraient. Que d'ennemis déjà pour un pauvre enfant encore au berceau ! J'en parlai à mon mari qui m'assura que jamais il ne consentirait à céder son fils et il me montra une lettre par laquelle il en faisait la déclaration à son frère avec le conseil de divorcer comme seul moyen d'arranger les choses. Je demeurai toute confuse pour mon mari, toute agitée pour ma mère, que je vis le soir pleine de tristesse et d'abattement. Elle m'apprit aussi que toute la famille voulait engager le Consul à se séparer d'elle. Quant à lui, pour la première fois, il me traita en personne raisonnable, me parla de son désir d'adopter un héritier et me parut blessé de la lettre de Louis. Je lui demandai de rester neutre dans une telle circonstance et d'obéir à un mari effrayé, peut-être avec raison, de toutes ces haines qui s'élevaient déjà autour d'un enfant. Le Consul garda un moment le silence, et le rompit en disant : « Je ferai une loi qui me rendra au moins maître de ma famille [1]. »

Voilà qui complique singulièrement la position d'Hortense. Il y a quatre ans, elle sortait de son collège. Elle est, aujourd'hui, en demeure de faire de son fils l'héritier du trône de France, car il est clair que c'est vers le rétablissement effectif du pouvoir monarchique qu'on s'achemine. Le Consul se propose de se rendre maître de sa famille. Il lui sera plus aisé, et ce n'est pas le moindre des paradoxes de sa fulgurante ascension, de se rendre maître de son pays. Hortense va se trouver, à son corps défendant, au cœur de la mêlée. Celle-ci promet d'être grandiose... Qu'en résultera-t-il, pour elle et pour ceux qu'elle aime ? C'est ce que nous verrons maintenant.

---

1. *In Mémoires, op. cit.*, p. 79.

V

REINE SOUS L'EMPIRE

> *Pourquoi nous est-il réservé un sort envié par tant d'autres et que nous ne désirons pas... ?*
>
> Le prince EUGÈNE à sa sœur,
> la reine Hortense
> (14 juin 1806).

Les dix années impériales qui s'ouvrent maintenant, années de gloire pour la nouvelle famille régnante soumettant à sa loi une grande partie de l'Europe, années de fer aussi, de guerre quasi permanente et d'occupation des grandes capitales continentales, que double une inflexible discipline intérieure, seront pour Hortense celles du malheur — dans un premier temps —, puis celles de l'accomplissement, pour ne pas dire de la métamorphose.

Elle l'avouera plus tard, sans affectation : « J'ai tant souffert au milieu des grandeurs ! » Il s'agit d'un malheur d'ordre privé : à la souffrance d'un couple dont l'élévation soudaine accentue la mésentente et qu'un deuil cruel rapproche un moment, s'ajoute le désagrément d'être une Beauharnais soumise aux intérêts et à la détestation des Bonaparte — l'Empereur mis à part —, le clan s'entre-déchirant à mesure qu'il s'installe dans le cercle magique du pouvoir et de la prospérité.

L'accomplissement viendra. A la faveur de l'indépendance retrouvée et de la séparation d'avec son mari, d'un sentiment amoureux longtemps gardé secret puis enfin avoué et partagé, de la maternité parfois douloureuse, souvent inquiète, somme toute heureuse, de la joie que procure la création. Exprimées, les richesses humaines d'Hortense lui valent une célébrité de bon aloi qui renforce son éminente position. Au fil des épreuves, sa pensée et son jugement se forgent, son être s'approfondit. Ses talents et ses qualités la font rechercher par tout ce que l'Europe — impériale ou non — compte de souverains, de diplomates, de personnalités marquantes, sans oublier les humbles dont elle sera la Providence. Hortense devient la reine Hortense, et le restera à jamais. C'est qu'au-delà de la circonstance napoléonienne, sa valeur personnelle la placera au cœur d'un cercle autrement magique que celui des éphémères conquêtes et des fastes dont elles s'assortissent : celui de l'intelligence de soi-même et de son époque, de l'élégance physique et morale, de la réussite intérieure.

*
* *

Le 28 floréal an XII, 18 mai 1804, un sénatus-consulte annonce que désormais « le gouvernement de la République Française est confié à un empereur qui prend le titre d'Empereur des Français... » Si le processus de rétablissement monarchique était perceptible depuis la proclamation du Consulat à vie et les dispositions de Bonaparte en vue de sa succession, la décision fondatrice de l'Empire a été brutale : elle est résultée de la grande conspiration contre la vie du Consul, cette affaire Cadoudal dont le procès retentissant va s'ouvrir et qui se soldera par vingt condamnations à mort. Le complot éventé, les conjurés emprisonnés, Bonaparte a voulu faire un exemple : Cadoudal n'a rien avoué si ce n'est qu'il « devait attaquer le Premier Consul quand il y aurait un prince français à Paris ». Quel prince ? On a feint de croire qu'il s'agissait du jeune duc d'Enghien, le dernier héritier de la maison de Condé, et au mépris du droit des gens — mais Bonaparte ou les comploteurs contre sa vie se sont-ils jamais souciés du droit des gens ? —, on a décidé de l'enlever, dans le pays de Bade, où il résidait. Le 21 mars précédent, à trois heures du matin, il avait été intempestivement passé par les armes dans les fossés de Vincennes. Cette exécution, même s'il ne l'avait pas ordonnée, Bonaparte l'avait endossée. Et, pour mettre un terme aux clameurs de l'Europe entière, il avait précipité la création de l'Empire. Avant de mourir, Cadoudal déclarera amèrement : « Nous voulions faire un roi, nous faisons un empereur ! »

On sait le mot de Fouché, au lendemain de l'assassinat du duc d'Enghien : « C'est plus qu'un crime, c'est une faute ! » Cette faute, Joséphine et Hortense l'avaient violemment ressentie. Le Consul, qui avait œuvré avec tant d'efficacité à la reconstruction nationale, qui avait « séché tant de larmes, fermé tant de plaies », comme elles disaient, dont le génie ordonnateur rehaussait la France au rang des pays éclairés de l'Europe, en faisait le modèle qu'à terme ses voisins devaient imiter, « était trop grand à [leurs] yeux pour avoir besoin de rigueur ». A l'annonce de l'exécution, Hortense se précipite à la Malmaison, pour y trouver sa mère effondrée « Voilà la première faute de Napoléon, disait-elle. Sa gloire était si pure ! Qui a pu lui donner un semblable conseil ? Si je l'avais su à temps, je l'en aurais détourné. L'air affligé qu'il a eu en m'apprenant cette nouvelle me fait voir que cet ordre n'a pu venir de lui. Mais, lorsqu'il m'a vue pleurer, il s'est écrié avec force : Tu veux donc me voir assassiner ?[1] »

Jusque sur son lit de mort, à Sainte-Hélène, faisant ajouter un codicille à son testament, Napoléon a voulu

---

1. *In Mémoires*, p. 90.

assumer ce drame qui fut le tremplin par lequel il accéda au pouvoir suprême, devant une Europe à la fois hors d'elle et médusée. Trente ans après les faits, la reine Hortense y revenait encore. Dans une lettre à Mme Salvage, une des ses amies de l'exil, elle s'en explique : « Ma mère et moi, nous avons été au désespoir de cet acte », mais au nom de la vérité, on ne lui fera pas dire que sa mère a demandé la grâce du Prince. « Qu'on exécutât avant que le Consul en eût donné l'ordre, ceci est positif, nous ne l'avons tous su que lorsque tout était fini, et si nous avons pleuré, c'était autant sur la victime que sur le blâme qui en rejaillirait sur la tête qui en était innocente. L'Empereur a bien fait de ne jamais s'en défendre, on ne l'aurait pas cru... » Elle ajoute qu'elle vient de recevoir une lettre de Joseph, évoquant le même tragique épisode : « Vous savez, lui écrit Joseph, comme il [Bonaparte] a été furieux de la mort d'Enghien qu'on a exécuté sans l'en prévenir. J'arrivai un instant après et il me dit "c'est un tour que veulent me jouer les Jacobins". La veille, il m'avait dit : "S'il est condamné je le ferai gracier etc..., etc..." Ce qu'il y a de curieux, c'est que Réal qu'il accusait comme Jacobin ne fut pas le coupable et qu'on peut supposer qu'un grand seigneur qui règne toujours sous tous les régimes n'en est pas tout à fait innocent [1]. » On aura compris que Joseph désigne Talleyrand. Voilà, en tout cas, des pièces peu connues à verser à ce sombre dossier : elles confirment ce que les plus récentes recherches ont établi.

Les tilleuls de la rue Cerutti et la forêt de Saint-Leu

En ce jour mémorable où il devient empereur, celui que nous devons désormais appeler par son prénom,

---

1. Lettre de la reine Hortense à Mme Salvage, du 1er mars 1834, A.N. 400 AP 35.

Napoléon, retient à Saint-Cloud, pour y dîner, les ex-Consuls Cambacérès et Lebrun, ainsi que les membres de sa famille présents en France. L'ambiance, lors de ce premier acte de convivialité impériale, est inhabituellement tendue.

Pour commencer, le clan s'est disloqué, et quatre Bonaparte manquent à l'appel. La rupture avec Lucien a eu lieu à propos du remariage de celui-ci avec Alexandrine de Bleschamp, veuve de l'agent de change Jouberthou. Le Consul avait violemment désapprouvé cette union, non tant à cause de la personnalité de la belle rousse aux yeux bleu marine avec laquelle convolait Lucien — fille de Finances, apparentée par sa mère, née Grimod de Verneuil, à la Ferme et à la Robe d'Ancien Régime —, que du fait de l'enfant naturel qui l'avait provoquée. Bonaparte entendait « rétablir les mœurs » et, sur ce chapitre, il se montrait d'un puritanisme intransigeant. Les siens devaient donner l'exemple et, pour y avoir failli, Lucien n'eut plus qu'à s'expatrier, « la haine dans le cœur », selon son expression. Sa mère, ayant pris son parti, ou plus exactement, considérant que Joseph était le chef de famille, et non Napoléon, l'avait suivi en Italie. Elle n'y était pas dépaysée — elle y vivra toujours plus à son aise qu'en France, en vertu de son appartenance — et elle savait pouvoir y rejoindre son frère, Fesch, alors ambassadeur dans la Ville Éternelle, et sa fille Pauline, qui s'y était établie depuis son remariage avec le prince Camille Borghese. Au sortir de la désastreuse expédition de Saint-Domingue, dans laquelle avaient péri — de la fièvre jaune — Leclerc et une partie de son armée, Pauline avait en effet accepté l'idée, venant du Consul, d'une union avec un sympathisant du pouvoir français, n'ayant guère plus d'esprit qu'elle, mais venant d'une famille romaine qui, pour être récente, n'en était pas moins fabuleusement riche. Avec son habituel langage de petite-maîtresse, Pauline jubilait en se gaussant de ses sœurs : « Ces canailles ont épousé, l'une, un fils de cabaretier, l'autre, un marqueur de paume, disait-elle. Il n'y a que moi d'honnêtement mariée dans la famille... » Du moins restait-elle en bons termes avec son frère Napoléon. Ce qui n'allait pas être le cas du jeune Jérôme, présentement en Amérique, et dont le comportement d'enfant gâté ne tarderait pas à défrayer la chronique : on apprendrait bientôt à Paris que, comme Lucien, il n'avait pas attendu l'autorisation familiale pour se marier, en l'occurrence avec Elizabeth Patterson, fille d'un riche négociant de Baltimore. Que de scènes en perspective avant qu'il ne cède et ne revienne sur son inconséquente décision...

A Saint-Cloud, donc, sont réunis autour du nouveau maître, son épouse, Eugène, les Joseph, les Louis, les Murat et les Bacciochi. Avant de passer à table, Duroc a expliqué aux convives les effets protocolaires de la situation politique : le Consul devient l'Empereur, Joséphine, l'Impératrice, avec traitement de « Majesté ». Cambacérès et Lebrun faits respectivement Archichancelier et Architrésorier ont droit au traitement de « Monseigneur ». Joseph et Louis, dignitaires de l'Empire et princes français, comme leurs épouses Julie et Hortense, nouvelles princesses, ont droit au titre d'« Altesse Impériale »... Élisa et Caroline sont atterrées. Elles ne peuvent croire ce qu'elles viennent d'entendre ! Certes, Bacciochi serait nanti du commandement d'une demi-brigade, et Murat, récemment promu Maréchal, jouit du Gouvernement militaire de Paris, excellente situation assortie d'un grand train de vie, mais quoi ! Les voilà, elles, sans rien, sans la plus petite distinction... ! Julie et Hortense, ces étrangères alliées à des Bonaparte, sont princesses, et elles, les sœurs, le sang de l'Empereur, rien...

La très fine Mme de Rémusat, comme le haut personnel du Palais, n'oubliera pas cette soirée : l'Empereur, ravi de son nouveau rôle, l'incarnant avec une noblesse et une autorité naturelles admirables, se plaisant à donner à chacun son titre, l'Impératrice et son fils conservant leur aisance et leur affabilité habituelles, les princesses Julie et Hortense, sereines et modestes, Louis, paraissant content, Joseph, remâchant la question de l'hérédité, Élisa, blême d'indignation, et Caroline, écumant, avalant de grands verres d'eau, coup sur coup, pour dissimuler ses pleurs de rage... Le lendemain, elle fera une scène d'une rare violence à son frère et, au terme d'une « opportune syncope » — *dixit* Mme d'Arjuzon —, elle obtient, pour elle et pour ses deux sœurs (!), le même titre que celui de Julie et d'Hortense. Devant la véhémence de ces revendications, Napoléon aura un mot agacé, qui fera la joie des salons : « A vous entendre, Mesdames, ne croirait-on pas que je vous ai fait tort de [que je vous ai volé] l'héritage du feu roi notre père ! »... Merveilleuse lucidité ! Il n'est pas au bout de ses peines, face à cette avidité doublée d'aigreur et d'agressivité permanentes. « Avec elle [Caroline], confie-t-il, il faut que je me mette toujours en bataille rangée. » Et, pour désamorcer ces conflits, somme toute mineurs, il cède. Du moins, les premiers temps. Il n'est pas dupe, cependant. Il s'en ouvre à Roederer :

> Ils sont jaloux de ma femme, d'Eugène, d'Hortense, de tout ce qui m'entoure. Eh bien ! ma femme a des diamants et des dettes, voilà tout. Eugène n'a pas 20 000 livres de rentes. J'aime ces enfants-là parce qu'ils sont toujours empressés à me plaire. S'il se tire un coup de canon, c'est Eugène qui va voir ce que c'est ; si j'ai un fossé à passer, c'est lui qui me donne la main. Les filles de Joseph ne savent pas encore que l'on m'appelle empereur, elles m'appellent consul ; elles croient que je bats leur mère ; au lieu que le petit Napoléon, quand il passe devant les Grenadiers, dans le jardin, il leur crie : « Vive Nonon le soldat ! »

Et c'est là que le bât blesse : Joseph et Caroline, tous deux rétifs à l'Empereur, n'admettent pas que les Beau-

harnais, et Louis, dans une moindre mesure, ne demandant jamais rien, aient la préférence marquée du
souverain. Joseph n'a pu s'y tromper lorsqu'il a pris
connaissance des articles du sénatus-consulte traitant de
l'hérédité : Joseph et ses descendants, Louis et ses descendants sont appelés à recueillir la dignité impériale,
mais après la descendance naturelle, légitime, et *adoptive* de l'Empereur. Celui-ci « peut adopter les enfants et
petits-enfants de ses frères pourvu qu'ils aient atteint
l'âge de dix-huit ans accomplis et que lui-même n'ait
pas d'enfants mâles au moment de l'adoption. Ses fils
adoptifs entrent dans la ligne de sa descendance
directe ». En un mot, l'Empereur écarte du pouvoir ses
deux frères et se réserve le choix de son héritier. Le fils
d'Hortense et de Louis, dont le charme et la précocité
font ses délices, a toutes les chances de lui succéder. Un
jour, devant la famille assemblée, tenant le petit Napoléon sur ses genoux, il lui dit, soudain, de façon à être
entendu de tous : « Sais-tu bien, petit bambin, que tu
risques d'être roi un jour ? — Et Achille ? demande
Murat. Ah ! Achille, lui est-il répondu, Achille fera un
bon soldat ! » Fureur des Murat. Ce que voyant, Napoléon ajoute « En tout cas, je te conseille, mon pauvre
enfant, si tu veux vivre, de ne point accepter les goûters
que t'offriront tes cousins... »

Tout cela mettait Hortense sur des épines. Si elle était
plus favorable que son mari au projet d'adoption de leur
fils, elle pressentait la somme d'ennuis, d'intrigues,
d'hostilité, qu'il lui faudrait en permanence déjouer pour
vivre en paix. Elle sait qu'à la fin de l'automne auront
lieu les fêtes du Couronnement et que d'ici là, une Cour
se constituera, les maisons d'honneur de l'Impératrice et
des princesses se formeront, un protocole sera mis au
point... Son état lui permet de s'éloigner quelque temps
et de se consacrer à son intérieur. Elle entend bien ne
pas laisser passer cette occasion.

Une fois prêtés les serments de dignitaire cumulant les fonctions de connétable, de sénateur, de conseiller d'État, de membre du grand conseil de la Légion, de colonel général des Carabiniers et de général de division, qui lui valent un million d'apanage et près de 400 000 livres de rentes, Louis désire s'occuper de sa santé. Il décide de partir prendre les eaux de Plombières et laisse à Hortense le soin de s'installer dans leurs deux nouvelles résidences, à Paris, l'hôtel qu'ils viennent d'acquérir, rue Cerutti, en substitution de celui de la rue de la Victoire, et, à la campagne, le magnifique domaine de Saint-Leu.

Ils se quittent en meilleurs termes que ce que nous suggère Hortense dans ses *Mémoires*, où, manifestement, elle anticipe sur l'accentuation de leur mésentente. En témoignent les lettres de Louis, comme celle-ci, par exemple, qui, on le voit, est d'un ton courtois et attentif :

Plombières, ce 10 Thermidor an XII (juillet 1804)
Je reçois votre première lettre et elle me fait grand plaisir. Depuis mon départ, je soupirais pour elle. Ce pauvre petit Napoléon m'est toujours présent et je crois que je suis plus avec lui par la pensée à présent qu'à Paris. Je ferai toujours avec plaisir ce que vous désirerez et j'approuve l'ordre que vous avez donné [...]. Vous avez bien raison de me conseiller un usage modéré des eaux de ce pays. Depuis quatre jours que je les ai commencées, elles m'agitent beaucoup et m'ôtent le someil [sic]... Je vous avoue que rien ne peut me faire changer d'opinion sur ma préférence pour Barrège, j'aime mieux les rochers stériles où l'on est en plein air et libre de ses pas que les vallons profonds et étroits de Plombières où l'on respire tellement les vapeurs des eaux que l'on peut dire en avoir fait usage lorsqu'on a seulement habité le pays. [...] Je ne suis pas étonné d'apprendre que l'on se souvient avec joie de votre séjour. Personne n'est convaincu autant que moi du bonheur que vous pouvez donner à tout ce qui vous entoure si vous le voulez. (A propos de Saint-Leu.) Vous savez combien vous me ferez plaisir de

dire ce qui vous convient, outre que j'ai une juste confiance en votre bon goût, le perfectionnement du mien serait de faire ce qui seul vous est agréable. Je me flatte que vous en êtes convaincue.

Louis [1].

* *

C'est donc au début de l'été 1804 qu'Hortense prend possession des lieux qu'elle va habiter pendant les dix années à venir. Nouveaux territoires où va s'épanouir la maîtresse de maison autant que la princesse impériale, et qui, l'un et l'autre, à la ville comme à la campagne, ont disparu.

Conscient de ce que commandait leur élévation, Louis avait souhaité quitter le charmant petit hôtel Dervieux, dont l'élégance quelque peu mignarde, si elle plaisait à sa femme, ne pouvait convenir aux obligations de leur existence de dignitaires, installés en première ligne derrière le souverain. Ils allaient devoir, désormais, mener un train plus fastueux qu'auparavant, accueillir auprès d'eux leur Maison d'Honneur, ce qui signifierait une petite Cour à demeure — donc, de l'espace —, et offrir à leur fils un cadre digne de son éducation de futur héritier de l'Empire. Napoléon l'avait hautement fait savoir : « L'hérédité, pour réussir, doit passer à des enfants nés dans la grandeur. » Sans consulter Hortense — ce qui la choque —, Louis avait opéré l'échange entre l'hôtel de la rue de la Victoire et celui de la rue Cerutti. Située dans ce qui fut jusqu'à la Révolution la rue d'Artois, et qui, depuis 1792, empruntait son nom à un jésuite piémontais, membre de la Législative, sa nouvelle acquisition était l'une des plus vastes et des plus opulentes demeures de la Chaussée d'Antin. Bâtie par Moreau-

1. A.N. 400 AP 26.

Desproux à la fin du règne de Louis XV, pour un fermier général, trésorier des États de Bourgogne, M. de Saint-Julien, elle était, conformément à son initiale vocation de palais de financier, passée à Bouret de Vézelay, puis au banquier Mosselmann. Le plus récent propriétaire en était un M. de Lanois, avec qui Louis avait fait affaire, moyennant une reprise de 300 000 francs, plus 36 000 francs, pour les vins en cave. L'hôtel de Saint-Julien, qu'on appellerait bientôt celui de la reine Horense, n'échappera pas à son destin : revendu, à la chute de l'Empire, au banquier romain d'origine française, Torlonia, il deviendra, en 1817, la propriété de James de Rothschild, qui y établira sa maison de banque, tout en continuant d'y vivre [1].

Si on lui eût demandé son avis, Hortense eût préféré porter ses vues sur l'hôtel de Brienne, rue Saint-Dominique, que Letizia rachètera, en 1805, à son fils Lucien, ou, dans le faubourg Saint-Honoré, sur l'hôtel de Marbeuf, que Joseph délaissait pour habiter le Luxembourg, ou encore, le bel hôtel de Charost que Pauline n'occupait plus, et dont les lumineuses et spacieuses pièces de réception, entre cour et jardin, eussent fait son bonheur : Hortense n'aimera guère la rue Cerutti qu'elle trouvait par trop sombre et mal orientée.

La sobriété solennelle des bâtiments convenait mieux

---

1. Ce qui redeviendra en 1814 la rue d'Artois sera rebaptisé en 1837, sous la monarchie de Juillet, rue Laffitte, du nom du ministre des Finances du roi Louis-Philippe. L'ancien hôtel de la reine Hortense portait alors le n° 17. Le domaine, respecté par Haussmann, ayant été dépecé en 1899, lors du percement de la rue Pillet-Will, on a généralement admis et écrit — dans la foulée de Mme d'Arjuzon — que l'hôtel avait été démoli par la même occasion. Ses propriétaires depuis 1817, les Rothschild, l'ont, en fait, gardé intact jusqu'en 1968, date à laquelle ils ont réédifié et leur banque et leurs bureaux, en les agrandissant notablement. Le baron Guy, dans ses *Mémoires* (Paris, 1983), évoque les anciens lieux et ce qu'il percevait encore de la reine Hortense et de Napoléon III, qui y était né, dans les appartements privés de son arrière-grand-père.

à la rigueur mélancolique et au tempérament ombrageux de Louis qu'à l'allègre sociabilité de sa jeune femme. Une haute porte cochère surmontée d'un fronton permettait l'accès à la vaste cour d'honneur, fermée de dépendances. Un péristyle à quatre colonnes ornait le centre de l'hôtel. De grandes fenêtres à la française, cintrées, en rythmaient la façade. Des balustrades de pierre soulignaient tout le premier étage, que rehaussait un toit à mansardes. Côté jardin, des allées de vieux tilleuls donnaient à celui-ci des allures de parc à l'anglaise. Il s'étendait jusqu'à la rue Taitbout et se clôturait d'une terrasse. Rien ne manquait à l'habituelle panoplie des Grands du siècle précédent : temples, kiosques, chaumières, ponts rustiques sur de petits lacs, rocailles, gloriettes, volières, vasques et statues... Tout concourait à donner l'illusion de la campagne, mais une campagne sans authenticité, réaménagée pour le confort et la rêverie du Parisien.

Les décors intérieurs, que les Bonaparte ont respectés, portaient eux aussi la marque des précédents propriétaires. Le grand salon avait été confié à Prudhon, qui s'était plu à y illustrer une série d'allégories digne de la société fine et cultivée qui s'y réunissait : la Richesse, la Philosophie, les Plaisirs et les Arts. Voilà qui devait sembler aux hôtes successifs, puis à Hortense et à ses commensaux, un vaste et beau programme de méditation... Les dessus-de-porte, en grisaille, représentaient le Matin, le Midi, le Soir et la Nuit. Des toiles imitant des bas-reliefs empruntaient à la mythologie leurs motifs : Bacchus, Mercure, les Parques, la Vieillesse et le Temps. Un petit salon au décor tout aussi parlant offrait des variations sur le thème des Quatre Saisons [1]. A défaut d'une grande

_____

1. Ces détails décoratifs de l'hôtel de Saint-Julien nous sont fournis par Mme d'Arjuzon, qui les tenait de son parent, Chambellan de la reine Hortense. Car celle-ci évoque très peu sa résidence parisienne, à la différence de la Malmaison ou de Saint-Leu, où elle se plaisait infiniment.

originalité, Louis et Hortense trouvaient là un environnement de bonne tenue artistique. Il ne leur restait qu'à le
meubler dans le nouveau style cossu que définissaient
Percier, Fontaine et Jacob : consoles, commodes, bibliothèques d'acajou ou ornements de bronze doré dans le
goût du jour — abeilles, aigles, étoiles, foudres, cornes
d'abondance et thèmes guerriers à la louange du souverain —, jeux de fauteuils, tabourets et canapés aux formes imposantes, des torchères, des pendules, des pièces
d'orfèvrerie rehaussant le tout. Nous regrettons de ne
pas avoir plus de détails sur cet aménagement du rez-
de-chaussée. En revanche, nous savons qu'au premier
étage Hortense disposait de trois pièces charmantes
ouvertes sur le parc, constituant son appartement privé :
un salon, au léger mobilier de bois doré, tendu de gour-
gouran vert agrémenté de rideaux de satin blanc, un boudoir drapé de nankin rayé, offrant, en alcôve, un lit de
repos, et une chambre à coucher, tendue de damas bleu
allégé de mousseline blanche, meublée d'acajou à col de
cygne. Du moins y avait-elle modulé l'espace, les couleurs et les matières à son gré. Ce que nous connaissons
de ses meubles, rescapés de la tourmente et encore visi-
bles à Arenenberg, nous indique combien peu elle appréciait la lourdeur et l'emphase du style impérial [1]. A la
différence des autres Napoléonides, aux goûts ostentatoi-
res, il n'y a rien chez Hortense qui ne témoignât de son
élégance innée, toute de finesse et de légèreté. Les
décors dont elle s'entoure ne sont pas de voyants
trompe-l'œil, destinés surtout à démontrer à autrui qu'on
est riche et puissant ; ils expriment et rehaussent sa personnalité. Ils font partie d'elle. Quoi qu'il en soit, elle
déplorera toujours la tristesse de sa demeure de la rue
Cerutti, son absence de soleil, que la vue sur un parc

---

1. Nous renvoyons aux travaux érudits du Dr Guy Ledoux-Lebard,
notamment son étude sur le mobilier d'Arenenberg, dans la *Revue de
l'Institut Napoléon*, n° 76, juillet 1960.

puissamment ombragé ne corrigeait pas. A l'illusion, Hortense allait préférer, nettement, les charmes de la vraie campagne.

*
* *

Louis avait eu, sans conteste, une meilleure inspiration lorsqu'il avait acheté, en même temps que son hôtel parisien, ce qui allait devenir, plus que Mortefontaine, plus que Le Plessis, plus que Grosbois, l'une des plus belles plaisances impériales. A cinq lieues de Paris, au cœur de l'actuel Val-d'Oise, à la lisière de la somptueuse forêt de Montmorency, il avait acquis deux propriétés contiguës, qu'il allait réunir en un seul domaine de près de soixante-dix hectares. Le château d'en haut, sur un ancien fief de Montmorency, allait être démoli. Le château d'en bas, plus imposant, construit par le banquier Laborde, passé à Beaujon puis au duc de Chartres — ses enfants, dont le futur Louis-Philippe, y avaient séjourné, en compagnie de leur « Gouverneur », Mme de Genlis —, serait réaménagé. Chargé des travaux, Berthault allait brillamment réussir l'harmonisation des deux parcs, la canalisation de leurs eaux et le perfectionnement des perspectives naturellement magnifiques. Des belvédères, des kiosques, plusieurs cascades, un embarcadère sur un des quatre bras d'eau, deux étangs, des rocailles... rien ne serait épargné pour mettre en valeur l'exceptionnel agrément des lieux. Comme sa mère avait fait de la Malmaison son chef-d'œuvre, Hortense réaliserait à Saint-Leu, son Palais des Merveilles, le château de ses rêves [1].

Avant de s'absenter, Louis avait pris soin de dresser une liste en vingt-trois points des « Réparations urgen-

---

1. Nous renvoyons à la monographie très documentée d'Henry Caignard, *Saint-Leu-la-Forêt*, Éditions Roudil, 1970, 53, rue Saint-Jacques, à Paris.

tes » à effectuer, modèle de détaillomanie agissante [1]... Il donne à Hortense, nous l'avons vu, carte blanche pour orienter les travaux et accomplir le premier de ses ordres, « meubler entièrement le château ». Quand tout sera réorganisé selon leur volonté, Saint-Leu apparaîtra à tous ses visiteurs comme l'une des campagnes les plus confortables de la région parisienne. Comme elle a disparu, nous nous fions à leurs témoignages pour nous en représenter la disposition.

On y arrivait par la route de Saint-Prix, passant par une grille à lances dorées, devant un pavillon surmonté d'un belvédère — dit le Belvédère rouge, d'où on guettait l'approche des hôtes de marque — et on suivait une longue allée incurvée, verdoyant trompe-l'œil destiné à masquer les maisons du village. La demeure se dessinait bientôt, fermant la vallée, au fond d'une vaste pelouse parsemée de bouquets d'arbres, traversée d'une rivière dite « anglaise ». On y parvenait par la cour d'honneur, ayant contourné la chapelle et le théâtre. Construit sur un plan rectangulaire allongé, le château avait grande allure : un pavillon central à trois fenêtres, deux ailes à quatre fenêtres qui se terminaient par des pavillons latéraux, tous surmontés de frontons triangulaires. Les façades, d'une élégante simplicité, s'agrémentaient d'un étage surmonté d'un toit à mansardes.

------

1. Nous proposons, en annexe, ce document peu connu. Il est mal interprété par F. Masson, qui souligne l'ordre n° 13 : « Faire condamner les portes de communication des appartements du premier [étage]. » Masson y voit une mesure de méfiance de Louis envers Hortense qui « montre, dit-il, la situation du ménage au sixième mois de grossesse » de l'intéressée ! Non. La méfiance viendra, plus tard, sous forme d'espionnage domestique. A Saint-Leu, Louis avait ses appartements au rez-de-chaussée. Et Hortense, probablement aussi, puisqu'elle y disposait de son salon et cabinet de travail. Les appartements du premier étaient destinés aux hôtes et il était logique qu'au moment de leur restauration Louis les fît cloisonner, pour que chacun fût indépendant.

Par un perron à huit marches, on accédait au Grand Vestibule précédé, comme à la Malmaison, d'une tente abritant les domestiques, et disposé en semi-rotonde. Il donnait sur le Salon d'honneur, vaste, orné de glaces, s'ouvrant sur le parc et, par là même, sur la vue dégagée qui portait jusqu'à Paris, dont on distinguait les hauteurs — celles des Buttes-Chaumont ainsi que la colline de Montmartre —, ce qui faisait dire à l'un des précédents propriétaires que depuis sa demeure, « on voyait sept villes et trente-trois villages ». Deux autres salons de compagnie, une bibliothèque et une salle de billard, complétaient cet ensemble réservé à la réception. Non loin du Salon d'honneur, Hortense s'était aménagé son salon particulier, qui, comme toujours, faisait office de cabinet de travail : elle y passait le plus clair de son temps, y recevant ses intimes, y faisant sa correspondance, ses lectures, y dessinant et s'y adonnant à la musique. Lieu éminemment féminin et reposant, tendu de mousseline claire. Les tentures, assorties aux banquettes et aux fauteuils en gondole, étaient de cette délicieuse nuance jaune chamois, alors appelée « nankin ». Comme à Paris, sa chambre à coucher, dont nous pensons qu'elle devait être au même niveau, avait pour dominante le bleu : exquise parure de cette blonde aux yeux violets... A l'étage, dix appartements sont disponibles — dont, probablement, ceux réservés aux enfants — et une Galerie accueillant, comme à la Malmaison, les tableaux que collectionnent les maîtres de maison. Au-dessus, et dans les bâtiments annexes, sont les logements d'une trentaine de domestiques.

Rien ne manque à cette résidence princière, ni la chapelle, restaurée sur ordre de Louis — cependant qu'il faisait discrètement transporter le cercueil de son père depuis Mortefontaine où, avec l'accord de Joseph, il l'avait provisoirement déposé, pour lui donner, enfin, dans le parc, une sépulture convenable —, ni le théâtre, petit mais accueillant, garni de huit banquettes bleues, d'un promenoir et de deux loges, ni les dépendances qui en disent long sur le goût et le sens du confort des nouveaux propriétaires : en plus des écuries (pour quarante et un chevaux), des remises, de la basse-cour, il y a une vacherie, deux laiteries, une orangerie et des serres chaudes d'où proviendront des milliers de pieds d'hortensias, emblèmes de la fille de Joséphine et, plus tard, les violettes qui inonderont Paris, signes de ralliement impérial, au début de 1815.

Saint-Leu est un lieu de bonne compagnie, à l'image de celle dont va savoir, maintenant, s'entourer Hortense : on comprend que l'Empereur y commandera que s'y déroulent quelques mariages marquants, que les deux impératrices aimeront à s'y rendre et que les visiteurs les plus prestigieux du temps auront à cœur d'y être reçus [1].

De la Cour consulaire à la Cour impériale

Il est curieux qu'un homme aussi fougueux, chaleureux, spontané que Napoléon ait tenu, dès son accès au trône, à s'entourer des formes les plus rigides de l'expression monarchique et de l'étiquette la plus rigoureusement détaillée qui fût... Sans doute, voulait-il prouver que pour n'être pas né monarque, il ne l'était pas moins dans la plénitude de la fonction et de son rayonnement. Encadrer, en quelque sorte, la relation qu'on entretient avec lui, ou avec sa famille, la draper d'apparat et de révérence, la codifier strictement, qu'est-ce au juste ? Un masque, une protection, une émanation de son pouvoir, ou de son génie qui, seul, l'a placé là où il est... ?

---

1. Le détracteur le plus bêtement venimeux d'Hortense (Lacretelle, 1936), qui multiplie erreurs et assertions fielleuses, est mal venu de noter que ce décor est celui « d'une bourgeoise satisfaite de peu » ! Un exemple entre mille...

Il convient de reconnaître que royal, nul ne l'était plus que lui, nul n'avait plus que lui une haute idée de l'altitude où vous installe la majesté. Nul souverain d'Europe, son contemporain, n'aura, comme lui, le souci de se surveiller — ce qu'il fera admirablement, naturellement —, et de surveiller son entourage pour qu'il se maintienne au niveau exact où il l'a haussé, au degré exact qu'il requiert de lui, de dignité, d'aura. Avec les Beauharnais, à commencer par l'Impératrice, il obtiendra entière satisfaction. Avec les autres, ce sera plus problématique...

La première des règles, c'est l'obéissance absolue. Eugène et Hortense s'y soumettront scrupuleusement. Ils sont formés depuis leur plus jeune âge à plaire à leur beau-père et à ne jamais mettre en question le bien-fondé de sa pensée et de ses injonctions. Donc, lorsque son premier vœu est qu'on s'installe brillamment et qu'on mène grand train, on s'exécute. Lorsqu'il faut — pour Hortense seule, car Eugène, pour l'instant, garde le même grade et le même statut qu'avant — constituer sa « Maison », on s'exécute aussi. C'est, cependant, moins facile que d'ordonner aux architectes et aux fournisseurs : cela requiert finesse, tact et connaissance du monde. Car, en fait, il s'agit de sélectionner un personnel — une moyenne d'environ vingt-cinq personnes — vivant à demeure et formant, à tout moment, une petite Cour aux ordres, démontrant qu'un prince n'est pas le commun des mortels, et donc, qu'il ne peut agir en particulier libre de ses faits et gestes. Un prince impérial ne s'appartient plus, il est en représentation permanente et il ne doit jamais perdre de vue qu'étant un reflet parcellaire de la souveraineté du maître, il doit se comporter comme tel. Hortense, même si ce n'est pas sa disposition naturelle, le comprend immédiatement et, si elle n'a pas le choix, elle est de toute façon trop bien élevée et trop subtile pour ne pas, au sein de ces contraintes, apprendre à se mouvoir au mieux. Elle saura, à la fois, souscrire aux formes voulues par l'Empereur et préserver son domaine réservé, son intériorité. Elle exprimera, à plusieurs reprises, comment la famille ressentait sa nouvelle position : « L'Empereur était une Comète dont nous n'étions que la queue, et dont nous ne savions où elle nous mènerait... » Cela dit, elle suivait le mouvement...

Le choix de sa « Maison » en offre une parfaite illustration. L'Empereur a souhaité que l'on recrute parmi l'ancienne noblesse, en priorité celle des territoires fraîchement annexés, et parmi les militaires. Comme sa mère, elle n'aura aucune peine à composer un savant panachage de personnes convenables. Comme pour sa mère, son appartenance aristocratique et son action pendant la réconciliation consulaire faciliteront la mise au point de sa liste, parce qu'elle connaît l'ancienne société autant que la nouvelle, et qu'elle en est appréciée. Joseph, en revanche, que ses amitiés, depuis qu'il est parisien, portent vers la bourgeoisie et les libéraux — l'éminente Mme de Staël, éloignée de Paris, sur ordre, dès 1803 —, aura plus de difficultés. Caroline et, plus tard, Letizia, devenue Madame Mère, connaîtront aussi quelques problèmes à s'entourer, l'une, en raison de son caractère autoritaire, l'autre, à cause de son peu de goût pour la vie officielle. Tous auront recours à Joséphine, et nombre de parents ou de protégés de l'Impératrice trouveront place chez les Bonaparte [1].

Hortense et Louis doivent embaucher, impérativement, dans l'ordre hiérarchique qui suit, un aumônier (qui soit évêque), deux chapelains, une Dame d'honneur, six Dames pour accompagner, un premier Chambellan, un Chambellan ordinaire, trois écuyers dont un premier, un Secrétaire des Commandements, un intendant, un

---

1. Nous leur conservons cette appellation générique, mais désormais, ils doivent quitter leur patronyme familial, Bonaparte, au profit du patronyme dynastique, *Napoléon*, d'où le terme de « Napoléonides ».

bibliothécaire, un médecin, sans compter la Maison militaire du Prince — six aides de camp —, les Gouvernantes des enfants, une lectrice, et plus tard, le Chambellan personnel de la Princesse.

Le résultat est intéressant en ce qu'il porte la marque presque exclusive d'Hortense. Comment s'en étonner, Louis n'étant par inclination qu'une sorte de misanthrope rousseauiste, partageant avec quelques obscurs amis ses vues sur une existence presque toute consacrée, depuis son mariage, aux soins que requiert sa méchante constitution. Seul un des camarades de sa jeunesse, M. Sénichoux de Sénégra, qui avait choisi de s'installer dans le commerce, à Toulouse, le rejoindra, en qualité d'intendant. Hortense ne l'aimera guère, et plus le temps passera, plus elle aura des raisons de se méfier de son dévouement à son maître, de son esprit de dénigrement envers elle, de son influence d'âme damnée sur le pauvre Louis, dont il deviendra une sorte d'inquisiteur patenté. En plus d'un médecin, en l'occurrence un ami de Corvisart, Jean-Jacques Leroux du Tillet, futur doyen de la Faculté de médecine, Louis exige, et obtient, un chirurgien ordinaire, M. Assaliny, et un pharmacien, M. Dufau. Sa perpétuelle préoccupation de rhumatisant précoce et d'infirme en puissance explique aisément la chose.

Pour aumônier, Hortense a choisi M. d'Osmond, évêque concordataire de Nancy. Il appartient à une ancienne famille de Normandie dont la branche cadette était passée à Saint-Domingue. Sa mère, née Cavelier de la Garenne, était apparentée aux Tascher. C'était un homme d'esprit et de bonne compagnie. L'une de ses nièces, fille du marquis d'Osmond son frère, Adèle, comtesse de Boigne, s'illustrera comme l'une des plus fines têtes politiques de son temps : elle a le même âge qu'Hortense et, comme elle, deviendra l'amie de Mme Récamier. Pour l'heure, elle poursuit son émigration en Angleterre et se demande comment échapper à une double emprise, celle des coteries « ultras » que fréquente sa famille, et dont l'étroitesse et l'intransigeance l'assomment, et celle du richissime mais tyrannique barbon auquel, pour aider les siens, elle a uni son sort.

Le premier chapelain d'Hortense lui est venu de Mme Campan chez laquelle elle l'a connu du temps qu'il y enseignait. Cet abbé Bertrand, dans la meilleure tradition du siècle précédent, se révélera un commensal agréable et facile à vivre. Il aura toute sa confiance et elle en fera, le moment venu, le précepteur de ses fils. Le second abbé installé auprès d'elle, M. Lamblarderie, dont Louis dit aimer « la figure vénérable et patriarcale », avait été placé chez des cousins des Tascher, puis, curé de La Roche-Guyon, il avait connu Alexandre de Beauharnais qui, on s'en souvient, était un assidu du fief des La Rochefoucauld.

Si sa Dame d'honneur correspondait en tout point à ce que voulait l'Empereur, jamais cependant elle n'entra dans l'intimité d'Hortense : Mme de Viry, née Mareste de Rochefort, appartenait à une famille illustre en Savoie — récemment réunie à la France —, mais elle respirait l'ennui. Sa corpulence n'ajoutait pas au peu d'agrément de sa présence. En 1806, elle sera avantageusement remplacée par la marquise de Caulaincourt, mère de l'écuyer de la maison, et amie de longue date de Joséphine.

Les Dames pour accompagner méritant leur appellation, il est important qu'Hortense se sente en harmonie avec elles, tant au point de vue de l'origine, de l'éducation, de l'esprit que du caractère. Toutes les siennes sont, par elles-mêmes ou par leurs alliances, liées aux Beauharnais : nous avons déjà nommé Mme de Boubers, fille du chevalier de Folard, ayant eu des revers lors de la Révolution, et que Joséphine avait obligée en la plaçant auprès de sa fille. Son allure virile et les grands traits de son visage n'empêchaient nullement le ton parfait de son maintien. Mme de Villeneuve était, en revanche, très jolie, petite, vive. Peut-être avait-elle hérité de son père, le célèbre Guibert, amateur de tragédies et de tactique, son charme et ses yeux noirs : on se souvient qu'ils firent des ravages sur le cœur de Mlle de Lespinasse. Mme Mollien, épouse du directeur de la Caisse des Amortissements, était plaisante et bien élevée. Enfin, la fille du maréchal Kellermann, Mme d'Estienne de Chaussegros de Léry, comptait depuis longtemps parmi les habituées du salon de Joséphine, aux Tuileries.

Le premier Chambellan, Gabriel d'Arjuzon, fils d'un fermier général, avait épousé Pascalie Hosten, dont la mère et la tante avaient été de proches amies de la vicomtesse de Beauharnais, pendant la Terreur. Aux heures noires de Croissy et des Carmes, les deux familles, d'origine créole, s'étaient épaulées. La cousine de Pascalie, Désirée Hosten, cette jeune Mme de Croisœuil qui attendrissait ses compagnons de captivité, bientôt veuve, vivait à l'écart des nouvelles grandeurs des Beauharnais. Lorsqu'elle mourra précocement, ceux-ci s'occuperont des trois filles qu'elle laissera, dont la plus jeune, Eugénie-Simplicie, était la filleule d'Hortense. Ses cousins d'Arjuzon auront une vie plus heureuse. Châtelains de Nonencourt, dans l'Eure, quand ils n'étaient pas de service à Paris, ils s'épanouiront dans le sillage de la reine Hortense à laquelle ils voueront un profond attachement. Gabriel d'Arjuzon était un très bel homme, dont la haute taille, le regard bleu et l'inaltérable gaieté exerçaient un véritable ascendant sur son entourage.

Le Chambellan ordinaire, René de Villeneuve, qui était son exact contemporain — tous deux avaient alors vingt-sept ans —, n'avait rien à lui envier : époux de la jolie Dame d'Hortense, fille de Guibert, il se trouvait l'heureux propriétaire d'un des plus beaux châteaux de France, Chenonceaux, qu'il tenait de son grand-père, Claude Dupin de Francueil, l'un des célèbres fermiers généraux du règne de Louis XV. Homme du monde accompli, aux manières parfaites, Villeneuve se révélerait, de plus, un brillant causeur. Il donnait en cela la réplique à l'élégant et spirituel Secrétaire des Commandements, M. Desprès — ou Desprez —, compositeur de vaudevilles pleins de verve et de finesse. Desprès était l'ami de son homologue auprès de l'Impératrice, M. Deschamps, qu'elle avait remarqué à Fontainebleau, du temps qu'à travers le marquis de Beauharnais, son beau-père, elle s'était liée avec les Montmorin, Gouverneurs du château, qui le protégeaient.

Autres connaissances familiales auxquelles Hortense fait appel : le colonel Auguste de Caulaincourt, fils cadet des marquis, proches amis de Joséphine. Contemporain de d'Arjuzon et de Villeneuve, il s'était distingué à Marengo où il avait été blessé. Nommé premier écuyer chez les Louis — et, fait remarquable, il avait gagné l'amitié du frère de l'Empereur —, il appartient à l'escouade de jeunes Preux qui inspireront les romances d'Hortense. Quant à l'écuyer « cavalcadour » — Napoléon excellait à ressusciter un parfum de vieille France dans les emplois qu'il remettait à l'honneur, à sa Cour —, il portait, lui aussi, un beau nom, puisqu'il s'agissait du neveu du grand ministre Turgot. Il était, nous dit Caroline d'Arjuzon, « aimable et spirituel ». A défaut de bibliothécaire, nous remarquons la présence d'un notaire — spécialiste, à sa manière, de grimoires et de registres —, ce maître Raguideau, dévoué depuis longtemps à Mme de Beauharnais. Qui s'occupait des livres ? Peut-être la rieuse Mlle Cochelet que les enfants d'Hortense, inévitablement, surnommeront « Coche-Laide », une ancienne compagne de Saint-Germain, qui rejoindra bientôt l'équipe, en qualité de lectrice...

En plus d'être conforme aux désirs du souverain, cette Maison est homogène, jeune, gaie, d'excellent ton. Avoir réuni une majorité de personnes liées à l'ancien temps, témoins des difficultés qu'avait traversées sa famille, est à mettre à l'actif d'Hortense. Il y a là un souci d'obliger, certes, mais aussi une humanité, une fidélité au passé, le sens des amitiés vivantes qui, une fois encore, parle en faveur de la grande qualité des Beauharnais.

*
* *

Cependant que, depuis Aix-la-Chapelle, sa mère et son beau-père voyagent à travers la Belgique et sur les bords du Rhin, que son mari prolonge son séjour à Plombières par une courte visite officielle à Turin, Hortense partage les dernières semaines de sa grossesse entre Paris et Saint-Leu : aux promenades au bois de Boulogne succèdent les randonnées en forêt de Montmorency. Elle est si discrète que Napoléon s'inquiète d'elle : « Je n'entends pas plus parler d'Hortense que si elle était au Congo », écrit-il plaisamment, le 24 août, à Joséphine. Le 10 octobre, Hortense regagne la rue Cerutti : il était temps ! Le lendemain, jeudi 11 octobre 1804, 19 vendémiaire an XIII, à deux heures de l'après-midi, elle met au monde son deuxième fils. Sa mère, accourue de Saint-Cloud, l'assiste, en compagnie de Louis (« Mon mari, je dois le dire, me prodigua aussi les soins les plus tendres... »), de l'Archichancelier, remplaçant l'Empereur encore absent de Paris, et qui est assez surpris d'avoir été requis, en catastrophe, pour assister à la délivrance. Baudelocque avait officié avec, à ses côtés, Corvisart, médecin de l'Empereur et de Louis. L'enfant, premier prince français inscrit à l'état civil, sera déclaré le 24 octobre suivant (2 brumaire) à la mairie du 2e arrondissement, en présence des souverains. Il portera, conformément à la volonté de l'Empereur, les prénoms de Napoléon-Louis, mais ses parents le nommeront Louis, plus souvent Petit-Louis, son aîné étant pour ses proches Petit Chou, écrit avec un bel ensemble, Petit Choux (!)... Deux cents jeunes mères pauvres de la Maternité recevront, en son honneur, des secours de l'Impératrice.

Un deuxième héritier impérial est né : on comprend sans peine que l'entourage d'Hortense exulte. Très visitée, celle-ci n'aura pas le loisir de se prélasser sur le bel oreiller de tulle brodé que lui offre sa mère — cependant que son beau-père lui avait commandé chez Vandessel, à Bruxelles, une somptueuse parure de lit en dentelle — car, les journaux nous l'apprennent, trois semaines précisément après ses couches, la jeune princesse s'en relève. Elle sait maintenant qu'elle sera remise à temps pour les fêtes du Couronnement, prévues pour le début du mois de novembre, mais retardées au dimanche 2 décembre suivant : le Pape vient à peine de quitter Rome pour rejoindre la capitale française. L'Empereur n'ayant pu obtenir du Pontife qu'il officie à Aix-la-Chapelle, au tombeau de Charlemagne — dont on sait qu'il est le modèle, la suprême référence de Napoléon —, c'est donc Paris qui s'anime, bourdonne et s'affaire afin de se montrer digne du grand événement. La ville trépide d'activité : Percier et Fontaine décorent Notre-Dame — le Couronnement sera aussi un Sacre —, on expose les parures, les « honneurs » et les attributs impériaux, on dessine et réalise les costumes spécialement ordonnés en la circonstance pour les dignitaires, on fabrique les carrosses, on procède à des répétitions pour régler ce qui promet d'être un spectacle grandiose, d'un éclat et d'une pompe inégalés.

La Cour est loin d'être en reste. Nouvellement constituée, elle rode son étiquette, complexe dispositif qui prévoit dans ses moindres détails le rehaussement des souverains, expression codifiée de la grandeur et de son apparat.

Cette inépuisable science du protocole, Napoléon l'a mise au point avec son Grand Maître en la matière, le ci-devant comte de Ségur, surnommé à bon escient « Ségur-Cérémonie » : le résultat est aussi impressionnant qu'il est contraignant. Toutefois, comme très judi-

cieusement, l'Empereur a voulu s'épargner les ridicules
et les outrances des dernières cours bourboniennes, et,
surtout, l'intrusion des courtisans dans l'intimité la plus
prosaïque des souverains, on a séparé le Service d'honneur du Service intérieur. Ce qui est public et ce qui est
privé étant clairement distingué, chacun des deux
aspects de l'existence impériale se trouve renforcé dans
sa qualité générique, et tous y gagnent : souverains,
courtisans et domestiques. Avec une facilité déconcertante, l'Empereur, l'Impératrice et ses enfants se plieront
à cette nouvelle vie. Alors que rien ne la prédisposait
à ce rôle inouï, Joséphine se révélera une impératrice
incomparable, infiniment plus intelligente que Marie-
Louise, infiniment plus discrète qu'Eugénie. Ses qualités
naturelles de grâce et de tact, son élégance « à la française », son expérience et son goût du monde la serviront : elle s'épanouira au sein de cette existence
fastueuse et strictement réglementée. Délicieusement
parée, modèle d'amabilité avec chacun, pleine d'aisance
quels que soient la situation ou les visiteurs présentés,
menant avec finesse les conversations, faisant preuve de
ce qu'on appelle, à juste titre, « une mémoire de princesse », séduisant tous ceux qui l'approchent ou la servent, elle laissera, lors d'un règne pourtant court — cinq
années —, un souvenir impérissable.

Elle y avait du mérite. Car, enfin, tout perdait autour
d'elle spontanéité et personnalité. Devenues des Palais,
ses demeures ressembleraient désormais à de véritables
prisons, ou des théâtres si l'on préfère, rigoureusement
identiques les uns aux autres dans leur disposition, leur
mobilier, leur personnel, leur étiquette. Avec une précision de corps de ballet, les acteurs y évoluent selon des
rituels immuables [1]. Où que se trouve l'Impératrice, aux

---

1. La Maison de l'Impératrice comprend un personnel nombreux :
un premier Aumônier (le frère du cardinal de Rohan, le célèbre interve-
nant dans l'Affaire du Collier, qui empoisonna les dernières années du

Tuileries, à Saint-Cloud, à Fontainebleau, en voyage, l'espace et les heures ne sont plus siens : ils ont été, selon la volonté de Napoléon, minutieusement découpés. Les appartements d'honneur comme les appartements intérieurs sont partout agencés de la même manière. Pour commencer, l'*Antichambre*, gardée par ses huissiers à hallebarde, toujours prompts à dérouler sous les pas des visiteurs de marque l'inévitable tapis rouge. S'y croisent, dès l'aube, les gens de la livrée et les coureurs à sa disposition : un personnel nombreux, en habit vert à parements ponceau, sur fond de banquettes en velours d'Utrecht. Suit le *Premier Salon*, au mobilier de bois doré recouvert de tapisserie de Beauvais — l'Empereur, qui pense à tout, veut raviver le traditionnel artisanat français —, où se rencontrent les officiers des Maisons d'honneur, ceux des princes et des princesses, les pages et les appelés à l'audience n'étant pas admis plus avant. Monde relativement subalterne, qui bruisse de caquets et de petites intrigues, comme une république militarisée de ce qu'était, à Versailles, le trop fameux Œil-de-bœuf. Lui succède le *Salon de Service*, où reçoivent le chambellan de jour, en habit rouge brodé d'argent, culotte et veste blanches, et l'écuyer, en habit bleu de ciel brodé d'argent. Y entrent librement la Dame d'honneur — Mme de La Rochefoucauld, née Pyvart de Chastullé, comme la mère d'Alexandre de Beauharnais, et donc, cousine par alliance de Joséphine —, la Dame d'atour — Mme de Lavalette, sa nièce —, les Dames du Palais, nombreuses et bien nées, le Chevalier d'honneur, le premier écuyer, les chambellans, les Officiers de l'Empereur, les princes et les princesses, les Grands Officiers

---

règne de Marie-Antoinette), une Dame d'honneur, une Dame d'atour, près d'une trentaine de Dames du Palais, huit chambellans dont un premier (M. d'Aubusson, comte de La Feuillade), des écuyers dont un premier (M. d'Harville, un ancien ami d'Alexandre de Beauharnais), qui commandent à une nuée de serviteurs subalternes.

de la Couronne et les épouses des Grands Dignitaires. Celles-ci ont droit à des tabourets en X, en Beauvais, les princesses se voyant réserver des chaises du même ensemble. Enfin, le Saint des Saints, le *Salon de l'Impératrice*, en tapisserie des Gobelins. On n'y pénètre que sur ordre de la souveraine, exception faite des princesses, de la Dame d'honneur et de la Dame d'atour. Un huissier ouvre la porte — à deux battants pour les Altesses Impériales —, un chambellan introduit la personne annoncée. Les fauteuils impériaux s'assortissent des chaises et des tabourets réglementaires. Une table recouverte de velours vert brodé d'or est disposée les jours de serments. Le reste du mobilier est fixe, comme si cette immobilité était garante de la stabilité du régime qui les a voulus ainsi. A quoi s'ajoutent la *salle à manger* et la *salle de Concert*.

Les appartements intérieurs comprennent une chambre à coucher, une bibliothèque, un cabinet de toilette, une salle de bains, une arrière-pièce. Ils sont gardés par les Dames d'annonce, qu'on appellera les « Femmes rouges », à cause de la couleur de leur robe, Napoléon continuant, pour sa part, de les traiter d'« Huissiers femelles ». Là, l'Impératrice est chez elle, si elle n'est point seule. Comme elle aime ses aises, qu'elle passe beaucoup de temps à sa toilette, elle dispose, en plus, aux Tuileries, d'un *Salon des Marchands*, où elle reçoit les fournisseurs de ses nombreux atours, le département de sa garde-robe, extraordinaire caverne d'Ali-Baba, où voisinent des centaines de paires de bas de soie blancs, de corsets de demi-basin, de chemises de mousseline, de batiste, de toile de Hollande, de souliers plats de peau ou d'étoffe — en une année, elle en commandera cinq cent vingt paires ! mais on sait qu'ils ne résistaient pas à l'usage et qu'une cliente s'entendit répondre par un célèbre faiseur auquel elle s'en plaignait : « Ah ! je vois ce que c'est, Madame aura marché ! » —, auxquels s'ajoutent les collections de peignoirs à dentelles, de robes d'hiver, en étoffe ou en velours — en 1809, on en trouve six cent soixante-seize —, de robes d'été, en mousseline, percale ou batiste, de parures, de chapeaux, d'aigrettes et de châles. Sans oublier les redingotes et les habits de chasse, non plus, bien sûr, que les grandes tenues de cour et le somptueux écrin, que, inlassablement, elle recompose et améliore...

Si elle dépense sans compter et accumule les dettes — que, par trois fois, l'Empereur apurera —, on doit dire, à sa décharge, qu'elle a ordre de paraître brillamment, de faire travailler les couturiers, les brodeuses, les modistes et leurs ouvriers, relançant ainsi une industrie typiquement parisienne, qui, l'ayant fournie, se constitue une clientèle opulente et désireuse d'être au goût du jour. C'est Joséphine qui entraîne dans son sillage l'élégance de Paris, et des Cours étrangères, subjuguées par la simplicité des lignes et le luxe des étoffes que choisit cette femme experte. Parce qu'on ne se lassera jamais de la copier, le Paris impérial deviendra, et restera jusqu'à nos jours, la capitale de la haute couture et de la création de luxe. Ce miracle de civilisation, nous le devons à cette gracieuse créole qui, pour avoir traversé les prisons de la Terreur et son cortège de privations et d'angoisses, sait l'inestimable prix de ce qui rehausse la beauté de la femme. A la différence d'une Marie-Antoinette jeune, dont l'extravagance vestimentaire est incopiable et lui aliène le jugement des salons — même si elle la corrigea par la suite, quand la sensibilité évoluera vers plus de simplicité et de mesure —, Joséphine ne se plie à aucune mode, elle la crée. Et son élégance, qui n'est ni celle d'une étrangère, ni celle d'une parvenue, fait, et pour longtemps, des émules : c'est qu'aussi, elle est adaptée au désir de ses contemporaines et met en valeur leurs charmes : le visage, la gorge, les bras et la souplesse d'une longue taille, quand on a le bonheur, comme l'Impératrice, de la posséder...

Dans son intérieur, Joséphine se retrouve, en conservant ses plus anciennes habitudes : elle se soigne, elle se farde, elle se pare attentivement, et elle y réussit à merveille car, à quarante ans passés, jamais elle ne paraîtra plus belle et plus jeune que lors du Sacre et des fêtes qui suivront. Autour d'elle, à la manière de l'ancienne aristocratie créole, gravite tout un petit monde de parents, de domestiques, de femmes de chambre ou de garde-robes, comme l'agréable Mlle Avrillon — seul témoin crédible, selon Hortense, de l'intimité de sa mère —, de gens de couleur qu'elle a toujours affectionnés : Euphémie qui l'avait accompagnée quand elle était venue épouser Alexandre de Beauharnais, Brigitte, Malvina, qu'Hortense retrouvera plus tard, à Rome, et qui, au service de Mlle Masuyer, verra les Tuileries du Second Empereur, sans compter les négrillons qui la servent avec empressement. On n'aurait garde d'oublier les animaux familiers qui, comme les plantes, font partie intégrante de sa vie quotidienne. Au carlin Fortuné, dont on nous dit que son collier recelait les messages que ses enfants lui passaient aux Carmes, et qui s'attaquait effrontément aux mollets du général Bonaparte, rue Chantereine, avant que le chien de son cuisinier ne lui fît un sort dans les jardins de Mombello, ont succédé d'autres carlins puis des petits chiens-loups. La préférée a longtemps été une petite chienne malade qui, jusqu'à sa mort, eut tous les droits, dont celui de monter à sa guise sur les genoux de sa maîtresse, ou de dormir sur les plus beaux sofas de son salon. Cette mansuétude envers une bête affaiblie ne nous semble pas le trait le plus antipathique de cette femme comblée... La convivialité et la chaleur humaine — car l'Impératrice était adorée de son entourage — qui colorent sa vie privée compensent ce que sa vie publique peut avoir de convenu et de solennel.

« Vivat Imperator ! »

Il eût été dommage de priver la France d'une souve-raine aussi rayonnante, aussi représentative de ses plus traditionnelles et charmantes qualités : la grâce, la finesse, la sociabilité. Et pourtant, l'acharnement hai-neux des Bonaparte s'y emploie : il leur est insupporta-ble d'admettre que Joséphine puisse accompagner la gloire de leur frère et de leur famille, la Famille. Il faut l'exclure de ce qui se prépare à Notre-Dame, mais aussi de la vie de l'Empereur. C'est mal connaître celui-ci : outre qu'il est très attaché à sa femme, il est fier d'avoir constaté qu'à chacun de leurs déplacements dans les pro-vinces Joséphine lui était un facteur supplémentaire de popularité. Qu'on apprécie, à côté des qualités du chef de guerre et du chef d'État, l'aura de douceur, de fémi-nité, de bienveillance de son épouse qui, par ailleurs, tient son rang avec élégance, lui paraît une excellente chose. Que la pression s'accentue maintenant sur lui l'irrite. Il y met un terme, lors d'un Conseil à Saint-Cloud, le 26 brumaire (17 novembre) destiné à préciser le cérémonial du Sacre. La discussion avec Joseph est si violente que celui-ci donne sa démission. En vain. L'Empereur tranche : Joséphine sera couronnée et sacrée en même temps que lui.

Le clan est bien obligé de s'incliner. Courageusement, Eugène, qui venait d'être promu colonel général des Chasseurs de la Garde, avait refusé toute dotation et avait déclaré hautement qu'il suivrait sa mère où qu'elle aille. Louis était resté neutre, et Hortense, silencieuse. Il est révélateur de voir les Bonaparte, à mesure que leur sort devient brillant, se perdre en querelles acides, au lieu de s'épauler... Une ultime fois, ils se sont rebiffés lorsqu'il leur a été annoncé que les cinq princesses — Julie, Hortense et les trois sœurs — auraient à « soutenir le manteau » — l'Empereur avait dû changer l'antique

formulation : « porter la queue » — de Joséphine. Dieu
sait avec quelle inélégance, quelle mauvaise grâce — et
quel mauvais ton ! — les trois dernières se comporteront
dans la cathédrale, au moment de s'exécuter. Elles n'ont
plié qu'en obtenant que leurs propres traînes seraient
portées par le premier officier de leurs Maisons : on voit
jusqu'où peut mener ce mélange détonnant d'arrogance
et de médiocrité qui les caractérise... Hortense n'a rien
ignoré de ces vilenies. Elle leur dame le pion, *a posteriori* : à peine un paragraphe, d'une éloquente sobriété,
pour évoquer dans ses *Mémoires* la grande cérémonie.
« Ma mère se fit admirer de tout le monde par sa grâce
et sa dignité. » Et sèchement, elle note les discussions
sur la question du manteau : « La princesse Julie et moi
fûmes les seules qui montrèrent de la bonne volonté. »
Tout le monde, là aussi, elle n'a pas besoin de le souligner, pourrait en témoigner [1].

Letizia, Lucien et Jérôme sont absents, Joseph et ses
sœurs se révèlent incapables de surmonter leur viscérale
rancœur — et ce défaut d'altitude porte en soi le germe
de leur échec futur —, malgré cela, le jour du Sacre, une
réelle unanimité entoure les souverains, que la composition du monumental tableau de David rendra admirablement.

Grand jour s'il en fût ! La mémoire collective des
Français le place comme l'un des moments les plus
solennels et les plus chargés de sens de leur Histoire. Le
Pape, et sa nombreuse suite, est arrivé à Paris pour
sacrer, couronner et introniser un brillant chef de guerre,
devenu par son talent politique l'Empereur, le chef du
peuple. Napoléon s'apprête à rééditer Charlemagne qui,
lui, fut sacré quatre fois : à Reims, à Noyon (roi des
Francs), à Pavie (roi des Lombards) et à Rome (Empereur d'Occident). Il lui emprunte son rite, ses « hon-

---

1. *In Mémoires*, p. 115.

neurs » et ornements : le sceptre, la main de justice,
l'épée, le globe, le manteau, la couronne et l'anneau
(seuls ces trois derniers, évidemment, seront affectés à
l'Impératrice). A la différence du Magne, Napoléon ne
sera sacré qu'une fois, mais quelle fois !

Nul ne l'oubliera, des participants ou des assistants
qu'ils soient proches ou lointains : cette apothéose du 2
décembre marquera son époque, qui ne dédaignait pas
que la puissance et la gloire fussent reconnues avec
magnificence. Essayons de nous figurer cette journée,
du point de vue qui est le nôtre, celui d'Hortense.

Comme tout le Palais, elle n'a pratiquement pas dormi
la nuit précédente. Il lui a fallu, avec l'aide d'un personnel surchargé, se parer, revêtir son habit de cérémonie,
dessiné par Isabey — comme tous —, qui consiste en
une robe de satin ivoire, brodé d'or et d'argent, aux man-
ches longues, assortie de ce qu'on appelle « un bas de
robe », c'est-à-dire une traîne attachée à la taille, en
velours bleu ardoise brodé d'or. Son décolleté carré
s'agrémente d'un col évasé, « à la Cyrus », qui deviendra communément la chérusque, dont la légère blonde
chenillée ne la protégera pas du froid ambiant, car il a
neigé toute la nuit, et rien n'est prévu pour couvrir les
gorges de ces dames : pendant longtemps, elles feront
référence dans leurs lettres, à un « froid, comme le jour
du Sacre »... Un élégant diadème composé d'épis en diamants et posé bas sur le front complète, avec un collier
assorti, sa parure.

Son mari, comme Joseph, arbore sa nouvelle tenue de
connétable : rien ne sera plus admiré que cet habit de
velours bleu, brodé d'or sur toutes les coutures,
complété d'un manteau court, identique, et d'un chapeau
de feutre noir orné de longues plumes. Le petit Napoléon, qui ne quittera pas sa mère — sur le tableau de
David, il lui tient la main —, porte un habit de velours
amarante, éclairé d'une collerette de dentelle. Il a eu
droit à un modèle réduit de la toque de son père.

A dix heures du matin, des salves de canon marquent le départ, des Tuileries : le long cortège s'ébranle, avec la lenteur et la majesté requises. Qu'on est loin de celui que nous avions suivi, le 30 nivôse an VIII, 19 février 1800 — à peine cinq ans ! — lorsque le Consul se rendait du Luxembourg au château royal ; ce ne sont plus des fiacres aux numéros dissimulés sous des collages de fortune, ce sont de splendides berlines et des carrosses à six chevaux qui transportent les ministres et les dignitaires, précédant le carrosse impérial construit pour l'occasion... Le fringant maréchal Murat, Gouverneur de Paris, ouvre la marche, en compagnie de son état-major, suivi de quatre escadrons de carabiniers, autant de cuirassiers, de chasseurs de la Garde, auxquels se mêlent les mamelouks : le pouvoir n'aurait garde de laisser oublier son origine. Viennent ensuite les hérauts d'armes, à cheval, eux aussi, en dalmatiques violettes, puis, crissant sur le pavé sablé, le long défilé des voitures à six chevaux, emportant successivement vers la cathédrale les Grands Officiers de l'Empire, les ministres, les Grands Officiers de la Couronne, les grands dignitaires et les princesses.

Un hiatus... Puis une cavalcade escortant le carrosse impérial, somptueuse caisse dorée, armoriée, surmontée d'une couronne que soutiennent quatre aigles. Il est tiré par huit chevaux isabelle, aux crinières et aux queues soigneusement nattées, un homme à pied menant chacun d'entre eux par la bride, cependant que le cocher Germain, emperruqué, vêtu aux couleurs de la livrée, tient les guides. A travers les huit glaces, les passants distinguent clairement l'Empereur, à son côté l'Impératrice et, sur la banquette en face d'eux, les princes Joseph et Louis. Toque de velours noir ornée du Régent — l'un des plus beaux diamants du monde, 136 carats ! —, pour le souverain, diadème de perles et de diamants pour son épouse. Ils en changeront à leur arrivée à l'Archevêché...

Par le Carrousel, la rue Saint-Nicaise et la rue Saint-

Honoré, on arrive au Pont-Neuf, puis par le quai des Orfèvres, on atteint le parvis de Notre-Dame, dégagé pour l'occasion. On poursuit par la rue du Cloître et, peu avant midi, on s'arrête devant l'Archevêché. A peine le temps de changer de coiffure : pour Joséphine, le diadème d'améthystes, pour Napoléon, la couronne laurée, d'accrocher les lourds manteaux de velours de soie pourpre doublés d'hermine, longs de plus de cinq mètres, il est midi dix. Le Grand Maître des cérémonies, M. de Ségur, frappe le sol de son bâton d'ébène. Le spectacle peut commencer.

Il va durer trois heures et demie, dans une cathédrale pleine à craquer, aménagée en tribunes, de part et d'autre d'un couloir central qui mène de l'estrade des grands trônes, au bas de la nef, au maître-autel dans le chœur, où déjà, depuis deux heures le Pontife et l'ensemble des autorités cléricales attendent. Pie VII (Chiaramonti) a séduit les Parisiens, par sa haute taille, sa relative juvénilité — à soixante-quatre ans, il n'a pas un cheveu blanc — et, comme l'écrivait Louis à Hortense, de Fontainebleau où, avec l'Empereur, il était allé l'accueillir, « sa figure ouverte et naturelle [qui] prévient en sa faveur [1]... » Hortense lui avait été présentée, bientôt après, au Pavillon de Flore, où il avait été installé avec des attentions particulières — on avait reconstitué une partie de ses appartements romains —, et elle en avait retiré, elle aussi, une agréable et bienfaisante impression. Le porte-croix monté sur la mule, précédant le Pontife où qu'il aille, avait sans doute amusé son fils, comme il amusait tous les enfants de la capitale...

L'apparat exceptionnellement fastueux qui préside à sa réception dans la basilique surprend la simplicité de Pie VII. Il y a de quoi être ébloui, en effet, par l'entrée

---

1. A.N. 400 AP 26, Lettre du 4 frimaire, an XIII, 25 novembre 1804.

de l'Impératrice, puis de l'Empereur, que le vieil arche-
vêque, M. de Belloy — à qui le Sacre vaudra le chapeau
de cardinal —, avait reçus avec l'eau bénite. Ces processions intérieures sont d'une inoubliable beauté : beauté
des souverains, elle, légère malgré la pourpre, lui, semblant, de l'avis général, « une médaille à l'antique »,
beauté des étoffes, de cette profusion d'or, d'argent et
de diamants qui irradie, qui rehausse la suite d'huissiers,
de hérauts, de pages, d'aides des cérémonies, de dignitaires portant sur des coussins les « honneurs » et les
attributs, bientôt déposés sur l'autel. Élégance des heureux élus choisis pour soutenir les manteaux : Joseph,
Louis, Talleyrand, Cambacérès, Lebrun et d'Harville —
le premier écuyer de Joséphine — pour l'Empereur,
Mme de La Rochefoucauld, Mme de Lavalette et les
cinq princesses pour l'Impératrice... Beauté, enfin, de la
musique qui ponctuera le déroulement, en quatre temps,
de la cérémonie, et qui dut transporter Hortense : exécutée par les trois cents musiciens que dirige Lesueur, avec
Laïs, le premier chanteur, Kreutzer et Baillot, les premiers violonistes, les chœurs de l'Académie impériale,
scindés en plusieurs groupes qui se répondront sous les
voûtes, de part et d'autre de l'assistance, l'enveloppant
de sublimes vibrations. Cela a commencé, avant l'arrivée d'Hortense, avec le *Tu es Petrus*, à l'entrée du Pontife, cela continue, maintenant, par le *Veni Creator*, suivi
de quelques motets appropriés.

Premier temps : le Pape procède, à l'autel, à l'onction
rituelle de l'Empereur, puis de l'Impératrice : une touche
de la sainte huile, au front et à l'intérieur de chacune des
paumes. Voilà la consécration religieuse, le Sacre qui
leur confère l'inviolabilité. Joséphine a eu l'habileté de
faire procéder, la veille au soir, à la bénédiction de son
union avec Napoléon, par le cardinal Fesch : elle s'est
mise en règle avec l'Église, et la messe papale peut se
dérouler. Toutefois, jusqu'au dernier moment, Napoléon

a souhaité réserver leur engagement à communier : par peur d'un empoisonnement, ils y renoncent. Au graduel, le Pape interrompt l'office pour procéder à la bénédiction solennelle des ornements impériaux. Voici maintenant le deuxième temps : celui du couronnement. Comme on le sait, Napoléon se saisit de la couronne, à peine bénie, et, lentement, la pose sur son front. Le geste est politique, d'une parfaite clarté : lui seul se confère l'autorité impériale. Échec au Pape. L'Empereur ne tient pas son pouvoir de l'Église, mais de lui-même. Puis, il prend la couronne destinée à l'Impératrice. Pour Eugène et Hortense, ce dut être un moment suprêmement émouvant que de voir couronner leur mère, agenouillée aux marches de l'autel, sur un coussin de velours bleu piqueté d'abeilles d'or, telle que David l'a immortalisée. Que de chemin parcouru depuis les Trois-Ilets ! C'est à rêver...

Pour le troisième temps, l'intronisation, les souverains doivent descendre la nef jusqu'à l'estrade sur laquelle sont disposés les grands trônes, celui de Joséphine un peu en contrebas de celui de Napoléon. Pour y prendre place, il faut gravir vingt-quatre marches : rude épreuve, si l'on pense au poids des immenses manteaux. C'est là que se distinguent les trois sœurs de Napoléon : jusqu'ici, elles avaient parfaitement porté la traîne de leur belle-sœur. Soudain, quand Joséphine pose le pied sur la première marche, elles négligent de « soutenir ». Joséphine, déséquilibrée, manque de tomber à la renverse — comme elles le souhaitaient probablement pour la ridiculiser —, ce que voyant, Napoléon se retourne et lance un ordre bref, sonore, en corse, à l'intention des rebelles. Elles obtempèrent, et l'ascension peut reprendre. Le Pape les rejoint, et debout, cependant qu'ils sont assis, il les bénit et les intronise, c'est-à-dire qu'il les reconnaît sur le trône. Le Pontife se retourne vers l'assemblée et s'écrie : *Vivat Imperator in aeternum !* L'ovation triomphale qui lui répond —— et que désormais on entendra en France et dans une grande partie de l'Europe pendant les dix années qui viennent —— est suivie du puissant *Vivat Imperator* de l'abbé Roze, composé pour la circonstance. Les témoins rapportent la force inoubliable des chœurs, entrecroisant les motifs et emplissant l'espace de la basilique...

De retour au pied de l'autel, le Pape continue la messe, recevant à l'offertoire les présents mystiques des souverains : le vase, le pain et le cierge d'or de l'Empereur, un pain d'argent serti de vingt-quatre napoléons d'or de l'Impératrice. Après la lecture du dernier Évangile, le Pape se met en retrait, n'ayant pas souhaité prendre part, et pour cause, au quatrième temps du cérémonial : le serment constitutionnel de Napoléon, jurant de « maintenir l'intégrité du territoire de la République, de respecter et de faire respecter les lois du Concordat et la liberté des cultes ; de respecter et faire respecter l'égalité des droits, la liberté politique et civile, l'irrévocabilité des ventes de biens nationaux ; de ne lever aucun impôt, de n'établir aucune taxe, qu'en vertu de la loi ; de maintenir l'institution de la Légion d'honneur ; de gouverner dans la seule vue de l'intérêt, du bonheur et de la gloire du peuple français ».

Ces mots prononcés, le chef des hérauts d'armes crie la formule sacramentelle : « Le très glorieux et très auguste empereur Napoléon, empereur des Français, est couronné et intronisé. Vive l'Empereur ! » Suit la lecture de l'indulgence plénière accordée par le Saint-Père aux assistants. La cérémonie se clôt sur un magnifique *Te Deum*, entonné par tous, cantique d'action de grâces bien justifié...

De retour à l'Archevêché, les souverains se débarrassent de leurs manteaux. « Ah ! je respire ! » s'exclame Napoléon. C'est, dans l'ensemble, la réflexion que font spontanément tous les impétrants, au sortir de leurs

interminables et minutieuses évolutions... On se souvient
du roi de France qui enleva sa couronne en disant :
« Elle me pique ! », de celui qui s'écria : « Elle me
pèse ! » Lors du prochain sacre, en 1825, Charles X
adressera, après coup, une légère critique à son Grand
Maître des cérémonies, le marquis de Dreux-Brézé qui,
en bon courtisan, s'inclinera en affirmant « qu'on essaie-
rait de faire mieux la prochaine fois » ! Napoléon, lui,
se montre satisfait et il rayonne. Si Joséphine avait été
trop émue pour exprimer quoi que ce soit, l'Empereur,
que son naturel et sa lucidité n'abandonnaient jamais
dans les circonstances les plus graves, avait simplement
murmuré à ses frères, au moment où ils prenaient place
sur l'estrade du grand trône : « Si notre père nous
voyait ! » Le regrettable est que leur mère aurait pu, si
elle l'avait voulu, assister à cette apothéose. Quant à
Hortense et à Eugène, que ressentent-ils ? Fierté pour
leurs parents, apaisement que tout se soit déroulé impec-
cablement, inquiétude s'ils songent au point culminant
auquel, aujourd'hui, ils sont tous arrivés ? Car le plus
difficile, désormais, sera de n'en pas déchoir...

*
* *

Jusqu'aux premiers jours d'avril qu'elle parte pour
Saint-Leu, Hortense s'adonne à la vie de représentation
que commande la présence du Pape à Paris. Les fêtes
succèdent aux fêtes. Certaines sont publiques et réjouis-
sent les Parisiens, comme par exemple, au lendemain du
sacre (le 12 frimaire, 3 décembre), ces installations
qu'on leur fait de jeux de bagues, de mâts de cocagne,
assortis de spectacles d'escamoteurs, de devins ou de
danseurs de ballet... Deux jours plus tard, c'est au
Champ-de-Mars, la solennelle remise des aigles à
l'armée et à la Garde nationale : la Cour au complet,
portant les mêmes costumes que le jour du Sacre attire

une immense affluence. Malheureusement, la cérémonie se déroule en plein air, sous une pluie soudain battante. A la suite de l'Impératrice, les princesses se retirent, sauf Caroline, fortement enceinte, dont l'endurance impressionne favorablement les assistants. Une semaine se passe, et c'est l'ouverture au public des jardins du Sénat : feux d'artifice et illuminations font la joie générale. Le 25 frimaire, 16 décembre, c'est l'Hôtel de Ville qui ouvre ses portes et donne, en l'honneur des souverains, un bal de sept cents personnes : très opportunément, la Cour se mêle à la Ville. Les princes ouvrent le premier quadrille avec des bourgeoises de Paris, les princesses ayant pour cavaliers des conseillers municipaux. Hortense danse avec M. Albert Grillon-Deschapelles. Nous ne savons pas qui il était, mais, sans aucun doute, il en fut très flatté. Puis, ce sont les généraux qui reçoivent au Théâtre olympique : après l'habituel banquet, c'est à un vaudeville qu'assiste Hortense. Les maréchaux ne sauraient être en reste, et donnent à l'Impératrice un bal très élégant, dans la Salle de l'Opéra. Ce sera l'un des plus réussis de la saison, brillamment ouvert par quatre couples jeunes et prestigieux : Louis et Caroline, Murat et Hortense, Berthier et la maréchale Bernadotte (Désirée Clary), Ney et la maréchale Duroc.

Madame Mère s'étant décidée à revenir d'Italie et l'Empereur l'ayant nommée pour marraine du petit Napoléon-Louis, né, on s'en souvient, au début du mois d'octobre dernier, on se prépare au baptême, qu'on veut marquant, ultime grande cérémonie en présence du Pape, sur le point de repartir. Il a lieu à Saint-Cloud, le dimanche 24 mars 1804, 3 germinal, à quatre heures de l'après-midi. C'est un baptême de Dauphin : l'Empereur a fait reconstituer, comme à Versailles, le *Salon du Lit* — dans le salon bleu de l'Impératrice —, où, sous un dais, on présente l'hermine dans quoi on drape ensuite l'enfant. De là, on part en cortège vers la chapelle où le Saint-Père, fait exceptionnel, officie en personne, Napoléon tenant le petit prince sur les fonts. Ce sont les maréchales Bernadotte, Bessières, Mortier et Davout qui soutiennent le manteau du deuxième héritier impérial, suivies de Mme de Boubers et de Monsieur Petit Chou, puis Mme de Bouillé portant la salière, Mme de Montalivet, le chrémeau, la maréchale Lannes, le cierge, Mme de Serrant, la serviette, Mme Savary, l'aiguière et Mme de Talhouët, le bassin. « Mon enfant criait beaucoup, voilà ce qui m'occupait », avoue Hortense. On la comprend. Cependant, elle n'oublie pas de noter l'aigreur de Caroline, jalouse une fois encore de ce que l'Empereur n'avait pas accepté qu'elle fît baptiser le même jour la fille qu'elle venait de mettre au monde. Le Pape s'étant retiré, un grand dîner suivra la cérémonie religieuse, puis une représentation, parfaitement appropriée à la circonstance, d'*Athalie*, avec Talma, Saint-Prix, Mlle Raucourt et Mlle Duchesnois dans les grands rôles. La soirée se terminera par un feu d'artifice de Ruggieri.

Le héros du roman sentimental apparaît...

Le premier printemps qu'Hortense passe à Saint-Leu aura un goût de tristesse : malgré les spectaculaires verdoiements qui l'entourent, malgré l'appel de la nature auquel elle se montre toujours sensible, malgré ce que la belle saison apporte de divertissements, promenades en forêt, déjeuners sur l'herbe et parties de campagne, la jolie châtelaine ne peut se résoudre de gaieté de cœur à être séparée d'Eugène.

Envoyé par l'Empereur à Milan, avec le titre d'Archichancelier — en attendant mieux, ce qui viendra en juin —, il a accepté de bonne grâce ce que les frères de

Napoléon ont refusé, y compris Lucien, contacté discrètement et qui ne souhaite pas réintégrer le clan, du moins pas aux conditions qu'on lui fait, à savoir qu'il renie sa femme. Eugène se met à la tâche avec diligence, conscient d'être un militaire dénué de la formation requise pour faire ce qu'on attend de lui : administrer, selon les directives de son beau-père, le royaume des Lombards. Il se révélera d'emblée un modèle de bon vouloir et d'application. « Je continuerai toujours de me conduire de manière à ne mériter aucun reproche de S.M. et à être digne de ton approbation à laquelle je tiens beaucoup », écrit-il à sa sœur, dès son arrivée le 14 germinal [1]. C'est tout Eugène, que la hargne des Bonaparte a réduit à sa seule vaillance militaire. A l'inverse des quatre frères impériaux, lui, du moins, se montrera excellent, parfaitement apte à exécuter ce que l'Empereur exigera de lui, quelle que soit la mission dont il le chargera. On comprend sans peine qu'il aura toute sa confiance. Qu'Eugène s'appuie sur sa sœur, il n'y a là rien d'étonnant, celle-ci ayant, on s'en apercevra, un caractère plus fort et une raison assortie d'un jugement rarement pris en défaut. Nous le constaterons au fil de leur correspondance, Eugène s'en remet à elle, pour les grandes mais aussi pour les petites choses, comme par exemple, lui commander et lui faire broder ses tenues d'Archichancelier, dont il n'a pas trop l'idée de ce qu'elles doivent être. Une chose est sûre, il lui faut, lorsque les souverains le rejoindront prochainement pour le couronnement — Napoléon ceindra la couronne de fer lombarde —, être présentable. Déconvenue à la réception des tenues en question : « A propos, j'ai une jolie querelle à te faire. J'ai reçu il y a quatre jours tous mes costumes et ils sont beaucoup trop larges. On a pris mesure sur Cambacérès probablement, car c'est la forme

---

1. A.N. 400 AP 28, Lettre LXXIV.

et la taille de ses habits. Je les fais retailler à Milan mais ils n'iront jamais très bien et j'ai une peur [...] de prêter à rire [1]... » Pauvre Eugène ! Cambacérès possédait un embonpoint de gastronome invétéré...

Le 1er juin, Eugène est fixé sur son sort et il s'empresse d'en faire part à sa confidente privilégiée :

> Milan, le 12 Prairial an XIII.

> Tu ne te doutes sûrement pas de ce que je vais t'apprendre, ma bonne petite sœur ; c'est une bonne et une mauvaise nouvelle. L'Empereur vient de me nommer vice-Roi d'Italie, on doit aujourd'hui le publier avec la nouvelle constitution et demain je prête mon serment.

> J'ai versé bien des larmes d'abord touché de reconnaissance des bontés de l'Empereur ; et ensuite de regret bien sincère d'abandonner ma famille, mon pays, mes affections, mes amis, jusqu'à mes habitudes. Je n'[ai] pu ne pas dire à l'Empereur combien était grand le sacrifice que je faisais de me séparer de lui : il a la bonté de me promettre deux voyages de quinze jours par an pour venir le saluer et vous embrasser. Je ne puis bien t'exprimer tous les sentiments divers qui agitent mon pauvre cœur. Tout ce que je sais c'est que malgré tout l'éclat dont l'Empereur m'entoure, je suis bien à plaindre.

> Adieu, ma bonne petite sœur, l'idée d'être loin de toi longtemps centuple mes regrets.

> Je t'embrasse ainsi que Louis [2].

C'est là une belle promotion qu'il méritera à force d'assiduité, mais c'est aussi un déchirement profond : aucun des Beauharnais n'est assez superficiel, avide, ou imbu de lui-même, pour se flatter d'une élévation qui n'est due qu'au hasard de la vie et au génie de celui que le Destin a placé sur leur chemin. Leur lucidité, leur discrétion, leur modestie et aussi la sincérité de leurs affections et la simplicité de leurs goûts les honorent.

---

1. A.N. 400 AP 28, Lettre LXXIV.
2. A.N. 400 AP 28, Lettre LXXIX.

Tout au long de cette année, les lettres d'Eugène témoigneront de cet état d'esprit : travail intense et regrets
poignants d'être loin des siens. A son départ, il s'était
ouvert à sa sœur de ses inquiétudes envers leur mère :
une incartade de l'Empereur — envers une protégée de
Caroline, Mme Duchâtel, qu'opportunément, elle avait
introduite au Palais — avait suscité la jalousie de son
épouse. Attisées par certains membres de son entourage,
les anxiétés de Joséphine avaient atteint des proportions
déplacées, qui l'avaient endolorie cependant qu'elles
irritaient l'Empereur. Ses enfants en étaient navrés :
comme toujours, ils avaient pris la défense de leur mère
sans heurter de front leur beau-père. Celui-ci, constatant
les méfaits de son attitude et des intrigues qui, inévitablement au sein d'une Cour, enveniment l'atmosphère,
avait mis fin à sa liaison, en se promettant, probablement, d'être plus habile la prochaine fois... Eugène avait
chargé Hortense de désamorcer les chagrins de leur
mère. Tous deux faisaient maintenant un autre apprentissage, celui de devoir conjuguer leur respect pour
l'Empereur, leur tendresse pour leur mère et le sens aigu,
qui les caractérise, de la bienséance :

[...] Pourvu que l'Impératrice soit, sinon heureuse (car elle
est trop bonne pour ne pas se faire du chagrin) du moins
tranquille ! Que tous les esprits faux ou remuans qui la
voient quelquefois, la laissent en repos. Notre bonne mère
devrait bien vivre pour elle et par conséquent pour nous, en
mettant au rebut tous ces caquets qui, faux, lui font du chagrin, et qui, vrais, la feraient mourir de douleur.
  C'est à toi, ma bonne Hortense, qu'il est réservé
d'employer beaucoup et souvent ta saine raison avec l'Impératrice, c'est sur toi qui restes davantage auprès d'elle, que
je compte pour prévenir tout le mal ou les mauvais conseils
que lui souhaitent et que lui donnent ses ennemis [1]...

1. A.N. 400 AP 28, Lettre LXIV.

Le frère et la sœur, on le voit, ne sont pas dans une position facile. Partagés entre leur devoir et leur loyauté affective, ils savent, de plus, ne pouvoir compter sur quiconque des autres membres de la famille : Eugène n'en donne pour preuve à Hortense que leur silence envers lui, au lendemain de sa nomination au poste de vice-roi. Le 10 juillet, il lui écrit :

[...] J'ai pris à cœur présentement le travail du bureau, j'y passe dix ou douze heures de la journée. Pas la moindre distraction, beaucoup d'idées mélancoliques et noires ; voilà ma vie. Nous ne sommes pas heureux, ma sœur, puisque le destin veut que nous soyons séparés l'un de l'autre...

et il constate, en post-scriptum :

Il est pourtant par trop ridicule que je n'aie pas reçu une seule marque d'honnêteté de la famille de l'Empereur. Certes, après une pareille conduite, ils voudront bien trouver tout simple que je ne leur fasse de mon côté aucune politesse ; ce serait une bassesse que de faire bonne mine à qui déclare si ouvertement ne pas vous aimer [1].

A cette amertume s'ajoute un sentiment d'abandon : leur mère, toujours un peu négligente dans sa correspondance, ne lui écrit pas. Silence qui ne signifie rien de grave en soi, que ses enfants ont déjà éprouvé, qu'ils excusent mais qui les blesse. Eugène s'en plaint à sa sœur, la seule à qui il puisse confier une telle désillusion :

Au palais de Monza, le 9 août 1805.

[...] Croirais-tu, ma sœur, que depuis que j'ai quitté Maman, elle ne m'a point écrit ni même fait donner de ses nouvelles. Tu ne saurais croire la peine que cela me fait. Elle a tant pleuré en se séparant de moi, elle m'a tant répété qu'elle perdait son seul soutien, hélas ! si elle ne l'a pas oublié, elle y pense du moins bien peu.

---

1. A.N. 400 AP 28, Lettre LXXXI.

[...] Ma bonne Hortense, Lavalette et mon ami Duroc sont les seuls qui ne m'oublient point. Voilà les hommes, voilà le monde, croyez à leurs serments ! Oh ! j'avoue ma sœur que ces idées là me tuent, aussi j'ai l'âme bien triste, bien triste[1].

Bien triste, Hortense l'est aussi, pour d'autres raisons. Sans doute est-elle mal remise de ses dernières couches, dont les relevailles ont été écourtées par la venue du Pape. Les épuisantes fêtes du Sacre qui ont duré quelque trois mois l'ont fatiguée, bien qu'elle se soit abstenue de nourrir son enfant. Autour d'elle, on commence à remarquer son abattement et sa maigreur, communément ressentie à l'époque comme un signe de mauvaise santé. Ce mal-être a peut-être une cause plus profonde, et qu'elle prend bien soin de dissimuler : son ménage ne la satisfait guère plus que cette vie, toute de contraintes, qu'elle a menée récemment. Embellie toutefois par la présence de ses enfants, la réalité lui pèse. Alors, elle s'en évade.

Pour l'instant, elle rêve à des amours qu'elle ne connaît pas, mais que sa nature, son âge et l'« air du temps » la prédisposent à imaginer. Elle s'étend longuement dans ses *Mémoires* sur le début de sa grande inclination pour un bel officier, M. de Flahaut. Ce sentiment, ignoré du jeune homme, demeurera platonique pendant les cinq années qui viennent, mais il meuble l'impression de vide et d'incomplétude qu'elle ressent. Elle est loin d'être la seule : nombre de ses contemporaines, à la suite de Werther ou de René, scrutent maintenant leurs émois, disséquent leurs battements de cœur, s'en épanchent non sans une certaine délectation, si ce n'est avec

---

1. A.N. 400 AP 28, Lettre LXXXV.

grâce... C'est à quoi se plaît Hortense, et nous en avons l'expression tout au long de ses écrits autobiographiques. Sainte-Beuve, qui avait eu vent de leur teneur par Mme Récamier, M. de Chateaubriand ou les deux ensemble, n'a pas tort de constater que « dans ses *Mémoires*, la reine Hortense a voulu faire de M. de Flahaut, un héros de roman ».

Et M. de Flahaut en a toute l'étoffe. Il est le fils d'une femme célèbre, présentement remariée à un diplomate portugais, M. de Souza, que les vicissitudes de l'émigration ont contrainte de se faire femme de lettres. Son roman *Adèle de Senanges*, publié en 1793, à Londres, lui valut un succès durable : il sera suivi de beaucoup d'autres dont l'élégance et la sensibilité feront les délices de ses contemporains. On dit même qu'*Eugène de Rothelin*, qui verra le jour en 1808, est le portrait de son fils. Celui-ci, nul ne l'ignore, né en 1785, est le fruit des amours de cette femme d'esprit avec le jeune abbé de Périgord, devenu, depuis, le prestigieux ministre que l'on sait. Si Charles n'a pas hérité des facultés brillantes de ses géniteurs, du moins en a-t-il l'aisance et la séduction, à quoi s'ajoute un vrai courage, à l'imitation de celui de son père légal, le comte de Flahaut de la Billarderie qui fut guillotiné sous la Terreur, pour s'être volontairement présenté devant le Tribunal révolutionnaire afin d'innocenter celui qu'on accusait à sa place. La noblesse du geste était inoubliable. Mme de Flahaut avait eu recours à Joséphine pour se faire radier des listes d'émigrés, et les deux femmes — sensiblement de la même génération — étaient devenues amies. Elles avaient l'une et l'autre vécu dans le Paris de la « douceur de vivre », en avaient gardé le ton et l'usage, et nous les verrons, le moment venu, favoriser grandement les amours de leurs deux enfants.

Charles, comme Eugène de Beauharnais, était entré dès l'âge de quinze ans dans la carrière militaire. Un

coup d'audace l'avait fait remarquer du général Bonaparte : en février 1800, le jeune garçon lui avait envoyé
une lettre qui commençait ainsi :

> Général, je n'ai que seize ans [il se vieillit], mais je suis
> fort. Je sais trois langues assez bien pour que, plusieurs fois,
> il ait été impossible de deviner, dans les différents pays, si
> j'étais Anglais, Allemand ou Français.
> Trop jeune pour être soldat, j'ose vous demander d'être
> votre aide de camp. Soyez sûr que je serai tué ou que j'aurai
> justifié votre choix à la fin de la campagne [1]...

Le Consul le plaça dans les hussards et Marengo le vit
sous-lieutenant. Dès lors, rien n'arrêtera son ascension.
Louis le prit dans son régiment, puis Murat le fit son
aide de camp. C'est à ce moment qu'Hortense le remarque : il est, comme Alexandre de Beauharnais, comme
Eugène, un beau cavalier, plein d'allant et même assez
« étourdi » pour l'applaudir un jour qu'elle danse.
Piquée, elle s'en plaint à la mère de Charles, expliquant
qu'elle dansait pour s'amuser et non pour être applau-
die... Elle n'est pas sans se rendre compte des succès du
jeune homme auprès du beau sexe : à une liaison avec
la sœur du prince Adam Czartoricki, passablement plus
âgée que lui, avaient succédé des amours compliquées
avec Caroline. Hortense en était témoin, elle en souffrait
et, en même temps, elle y voyait la garantie que jamais
elle ne suivrait cette pente...

Qui dit roman dit recomposition de la réalité. Hortense n'échappe pas à la loi du genre : *a posteriori*, dans
le désœuvrement de l'exil, elle se plaît à donner une
forme à ses souvenirs, elle les agence de façon à les
rendre plus intéressants, ou simplement, plus intelligi-
bles à ses éventuels lecteurs. Consciemment ou non, elle
dessine un scénario qui ressemble à la belle et triste his-

---

1. Nous extrayons ce document de l'excellente biographie que Françoise de Bernardy a, en 1974, consacrée à Flahaut.

toire d'une jeune femme, mariée en vertu de la raison d'État, soumise à son sort, mais dont le méchant mari n'a rien négligé pour la rendre encore plus malheureuse, et qui, dans le secret de son cœur, a conçu un grand sentiment, sentiment qui pendant des années de gloire extérieure a soutenu sa détresse intérieure... Nous stylisons à peine...

Tout cela est vrai, excepté une chose : à l'époque où nous sommes de l'histoire de sa vie, c'est-à-dire où naît le bel amour caché, le mari, dont nous avons compris qu'il était exigeant, tatillon, ombrageux, n'a rien encore d'un mari méchant. Il n'est qu'un mari déçu, un mari frustré, toujours désireux que sa jeune femme lui témoigne un peu plus d'enthousiasme. Hortense est irréprochable — elle le demeurera jusqu'à ce qu'ils soient dûment séparés —, mais elle est distante. « Hortense, vous seriez parfaite, lui avoue bientôt Louis, si vous m'aimiez. » Le malheur est qu'elle ne l'aime guère. Et, comme elle est parée de toutes les qualités, de tout l'entrain, de tout le rayonnement d'une femme normale, si elle ne l'aime pas, pense Louis, elle doit en aimer un autre. Elle se refuse, elle se replie sur elle-même, et il en devient chaque jour plus désespéré.

Plus tard, il se fera tyrannique, en proie à une attitude névrotique envers elle, dans laquelle il s'enfermera. Lorsque la crise s'ouvrira entre eux, au printemps 1807, en Hollande, nous les verrons souffrir violemment l'un et l'autre, mais avouons qu'aucun des deux n'aura été totalement la victime de l'autre. Hortense n'a pas plus épousé Barbe-Bleue que Louis n'a épousé Célimène. Tous deux sont des enfants de Jean-Jacques et, ainsi que le dit justement une amie de Joséphine, Mme de Rémusat, « l'amour, comme la religion, prend toutes les nuances du caractère », il prend aussi celles de la sensibilité ambiante. Leur soif d'absolu les aura rendus inaptes à s'accepter et à composer chacun avec le tempérament de l'autre : aspiration à la vertu chez l'une, aspiration à la parfaite union chez l'autre, rien de tout cela ne leur permettait d'affronter leur réalité. Hortense s'en échappe dans le rêve, la maternité et, bientôt la création. Louis, dans la pathologie et dans l'idéalisme politique. Sauf qu'Hortense commence la première.

Des boues de Saint-Amand aux camps de Boulogne

Ainsi donc se passe le printemps à Saint-Leu, Louis s'occupant d'embellir son parc, Hortense se partageant entre les soins qu'elle donne à ses enfants et l'application qu'elle met à copier son portrait exécuté récemment par Gérard. Elle avoue que l'odeur de la peinture lui provoquant des maux de nerfs, elle y renonce. Elle fait de la musique avec Plantade, expert à composer des romances, et l'on peut raisonnablement penser qu'elle s'essaie à ses premières tentatives en la matière. Tout l'y inciterait : cette langueur qui ne la quitte pas, l'absence d'Eugène, dont elle sait maintenant qu'elle sera longue et qui la laisse sans protection contre ce qu'elle appelle les « injustices » de son mari — elle a l'impression que son courrier est ouvert et qu'on la surveille en permanence —, et l'absence de sa mère, qui, aux côtés de l'Empereur, n'en finit pas de voyager en Italie... « Vous avez l'air de tuer le temps », lui dit Louis qui n'y comprend rien. Néanmoins, elle l'accompagne, ainsi que son fils aîné, lorsqu'il décide de prendre ses quartiers d'été à Saint-Amand. Ils quittent Saint-Leu, le 3 juillet, couchent à Mortefontaine et, passant par Péronne, s'acheminent vers la jolie ville d'eaux. Le petit Louis est laissé à sa nourrice : sitôt que l'Empereur atteindra Fontainebleau, il le fera demander, et Joséphine le gardera près d'elle tout l'été, jusqu'à la mi-septembre où elle retrouve sa fille, après une séparation de cinq mois.

Malheureusement à cause d'un « temps affreux », l'été ne sera pas plus gai que le printemps. Et pourtant rien n'était plus ravissant que la cité de Saint-Amand, située entre Valenciennes et Tournai, dans la plaine de la Scarpe et de l'Escaut, au cœur d'immenses et séculaires forêts de hêtres. Louis en attendait beaucoup car c'était la station thermale la plus réputée d'Europe pour le traitement des rhumatisants : ses boues, qu'on prenait à l'écart de la petite ville, avaient sauvé jadis la jambe du comte Bielinsky, leur signale Mme Campan, toujours informée, et nombreux étaient ceux qui s'en louaient. La jolie Delphine de Sabran, future marquise de Custine — on se souvient de ses amours avec le père d'Hortense, aux Carmes —, en gardait un souvenir émerveillé, non qu'elle fût rhumatisante, mais la vie que sa famille menait aux eaux était traditionnellement plus libre, plus « informelle », dirait-on aujourd'hui, puisqu'on y bannissait l'étiquette, qu'on y visitait les grands seigneurs des environs — les Croÿ, à l'Hermitage, somptueux château voisin —, qu'on parcourait les bois alentour, bref qu'on y menait ce qui n'existait pas encore : une vie de vacances.

Louis, Hortense et leur suite ont pris possession du « Petit Château » près des sources, et dont les beaux corps de logis, de style Louis XVI discret, étaient surmontés d'un étage et d'un toit à la Mansart. Cette résidence paisible, enclose dans la verdure puissante qui fait le charme de la région, avait été la « campagne » du marquis de Cernay, puis, à la veille de la Révolution, elle s'était muée en une sorte d'auberge tenue, pendant qu'il était enfant, par les parents du futur valet de chambre de Napoléon, Constant [1]. Le « Petit Château »

1. Constant en fait état dans ses *Mémoires*. M. Bataille de Longprey, de Mons, nous signale que d'après M. Taillez, de Saint-Amand Thermal, qui l'avait visité avant sa démolition en 1940, le « Petit Château » comportait une grande salle de réception à haute cheminée. Sur son emplacement, Napoléon III n'a pas manqué de faire apposer une pla-

demeurait célèbre, dans la contrée, pour avoir abrité
Dumouriez qui, en 1793, y avait établi son quartier général et qui y data la proclamation de sa démission des
armées républicaines. Poursuivi par les troupes de la
Convention, il fuira à travers les futaies, en compagnie
de celui qui deviendra Louis-Philippe, et, grâce à des
complicités locales, ils traverseront précipitamment
l'Escaut et seront ainsi sauvés. Il existe encore la
« drève » ou allée du Prince, qu'ils empruntèrent alors.
Il est dommage qu'Hortense, si friande de belles excursions, n'ait pu, à cause du vilain temps, parcourir ces
lieux si attrayants, si solitaires et si chargés d'histoire.
Elle dut cependant admirer ce qui restait de l'ancienne
abbaye, fondée au VIIe siècle, par l'évêque de Maestricht,
qui a donné son nom à la cité, et qui, reconstruite au
XVIIe siècle, dans un spectaculaire style flamand renais-
sant, n'avait gardé, après la Révolution, que l'impres-
sionnante tour de son abbatiale. Chose rarissime, à
l'époque, on y jouait le carillon tous les jours...

En compagnie de son amie Adèle et de Mlle Cochelet,
elle s'adonne à la lecture : Mme Campan lui
recommande *Mathilde ou les Mémoires tirés de la troisième croisade* de Mme Cottin, alors très à la mode —
incitation à évoquer un Moyen Age de légende —, l'*Histoire de France* d'Anquetil, qu'on venait de rééditer —
et qui touchait la fibre profonde d'Hortense —, ainsi
qu'une série de *Lettres* : de Mmes de Villars, de La
Fayette, de Tencin, et de la touchante Aïssé. Rien n'était
plus goûté de ces jeunes femmes que ces épîtres : elles
les transportaient de plain-pied dans un passé qui leur
parlait — beaucoup plus qu'à nous, hélas ! — et elles
leur étaient des modèles de beau style, à quoi on jugeait
une éducation digne de ce nom.

———————

que commémorant la présence de sa mère à Saint-Amand, qui, avec
Louis, en fit tracer la grande allée.

La fête de l'Empereur, le 15 août, qu'on se doit de célébrer dûment, donne lieu à quelques réjouissances — d'autant qu'à Saint-Amand on marie une jeune personne intéressante —, marquées d'un petit incident : lors du feu d'artifice qu'on tire ce soir-là, une fusée s'enflamme dans le salon ouvert sur le jardin, et met le feu à la robe de soie verte et au *shall* d'Hortense. Grand émoi ! Avec un parfait sang-froid, elle éteint ce début d'incendie, et s'emploie à rassurer tout le monde [1].

L'Empereur, précisément, venait de lui écrire, de Boulogne, où il inspectait son armée qui y était rassemblée pour dissuader les Anglais d'aucune tentative contre la France. Avec l'habituelle sollicitude qui est sienne quand il s'adresse à sa « chère petite fille », il se montre ravi de l'intelligence du petit Napoléon, qui lui fait « voir une troisième génération, car votre mari lui-même, je l'ai vu si petit que je [l'ai pu] considérer comme la seconde... » Ou l'art d'être grand-père ! Suit une invitation à « venir avec Napoléon passer ici cinq ou six jours. Arrangez cela avec Louis, cela mettra un peu de gaieté dans votre vie [2] ».

Quitter les allées détrempées de Saint-Amand, et un mari maussade, pour être l'hôte de l'Empereur dans cette ambiance militaire pour laquelle elle a de vraies raisons de se passionner — M. de Flahaut se trouve à Boulogne auprès de Murat —, lui paraît délicieux. « Il n'y a rien de tel que la liberté ! » écrit-elle à son frère, pour qui elle tiendra un petit « journal de voyage », pris sur le vif. Elle en amplifiera la rédaction dans ses *Mémoires*. C'est à ces derniers que nous empruntons la mise en situation de son séjour, et nous lui ajoutons le récit à

---

1. C'est Caroline d'Arjuzon qui rapporte le fait. Gabriel d'Arjuzon accompagnait Hortense, ainsi qu'Adèle Auguié, Mlle Cochelet et Mlle de Mornay, dévolue au service du fils aîné des princes.

2. Lettre du 24 thermidor an XIII, 12 août 1805. A.N. 400 AP 25. Si l'original est lisible, c'est à lui que nous recourons.

l'intention d'Eugène, qui fourmille de notations vivantes. Admirons au passage l'excellence de sa plume, qui rend avec aisance la tonalité de ces belles et marquantes journées :

> [...] Je me faisais une fête de voir ces beaux camps dont on parlait tant et, l'avouerai-je ? semblable à un écolier qui quitte un maître sévère pour goûter un instant de liberté, je semblais respirer plus facilement quand je me trouvais loin de mon mari.
>
> L'Empereur habitait près de Boulogne une petite campagne appelée le Pont-de-Briques. Caroline et Murat en occupaient une autre près de là. Je logeais chez eux et nous allions tous les jours dîner avec l'Empereur. Depuis deux ans nos troupes s'étaient concentrées en face de l'Angleterre et chacun s'attendait à une descente. Les camps qui environnaient Boulogne étaient placés au bord de la mer et ressemblaient à une ville longue et alignée. Chaque baraque avait un petit jardin, des fleurs, des oiseaux ; près de la Tour d'Ordre dominait celle destinée à l'Empereur ; puis celle du général Berthier venait après. Tous les bateaux plats rangés dans les différents ports attendaient le signal du départ. L'Angleterre se distinguait au loin et ses beaux vaisseaux en croisière, devant la côte, semblaient former une barrière impénétrable. L'impression que causait ce spectacle faisait naître l'idée d'une grandeur inconnue jusqu'alors. Tout y parlait à l'imagination. Cette mer immense allait devenir le champ de bataille et engloutir peut-être l'élite de deux grandes nations. Nos troupes, fières de ne pas connaître un revers, impatientes d'un repos de deux années, brûlantes d'énergie et de valeur, croyaient déjà atteindre la rive opposée. Leur assurance, mêlée à tant d'ardeur, donnait l'espoir du succès ; mais, tout à coup, la vue de tant d'obstacles, la crainte de tant de dangers venaient troubler cet espoir et resserrer le cœur par un effroi involontaire. Au reste, rien ne semblait plus manquer pour cette expédition qu'un vent favorable.
>
> De tous les honneurs qu'une femme peut recevoir, ceux que rendent les militaires ont quelque chose de chevaleresque dont il est difficile de ne pas être flattée. Aucune cir-

constance, je crois, n'avait rien réuni de plus imposant et de plus magnifique que les hommages dont j'étais environnée. Aussi, est-ce la seule fois où ils me firent impression.

L'Empereur me donna pour m'accompagner son écuyer, le général Defrance. Je n'allais pas visiter un camp qu'aussitôt il ne fût sous les armes, manœuvrant devant moi. Je demandais la grâce des militaires punis pour quelque faute de discipline et j'étais accueillie avec le plus vif enthousiasme. Tous les états-majors à cheval escortaient ma voiture et partout une brillante musique annonçait mon arrivée. Pour la première fois je vis à une de ces revues une urne portée en bandoulière par un grenadier. On m'apprit que l'Empereur, pour honorer la mémoire d'un brave, nommé La Tour d'Auvergne, avait confié au plus ancien soldat du régiment son cœur renfermé dans une boîte de plomb et ordonné que son nom serait toujours prononcé à l'appel comme s'il était présent. Celui qui le portait répondait : « Mort au champ d'honneur [1]. »

[Saint-Amand], ce mardi 9 fructidor [an XIII, 27 août 1805]

Je t'ai promis le journal de mon petit voyage, et, quoique je sois un peu fatiguée, je m'empresse de te le donner.

[...] Le vendredi donc, (16 août 1805), nous partîmes à cinq heures du matin : j'avais avec moi Adèle, Mlle de Mornay, Mlle Cochelet, M. d'Arjuzon, et toujours Napoléon.

On dit qu'il ne faut pas se mettre en route le vendredi et je pourrais croire qu'on a raison, car nous avons eu plusieurs malheurs ; le plus grand a été de nous tromper de route, car je désirais aller coucher à Montreuil, et, tous mes domestiques s'étant mis dans la tête que j'allais droit à Boulogne, me menèrent à Saint-Omer. Ce n'était pas trop mon chemin de retourner à Montreuil, mais, comme Mme Ney m'attendait, je me décide à faire douze lieues de plus. Je n'arrivai

---

1. *In Mémoires*, pp. 128-129 et suiv.

chez Mme Ney qu'à quatre heures du matin [1] : elle m'attendait ; les aides de camp de son mari étaient venus au-devant
de moi. Elle est très bien logée dans un petit château, près
de Montreuil. La seconde voiture où était la nourrice n'étant
pas arrivée, je couchai Napoléon près de moi : il avait si
bien dormi dans la voiture qu'il ne demandait qu'à jouer ;
je passai donc la nuit blanche et je partis pour Boulogne à
onze heures [2]. J'arrivai chez Mme Murat qui a un petit château tout près de Pont-de-Briques [3] ; c'est très petit, mais
nous nous arrangeâmes ; nous étions deux ou trois dans une
même chambre. J'allai tout de suite chez l'Empereur qui me
reçut à merveille [4]. J'eus le plaisir d'y voir ton aide de camp
et de parler de toi. Je comptais t'écrire par lui, mais, vraiment, je n'en ai pas eu le temps. Je dînai chez l'Empereur
avec Napoléon, le prince Joseph, le prince et la princesse
Murat. Après le dîner, je fis quelques parties d'échecs avec
l'Empereur : j'étais si fatiguée que je m'endormis en
jouant ; il s'en aperçut et me renvoya me coucher. Il mit à
ma disposition une voiture à six chevaux pour tout le temps
que je serais à Boulogne, et il donna l'ordre au général
Defrance [5] de m'accompagner partout à cheval.

Le dimanche matin, je vins avec la princesse Murat dire
bonjour à l'Empereur, et, de là, nous allâmes ensemble voir
Boulogne. Le maréchal Soult [6], le général Andréossy [7],
l'amiral La Crosse [8] vinrent à cheval nous escorter jusqu'au
camp de gauche ; nous passâmes toute la ligne en revue ; je

---

1. Le maréchal et la maréchale Ney étaient installés au château de
Reck, près de Montreuil.
2. 17 août.
3. Dans la vallée de la Liane.
4. L'Empereur était installé au château de Pont-de-Briques.
5. Jean-Marie-Antoine Defrance, général de brigade depuis le 1er février 1805, était alors écuyer de l'Empereur.
6. Soult commandait le camp de Saint-Omer.
7. Antoine-François Andréossy était à ce moment général de division et chef d'état-major de Soult. Il devint premier aide-major général
de la Grande Armée le 30 août 1805.
8. Jean-Raymond La Crosse, né à Meilhan (Lot-et-Garonne) le
7 septembre 1760, mort le 10 septembre 1829, contre-amiral depuis le
22 septembre 1796, commandait, depuis la mort de Bruix, la flottille
de Boulogne destinée au transport de la Grande Armée en Angleterre.

descendis dans la baraque du prince Joseph pour déjeuner ; il me mena, après, voir plusieurs baraques de soldats ; de là, je repassai à Boulogne pour aller à la Tour d'Odre et voir le camp de droite. Mme Murat, qui était un peu fatiguée, me quitta là ; je visitai de même tout le camp. Le général Saint-Hilaire [1] et plusieurs colonels vinrent de même à ma voiture jusqu'à Wimereux. Je fis le tour du port ; je descendis dans un paquebot. Partout, les matelots criaient : « Vive l'Empereur ! » Mes chevaux étaient bien fatigués : je m'arrêtai dans la baraque des officiers de marine. Napoléon demanda à manger, et tous ces messieurs s'empressèrent de nous apporter leur dîner, entre autre un gigot de mouton qui était excellent ; tu sens bien qu'il fallut y goûter ; Napoléon était vraiment bien gentil et leur distribuait à tous des petits gâteaux ; on but à notre santé, et nous partîmes pour rejoindre l'Empereur qui allait passer la revue des grenadiers près de là ; en arrivant à la manœuvre, l'Empereur me fit descendre ; il donna la main à Napoléon et nous fit courir, ne s'occupant plus que de ses manœuvres. Il ordonna les feux. Nous étions juste devant la ligne : il me demanda si j'avais peur ; mais je lui répondis qu'avec lui, personne ne devait avoir peur. Napoléon était charmé ; il criait : « Feu, tous ensemble. » En sortant de là, il dit : « Mon Dieu, que je voudrais que "Tété [2]" ait vu cela ; comme c'est beau la guerre ! » Je rentrai vite de la manœuvre pour m'habiller et aller dîner chez l'Empereur ; nous fîmes encore une partie d'échecs, ce qui ne m'amuse pas beaucoup, et je retournai à dix heures me coucher.

Mme Ney était venue avec moi à Boulogne : elle logeait avec Mme Lambert [3] et elle m'accompagnait partout.

Le lundi, il fit un temps affreux, ce qui m'empêcha d'aller sur mer comme j'en avais le projet. J'allai toujours dîner chez l'Empereur et, après le dîner, il envoya chercher Adèle et Mme Ney. Elles firent une partie de whist et moi toujours

1. L.-V.-J. Le Blond de Saint-Hilaire commandait, comme général de division, la 1ʳᵉ division du camp de Saint-Omer depuis le 31 août 1803.

2. Surnom donné au prince Eugène par son neveu.

3. Alexandrine Pannelier, baronne Lambert, cousine germaine d'Églé Ney.

ma malheureuse partie d'échecs ; j'avais engagé l'Empereur à les faire venir, car je désirais bien que le général Bertrand vit Adèle. On en dit beaucoup de bien ; je voudrais bien que l'Empereur fit ce mariage-là ; il ne la trouve pas assez riche pour lui, mais, malgré cela, j'espère l'emporter.

Le mardi, Mme Ney partit de bonne heure pour me préparer une petite fête qu'elle voulait me donner le soir. Moi, je fus tout droit à Étaples : je vis le port, la baraque de l'Empereur et une manœuvre charmante que le maréchal Ney fit pour moi [1]. Je restai longtemps à pied, ce qui me fatigua un peu, mais cela ne m'empêcha pas de danser le soir chez Mme Ney : la salle de bal était fort jolie, toute arrangée en fleurs avec mon chiffre. Je vis le général Dutaillis [2] qui est fort amoureux d'Adèle, mais le maréchal Ney ne veut pas en entendre parler. Aussi ai-je été obligée de lui dire qu'elle était promise. Le bal dura jusqu'à quatre heures ; je devais partir pour retourner à Saint-Amand, mais l'Empereur m'avait engagée à rester quelques jours de plus, espérant que le vent changerait et que je pourrais voir la flottille dehors, ce qui est très beau, mais le vent a toujours été contraire à mes vœux et je suis partie sans voir un petit combat ; ce n'est pas bien gai ; aussi ne le regretterai-je pas beaucoup.

La nuit que j'étais au bal, l'Empereur a embarqué toute l'armée [3] ; ils croyaient tous partir ; on dit que cela se fait en fort peu de temps.

En retournant, le mercredi matin, sur toute la route, on nous disait : « L'Empereur est parti, toute l'armée est embarquée. » Tu juges de notre impatience d'être à Boulogne. Le général Defrance croyait ne pas arriver assez tôt pour être de l'expédition. On dit que toute la nuit l'Empereur courait

---

1. A cette manœuvre prirent part les 6e, 39e, 69e et 76e de ligne sous les ordres du général Loison.

2. A.-J.-B.-A. Ramond du Bosc, comte Dutaillis, né à Nangis le 12 novembre 1760, avait alors quarante-cinq ans. Général de brigade depuis le 29 août 1803, il était chef d'état-major du camp de Montreuil sous les ordres du maréchal Ney. Il ne se maria qu'en 1810 et épousa Mme Mélin de Saint-Ange, née Boscary de Romaine.

3. L'alerte avait été donnée par l'Empereur à 3 heures et demie du matin le 21 août.

sur toute la flottille et voyait lui-même si tous les soldats avaient leur place. En arrivant, tout était déjà dans l'ordre accoutumé[1] ; je fus cependant sur-le-champ à Boulogne pour voir encore un peu le remue-ménage. Les chevaux seuls étaient restés embarqués.

Je désirais faire une petite course sur mer, mais les marins s'y sont opposés ; je fus remise au lendemain à la marée qui était à huit heures ; je fus exacte et j'allai dans la chaloupe de l'amiral jusqu'à Wimereux ; le maréchal Soult nous suivait dans la sienne : la mer était fort grosse ; le général Defrance et M. d'Arjuzon étaient dans un état terrible. J'ai été bien méchante, car j'en ai bien ri. Je suis revenue déjeuner à la Tour d'Ordre et dîner toujours chez l'Empereur. Nous avons eu encore un jour de pluie et le samedi, jour de mon départ, je fus le matin dire adieu à l'Empereur. Je m'embarquai sur le vaisseau amiral : je fis à peu près trois lieues sur mer jusqu'à Ambleteuse ; j'étais fort près des Anglais. En arrivant dans le port d'Ambleteuse, le maréchal Davout[2], ainsi que l'amiral batave[3], vinrent me prendre dans une chaloupe charmante. Je traversai toute la flottille au son de la musique et des cris de « Hourra ! » Le maréchal Davout me donna un fort beau déjeuner sous une tente avec tous les généraux et les colonels de son armée : j'étais entre lui et l'amiral dont tout le monde fait l'éloge, surtout depuis son dernier combat avec les Anglais, lors de son passage avec le maréchal Davout[4]. Pendant le déjeuner, on a chanté des couplets et des rondes et les grenadiers répétaient le refrain ; ils m'ont tous escortée pendant longtemps.

Je me suis arrêtée à Calais pour voir le port et recevoir, dans la fameuse auberge, tous les colonels de dragons ; j'ai été ensuite coucher à Dunkerque.

---

1. L'embarquement était terminé à 8 heures. L'Empereur passa alors la revue de la flottille et rentra à 2 heures à Pont-de-Briques.

2. Davout commandait le corps de droite de l'armée d'Angleterre.

3. L'amiral hollandais Ver Huell, commandant la flottille hollandaise.

4. Lorsque la flottille hollandaise et Davout, qui commandait précédemment le camp de Bruges, avaient rallié Ambleteuse en messidor an XIII.

Le lendemain, j'ai reçu, à six heures du matin, des visites de corps ; j'ai été visiter le camp où il n'y a plus beaucoup de troupes ; j'ai vu le port et une frégate que l'on nomme la *Milanaise* et qui sera bientôt lancée.

J'ai vu ce bon M. Emmery [1] et je suis repartie en passant par Cassel, d'où l'on découvre tant de villes de guerre. Je ne me suis pas arrêtée à Lille et je suis arrivée à onze heures du soir à Saint-Amand, très fatiguée comme tu peux bien le penser, mais bien contente de mon joli voyage [2].

On a cherché à me plaire partout, car on m'a beaucoup parlé de toi. Adieu, mon cher Eugène, mon meilleur ami, aime-moi toujours bien.

HORTENSE.

P.-S. — M. de Flahaut et Lagrange ont été bien aimables pour toi ; j'ai eu du plaisir à en parler ; ce sont les seuls qui m'entendaient, car, comme ils sont encore jeunes, ils ne connaissent pas l'ambition, et, comme moi, ne voyaient que du triste dans ta position [3].

Le mariage d'Eugène

A son retour à Paris, Hortense retrouve sa mère avec une émotion d'autant plus forte que l'Empereur, se préparant à entrer en campagne sur le front allemand, avait brusquement réorganisé son dispositif militaire : l'Impératrice partirait incessamment pour Strasbourg, afin de suivre de plus près les déroulements de la guerre. Louis, ne pouvant combattre, à cause de sa santé, était fait Gouverneur de Paris, commandant la Ire division militaire et

1. Jean-Marie-Joseph Emmery, né à Dunkerque le 16 janvier 1754, ancien député à la Législative, était un banquier de Dunkerque qui, pendant la Révolution, avait rendu les plus grands services à Joséphine, en lui faisant parvenir les fonds envoyés de la Martinique par sa mère.
2. Le 25 août.
3. *In Les Beauharnais et l'Empereur*, de J. Hanoteau, *op. cit.*, pp. 142-150.

la Garde nationale, et Eugène, désireux de retrouver les champs de bataille — son véritable terrain —, demandait à sa sœur d'intercéder auprès de Napoléon, en sa faveur. C'est, bien entendu, ce qu'elle fait, dès son arrivée à Saint-Cloud, le 17 septembre :

> J'ai été voir l'Empereur ; il m'a très bien reçue ; il m'a dit : « Eh bien ! ton frère, qu'est-ce qu'il dit ? » Je lui ai répondu que tu étais bien triste de ne pas faire la guerre mais que tu l'espérais toujours ; que tu servirais avec plaisir sous Masséna. Il m'a plaisantée en me disant : « Comment ! vous demandez qu'il se batte ? Et s'il est tué, le pauvre petit frère... » J'ai cru voir cependant, dans son air, qu'il n'était pas très bien décidé à ne pas te laisser servir ; je lui en ai encore parlé une fois, mais il a toujours changé de conversation en riant, ce qui me donne de l'espérance, car tu sais que, quand il ne veut pas une chose, il le dit tout simplement : « Cela ne se peut pas. »
>
> Croirais-tu que cela m'a paru bien extraordinaire de me retrouver dans une Cour ? Toutes les petites intrigues étonnent quand on sort d'une solitude comme celle que j'ai quittée.
>
> Maman se conduit très bien dans tout cela ; elle n'est plus jalouse, ce qui est un grand point ; l'Empereur est fort bien pour elle ; mais adieu, je vais aller voir Mme Murat et maman. Je t'écrirai bientôt ; je t'embrasse.
>
> HORTENSE [1].

Eugène ronge son frein car, contrairement à ce qu'espérait Hortense, Napoléon ne tient pas à dégarnir ses arrières. Il l'a promis à son beau-fils, s'il en voit le besoin, il le requerra. La capitale se vide : « Paris est d'une tristesse affreuse, constate Hortense dans l'une de ses lettres à son frère, on ne s'occupe que de politique, et moi-même je suis toute la matinée avec le journal et la carte. Il n'y a plus d'enfants [2]. » A-t-elle besoin de le

1. *In Les Beauharnais et l'Empereur, op. cit.*, p. 155.
2. *In Les Beauharnais...*, p. 159.

lui préciser, « la guerre rend les esprits inquiets ». Bien que « la campagne s'annonce brillante », ce sont les mots de l'Empereur à Joséphine, qui les transcrit immédiatement à l'intention de sa fille, laquelle les transmet à Eugène, la lenteur des communications décuple l'angoisse de ceux qui restent. A chaque mort annoncée d'un parent, d'un ami, quelle peine ! Hortense tremble pour Flahaut : « Un jour il fut cité pour s'être distingué, une autre fois pour une blessure qu'il avait reçue. » Heureusement, elle était seule quand elle l'apprend, car la vivacité de sa réaction aurait éclairé son entourage sur ses sentiments. C'est, aussi, la plainte d'une génération qui s'exprime à travers sa voix : « Je puis dire que je suis née en temps de guerre et que je n'ai vu que cela ; quand viendra donc le temps où nous serons un peu tranquilles, car, pour le bonheur, qui est-ce qui l'a [1] ? »

Le jour de leur fête, le 15 novembre, malgré les portraits qu'ils échangent, elle avoue à son frère qu'elle « n'a fait que pleurer »... Elle a pourtant reçu le compliment le plus touchant du monde, avec cette orthographe :

Petit Choux à Maman
en lui donnant une guirlande d'hortensias

Avec papa, mon petit frère,
Petit Choux viens dire à Maman
Qu'elle nous sera toujours chère,
Que nous l'aimons bien tendrement,
Pour ce, au jour de sa fête
J'ai cueillis la plus belle fleurs
Ah ! pour que j'en pare ta tête
Maman presse-moi sur ton cœur [2].

---

1. *Id.*, p. 161.
2. A.N. 400 AP 26.
Nous datons ce document de 1805 : les hortensias viennent des serres de Saint-Leu. Y en aura-t-il, l'année suivante, en Hollande ? C'est peu probable. Et le 15 novembre 1807, hélas ! Hortense n'aura plus qu'un enfant.

Peu de jours auparavant, Louis avait reçu par décret le commandement de l'armée du Nord, qu'il s'en va prendre à Nimègue, pour prévenir une éventuelle avancée alliée à travers la Hollande. Il rend compte fidèlement à Hortense de ses déplacements et ces mots le peignent au naturel, ainsi que la qualité de leur relation qui est loin d'être encore aussi détériorée qu'Hortense veut bien le dire : au contraire, ces inédits montrent assez la confiance de Louis envers sa femme, et l'empressement que met celle-ci à lui annoncer ce qui restera dans les annales comme la victoire d'Austerlitz, ou la bataille des « Trois Empereurs » :

Louis à Hortense :
Dunkerque, ce lundi soir 11 Frimaire, an 14.
[2 décembre 1805]

J'arrivai le lendemain de mon départ dans la nuit à Montreuil. Je visitai la place le lendemain et me rendis à Étaples d'où j'ai suivi la côte. J'ai commencé à sentir les effets de ma mauvaise santé. J'avais beaucoup de peine à me tenir à cheval, il est vrai qu'il pleuvait beaucoup, que le brouillard était très humide. Hier j'ai passé la revue des troupes du général St-Cyr au camp de droite, du général Grandjean au camp de gauche. J'ai visité la flotille et vu les marins sous les armes. Mais le temps était affreux, j'ai eu la pluie sur le corps tous ces jours-ci et je n'ai pu attendre plus longtemps puisqu'il faut que je me hâte d'arriver à Anvers.

[...] J'ai visité Calais et j'en suis enchanté. Je vous dirai un secret : je me suis assuré que le projet d'y construire une rade propre à contenir 200 vaisseaux de ligne est praticable par dix ans de travaux et 100 millions. Peut-être un jour verrons nous cela ou du moins verrez vous cela.

[...] J'embrasse et j'aime Napoléon et Louis également et de tout mon cœur. Je vous écrirai le plus souvent que je pourrai, non que mes affaires ou mon penchant puissent m'en empêcher. Mais mes doigts, mes mains sont aux ordres de l'atmosphère et secondent mal mes désirs. Dites à Corvisart le mal que j'ai eu et qu'il juge de mon état. Adieu, ne parlez pas de cela à Maman, mais dites lui bien des amitiés pour moi [1]...

* *
*

Ce 14 Frimaire au soir, an 14.
[5 décembre 1805]

J'ai reçu votre lettre du 11. Je pars à l'instant pour aller au devant des Russes, des Suédois, des Anglais qui s'avancent par la Hollande. J'espère que nous les recevrons à la française, non aussi bien que la grande armée parce que nous sommes trop peu et que l'empereur n'est pas avec nous. Mais du moins je compte que nous ferons notre devoir. Ma main ne va pas bien, la gauche non plus. Mais l'espoir me soutient et surtout le désir d'être utile à l'empereur et à mon pays [2].

* *
*

Clèves ce 23 Frimaire an 14.
[14 décembre 1805]

J'ai reçu votre lettre hier au soir comme j'arrivais ici pour passer en revue la division Lorge qui vient d'arriver. Il y avait deux jours que le bruit en courait et j'espérais bien que vous me le feriez savoir. Je vous en remercie bien. Je désire avoir le détail. Elle a été sanglante et quoique je plaigne peu ceux qui sont morts au combat, je plains les veuves et les orphelins, et je désire comme je l'espère apprendre que je n'ai regretté personne de ma connaissance. Aussitôt après avoir reçu votre lettre, j'ai fait battre la générale quoiqu'il fût bien nuit. J'ai fait un ordre à l'armée calqué sur ce que vous me mandez, les troupes assemblées en ont entendu la lecture avec enthousiasme. Les soldats s'écriaient :

---

1. A.N. 400 AP 26.
2. A.N. 400 AP 26.

« Deux cents un, c'est trop fort. Il y avait bien trois empereurs, mais il n'y avait que le nôtre qui se battit, assurément
les deux autres le regardaient faire. »
Je vous envoie l'ordre de l'armée. J'espère que des ordres
de l'empereur m'arriveront bientôt. Je les attends avec impatience. Adieu, mille baisers à petit choux [*sic*] et à son frère.
Mes amitiés à Lavalette, à Mme Boubert [de Boubers] et à
ces Dames.

                                                    Louis.

Il a fait doux jusqu'ici, mais hier et aujourd'hui la gelée et
la neige prennent beaucoup de consistance [1].

                        *
                      *   *

                        Au quartier général de Nimègue
                        le 4 Nivôse an 14.

Quand pourrai-je serrer dans mes bras mon petit Napoléon !
Je l'embrasse de tout mon cœur, il me tarde bien de le revoir.
Que je suis fâché de ne pouvoir lui écrire que je l'aime !
Que je pense à lui toujours, que j'en rêve souvent. J'espère
que bientôt je le reverrai et l'idée seule est un plaisir pour
moi.
J'ai reçu la lettre de Napoléon du 28 et ce que vous avez
bien voulu y ajouter.
Je suis parvenu aujourd'hui à réunir, former, organiser, et en
moins de 15 jours, une armée de 20 000 hommes. Nous
sommes tout prêts à marcher, l'ordre seul nous manque. Si
je n'étais venu très promptement prendre cette position, que
vous devez juger bonne puisque vous êtes *si bon militaire*,
les Prussiens et avec eux les Russes, les Anglais, se seraient
emparés de la Hollande, comme du Hanovre et ce pays était
perdu pour la France ; la conséquence aurait été terrible pour
la marine, le commerce et la paix [2]...

---

1. Idem.
2. A.N. 400 AP 26.

*
* *

Contre la troisième coalition alliée, cette guerre dont Napoléon sort vainqueur, après qu'il a défait Russes et Autrichiens, le 2 décembre, à Austerlitz, se termine par la paix de Presbourg, signée le 26 décembre. L'Autriche est contrainte d'abandonner le Tyrol, le Trentin et en Italie, la Vénétie, l'Istrie, la Dalmatie. Une nouvelle Europe se dessine : Napoléon substitue au Saint-Empire romain germanique la Confédération du Rhin qui regroupe les nouveaux royaumes de Bavière, du Wurtemberg, les grands-duchés de Bade, de Hesse-Darmstadt, de Nassau, de Berg. Il confirme Eugène dans ses fonctions à Milan, sa sœur Élisa, dans son petit fief de Piombino, en Toscane, auquel il a adjoint Lucques, et il s'apprête à installer Joseph à Naples, Louis en Hollande et Murat à Berg, en Westphalie. Il l'écrira bientôt à sa mère : « Ma famille est une famille politique... » Pour le cas où elle n'en serait pas encore convaincue, plusieurs unions judicieuses vont être décidées qui cimenteront ces nouvelles dispositions : celles d'Eugène et de Stéphanie de Beauharnais, tous deux adoptés pour l'occasion. Le vice-roi épouse la fille de l'ancien Électeur de Bavière ; sa cousine, le grand-duc héritier de Bade. Comme pour Émilie de Beauharnais et pour Hortense, l'exécution suit la décision. Sans discussion.

Qu'on marie son frère, Hortense s'y attendait. Elle avait eu vent des négociations en cours depuis l'automne, que Talleyrand stimulait d'une plume brillante, en marquant la situation d'Eugène : « Beau-frère d'un prince impérial, oncle de celui qui sera probablement appelé à la succession, beau-fils de l'Empereur qui règne, fils unique de l'Impératrice, voilà pour la dignité ; les avantages seront tout ce qu'on peut désirer [1]. » Dès

---

1. Lettre du 8 octobre 1805, *in* F. Masson, *Napoléon et sa famille*, III, pp 166-167.

que Joséphine reçoit à Strasbourg ordre de l'Empereur de se mettre en marche pour Munich, elle comprend ce qui se prépare. Hortense en est avisée et elle insiste auprès de son frère pour qu'« on ne [l']oublie pas » et qu'on la fasse venir. Mais, d'une part, son mari, encore à Nimègue, ne peut l'accompagner à Munich, d'autre part, l'accord de la jeune princesse n'est pas encore obtenu et il tardera du fait qu'elle s'était engagée auprès du prince de Bade. Eugène, quant à lui, tant qu'il n'est pas officiellement demandé par l'Empereur — il ne le sera que le 8 janvier 1806, le mariage se célébrant les 13 et 14 —, ne peut décemment venir chercher sa sœur à Paris...

Bref, quand la paix précipite les événements, il est trop tard pour qu'Hortense rejoigne les siens. Ils en sont navrés, et l'Empereur, sachant quelle peine elle aura de ne pas assister au mariage de son frère — qui, on s'en souvient, n'avait pas, non plus, assisté à celui de sa sœur —, lui adresse une petite lettre bien sentie :

> Ma fille, Eugène arrive demain et se marie dans quatre jours. J'aurais été fort aise que vous ayez assisté à son mariage, à présent, il n'est plus tems. La princesse Auguste est grande, belle, et pleine de bonnes qualités, et vous aurez en tout une sœur digne de vous. Mille baisers à M. Napoléon.
>
> Napoléon.
> à Munich, le 9 janvier 1806[1].

Cela ne la console guère. Elle attribue ce contretemps à Louis, qui n'a pas accepté qu'elle se rende seule à Munich, et, dit-elle, « il [lui] fit éprouver une des plus grandes contrariétés de [sa] vie[2] ». Elle lui en gardera une tenace rancune.

Ce qui, en revanche, lui plaît, c'est l'idée que la prin-

---

1. Lettre dictée et signée. A.N. 400 AP 25.
2. *In Mémoires*, p. 134.

cesse Auguste, sa belle-sœur, est en tout point une
femme idéale pour son frère. Caroline, depuis Munich,
avait été la première à lui transmettre son impression :

Munich, ce 24 décembre 1805.

Je veux te faire le portrait ma chère Hortense de toutes
les personnes de la Cour ; je commence par l'Électrice : elle
est grande et maigre elle a un gros goître à gauche. Alors
malgré tout cela elle a de la grâce et elle plaît. La princesse
Auguste est aussi grande que Me de Bouillé et a une aussi
jolie tournure qu'elle ; elle a une très jolie peau, une très
jolie gorge, des bras affreux extrêmement rouges. Sa tête est
un peu forte, elle a des yeux charmants de la même couleur
que les miens ; des sourcils larges de plus d'un doigt et bien
marqués, le nez droit, les joues pendantes, la bouche très
grande et les lèvres très grosses et beaucoup plus prononcées
que les miennes. Ses dents ne sont pas trop belles sans être
cependant gâtées. Ses couleurs un peu fortes, sa bouche lui
donne[nt] l'air extrêmement bon, aimable, gai, très enfant,
et je lui crois peu d'esprit. Je suis peut-être un peu sévère
mais je te dis juste ce que je vois [1].

Piquant, sans concessions mais incisif, le style de
Caroline est à son image... Et s'il rend bien, à distance,
ce qu'Hortense aurait souhaité découvrir par elle-même,
il nous renseigne sur la proximité des deux anciennes
élèves de Mme Campan, leur amitié jamais dénuée
d'arrière-pensées ou de sous-entendus, mais cependant
vraie ; il y a fort à parier que la douce Hortense excelle
à provoquer, comme du temps de Saint-Germain, les
confidences de la virulente Caroline, entretenant ainsi, à
l'insu de l'intéressée, sa curiosité pour Flahaut, et l'évolution de sa liaison avec la sœur de l'Empereur. Quoi
qu'il en soit, malgré la rivalité — politique — de Caroline envers Hortense, malgré la rivalité — sentimentale
— d'Hortense envers Caroline, les deux belles-sœurs

----

1. A.N. 31 AP 11.

demeurent intimement liées. En ce qui concerne la fille de Joséphine, c'est la seule traverse qu'elle cultive avec les Bonaparte. Ses relations avec la famille sont bonnes mais purement formelles.

La princesse Auguste, qu'Hortense aimera en revanche comme la sœur qu'elle lui est devenue, se révélera une jeune femme accomplie, extrêmement éprise de son mari — qui a toutes les qualités du parfait gentilhomme —, solidaire de lui en toute circonstance, et ce mariage au sommet, qui rehausse les Beauharnais, pour obligé et précipité qu'il ait été, s'avérera une réussite. Ce sera bien le seul avec, plus tard, celui des Bertrand, qui, ordonné par l'Empereur, fera le bonheur des conjoints. Dans la série des désastres conjugaux que Napoléon a suscités, ces unions témoignent de la bonne volonté et de la bonne qualité des jeunes gens en présence, autant que de l'infaillibilité du coup d'œil du maître, quels qu'aient été, par ailleurs, les mobiles stratégiques de ses décisions.

La couronne fermée

Si l'année nouvelle a mal commencé pour Hortense, dès le retour des souverains à Paris, celle-ci se remet :

[Paris], ce mercredi 26 février [1806].

Ne sois pas inquiet de ma santé, mon cher Eugène, je me porte beaucoup mieux ; j'étais encore malade de n'avoir pas été à Munich quand maman t'a écrit, mais la distraction et l'exercice du cheval m'ont fait beaucoup de bien ; cependant, comme c'est toujours le chagrin qui me fait du mal, je tremble de ne pas être bien dans quelque temps.

Croirais-tu que l'on veut nous envoyer en Hollande ? Sans bonheur intérieur et sans ambition, qu'est-ce que je deviendrai ? Je ne puis pas y penser sans que les larmes me viennent aux yeux. Il y a tant de personnes qui seraient contentes d'être reine !... Pourquoi ne pas leur donner ce bonheur-là qui me rendrait, moi, si malheureuse ! J'espère encore, mais l'Empereur paraît y tenir et sa politique passe avant tout. Mon Dieu, je crois que j'en mourrai de chagrin !

Maman était hier chez l'Empereur quand il a reçu une lettre de toi et une de Junot. Tu lui disais ce que tu avais fait et Junot lui demandait conseil sur tout ce qu'il voulait faire. Il a fort bien remarqué la différence et tu as dû recevoir une lettre un peu sèche de sa part. On croit bien faire et on se trompe souvent. Pourvu qu'il juge l'intention, c'est tout ce que nous pouvons désirer.

Adieu, mon bon Eugène, tu seras toujours ma plus douce consolation dans tous mes chagrins ; ainsi pense à moi et aime-moi toujours bien.

HORTENSE [1].

Hortense fait allusion au mécontentement de l'Empereur devant l'ampleur et le coût des travaux commandés dans l'hôtel de son beau-fils, rue de Lille — qui restera comme l'un des plus beaux fleurons du raffinement impérial ; Eugène en était moins responsable que Joséphine qui, en son absence, s'occupait de tout. Rien n'était assez somptueux à son goût pour restaurer cette demeure construite par Boffrand, en 1713, et dont le dernier propriétaire grand seigneur, le duc de Villeroy, avait été guillotiné sous la Terreur : les ors, les miroirs à profusion — notamment dans une salle de bains à colonnettes, au décor pompéien démultiplié à l'infini —, les cristaux, les décors à la Prudhon, les meubles à col de cygne... La facture des architectes se monta en conséquence : un million et demi de francs ! L'Empereur paya, adressa une véritable mercuriale à son beau-fils — qui, loyalement, proposa de régler les dépenses sur ses traitements à venir —, et réquisitionna la maison, pour ses hôtes de passage. Eugène n'habita que brièvement, en 1811 et en 1812, l'hôtel qui porte son nom. Sa sœur, en

---

1. *In Les Beauharnais...*, pp. 177-178.

revanche, y donnait de petites fêtes et des goûters d'enfants, car, à juste titre, elle trouvait l'endroit plus élégant et surtout plus gai que la rue Cerutti [1].

Une série de fêtes a marqué, bien entendu, la rentrée du vainqueur dans sa capitale. Dans une lettre à son mari, préfet du Palais, Mme de Rémusat, l'une des plus anciennes connaissances de l'Impératrice et sa Dame, depuis le Consulat à vie, fait état de leurs préparatifs : « L'Opéra se met en frais, la ville aussi, et j'espère que ces fêtes seront tout à fait nationales. Une de celles qui plairont peut-être le plus à Sa Majesté, c'est une comédie que nous lui jouerons en famille, si je puis me servir de cette expression. Madame la princesse Louis a bien voulu me donner un rôle avec elle, et j'ai été bien touchée de cette bonté... » Signe indéniable qu'Hortense a surmonté la fatigue et la morosité qui la submergeaient depuis quelques mois. Les réjouissances accompagnant, le 7 avril suivant, le mariage de sa cousine Stéphanie de Beauharnais avec Charles, prince héréditaire de Bade, le confirment pleinement : Hortense est rayonnante.

Stéphanie sortait de chez Mme Campan, où elle avait été placée par Joséphine, toujours attentive à ceux de ses parents qui nécessitaient sa protection, toujours aussi extrêmement sensible à la solidarité familiale. A tel point qu'elle dispose, depuis qu'elle est impératrice, d'une « cassette », d'un budget si l'on préfère, sur lequel elle prélève pour aider les siens et leurs alliés. Son beau-père s'étant éteint à un grand âge, à Saint-Germain, sa tante Renaudin, marquise de Beauharnais, l'ayant suivi de peu — après, cependant, un troisième mariage avec le chevalier Danès de Montardat —, son oncle, le baron Tascher, étant à la dernière extrémité, à Paris, elle est heureuse de favoriser ceux de ses parents qui lui restent. Son beau-frère, François de Beauharnais (le frère aîné

---

1. Il est devenu la résidence de l'ambassadeur d'Allemagne à Paris.

d'Alexandre, « Beauharnais sans amendement », le père
d'Émilie), est sur le point de partir prendre son poste à
Madrid, où il est nommé ambassadeur. Et, parmi les
neveux et nièces dont elle s'occupe, Stéphanie (à ne pas
confondre avec sa filleule du même âge, Stéphanie de
Tascher) est celle qui promet le plus. Une lettre de Mme
Campan à Hortense nous permet de nous en faire une
idée :

> [...] Il y a de quoi faire un charmant sujet dans cette jeune
> personne, mais non pas si on la garde à Saint-Cloud. Jamais
> les palais des rois n'ont été de bonnes écoles [...]. Je puis
> vous assurer que dans un an elle sera charmante, si je la
> dirige encore : c'est un composé bizarre de facilité pour
> apprendre, d'amour-propre, d'émulation, de paresse, d'ama-
> bilité, de justesse d'esprit, de légèreté, d'orgueil, de piété.
> Voilà bien des choses à mettre à leur place ; bien rangées ou
> mal rangées, elles produiront un effet bien différent pour
> son bonheur ou son malheur, pour ma gloire ou pour le
> contraire [1].

Adoptée par l'Empereur, Stéphanie se pliera à ce
qu'on attend d'elle : elle fait un mariage hautement
significatif et très avantageux aux Beauharnais, puisque,
en moins de quatre mois, deux d'entre eux sont mariés
dans de prestigieuses maisons souveraines de la vieille
Europe. Cela dit, elle n'aimera guère son mari qui, pourtant, se conduira bien avec elle et refusera, à la chute de
l'Empire, de la répudier. Princesse, puis grande-duchesse
de Bade, elle aura trois filles : Louise, princesse Wasa,
Joséphine, princesse de Hohenzollern-Sigmaringen et
Marie, marquise de Douglas. Sa belle-famille, jamais,
n'acceptera cette union et est peut-être à l'origine de
cette ténébreuse affaire, qui séduira l'imagination

---

1. *Lettres*, I, pp. 282-283, du 16 juillet 1805. Née en 1789, à Versailles, Stéphanie était la fille de Claude de Beauharnais, comte des
Roches-Baritaud et de Claudine de Lezay-Marnésia, donc petite-fille
de la comtesse Fanny.

romantique de ses contemporains, en lui attribuant un fils clandestin, au destin affreux de mort vivant : Gaspard Hauser... Il est à noter combien les trois cousines Beauharnais, Émilie, Hortense et Stéphanie, auront des vies fertiles en rebondissements romanesques : Émilie, qui, au terme de l'héroïque sauvetage de son mari, devient folle, Hortense, fille et mère d'empereur, entre le trône et l'exil, la gloire et l'errance, et Stéphanie, aux possibles amours extraconjugales risquant de contrarier les ambitions dynastiques de son entourage, et devant perpétuellement se garder de ceux qui auraient intérêt à la faire disparaître, elle, et les enfants mâles qu'elle aurait eus...

Pour l'heure, elles sont insouciantes et radieuses, tout à leurs bals et à leurs quadrilles, exécutés chacun par seize cavaliers portant leurs couleurs et qui les ravissent parce qu'ils ont l'« air de la chevalerie », comme le raconte Hortense à son frère, ce qui ne peut manquer de l'enchanter...

*
* *

Après les mariages d'Eugène et de Stéphanie, la nomination des Louis en Hollande ne peut manquer d'apparaître aux Bonaparte comme l'apothéose des Beauharnais : le vice-roi épousant la fille du roi de Bavière, la nièce de l'Impératrice et fille adoptive du souverain promise au trône de Bade, et maintenant, Hortense reine de Hollande... On comprend que les trois sœurs grincent des dents... Et pourtant, ce n'est pas en termes d'ambition que les intéressés apprécient ce qui leur arrive. Eugène est heureux de se dévouer au service (administratif) de l'Empereur, mais il n'aimerait rien tant comme de retourner à la vie militaire, où est sa vocation. Auguste, qui partage tous les désirs de son époux, en est convaincue. En attendant, elle est occupée à lui donner le premier des six enfants qu'ils auront. Stéphanie va découvrir une nouvelle Cour, dans un pays étranger, perspective qui ne la réjouit pas. Aussi s'entoure-t-elle de quelques amies de prédilection sortant comme elle de Saint-Germain, et qui l'aideront à s'adapter à son existence de princesse héréditaire. Son avenir est brillant. Il n'est pas sûr que le présent lui paraisse aussi délectable. Quant à Hortense, ce qu'elle appelle, avec un art de la litote inimitable, « le voyage en Hollande », comme si le trône n'était qu'une ambassade de luxe de son beau-père (en quoi, elle n'a pas tort), lui sourit peu parce qu'il s'assortit de l'horrible désagrément de devoir vivre loin de Paris.

Si Julie, envoyée à Naples, accepte docilement son sort, si Élisa, un peu reléguée dans son petit fief toscan, se console en jouant à la souveraine — la « Sémiramis de Lucques », dit-on à Paris —, Caroline, à qui Berg semble peu de chose, se ronge d'envie. Quant à Pauline, Cambacérès en est le témoin, elle s'épuise en gémissements auprès de son frère. Son leitmotiv : « Je veux une couronne fermée ! » Hortense, pendant ce temps, pleure...

Dans la foulée du traité du 24 mai, avec la députation hollandaise, la nouvelle Constitution étant élaborée, Louis est proclamé roi de Hollande, aux Tuileries, le 5 juin 1806. Hortense écrit, le lendemain, à son frère, avec l'espoir qu'ils se verront prochainement, mais quand ? De fait, la grossesse d'Auguste les empêchera de venir à Paris, comme ils l'auraient tant souhaité :

Ce 6 juin [1806].

Hier, le prince a été proclamé roi de Hollande ; j'ai reçu aussi la députation, et il n'y a plus à présent, mon cher Eugène, qu'à avoir du courage. Tout le monde pleure autour de moi ; maman n'est pas raisonnable et moi, qui suis la plus malheureuse, il faut encore que je console tout le monde.

L'Empereur veut que nous partions mercredi prochain ; je

vais donc encore m'éloigner de toi ; j'ai la promesse cependant que, quand tu viendras à Paris, on me préviendra tout
de suite. Je serais trop triste de ne pas te voir. Écris-moi
souvent : tu dois penser combien j'ai besoin, dans ce
moment-ci, de ton amitié pour soutenir mon courage.

J'emmène mes enfants. Adieu, je t'embrasse comme je
t'aime.

HORTENSE [1].

La réponse d'Eugène est de la même eau :

Monza le 14 juin 1806, à minuit 1/2.

[...] Je suis content si tu es plus heureuse sur le trône où tu
vas régner ; que me feront 100 lieues d'éloignement de plus.
Il me semblait que nous étions déjà bien loin ; mais je te le
répète, je ne supporterais pas l'idée d'être séparé pour toujours de ma sœur, de ma meilleure amie. Suivons nos destinées, Hortense, et voyons jusqu'à quel point nos affections
seront contrariées. Pourquoi nous est-il réservé un sort envié
par tant d'autres et que nous ne désirons pas [2].

Le moins qu'on puisse dire, c'est que la couronne fermée ne les affole pas, eux.

Lorsque, au soir du 15 juin, les rois de Hollande et
leur suite quittent Saint-Leu pour La Haye, Hortense et
Louis demeurent silencieux, livrés à leurs pensées. Hortense tient sur ses genoux son fils aîné qui s'est endormi.
La gouvernante berce le petit Louis. A quoi songent-ils ?
Si elle esquisse cette scène — qu'on croirait sortie d'un
roman comme elle les aime —, Hortense, dans ses
Mémoires, ne va pas plus avant. Il ne nous est guère
difficile d'imaginer leurs réflexions pendant cette pre-

1. *In Les Beauharnais...*, pp. 182-183.
2. A.N. 400 AP 28, Lettre CXII.

mière nuit de route, car elle nous en indique, çà et là, la probable teneur.

Louis est satisfait de cette investiture, cette mission dont le charge son frère, à la demande des Hollandais. Les rois que fait Napoléon Ier, il s'en apercevra bientôt, ne sont que des préfets couronnés : « L'Empereur, pour réaliser ses projets, avait besoin de trouver l'ambition de ses frères », note judicieusement Hortense. Et il faudra à Louis exécuter dans le détail ce que Napoléon dessine dans les grandes lignes. Cependant, cette mission lui plaît. S'en aller gouverner un petit pays courageux, fort de ses institutions de type républicain et fier de son identité autant que de sa prospérité, signifie, en clair, le préserver des influences et des visées anglaises. Ce maillon faible des côtes nordiques sera, d'ici peu, un lieu stratégique vital par où l'ennemi tentera de forcer le Blocus continental sur quoi repose le système impérial. Il importe donc d'en maintenir la stabilité et d'en accroître l'opulence. Louis est tout disposé à s'y employer avec diligence. L'Empereur le lui a rappelé officiellement, il demeure français. Mais, source de tous les conflits à venir avec les Tuileries, Louis se sent déjà hollandais, décidé qu'il est à ressentir une réelle sympathie pour ses sujets. Son règne, bien que court, laissera une marque très positive dans l'Histoire et la mémoire du peuple à la rencontre duquel il s'en va.

Hortense, si elle a rechigné à s'expatrier, n'ignore pas l'intérêt de sa position. L'Empereur compte sur elle, sur son entendement, sur sa sociabilité, sur son élégance, pour se faire aimer des Hollandais et leur faire aimer la France, à laquelle ils ont eu recours afin de garantir leur existence. Avant qu'elle ne parte, son beau-père lui a signifié : « J'ai fait[1] pour vous ce qui n'existe dans aucun pays : vous êtes régente de droit par la constitu-

---

1. *In Mémoires*, p. 141.

tion. Cette distinction est flatteuse. Montrez des sentiments dignes d'une telle élévation. » Elle y est prête.
Quitter le sol français lui déchire le cœur. Elle notera
qu'au changement d'escorte, sortant de la Belgique, à la
vue des autorités hollandaises, elle éprouve « un serre-
ment de cœur » qui l'« empêche[ra] de répondre à la
harangue » de bienvenue. Cette émotion, elle la mettra
en musique dans une romance douce et plaintive, *Les
Adieux de Marie Stuart* :

> *Adieu, charmant pays de France,*
> *Que je dois tant chérir,*
> *Berceau de mon heureuse enfance,*
> *Te quitter, c'est mourir...*

Cette jeune reine de vingt-trois ans ne risque pas,
comme Marie, de se faire trancher le col au terme d'une
sinistre captivité. Elle bénéficie, du moins pour le
moment, de l'aura et du prestige du maître de l'Europe,
ses sujets ont envoyé une députation pour la demander,
elle et son époux — le choix des Louis sera bien
accueilli des Anglais, contre toute attente —, et son nouveau métier, car c'en est un, la séduit : régner, elle en a
une idée très claire, c'est être en position dominante non
pour écraser les autres de vanité et d'autorité — à la
façon ridicule d'Élisa —, mais pour leur être un exemple, et les aider s'ils le nécessitent. Les leçons d'obligeance qu'elle a prises de sa mère lui permettront
d'œuvrer avec tact et efficacité. L'Empereur a pris soin
d'augmenter sa cassette, aussi, tout est en ordre.

Non. L'inquiétude d'Hortense est d'ordre privé. Ce
qu'elle envisage mal, c'est d'être à la merci d'un mari
qui, devenant, du jour au lendemain, son maître, risque
de devenir celui de sa femme. Il y a fort à parier que,
tout au long de ce voyage, elle reconstitue cependant sa
force intérieure, car elle emporte avec elle une douce

émotion : revenant de Saint-Cloud, d'où l'Empereur
avait brusqué son départ pour éviter « trop d'attendrisse-
ment » entre la mère et la fille, elle était repassée par la
rue Cerutti avant de rejoindre Saint-Leu d'où partait le
convoi royal. Là, dans la maison désertée, Charles de
Flahaut l'attendait, afin de prendre congé d'elle. Pour la
première fois, elle se trouvait en tête à tête avec lui.
« Avec la plus grande simplicité, nous dit Hortense, je
lui avouai que je l'aimais, mais que la vertu m'était
encore plus chère que lui [1]. » Pour une nature comme la
sienne, rien de tel que la clarté : cet aveu la soulage
grandement.

Si elle est accompagnée d'une nombreuse suite — elle
a pris soin de réunir, autant que faire se pouvait, les
couples que son service aurait pu séparer, les d'Arjuzon
et les Boucheporn notamment —, elle laisse derrière elle
sa chère Adèle. Hortense cherche à la marier et la fera
venir bientôt auprès d'elle en qualité de Dame. D'ici là,
elle lui écrira fidèlement, ainsi qu'à Eugène, ce qui nous
vaudra quelques informations de première main sur sa
vie personnelle.

* *

Ils font étape à Laeken, le Château du Lac construit à
la fin du XVIIIe siècle par le duc de Saxe-Teschen, époux
de l'archiduchesse Marie-Christine, sœur de Marie-
Antoinette, devenu l'un des nombreux palais impériaux
français : il inscrit la rigoureuse ampleur de son architec-
ture néo-classique sur la campagne riante qui entoure
Bruxelles. Le soir, en ville, le Théâtre donne pour eux
Le Barbier de Séville. Deux jours plus tard, ils prennent
possession de la « Maison du Bois », aux portes de La
Haye : ils sont immédiatement séduits par la grâce ver-

---

1. *In Mémoires*, p. 143.

doyante des lieux et la relative intimité de cette plaisance, édifiée au XIIe et agrandie, un siècle plus tard, de
ses deux ailes. Ils s'y reposent jusqu'au 23 juin, jour de
leur entrée solennelle dans la capitale batave. Celle-ci se
déroule avec toute la pompe voulue — sans un soldat
français — et, après les cérémonies d'usage, la reine
Hortense reçoit quatre cents dames de la société, qui lui
sont présentées une à une, et leur donne un bal. Dans
ses lettres à Adèle et à Eugène, elle se montre enchantée
de l'accueil que lui font « tous ces bons Hollandais »,
autant que du pays qu'elle découvre, qui « ressemble à
Saint-Amand pour l'humidité », et dont les bois lui plaisent infiniment. Elle est loin d'y déceler la vision caricaturale que Mme Campan s'était amusée à lui rappeler :
la Hollande, c'est « le démon de l'or, couronné de tabac,
assis sur un trône de fromage... » ! Ajoutons, tout de
même, que l'éducatrice avait établi à l'intention de sa
chère Altesse une liste d'ouvrages généraux, très
sérieux, sur la question.

L'installation d'Hortense la satisfait. « Jusqu'à présent, écrit-elle à Adèle, au début de juillet, notre vie est
assez agréable, autant qu'elle peut l'être loin des personnes qu'on aime. Le matin, je réunis tout le monde pour
faire une promenade, les environs sont fort jolis. Le soir,
nous jouons aux cartes, ou nous fesons [*sic*] de la musique [1]. » Elle a pris la précaution de s'entourer de Plantade, ainsi que de Thiénon, l'aquarelliste, avec lesquels
elle ne risque pas de perdre la main... Il est manifeste
que sa Maison venue de France se plaît elle aussi à cette
nouvelle existence : « Mlle Cochelet a trouvé son
Ernest », Mme de Villeneuve est toujours aussi bavarde,
l'agrément de Mme de Boucheporn fait des ravages, et
toutes ces dames sont entichées d'un officier de la Garde
qui « valse la russe »... Au mois d'août, Adèle viendra

---

1. A.N. 400 AP 35.

auprès d'elle, en remplacement de Mme de Villeneuve, et d'ici là, les nouvelles dames hollandaises attachées à la souveraine, qui sont toutes de bonne naissance, auront acquis un peu plus « de tournure »...

Un mois après son arrivée, Hortense quitte son nouveau royaume pour aller avec Louis prendre les eaux de Wiesbaden : on ne s'en étonnera pas, le climat a réveillé les rhumatismes du roi. Il a beau faire, il demeure le prisonnier de ses maux, malgré un service de santé qui lui est dévolu et ne comporte pas moins de vingt-deux personnes !

Sur la route de Mayence où ils vont séjourner, allant chaque jour à Wiesbaden suivre leur cure, Louis laisse Hortense à Nimègue, un peu souffrante. Elle le rejoindra par Düsseldorf — où elle espérait rencontrer Caroline — et Coblence. « Me retrouvant un peu tranquille, confie-t-elle à Adèle, je retrouve quelquefois ma gaieté de quinze ans... » Bientôt installée au palais de Mayence, elle reçoit la grande-duchesse de Darmstadt et le prince de Nassau, ces visites témoignant autant de leur intérêt pour elle que de leur déférence pour l'empereur Napoléon. Tous la trouvent suprêmement aimable et Charles de Nassau, qui lui donnera une fête, se pique de lui rappeler la lointaine parenté qui les unit. Hortense s'amuse du fait (parfaitement avéré), mais, avec élégance, elle juge que cela n'a aucune importance.

Louis, n'étant pas satisfait de Wiesbaden, part pour Aix-la-Chapelle. Hortense le suivra, en bateau, remontant le Rhin jusqu'à Cologne. Cette croisière improvisée lui paraît exquise :

[...] Adèle était venue me rejoindre à Mayence. J'envoyai toutes mes voitures et mes officiers m'attendre à Cologne et je m'embarquai sur le Rhin dans le joli yacht du prince de Nassau. M. Auguié, venu pour conduire sa fille près de moi, fut le seul homme qui m'accompagna dans notre traversée. Le temps était beau, le pays enchanteur. Nos journées se passaient à saisir rapidement les divers points de vue qui s'offraient à nos regards. Ces rochers, ces vieux châteaux à tourelles rappellent le temps de la chevalerie et nous transportent un instant loin du siècle où l'on vit et qui paraît toujours le plus pénible. Mon fils aîné jouait près de moi ; je chantais des romances sur la guitare ; j'en composais, inspirée par ces beaux lieux. De nombreux pèlerinages, spectacle tout nouveau pour moi, nous suivaient en récitant des psaumes ; des bateaux de villageois venaient des rives voisines m'offrir des fleurs et des fruits. Le soir, on jetait l'ancre et chacun dans sa petite chambre s'endormait au son de quelque sérénade du village voisin. Cette tranquillité après tant d'agitation, cette liberté après tant de contrainte, tout concourut à rendre ces trois jours de voyage trois jours heureux de ma vie.

Arrivée à Cologne, j'aperçois toute la ville m'attendant sur le port. Quel contraste ! La solitude m'avait donné de douces émotions ; la vue de ce public nombreux réveilla le souvenirs de ma position et l'idée de mes tristes devoirs. J'aurais voulu conserver encore des impressions qui m'avaient consolée un moment. Je me fis descendre avant la ville, et, à pied, tenant mon fils par la main, je tâchai de trouver l'auberge, lorsque je me vis entourée d'un nombreux état-major commandé par le général Dupont. Il fallut prendre mon parti [...] [1]. »

Quoi de plus préromantique que cette jeune reine, composant des romances au vu de ces Burgs qui inspireront les grands poètes du siècle, et qui, bien avant eux, dans cette page charmante, sait nous dire à quel point ils l'ont touchée... La sensibilité d'Hortense, Napoléon a raison, est précisément ce qui la rend si juste, si apte à capter le sens et la beauté de ce qui l'entoure. En cela, peut-être, elle nous paraît très proche, car rien n'est moins fluctuant que la finesse d'une impression quand elle est rendue sans fard, ni emphase.

A peine rentrée à La Haye, la reine de Hollande va

---

1. *In Mémoires*, p. 149.

devoir en repartir. Une nouvelle guerre se prépare, la Prusse ayant armé en Saxe, à Weimar, par crainte de voir Napoléon reprendre le Hanovre pour le négocier, éventuellement, avec l'Angleterre. Les souverains français arrivent le 28 septembre à Mayence, d'où l'Empereur se mettra en campagne le 1er octobre : le 14, il défera les Prussiens à Iéna, cependant que, le même jour, Davout les battra à Auerstaedt. De là, Napoléon portera la guerre en Pologne : Varsovie sera prise le 28 novembre. L'état-major français y établira ses quartiers d'hiver avant d'affronter les Russes à Eylau, en février 1807. Bataille horriblement coûteuse, et indécise. Ce n'est qu'en juin suivant, après la victoire de Friedland, que les Russes accepteront de traiter avec Napoléon : le tsar Alexandre rencontrera son adversaire, à Tilsit, le 8 juillet 1807, pour conclure avec lui une alliance scellant la paix : ils assureront leurs médiations l'un avec l'Angleterre, l'autre avec la Turquie, et démantèleront la Prusse, désormais réduite à son noyau originel, brandebourgeois, poméranien et silésien.

Le 12 octobre 1806, Hortense, avec ses enfants, rejoint sa mère à Mayence d'où, tout l'hiver, elles suivront le déroulement des opérations. Sa cousine Stéphanie, la princesse de Bade, les y retrouve, et cette réunion de jeunes femmes et de leurs suites largement constituées de compagnes de leur âge, avec lesquelles elles sont liées depuis Saint-Germain, atténue l'inquiétude dans laquelle elles vivent : toutes ont des maris, des frères, des amis au front, toutes attendent les courriers avec une impatience extraordinaire, toutes guettent le son du cor, qui, d'une lieue, signale leur arrivée... Si Eugène est tenu, une fois de plus, de demeurer à Milan, Flahaut suit Murat : inutile de souligner les anxiétés d'Hortense à son égard. Plus, sans doute, que pour Louis, qui a reçu le commandement de l'armée devant se porter sur Wesel, et qui avait dû insister pour revoir sa femme avant de se mettre en train :

Ce mercredi 24 7bre
au soir 1806

[...] J'ai un jour fixe pour être rendu à ma destination particulière indépendamment du vif désir que j'ai, je dirai plus,
du besoin que je sens de partir avec l'amitié et la tendresse
de ma femme.
[...] Il faut donc que je vous voie un instant, ne dusse-je
retrouver ma femme que cette seule fois, elle me donnera
des forces, de la gaieté, du bonheur, pour braver les fatigues,
l'absence, l'hiver [1].

Ce petit inédit met en valeur l'éternelle froideur
d'Hortense, son peu d'empressement envers un mari
toujours sombre mais encore désireux de trouver en elle
un appui, une force et le courage d'affronter la mort, car
ne nous y trompons point, c'est de cela qu'il s'agit : les
guerres napoléoniennes, dont chaque bataille se chiffre
en dizaines de milliers de cadavres et autant de blessés,
de prisonniers — dans chaque camp —, mettent les êtres
devant une réalité inéluctable : à tout instant, la fin peut
survenir. Ils le savent, d'où leur gaieté, leur joie de vivre,
leurs folles amours, leurs effusions familiales dès que
cessent les combats. Ajoutons que pour Eugène, Flahaut,
tous vaillants militaires, la bravoure est franche et tonique, à l'image de cette ancienne chevalerie d'où ils sont
issus, dont ils aiment l'exemple, comme un signe d'identité nationale. Le Français va au combat courageusement, sachant ce qu'il risque, et quoi qu'il arrive, il
entend se comporter avec élégance. Ils se sentent soute-
nus par celles qu'ils laissent derrière eux, qui tremblent,
font bonne figure, et les attendent.
    C'est pourquoi la société rassemblée tout cet hiver,
autour de l'Impératrice et de sa fille, brille par sa solidarité et son entrain car, bien évidemment, il faut tenir
son rang et se montrer optimiste. On reçoit les princes

---

1. A.N. 400 AP 26.

germaniques alliés, mais aussi ceux qui ont des revers, comme une charmante princesse de Gotha qu'Hortense appréciera « pour la douceur de ses manières » autant que « pour les malheurs de son père », l'Électeur de Hesse-Cassel, qui vient d'être vaincu. Il faut consoler ceux des officiers qui refluent, aider les prisonniers qui passent chaque jour par Mayence, et accueillir, en les amusant, ceux des Français qui vont rejoindre le front.

Où es-tu ? Que fais-tu ? écrit Eugène à sa sœur. J'ai pensé que tu serais allée à Mayence y voir Maman ; je le souhaite beaucoup pour toi car on y sera sûrement gai et il ne va pas y manquer de victoires à célébrer. Moi seul je suis triste et j'ai droit de l'être. Me voici à la tête d'une belle armée qui se désespère de voir les autres s'immortaliser, et cependant, il faut que nous ne parcourions les plaines ennemies que sur la carte... on y sera sûrement gai [1]...

Il ne se trompe guère. Aux bals de Mayence, où Hortense s'illustre par sa fougue — un jeune officier, Auguste de Rouillé, lui apprend un pas inconnu d'elle, qu'elle décide immédiatement d'appeler « la Rouillé » —, succèdent une série de réjouissances organisées à Francfort, par le Prince-Primat :

J'allai à un bal masqué où la nouveauté du spectacle m'amusa beaucoup, mais où je fus embarrassée, n'osant parler à personne et ne quittant pas le bras de ma dame du Palais hollandaise. Tout le monde avait cru me reconnaître et s'empressait près d'une dame assise dans un fauteuil préparé pour moi. C'était un page de l'Empereur qui jouait mon rôle. Cette méprise, seule, me parut divertissante [2].

C'est alors qu'elle se lie avec le jeune La Bédoyère,

---

1. A.N. 400 AP 28.
2. *Mémoires*, p. 151. C'est la comtesse Angélique de Rouillé, mère d'Auguste, qui rapporte dans sa *Correspondance* cette anecdote concernant l'un de ses trois fils et la reine Hortense (Société des Bibliophiles belges, Mons, 1970, pp. 124 et suiv.).

cousin de Flahaut, qui servait l'Empereur avec d'autant plus de courage que sa famille était très défavorable à celui-ci. Hortense, à la demande de Talleyrand, lui avait obtenu de Kellermann un brevet de sous-lieutenant, ce dont il vient la remercier. « Sa tournure et sa figure étaient belles à remarquer, son caractère sauvage », commente sa bienfaitrice. Il s'éprend d'elle, mais d'une main douce, elle l'éconduit. Ils demeureront amis, et on verra à quel sort tragique le malheureux jeune homme était promis...

Hortense serait-elle aussi enjouée si elle savait qu'à Varsovie Flahaut va faire la conquête d'une spirituelle et charmante grande dame polonaise ? Il s'agit d'Anna Tyskiewicz, comtesse Potocka, qui, pour avoir été élevée chez sa grand-mère maternelle, la princesse Constance Poniatowska, dite « Madame de Cracovie », avait gardé la marque indélébile de Byalistock, et de sa châtelaine, à la forte personnalité. Anna se distinguait par un esprit vif, un goût du romanesque — typique de sa génération, quoiqu'elle ait six ans de plus qu'Hortense —, et une liberté d'allure — à la polonaise — d'une élégance folle. Les *Mémoires* qu'elle laissera offrent une vision piquante, critique et enjouée des Impériaux investissant Varsovie, en cet hiver 1806-1807. Elle ne nous épargne rien de sa liaison avec le beau Flahaut, qui sera véhémente et prendra fin en juin 1810, au terme d'une explication orageuse. La Potocka ne s'inquiétait pas outre mesure de l'« attachement de devoir » du jeune officier pour la reine Hortense, la vertu et les amours platoniques n'étant pas son affaire et ne présentant à ses yeux aucun attrait, cependant, du jour où il sera libéré d'elle, c'est à Hortense que Flahaut se dédiera, complètement.

*
* *

Lorsqu'elle regagne La Haye, la reine Hortense compatit au récent malheur survenu, le 12 janvier 1807, à Leyde : un chargement de 37 000 livres de poudre a explosé sur le Rappenburg, un des canaux importants de la cité, causant de grands dommages dans ce qui était le plus beau de ses quartiers. Le roi Louis s'est rendu sur les lieux et c'est alors qu'il a commandé la construction d'un nouveau bâtiment abritant l'Université.

Hortense se réjouit du prochain mariage d'Adèle, qui se prépare à Paris, avec le Grand-Maréchal du Palais de son mari, le général vicomte de Broc, depuis longtemps épris d'elle. La cérémonie aura lieu le 11 avril dans la chapelle de la rue Cerutti. La maréchale Ney pourvoit à tout et fait préparer le rez-de-chaussée de son hôtel parisien pour héberger sa sœur. Mme Campan informe régulièrement Hortense de ces préparatifs et de la satisfaction de sa famille. A travers les lettres qu'Hortense adresse à Adèle, nous sentons combien elle désire que son amie soit heureuse, combien, en contrepoint, elle l'est peu. C'est à partir de ce moment que les « explications », comme elle dit, traduisons les scènes avec Louis, se font plus fréquentes, plus longues et plus désagréables. En voici un exemple, une lettre inédite et qui retrace parfaitement l'ambiance conjugale du Palais royal :

Ma chère Adèle, toujours des explications et quelquefois j'en ai vraiment mal aux nerfs, hier encore il me demandait en grâce de lui avouer tout ce que j'avais fait. Je ne pus m'empêcher de lui dire : regardez-moi bien, il est impossible de ne pas découvrir la vérité de la fausseté ; mon visage me trahirait si je ne disais pas vrai, j'avoue que vous m'avez rendue bien malheureuse ; mais j'avais pour consolation de ne pas le mériter, si j'avais quelque chose à me reprocher, je vous le dirais, car je me le pardonnerais presque et ce n'est pas pour vous que j'ai [évité] le mal, c'est pour moi, parce que j'ai mis mon bonheur dans la vertu, et que quelquefois en souffrant pour vous, je me consolais par elle ; alors il dit que c'est impossible, que je ne veux pas être bien avec lui, puisque je ne veux rien lui avouer, qu'il me perdra, qu'il ne peut pas vivre comme cela, que je le [mets] au désespoir, que je serai cause de sa mort, en vérité, ma chère Adèle, je crois qu'il désire me trouver coupable, je le gêne d'avoir toujours eu cette supériorité là sur lui, un mari qui pardonne lui semble peut-être un beau rôle, je t'assure que n'y pouvant plus tenir, j'avais envie de lui composer quelque chose, cela lui ferait peut-être plaisir et je serais au moins tranquille ; mais que lui dire, Madame de Boubers à qui j'en ai parlé, m'a dit que ce serait bien mal et elle veut m'en empêcher ; nous avons ri comme des folles à cette idée-là, ce que c'est que d'être jeune et d'avoir le cœur pur au milieu d'une vie manquée, malheureuse, l'on rit encore, mais les pleurs sont aussi bien près de là, ma santé se ressent un peu de tout cela, tu sais combien je suis dormeuse, et bien souvent, je me réveille avec une frayeur affreuse, il est vrai que j'ai peut-être des raisons pour cela, tu sais que je n'ose jamais fermer mes portes, après les explications je reste seule et un cerbère qui couche dans mon antichambre vient rôder jusqu'à ma porte, c'est un Français qui a servi en Angleterre qui est à présent l'espion, je crois qu'il a du talent, quelquefois il entre chez moi sous prétexte d'apporter du bois, vraiment c'est un homme habile, j'ai toujours l'air de ne rien voir, qu'est-ce que cela me fait, il fut un temps où je disais tant mieux, l'on me jugera ; [je puis] bien le dire encore, mais cependant c'est humiliant d'être à la merci de telles gens, et cela l'est tant pour le roi, que pour lui. Je veux toujours avoir l'air de ne pas m'en douter. Ah ! ma chère Adèle, qui nous aurait dit que moi, j'aurais pu inspirer un soupçon, qu'au moins celui qui t'épousera sache t'apprécier. Nous sentons de même depuis l'enfance et je jouirai de l'estime qu'on te donnera en pensant que j'aurais pu l'avoir aussi, mais le sort ne l'a pas voulu, il faut se résigner. Je t'embrasse comme je t'aime.

Hortense.

Le 4 (avril 1807) [1].

---

1. A.N. 400 AP 35.

L'absence de style, le haletant du propos, filé comme le serait de nos jours un épanchement au téléphone, parlent d'eux-mêmes.

Une dizaine d'autres lettres d'Hortense à Adèle révèlent tout au long des mois de mars et d'avril 1807 une crise conjugale qui s'exacerbe. Louis s'acharne à obtenir d'Hortense d'impossibles aveux. Hortense s'épuise à refuser d'avouer ce qu'elle n'a pas fait. Louis en arrive au chantage au suicide. Hortense s'effondre devant l'injustice et l'incompréhension de ce masochiste. Le jour de son vingt-quatrième anniversaire, elle confie à Adèle qu'elle est si malheureuse que secrètement elle « espère que les Anglais viendront faire une descente et [la] feront prisonnière, [elle se] promène quelquefois au bord de la mer, avec cette douce idée, cela arrangerait tout, qu'ils [la] mettent dans une tour avec des crayons, du papier et des livres », elle sera « vraiment plus heureuse [1] »... Elle se sent abandonnée, sans protection, loin de son pays, et elle souffre de voir transpirer cette mésentente : esclandres, espionnage renforcé autour d'elle, isolement de la vie publique, elle se désespère que les « apparences si bien gardées » jusqu'alors ne le soient plus, du fait de Louis.

Pour comble, l'Empereur vient à savoir ce qui se passe à La Haye. Il écrit immédiatement à son frère pour le réprimander : Louis ne mérite pas une femme vertueuse, il lui souhaiterait une de ces péronnelles comme il y en a à Paris, qui le tromperait et le mènerait à sa guise. « Une lettre terrible », commente Hortense, à qui ce courrier vaut, évidemment, un redoublement d'« explications »... Sans ses enfants qui sont exquis et les femmes qui lui sont dévouées, dont sa bonne nourrice qui, un jour, se met à pleurer, en lui disant : « Ah ! ma pauvre fille, je vois bien depuis longtemps que vous

_____

1. A.N. 400 AP 35.

n'êtes pas heureuse ! », Hortense ne trouverait pas la force de tenir :

> Que de fois, seule avec mes enfants, l'un sur mes genoux, l'autre à côté de moi, ou je composais une triste romance ou je pleurais en les embrassant ! L'aîné me regardait avec un air attendri. Malgré son jeune âge, il semblait deviner ma douleur ; sa tendresse pour moi était inconcevable. Le Roi l'appelait un jour pour le placer près de lui, mais il ne voulait pas me quitter ; je l'y engageais, je lui représentais que son père serait fâché contre lui ; il me prenait la main et se serrait près de moi. Je voyais l'air sérieux de mon mari. Il me vint dans l'idée de lui dire : « Ton père sera fâché contre moi. » Il courut aussitôt avec un empressement qui me toucha.
>
> Lorsqu'une personne dans le salon faisait briller quelque talent et recevait des applaudissements, il s'approchait tout doucement de moi et me disait : « Chante aussi, maman, pour montrer comme tu chantes bien. » Un jour que j'étais accablée de tristesse, je l'entends dire tout bas à son frère qui voulait rejoindre se nourrice : « Reste avec maman ; elle pleure ; elle a du chagrin. » Ce peu de mots me rendit tout mon courage. « Voilà ma consolation », m'écriais-je en les pressant tous deux contre mon cœur. « Le ciel est juste, tout est compensé dans le monde. Voilà où mon bonheur est placé ; il ne me manquera jamais [1].

Son mari lui soumet un traité, en huit points, de nouvel accord patrimonial, dont on peut dire qu'il est un chef-d'œuvre d'exigence de transparence conjugale. Il y a quelque chose de délirant dans ce texte circonstancié — comme tous les règlements de la main de Louis —, au point que, si Hortense l'avait accepté, à peine aurait-elle eu le droit de respirer sans l'accord de son mari, et réciproquement ! Soif d'absolu assortie d'un souci du détail quasi maniaque... Et pourtant, comme toujours chez Louis, tout cela est inspiré par le désir — sincère —

---

1. *In Mémoires*, p. 159.

de rendre les choses, les êtres et les situations meilleures.
Hortense, cela va sans dire, le lui renvoie assorti d'un
commentaire, point par point, qui est une nette et raison-
née fin de non-recevoir [1].

Malheureusement pour eux, sur ce désastre personnel
allait se greffer la plus inattendue des tragédies.

La mort du « Petit Chou »

Dans la nuit du 4 au 5 mai 1807, veillé par sa mère,
le fils aîné d'Hortense et de Louis meurt du croup. Il
était malade depuis six jours. Sans vaccin, sans antibioti-
ques, la diphtérie était alors un mal inéluctable, particulièrement affreux, l'enfant s'étouffant sans que rien pût
le soulager. Les médecins demeuraient impuissants. Corvisart qu'on avait immédiatement alerté s'était aussitôt
mis en route, depuis Paris : il arrivera à La Haye le 8.

Cette mort est une catastrophe : les deux parents sont
effondrés. Cet enfant, leur Petit Chou, faisait leurs délices : un modèle de précocité, de séduction, d'intelligence. Ils en étaient fous comme tous ceux qui
l'approchaient. L'Empereur, qui voyait en lui son successeur, l'adorait, lui faisait réciter des fables, s'amusait
de ses mots — vifs —, de ses trouvailles comme, par
exemple, ramasser son sabre de cérémonie, s'en affubler
et parcourir le salon en jouant au soldat : il avait trouvé
la scène si délicieuse qu'il avait commandé à Gérard un
tableau la représentant. Il l'emmenait dans le parc de la
Malmaison donner de son tabac aux gazelles, que
l'enfant appelait des « bibiches », comme tout ce qui lui
plaisait. D'où le surnom de l'Empereur, devenu « oncle
Bibiche ». Le petit Napoléon mimait à la perfection tous
ses parents, avec une prédilection pour Eugène qui met-

---

1. Nous reproduisons en annexe ce document.

tait, paraît-il, son chapeau de travers. Avec sa mère, il se montrait d'une tendresse exquise, d'autant plus forte qu'il la sentait malheureuse. Son père qui s'en inquiétait tout le temps ne savait s'en séparer. La moindre de ses maladies — en janvier, à Mayence, il avait eu une fluxion — le ravageait d'anxiété. On peut imaginer dans quel état ces deux parents qui, hier encore, s'entre-déchiraient stérilement se retrouvent, devant ce lit mortuaire duquel ils ne peuvent s'arracher... Louis s'occupe d'Hortense. Elle est dans un état alarmant depuis la seconde où elle a compris que son fils était mort, elle vit en état de choc, de prostration complète. Rien ni personne ne peut l'en sortir. Elle le racontera dans ses *Mémoires* : elle était insensible mais consciente de ce qui se disait autour d'elle. On la transporte aux environs de La Haye, à Voorburg, sans amélioration. Caroline et la maréchale Ney accourent de Paris : rien n'y fait. L'Impératrice prend sur elle de quitter la France, sans autorisation de l'Empereur — alors à Finckenstein, en Prusse orientale —, mais en faisant entériner le fait par ce qui reste d'autorités ministérielles à Paris, et elle se met en route pour Laeken, où Louis conduira sa femme. Le 14 mai au soir, Joséphine écrit à Hortense :

J'arrive à l'instant au château de Laeken, ma chère fille ; c'est de là que je t'écris, c'est là que je t'attends. Viens me rendre la vie. Ta présence m'est nécessaire et tu dois avoir besoin aussi de me voir et de pleurer avec ta mère. J'aurais bien voulu pouvoir aller plus loin mais les forces me manquent et d'ailleurs je n'ai pas le temps d'en prévenir l'Empereur. J'ai retrouvé mes forces pour venir jusqu'ici. J'espère que tu trouveras aussi du courage pour venir voir ta mère. Adieu ma chère fille, je suis accablée de fatigues [*sic*] mais surtout de douleur.   Joséphine.
                   Ce 14 may, à dix heures du soir [1]

---

1. A.N. 400 AP 25.

Le 15 juin, la voiture des rois de Hollande s'arrête
devant le haut péristyle à colonnes de Laeken : Louis
soutient sa femme dont « l'état de stupeur vraiment
effrayant », que note Mlle Avrillon, saisit de douleur
Joséphine. La mère et la fille se jettent dans les bras
l'une de l'autre, « elles [restent] près d'une minute
embrassées ». Tous les témoins, Louis, Caroline, Adèle,
Églé, pensent que ces retrouvailles vont provoquer les
larmes salvatrices d'Hortense. En vain. « Je la reconnus
parfaitement, explique celle-ci, je la considérai mais pas
un mot, pas une sensation ne venait lui apprendre qu'il
me restait un sentiment[1]. » Louis s'empresse autour
d'elle. Corvisart, à juste titre, ne conçoit d'amélioration
possible qu'à force de temps, de distraction, de changement. Louis l'approuve. Hortense l'entend mais ne réagit
pas. C'est à désespérer. Il repart pour La Haye, confiant
sa femme à l'Impératrice, jusqu'à ce qu'il ait pris les
dispositions nécessaires pour pouvoir la rejoindre.

Étrange séjour au Château du Lac, dont Hortense n'est
pas en mesure d'apprécier le charme. Et pourtant rien
n'était plus noble que ce palais sauvé par Napoléon du
dépeçage ou de la démolition auxquels il était promis.
L'Empereur l'avait restauré et somptueusement remeublé, lui redonnant un faste digne de sa vocation première
de résidence gouvernementale (celle des Autrichiens
dans les provinces belges). Tout reprenait vie : le vestibule d'honneur, son grand escalier, sa loggia, la spectaculaire rotonde du rez-de-chaussée, ouverte sur un
horizon de verdure, ces bois de hêtres, de châtaigniers
et de tilleuls, avec, en contrebas, le canal d'Anvers et
son Allée verte, prisée des élégantes Bruxelloises, les
salons nombreux — des Colonnes, des Princes, des
Audiences, des Maréchaux — richement ornementés de
tapisseries des Gobelins, dont les sujets bibliques ou

---

1. *In Mémoires*, p. 170.

mythologiques séduisaient l'imagination de ses occupants [1]... Cette vie, Hortense s'en exilait, murée dans un somnambulisme déconcertant, mais qui, du moins, avait la vertu d'anesthésier sa douleur... Toutefois, un incident révélateur va, dans ces lieux magnifiques, la réveiller un instant, premier signe d'un retour à la normalité :

Ma mère me menait tous les jours promener dans les campagnes des environs. Je n'avais aucune volonté, aucune préférence ; mon indifférence était entière. Seulement la vue de beaucoup de monde me donnait un malaise qui était facile à voir. Nous étions, un jour, dans une de ces campagnes ; les propriétaires nous faisaient mille compliments auxquels je ne répondais pas un mot, et je me sentis si contrariée que je pris une allée opposée à celle que suivait toute la société. Adèle vint à moi ; je m'assis sur un banc et j'étais là depuis un quart d'heure sans rien dire lorsque j'entendis un cor de chasse. L'effet qu'il produisit sur moi fut extraordinaire ; continuellement oppressée d'un poids énorme qui pesait sur mon cœur, j'avais la respiration toujours entrecoupée comme mon pauvre enfant. C'est ainsi qu'il étouffait dans mes bras et mon mal me rappelait encore ses derniers moments. Tout à coup, les sons de l'instrument qui retentissait dans le lointain me pénètrent. L'émotion nouvelle qu'ils me causent parvient à détendre mes nerfs ; des larmes abondantes coulent de mes yeux ; mes sentiments semblent renaître, mais en même temps quelle douleur amère entre dans mon âme ! L'impression fut si pénible que je n'eus plus la force de la supporter. La paralysie morale revint suspendre de nouveau toutes mes facultés et, avec une espèce de joie, je m'écriai : « Ah ! je suis mieux ; je ne sens plus ; je souffrais trop ! » Et je retombai dans ma première immobilité. Je suis convaincue que la musique seule aurait pu me rendre à mon état naturel, mais qui aurait songé à un pareil remède ? Ma tête était parfaitement saine ; rien de ce que je venais d'éprouver n'était oublié ; aucun détail ne m'échap-

---

1. Nous renvoyons aux travaux d'Anne et de Paul van Ypersele de Strihou, dont les derniers viennent de paraître aux éditions de l'Arcade, à Bruxelles, sous le titre *Laeken, résidence impériale et royale*.

pait ; je voyais bien le chagrin de ma mère ; je concevais son inquiétude ; je souffrais de ne pouvoir lui faire du bien, mais je n'avais pas la force de sortir de cette apathie [1].

A Finckenstein, la réaction de Napoléon est double : l'homme souffre, l'Empereur se domine. Au reçu de la nouvelle, sa sollicitude s'exprime envers Hortense :

> Ma fille, en apprenant la perte que nous venons de faire, j'ai songé à tout le chagrin auquel vous étiez livré [*sic*], il faut du courage. Je vois avec plaisir que vous allez à Paris. Soignez votre santé, afin de ne pas augmenter la peine que j'éprouve.
>
>   Votre bien affectionné père [2].

Le même jour, il écrit à Joséphine :

> Je conçois tout le chagrin que doit te causer la mort de ce pauvre Napoléon ; tu peux comprendre la peine que j'éprouve. Je voudrais être près de toi pour que tu fusses modérée et sage dans ta douleur. Tu as eu le bonheur de ne jamais perdre d'enfants ; mais c'est une des conditions et des peines attachées à notre misère humaine [2]...

Dès qu'il en est averti, il fait savoir à l'Impératrice qu'il approuve qu'elle soit allée à Laeken, et lui conseille d'y rester « une quinzaine de jours ; cela ferait plaisir aux Belges, et [lui] servirait de distraction... » Il ajoute, sachant combien elle est atteinte par le deuil qui les frappe : « La douleur a des bornes qu'il ne faut pas passer... » Cette sentence mesurée n'a aucun effet sur Hortense, dont l'Empereur commande qu'elle ait « plus de courage » et qu'« elle prenne sur elle »... Ce stoïcisme à l'antique contre cette sensibilité toujours proche de l'effusion, cette raison, qui intègre la forte mortalité infantile, inéluctable alors, face à la pure émotion, cette tête qui choisit ses arguments pour se calmer et se défen-

---

1. *In Mémoires*, pp. 170-171.
2. Ces deux lettres sont du 14 mai 1807, A.N. 400 AP 25.

dre, devant ce cœur qui saigne... le combat est bien iné-
gal.

Il est décidé qu'Hortense partira pour les Pyrénées,
prendre les eaux : décision intelligente et qui la rendra à
elle-même. En route, d'Orléans, elle a assez d'entendement pour écrire à son frère. Jusque-là, elle s'exprimait
à peine, disant autour d'elle : « Vous savez, il est
mort ! » Cette première lettre témoigne de son état, mais
aussi de l'effort, inconscient peut-être, et tout affectif,
pour cicatriser sa blessure :

Orléans, ce 25 mai [1807]

Je veux t'écrire, mon cher Eugène, car tu croirais que je
ne t'aime plus, mais si tu savais ! Je ne sens plus rien. Il est
mort, je l'ai vu ; Dieu n'a pas voulu que j'aille avec lui.
Cependant je devais ne pas le quitter ; à présent je ne mourrai plus, car je ne sens plus rien et c'est pourquoi je me
porte bien. Tu ne sais pas tout ce que j'ai perdu ; c'était déjà
un ami pour moi, personne ne m'aimera jamais comme lui.
Quand je l'embrassai, une heure avant, il avait déjà les yeux
fermés, il me dit : « Bonjour, maman » ; il respirait à peine.
Si tu l'avais vu étouffant ! J'entends encore sa respiration !
Cependant, je suis bien loin, je vais prendre les eaux, et il
est resté là-bas ! Je suis à Orléans.

Tu ne sais pas une chose : je pleurais autrefois ; à présent
je ne pleure plus. J'ai toute ma tête, c'est tout ce qui m'est
resté, mais je ne sens plus rien ; je n'ai plus de cœur ; il est
allé avec lui et, moi, je suis restée pour fatiguer tout le
monde, pour n'être plus aimée de personne puisque je ne
sentirai plus rien ; tu vois bien que j'aurais mieux fait d'aller
avec lui. Je te raconterai tout ce qu'il m'a dit, tout ce qu'il
promettait d'être, comme il m'aimait ; je le regardais souvent en disant : « Ce sera toute ma consolation. »

Va ! Eugène, il ne faut pas mettre tout son bonheur à faire
bien dans ce monde ; vois comme on en est récompensé.
Mettez toutes vos affections sur un objet aussi pur, et voilà
comme il vous est enlevé. Il ne faut plus rien aimer dans ce
monde. Aussi, si je reste comme je suis, je serai peut-être
heureuse, oui, mais on ne m'aimera plus : toi, tu m'aimeras

toujours, n'est-ce pas ? Adieu, je suis un peu fatiguée, je te raconterai un autre jour tout.

HORTENSE [1].

*
* *

Pauvre Hortense ! Comme elle se débat pour séparer d'elle-même une douleur intolérable, cet arrachement cruel de ce qui lui était le plus intime, le plus consubstantiel et qu'elle ne croit pas pouvoir remplacer jamais. Le sort, en vérité, est horriblement injuste avec elle : lui enlever ainsi, brutalement, cet amour d'enfant qui la consolait de tout, qui la faisait vivre, reflet d'elle-même, projection de tous ses espoirs, porteur de tout le bonheur qu'elle ne rencontrait pas, qui incarnait la pureté dont elle était éprise, qui ravissait ses heures et savait étancher ses larmes...

Mais elle est si jeune encore ! La vie qui s'en est allée avec l'agonie et la mort du Petit Chou, cette vie bat en elle, et malgré elle, insensiblement, va reprendre ses droits. Il y a, pour l'y aider, tous les témoignages d'amitié qui affluent, inattendus parfois, comme celui de Jérôme qui se trouve près de Breslau et tente, comme il peut, de la raisonner :

[...] mais, bonne Hortense, il ne faut pas oublier qu'il vous reste un fils, et que malgré qu'il soit impossible de réparer la perte de notre cher Napoléon, vous ne devez pas pour cela vous laisser aller à tout votre chagrin ; nous mettrons Hortense tous nos soins à vous consoler ; nous sentons le vuide que nous éprouvons dans la famille, par la perte de notre cher neveu. Par la lettre du Roi, je vois l'état de son âme, il est vivement affecté, et je crains que comme vous il

_____

1. *In Les Beauharnais...*, pp. 210-211.

[n'écoute] trop ses chagrins. Adieu chère sœur, croyez à tout l'attachement de votre bon frère.

Jérôme Napoléon [1].

Contrairement à toutes les assertions communément admises, la mort du fils aîné de Louis ne change en rien les lois de succession établies par Napoléon : le cadet est maintenant l'héritier probable, et, si la famille de l'Empereur compatit, elle le fait d'une manière désintéressée. Ce qu'ils pleurent, c'est l'enfant délicieux qu'ils aimaient. Et ils plaignent Hortense comme ils plaignent Louis, parce qu'ils les savent si sensibles qu'ils n'ont aucune difficulté à mesurer l'étendue de leur chagrin. Ce qu'ils redoutent *tous*, comme l'Empereur, ce sont les ravages que peut provoquer sur des êtres vibrants et profonds une douleur aussi intense. Signe des temps : pendant des siècles, les enfants mouraient si fréquemment qu'on évitait, avant qu'ils n'atteignent l'âge de raison (sept ans) et qu'ils n'aient prouvé leur viabilité, de s'y attacher. Aujourd'hui, la famille, au sens restreint du terme — les parents et leurs enfants —, représente une réalité affective nouvelle. La douleur d'Hortense est significative de sa psychologie. Elle est significative, aussi, de celle de son époque.

Escortée d'une suite restreinte car elle souhaite autant que possible ne pas se faire connaître, entourée des soins d'Adèle qui ne la quitte jamais, Hortense arrive à Bagnères (de Bigorre), au début du mois de juin. Louis, qui n'a qu'une idée, c'est qu'elle guérisse et que leur couple se refasse, la rejoint à Cauterets, le 23. Il la trouve encore obsédée d'idées de mort, encore incapable de parler d'autre chose avec lui : il décide de la laisser aux mains d'Adèle, cependant qu'il ira prendre les eaux à Ussat, dans l'Ariège. Durant le mois de juillet, à force

---

1. A.N. 400 AP 31, Lettre du 25 mai 1807.

de solitude, de calme et d'exercice — des promenades quotidiennes —, Hortense va se remettre : de fréquentes crises de larmes et la présence affectueuse d'Adèle la sauveront.

Toute sa vie, elle gardera un attachement pour « ces Pyrénées qui [lui] étaient devenues chères, par le chagrin même qu'[elle] y avai[t] nourri et par les consolations que cette belle nature [lui] avait procurées [1] ». C'est, en effet, un monde qu'elle découvre : des paysages grandioses et sévères, des cimes imposantes, des cirques, des petites vallées riantes, des précipices et des gaves bouillonnants, qu'elle parcourt et qu'elle admire inlassablement. Elle n'est astreinte à aucune représentation, nul ne sait qui elle est, elle parle, librement, à des gens simples — et souvent, ces destins entrevus lui sont matière à méditation —, en un mot, elle respire normalement.

Elle visite Pau et ses environs — non sans devoir se dégager des empressements importuns d'un préfet pittoresque et zélé, le marquis de Castellane —, elle pousse jusqu'au « village de Biarritz », puis Saint-Sébastien, elle se risque jusqu'à Irún et Fontarabie. Elle revient par Gavarnie et Tarbes, dont le préfet sait se montrer plus discret envers cette femme endeuillée que celui de Pau [2], et lorsqu'elle regagne Cauterets, elle apprend que Louis a fini sa cure et qu'il l'attend à Toulouse pour rentrer avec elle à Paris. Le 12 août, ils sont réunis.

Cette réunion, Louis « la désirait si vivement et paraissait devoir en être si heureux, que notre rac-

---

1. *In Mémoires*, p. 184.
2. Hortense n'est jamais vindicative, cependant il y a deux personnes, au moins, à qui elle règle leur compte, dans ses *Mémoires*, et qui sont Bourrienne dont elle conteste l'importance qu'il se donne, pendant les années consulaires, à la Malmaison : il n'était qu'un « subalterne », et n'intervenait pas dans les affaires de la famille ; et M. de Castellane, homme « sans tact », qui ne respecte ni sa douleur ni sa volonté d'incognito, en 1807, et dont elle sait à quel point il lui en a voulu et s'est répandu en critiques ridicules sur elle.

commodement eut lieu à Toulouse », écrit Hortense dans ses *Mémoires*. Moment d'autant plus mémorable, qu'il aura un résultat : le futur Napoléon III. Louis, en 1816, faisant le récapitulatif détaillé de leur vie conjugale, rappelle à Hortense les trois fois qu'ils ont vécu « en époux » : pendant leur lune de miel, puis à Compiègne, « et enfin, à Toulouse, en 1807, depuis le 12 du mois d'août que vous vîntes me trouver de Cautrets [*sic*] jusqu'à notre arrivée à Saint-Cloud, vers la fin dudit mois [1] ».

S'en est-il assez trouvé d'esprits tortueux, et faux, qui, pendant le Second Empire et sous la Troisième République, n'ont eu de cesse qu'ils n'aient tenté de prouver l'illégitimité de Napoléon III... Que d'analyses vulgaires, de décomptes grossiers, d'échafaudages malhabiles n'a-t-on essayé de faire, contre toute logique et toute psychologie, pour insinuer que Louis et Hortense, au sortir de la tragédie qui les réunit, n'ont pu se rapprocher une ultime fois, partageant encore l'espoir et l'illusion qu'ils allaient réparer l'irréparable... Tout cela est d'autant plus médiocre, pour ne pas dire absurde, qu'Hortense et Louis l'ont toujours reconnu — même si ce rapprochement se mua bien vite, à leur retour à Paris, en un constat d'incompatibilité à partager une vie redevenue normale —, et qu'au-delà de ce constat d'échec, ils ne dissimulèrent plus leur séparation. Ajoutons qu'Hortense, le jour où elle vivra sa liaison avec Flahaut, ne fera pas plus d'efforts que ceux que commande la bienséance, pour s'en cacher. Et ses *Mémoires* ne nous épargnent rien de ses émotions, de ses sentiments, de l'évolution de son paysage affectif... Bref, l'altitude de cœur d'Hortense valait mieux que tout ce fatras destiné rétroactivement à la salir, et surtout à atteindre Napo-

---

1. Lettre de Louis à sa femme, de Rome, le 16 septembre 1816, reproduite *in* Jules Claretie, *L'Empire, les Bonaparte et la Cour*, Paris, 1871, pp. 32 et suiv.

léon III... Quant à Louis, il aura ce mot, définitif, dans une lettre à son frère Lucien, datée de 1821 — dix bonnes années après qu'Hortense et lui se sont quittés : « J'aime mieux être mari séparé de celle-ci que le mari tolérant de bien d'autres [1]. »

C'est à petites journées que Louis et Hortense regagnent Paris, visitant longuement Montpellier, Nîmes, Avignon, la fontaine de Vaucluse. Le 22 août, ils sont à Lyon d'où Hortense écrit à Eugène. Le ton et le style sont, de nouveau, justes, tendres et lucides :

Lyon, ce samedi 22 [août 1807].

J'ai reçu ta lettre, mon cher Eugène, car je voyage avec le Roi et très lentement à cause de sa santé qui est cependant meilleure ; moi, j'ai toujours les nerfs bien affectés, mais on n'a pas de si grands malheurs impunément et sans qu'on ne s'en ressente toute sa vie. J'emporte toujours l'espoir de te voir à Paris ; il est impossible que l'Empereur ne t'y fasse pas venir et je t'assure bien que je lui en parlerai ; mais tu sais que je n'y pourrai pas grand'chose, s'il a décidé que cela ne se pouvait pas, mais, après te l'avoir promis si longtemps, je ne puis pas penser que cela ne se puisse plus à présent ; cela me ferait trop de peine de ne pas te voir, ainsi que ta femme ; je m'en étais fait un bonheur, et tu sais que ce mot n'est pas commun pour moi.

Je suis avec le Roi, bien ensemble ; je ne sais pas si cela durera ; je l'espère, car il a le désir d'être mieux pour moi et tu sais que je n'ai jamais rien fait pour être mal.

Je t'écrirai souvent de Paris. Il y a une grande réunion de personnes marquantes. Je sens que, sortant d'une profonde retraite, les premiers moments seront pénibles pour moi et combien j'aurai besoin de courage. Il m'aurait été bien doux d'aller passer quelque temps à Monza avec toi ; tu sais que j'ai des devoirs et qu'il faut que je les remplisse. D'ailleurs, j'en ai un bien doux, qui est d'aller voir l'Empereur. Comme je l'ai toujours regardé comme mon père, j'espère trouver en lui les mêmes sentiments que je lui porte et qu'il

---

1. Lettre de Rome, jeudi 21 février 1821. *In* Claretie, *op. cit.*, p. 51.

m'accordait autrefois ; mais il est si entouré et nous voit si peu que je crains qu'il ne nous aime plus autant. Cependant, il a été bien bon pour moi dans mon malheur, et il doit nous rendre la justice que nous avons toujours mis notre bonheur à faire ce qui pouvait lui plaire ; puis c'est peut-être aussi une crainte imaginaire.

Je suis sûre aussi qu'il est content de toi et, s'il ne te fait pas venir, ce ne sera sans doute pas son cœur qu'il consultera. Ainsi, il est aisé de prendre son parti pour tout le reste.

Adieu, mon cher Eugène, crois qu'il m'est bien doux de penser que tout ce qui peut m'arriver dans la vie, mon frère le partage.

J'embrasse ma sœur. Je ne veux pas oublier ma petite nièce, mais, quand je parle d'un enfant, je ne puis encore m'empêcher de pleurer.

HORTENSE [1].

Dès les premiers signes de sa grossesse, c'est à Eugène qu'elle se confiera, consciente de ce que son état l'obligera à prendre soin d'elle-même. Ce ne sera pas une gestation facile : Hortense est encore fragile, elle connaîtra beaucoup de malaises — ce qui n'avait pas été le cas précédemment —, son « enfant étant trop remonté », elle ne quittera pas, si elle le peut, sa chaise longue, et, malgré la surveillance permanente de Corvisart et de Baudelocque, elle accouchera, soudainement, avant terme, d'un petit garçon délicat dont on a bien cru qu'il ne pourrait vivre...

Par un caprice du destin — qui, sans doute, a sa logique — le Petit Chou promis à porter un jour la couronne impériale est remplacé par un autre petit prince qui saura, en dépit des tribulations de la vie politique, recueillir cet héritage si convoité et toujours menacé.

---

1. *In Les Beauharnais...*, pp. 211 et suiv.

Le divorce impérial

Pour la réveiller de sa prostration, l'Empereur avait écrit ces mots à sa belle-fille : « Votre fils était tout pour vous. Votre mère et moi ne sommes donc rien... » Lorsqu'elle le revoit, à Saint-Cloud, le 27 août, il lui inflige un petit sermon qu'il conclut ainsi : « Vous voilà revenue : soyez gaie, livrez-vous aux plaisirs de votre âge et que je [ne] voie plus une larme [1]. » L'effet est immédiat. Sous cette sévérité se cachaient la profonde affection de Napoléon pour elle et la volonté de la voir reprendre son rang avec efficience. Tout comme l'Impératrice, il s'occupe beaucoup d'elle, il l'intéresse au projet de faire d'Écouen une vaste Maison d'éducation pour jeunes filles, dont elle sera la princesse protectrice et Mme Campan, la surintendante. Il lui raconte par le menu les entrevues de Tilsit, il lui brosse de petits portraits amusants de ses comparses : le tsar, « un charmant jeune homme », la reine de Prusse, « belle, aimable mais un peu affectée » — « cela ne vaut pas ma Joséphine », dit-il en embrassant sa femme —, le roi de Prusse, inquiet et maladroit, le roi de Saxe, « vertueux et le plus honnête homme du monde ». A cette vie familiale qu'elle aime, Hortense se retrempe et se fortifie. Lorsque, le 20 septembre, Louis repart pour La Haye, elle obtient de rester à Saint-Cloud. Son état, son peu de désir de revoir des lieux où elle a vécu un drame, la peur d'un climat qui pourrait — elle vient d'en faire la triste expérience — être néfaste à la santé du fils qui lui reste, expliquent aisément son choix.

Jusqu'au mois d'avril 1808, qu'elle fasse ses couches, à Paris et non en Hollande, comme l'aurait voulu Louis, qui arguera de son refus de le rejoindre pour se brouiller avec elle, Hortense vit auprès de sa mère, du moins tant

1. *In Mémoires*, p. 187.

que celle-ci ne voyage pas. A Saint-Cloud, puis à Fontainebleau et aux Tuileries, elle participe aux cercles officiels, recevant les princes étrangers, nombreux, cet hiver, à la Cour impériale, et se ménageant ses matinées pour se reposer, lire, composer des romances, travaillant à ses dessins et à ses aquarelles, évitant les chasses et les exercices violents.

Quelques beaux mariages la distraient, comme celui de la nièce de Murat, Marie-Antoinette, avec le prince héréditaire de Hohenzollern-Sigmaringen, le fils de la vieille amie de ses parents, sa protectrice sous la Terreur — dont le frère, le prince de Salm, était monté à l'échafaud en même temps que son père —, et qu'Hortense considérait comme l'une de ses plus chères parentes. Ces retrouvailles au sein d'un Paris dont sa mère était aujourd'hui la souveraine, et qui, par la grâce de son beau-père, redevenait un brillant carrefour européen, pouvaient leur sembler une revanche sur le sort : qu'on était loin du temps où la petite fille, escortée de sa gouvernante, franchissait, le plus discrètement possible, la porte de l'hôtel de Salm, gardée par un sans-culotte en armes, afin d'apporter à la ci-devant princesse Amélie un peu de réconfort, ainsi que l'occasion d'évoquer les prisonniers des Carmes...

Un autre mariage a lieu, les 31 janvier et 1er février, dans la galerie de l'hôtel de la rue Cerutti : celui de Stéphanie de Tascher, nièce et filleule de l'Impératrice, avec le prince d'Arenberg. Fantasque et passablement personnelle, malgré les soins de Mme Campan, à qui on l'avait confiée, la jeune fille s'était entichée du général Rapp. Joséphine n'en voulait pas, et Napoléon souhaitait une union avec la grande noblesse d'Empire établie en Belgique. On avait demandé à Hortense de raisonner Stéphanie et d'obtenir son consentement à ce mariage. On ne s'étonnera pas qu'il n'ait pas été heureux. Le grand bal de la reine de Hollande, auquel assistent toute la

Cour et l'ensemble des ambassadeurs, est très réussi, l'Empereur allant même jusqu'à danser avec la mariée. Talleyrand n'a pas manqué de s'amuser à voir « l'homme qui gouverne le monde » obéir au maître de ballet lui disant : « Avancez, chassez, en arrière, en avant, faites le moulinet etc. [1]... » Tout cela lui semblait aussi insolite qu'irrésistible.

La politique de l'Empereur s'appuyait sur le Blocus continental, c'est-à-dire l'interdiction du commerce avec l'Angleterre, afin d'affaiblir cet éternel ennemi de la France, qui, malgré toutes les victoires de celle-ci, gardait la maîtrise des mers. A Tilsit, la Prusse et la Russie avaient accepté de s'y rallier. Puis le Danemark. L'Espagne, en dépit de son alliance avec les Français contre son voisin portugais, semblait peu sûre : le 2 avril, en compagnie de l'Impératrice, Napoléon part pour Bayonne, rencontrer Charles IV et son fils Ferdinand, que la présence de Murat à Madrid — et les émeutes qu'elle suscitera le « Dos de Mayo » — vont déstabiliser. L'Empereur obtiendra leur double abdication au profit de son frère Joseph. Cette redistribution soudaine des royaumes alliés, que Napoléon, fidèle à son système familial, préférait voir administrés par ses proches parents — plus fiables que quiconque, dans l'optique méditerranéenne —, provoque quelques incertitudes. Il avait pressenti Louis, pour Madrid, mais celui-ci tient à rester en Hollande. Qui va remplacer Joseph à Naples ? Eugène n'en a aucune envie : « Dieu me garde d'une telle galère ! » écrit-il à sa sœur... Naples échoit finalement aux Murat, qui n'ont rien négligé pour obtenir ce qui leur paraît une incontestable promotion...

Dans la soirée du 20 avril, Hortense qui s'est rendue à une sauterie chez Madame Mère, à laquelle sont conviés

---

1. Lettre à Caulaincourt, *in Mémoires* de Talleyrand, Plon, 1982, pp. 427-428.

beaucoup d'enfants, se trouve incommodée par les évolutions, au-dessus de sa tête, d'un petit singe savant, en
équilibre sur une corde. Elle demande à sa dame, Mme
de Boucheporn, de faire venir sa voiture et de rentrer
rue Cerutti au plus vite. Les premières douleurs de
l'accouchement s'annoncent, et l'enfant naît aussitôt son
retour chez elle. Cambacérès arrive en catastrophe pour
être le témoin officiel, comme le veut sa charge, de cette
princière naissance. Petit détail bouffon : il venait de se
faire mettre des sangsues juste avant qu'on ne vienne le
requérir. C'est dans cet étrange appareil qu'il accourt au
chevet de la reine de Hollande, laquelle, soutenue par sa
seule Dame d'honneur et sa femme de chambre maintenant l'enfant contre sa mère, attendait l'Archichancelier
pour couper le cordon ombilical... Le nouveau-né paraît
si faible qu'on le croit mort. Grâce à la présence d'esprit
de Mme de Boucheporn — sa fille, Mme de Sampigny
l'a raconté depuis —, il est sauvé : elle le tient dans des
serviettes chaudes et « lui souffle dans la bouche ».
Technique que les modernes couveuses et la respiration
artificielle ne désavoueraient pas pour réchauffer un petit
prématuré... Hortense est soulagée, bien que, nous
confie-t-elle : « J'eusse préféré une fille. » Comme elle
a eu une grossesse difficile, elle aura des relevailles dou-
loureuses. Elle fera une fièvre de lait, se plaindra à
Adèle, Mme de Broc, repartie pour la Hollande auprès
de son mari, de maux de reins persistants, et pendant
quelque temps, elle donnera des signes de consomption.
Le jour où elle sera libérée de Louis, ces malaises dispa-
raîtront.

De Bayonne, l'Empereur lui écrit immédiatement et
demande que l'enfant soit nommé Napoléon-Charles
(comme le défunt Petit Chou). Louis ne l'acceptera pas :
ce sera Louis-Napoléon. Son aîné, Napoléon-Louis,
devenu désormais *Napoléon*, le nouvel enfant sera
appelé *Louis*, dit familièrement « Oui-Oui ». Ce surnom

lui venait de sa grand-mère Joséphine, qui gâtera toujours inconsidérément ses petits-fils et aura une préférence marquée pour celui-ci, parce qu'il lui rappelait
Hortense enfant. Elle se plaisait à l'entendre acquiescer à
tout ce qu'elle lui demandait. Quoi qu'il pensât, l'enfant
répondait d'une petite voix charmante : « Oui-Oui »... Il
continuera. Devenu empereur, il déconcertera ses
interlocuteurs par son apparente facilité qui, jamais, ne
révélait le fond de sa pensée. A la différence de son aîné,
très ressemblant à son père, Louis portera la marque des
Beauharnais : adulte, il sera au moral, comme il était,
enfant, au physique : le portrait de sa mère.

*   *
*

Celle-ci, profondément affaiblie par ce qu'elle a vécu
depuis moins d'un an, s'inquiète des récriminations de
Louis. Il réclame son fils aîné, essayant contre elle
l'arme la plus efficace qu'il ne se privera pas d'employer
à l'avenir. L'Empereur, alerté par les Murat, lui avait fait
savoir, depuis Bayonne, qu'il n'acceptait pas cette idée,
le Statut concernant la Famille ordonnant que les princes
ne quittent leur mère qu'à l'âge de sept ans, moment où
ils seraient pris en charge par le souverain pour être élevés sous ses yeux. Napoléon avait écrit dans ce sens à sa
belle-fille, et il avait utilisé auprès de Louis l'argument-
massue du climat hollandais, si fatal, on le savait d'expérience, aux jeunes enfants nés ailleurs. Il ne tenait pas à
perdre celui en qui il plaçait désormais son espoir dynastique...

Louis ne cesse pour autant de tourmenter, à distance,
sa femme : il veut qu'elle revienne auprès de lui ; dans
le même temps, elle le sait par l'entourage du roi, celui-
ci ne se prive pas de défaire sa réputation en répandant
le bruit qu'elle préfère Paris à La Haye parce qu'elle s'y
amuse ! Quand on pense à la somme de contrariétés, de

malheur et de souffrance physique qu'elle a récemment accumulés, on se révolte de tant d'inconscience ! Maintenant, nouveau son de cloche, il semble vouloir rompre bruyamment avec elle. Hortense, qui commence à se demander s'il n'est pas fou, s'en ouvre à Eugène :

[Saint-Cloud], ce samedi 3 septembre [1808].

Je reçois à présent une lettre du Roi, mon cher Eugène, et je compte en parler à l'Empereur, car, vraiment, c'est trop fort, et il faudra bien que le monde soit instruit de nos démêlés, car nous ne pouvons plus rester comme cela, et je vois bien qu'il faut être tout à fait séparés.

Nous nous sommes raccommodés aux eaux, je suis devenue grosse. J'étais si souffrante que, sans faire une fausse couche, je n'aurais pu entreprendre un voyage en Hollande : voilà un crime si affreux que le Roi a dit que, si je retournais en Hollande, il ne me verrait pas ! Il me demande mon fils. Je lui écris, il y a encore quelques jours, qu'il devrait plutôt venir le voir, que, le climat de la Hollande lui étant contraire, il devait pardonner une mère de retarder autant que possible d'obéir à ses volontés quand c'était pour sauver la vie de son enfant. Voilà enfin la réponse qu'il me fait : il me dit de ne plus lui écrire, car il me renverra mes lettres ; que, d'après la conduite qu'il a tenue depuis un an, il avait prouvé qu'il n'avait plus les droits d'un époux, ni aux yeux de Dieu, ni aux yeux des hommes, et que rien dans la vie ne pourrait nous réunir, et il ajoute : « Les malheureuses dissensions entre nous ont causé tous les maux de ma famille. J'ai gémi plus d'une fois en silence sur la fatale destinée qui attachera peut-être le malheur durable des miens à cette malheureuse union... Mais ce qui me console, c'est de n'avoir plus rien à démêler avec vous... Si j'étais moins attaché à mes devoirs et à ma famille, vous auriez vu que je n'étais ni un sot ni un poltron, mais il vous était permis de me juger comme bon vous semblait. Puissiez-vous ne faire et n'avoir fait de mal qu'à moi ! Que vos enfants et ma famille puissent ne pas s'en ressentir et je serais trop heureux... Adieu, Madame... Je souhaite, pour vous-même et les miens, que vos projets ne s'accomplissent

pas. Adieu donc pour toujours. Soyez contente et heureuse. »

Je t'ai mis les principales choses ; je ne sais si tu y
comprendras quelque chose ; quant à moi, je n'y
comprends rien.

Quels sont donc ces projets dont il me parle ? Il me
connaît bien ; je n'ai de désir que d'être tranquille et que
mes enfants se portent bien [1].

Bref, c'est un imbroglio domestique détestable, qui
empoisonne la vie de tous ceux qu'il concerne. Une
situation nouvelle va le clarifier : l'Empereur est, peu à
peu, arrivé à la conclusion que sa succession sera mieux
acceptée des Français si elle se déroule selon les règles,
à savoir, si elle s'opère à travers un fils de lui. Cela
implique qu'il se sépare légalement de Joséphine et qu'il
se remarie. L'équilibre familial qui en résultera va changer la position des Beauharnais, en déterminant de nouveaux rapports de forces sur l'échiquier impérial. Mais,
contrairement à ce qu'on pourrait croire, cela les rendra,
en vertu de l'exceptionnelle qualité de leur attitude, bien
plus heureux qu'auparavant.

*
* *

Tout au long de l'année 1808, Napoléon est occupé
de la situation en Espagne qui, malgré la convention
d'Erfurt et le renouvellement de son alliance avec la
Russie, marque le début de son affaiblissement, le trop
célèbre « commencement de la fin ». La conquête d'un
pays largement montagneux et décidé à résister par tous
les moyens à l'invasion étrangère — d'où la *guérilla*,
guerre partisane contre les armées régulières — se révèle
impossible. L'Autriche et l'Angleterre ne sont pas les
dernières à entrevoir en quoi les difficultés de l'Empe-

---

1. *In Les Beauharnais...*, pp. 223-224.

reur dans la péninsule Ibérique peuvent leur être avantageuses. Contre lui se forme la cinquième coalition, qui prend pied en Bavière et dans le grand-duché de Varsovie. La réaction française ne se fait pas attendre : la victoire d'Eckmühl ouvre aux armées napoléoniennes le passage du Danube et permet à Napoléon de prendre Vienne. En juillet 1809, après deux jours de combats, particulièrement âpres, il remporte la décisive bataille de Wagram. L'empereur d'Autriche est contraint de traiter, dans sa capitale, le 14 octobre suivant. Il abandonne Salzbourg à la Bavière, la Galicie aux Polonais et les futures « Provinces illyriennes » — la Carniole, la Carinthie et Trieste — à la France. Sa position de force réassurée, Napoléon peut envisager, une fois son divorce accompli, de demander la main soit d'une grande-duchesse sœur du tsar, soit celle d'une archiduchesse, en l'occurrence, la jeune Marie-Louise de Habsbourg.

Ni Joséphine, ni ses enfants ne sont pris de court par cette perspective : à plusieurs reprises, ils l'avaient entrevue, ils savaient les conversations de Fouché avec l'Impératrice, comme autant de coups de sonde de l'Empereur auprès d'elle. Hortense s'en était entretenue avec son beau-père, lui faisant clairement comprendre que sa mère se résignerait au divorce, mais n'en ferait pas elle-même la demande. Avec son frère, elle avait arrêté leur position : du moment qu'il s'agissait d'une contrainte politique, de la raison d'État, et non d'une intrigue de cour, ils étaient décidés à se soumettre à la décision impériale, ils le feraient avec bonne grâce, et ils entendaient suivre leur mère, heureux de rentrer dans une existence particulière. La seule incertitude était le sort de la vice-reine, la princesse Auguste, qui née dans une famille souveraine aurait peine, sans doute, à s'adapter à un statut moindre.

Hortense s'en explique longuement dans ses *Mémoires*, son beau-père est touché aux larmes de leur bonne

volonté — il est si importuné des revendications des
siens ! —, mais il ne consent, à aucun prix, à les laisser
le quitter. Son argument suprême : si les trois Beauharnais s'éloignent ensemble, cela ressemblera à une
disgrâce. Au contraire, il faut à ses beaux-enfants, une
fois leur mère garantie dans son futur établissement —
et quel soin, il allait y mettre ! —, demeurer près de lui.
Pour cela, il est décidé à assurer leurs positions, encore
qu'aucun des deux ne l'ait sollicité. Car Napoléon ne
divorce pas de gaieté de cœur, loin s'en faut... Et jamais,
il ne ressent à quel point ce noyau familial, sien depuis
quinze ans, constitue l'essentiel de sa vie affective. La
loyauté, la fermeté d'âme, l'affection de ses enfants ne
peuvent que le renforcer dans l'idée que, sans eux, il
manquera quelque chose de central à sa vie. Il saura le
leur prouver.

Il protège Hortense contre son mari. De graves diver-
gences étaient apparues entre le roi de Hollande et lui,
concernant la marche des affaires au royaume de Louis.
Au lendemain du traité de Vienne, l'Empereur avait
exprimé à son frère, avec une rare violence, ce qu'il
pensait de son incapacité de lui obéir. Il ne s'était pas
privé d'y ajouter ceci, à propos d'Hortense :

> Voici ce que j'ai fait pour votre famille : j'ai donné à
> votre fils aîné une souveraineté [celle de Berg et de Clèves]
> et six millions de rente. Vous laissez votre femme manquer
> de tout. Je lui ai donné sur les domaines de son fils ce qui
> lui est nécessaire pour soutenir son rang. Mais réjouissez-
> vous, cette malheureuse femme ne vivra pas longtemps,
> pâle, desséchée, accablée par vos mauvais traitements, elle
> trouvera bientôt le repos dans la mort, victime, comme tout
> ce qui est attaché à vous, de votre *horrible* caractère.
>
> Napoléon [1].

Son litige avec Louis était préoccupant : il venait de

---

rappeler à son frère, avec cette netteté qui, toujours, caractérise ses analyses qu'« il faut quatre choses pour être indépendant en Hollande : des finances, une armée, une flottille et non flotte, et une prohibition absolue de communication avec l'Angleterre. Sans cela, ajoutait-il, je n'aurais jamais la paix [1] ». Le dernier point n'était pas respecté des Hollandais, dont la richesse s'appuyait sur le commerce et qui transgressaient le Blocus aussi souvent qu'ils le pouvaient. Cette contrebande, à laquelle l'Empereur demandait à Louis de mettre un terme, continuait. Louis ne pouvait se résoudre à aller contre les intérêts de ses sujets, et il va bientôt montrer qu'il les préfère à son frère. Ainsi que Napoléon l'avait pressenti, en juin 1806, Louis, bien que français, s'était pris au jeu, et se déclarait, chaque jour en apportait la preuve, solidaire des Hollandais. Cette situation ne pouvait durer.

En revanche, l'Empereur n'avait qu'à se louer d'Hortense, à l'exception d'un incident récent, mineur, imputable à sa belle-fille : au mois de mai précédent, elle avait quitté Strasbourg — où résidait sa mère, l'Empereur étant en campagne — pour aller aux eaux de Bade, en compagnie de ses deux enfants, sans en demander l'autorisation. Dès qu'il l'avait appris, Napoléon s'était fâché. Dans une de ces lettres sèches, dont il a le secret, il se dit « très mécontent », non seulement de ce qu'elle soit sortie de France, mais « surtout qu'elle en ait fait sortir (ses) neveux ». Qu'elle reste à Baden, mais qu'elle renvoie immédiatement les petits princes à Strasbourg et qu'elle n'oublie plus « qu'ils ne doivent jamais passer le pont de Strasbourg ». Il ajoute cette phrase, terrible pour Hortense : « C'est la première fois que j'ai lieu d'être mécontent de vous [2]... » Elle y est très sensible, mais

---

1. A.N. 400 AP 25, Lettre de (Schön) Brun du 29 7bre (septembre) 1809.

2. A.N. 400 AP 25, Lettre du 28 mai 1809.

son entourage et sa mère la rassurent : les colères de l'Empereur sont aussi fortes que soudaines et brèves. Il l'a grondée, mais rien, cependant, ne peut altérer les sentiments qu'il lui voue. Elle ne va pas tarder à en ressentir les effets.

C'est aux Tuileries, dans le grand cabinet de l'Empereur que, dans la soirée du 15 décembre, se déroule la « cérémonie du divorce », l'expression est d'Hortense, c'est-à-dire la signature du procès-verbal établissant la dissolution par consentement mutuel du mariage de Napoléon et de Joséphine, ainsi que le statut à venir de celle-ci. Toute la famille est présente, Louis et Eugène compris, ainsi que les dames de l'Impératrice, les grands officiers de la couronne, Cambacérès et Regnaud de Saint-Jean d'Angély, se tenant debout. Chacun des époux doit lire une déclaration dont le moindre mot a été pesé. L'Empereur commence et ne peut s'empêcher de marquer son émotion à cette phrase : « Elle a embelli ma vie depuis quinze ans... » L'Impératrice lit à son tour. Les larmes la submergent, elle ne peut poursuivre. Elle tend son texte à Regnaud qui l'achève pour elle. Tous sont attentifs. Ils apprennent le traitement qui lui est réservé : il est proprement impérial. Elle gardera son titre, s'appelant désormais l'« Impératrice Joséphine », pour se distinguer de celle qui lui succédera. Elle continuera de disposer d'un train opulent, d'une Cour, d'une Maison, et elle résidera à l'Élysée et à la Malmaison, qui sont à elles, comme bientôt le château de Navarre, en Normandie, que l'Empereur érigera, pour elle, en duché. Jamais une reine de France répudiée n'avait reçu autant d'égards. Napoléon se montrait magnanime, à la mesure du chagrin qu'ils éprouvaient tous deux — car leur union avait été excellente —, et il appréciait que Joséphine s'inclinât devant sa nécessaire et douloureuse décision.

Eugène et Hortense se comportent avec un naturel inimitable. Avec la même aisance, avec la même dignité, ils ont accueilli les honneurs venus de leur beau-père et, aujourd'hui, sa volonté d'éloigner leur mère de sa vie. Courageusement, fermement, Eugène, le lendemain, ira déclarer devant le Sénat « leur libre consentement à cet acte ». Leur position est délicate, entre une mère qu'ils adorent et qui va vivre écartée des centres de pouvoir, et un beau-père — car il continuera de se considérer ainsi pour eux, et eux, ses enfants —, qui va se remarier, avec qui ? et qu'ils entoureront, servant sa politique, comme ils l'ont toujours fait. Leur noblesse va leur dicter leur attitude, et elle sera un chef-d'œuvre de tact et d'élégance : avec l'une, ils sauront être tendres, compatissants et gais, et avec l'autre, ils seront loyaux, coopératifs et aimables. Pas une mesquinerie, pas une plainte, pas une larme. Napoléon leur en saura gré. Et compte tenu d'une sorte de remords à leur égard, sa reconnaissance et sa générosité ne se démentiront pas. L'Europe entière sera témoin de leur maintien, et elle ne l'oubliera pas.

Quant aux Bonaparte, « leur joie perçait malgré eux », note Hortense. C'est qu'ils croient qu'étant — enfin ! — débarrassés de Joséphine, ils vont — enfin ! — obtenir de l'Empereur tout ce qu'ils désirent... Les Bonaparte se trompent. Pour commencer, il n'y aura plus entre eux et le Maître cet écran de douceur, d'affabilité, d'intelligence des autres qui l'adoucissait, il n'y aura plus rien qui neutralise ses emportements et ses colères, dont ils subiront de plein fouet, désormais, les effets. A la différence des Beauharnais, les Bonaparte se sont désunis en pénétrant dans les allées du pouvoir : honneurs, richesses, triomphes, leur ont tourné la tête — Madame Mère exceptée — et, en s'aiguisant, leurs ambitions les ont conduits à se placer, inconsidérément, là où ils n'auraient jamais dû être. Leur âpreté à courte vue les a éblouis : tous échoueront à tenir les promesses que

l'Empereur mettait en eux. Joseph, en Espagne, Louis, à
La Haye, Jérôme à Cassel, les Murat à Naples... Manque
d'étoffe, rébellion, trahison, légèreté, vanité ostentatoire
— rien ne sera épargné à leur frère. Sans oublier les
maladresses d'Élisa, en Toscane, ni les dérèglements de
Pauline, à Paris...

Pour l'heure, ils exultent parce qu'ils pensent avoir
évincé Joséphine. Mais là encore, ils se fourvoient.
Jamais Joséphine ne sera aussi aimée, considérée, servie,
entourée que maintenant. Et passé les premiers temps
d'adaptation, difficiles, elle saura rayonner, autrement,
mais sans perdre, non plus que ses enfants, la confiance
de l'Empereur. Quant à la future impératrice, les Bonaparte sont incapables d'apprécier que son arrivée peut
ne leur être pas avantageuse : ce sera, nécessairement,
une étrangère, et une étrangère née aux marches d'un
trône. Qui leur dit qu'elle ne sera pas hautaine, persuadée que cette clique empanachée et agressive n'est guère
fréquentable... Et une princesse, une vraie, ne manquera
pas de rallier à elle la vieille aristocratie française, qui,
du jour au lendemain, peut retrouver le haut du pavé.
Et alors, où sera cette influence dont ils se prévalent,
sottement, dans ce nouveau contexte ?

Au soir du divorce, alors que se referme pour eux une
page de l'épopée impériale, les Beauharnais ont le beau
rôle et ils le méritent. Ils continueront d'être égaux à
eux-mêmes. Les Bonaparte, eux, vont apparaître dans
leur brutalité et leur virulence sans nuances, perdant
avec la main élégante et sûre qui avait installé un
consensus social, leur meilleure caution : car, désormais,
la fracture va se redessiner tant du fait du départ de la
première impératrice qui avait su, si brillamment, incarner la réconciliation du monde sur lequel elle régnait,
que du fait de l'arrivée de la seconde, qui n'aura aucune
raison de les ménager. Et livrés à leur vraie nature, ils
vont apprendre que les jeux de pouvoir ne sont, en soi,

pas grand-chose, s'ils ne s'accompagnent de ce dont ils sont dénués et que possèdent les Beauharnais, l'altitude du cœur, l'excellence, la qualité de l'être et, surtout, le désintéressement.

VI

LE MARIAGE DE CŒUR

Un amour exalté a rempli la vie de la reine ; cette passion longtemps contrariée, trop tard satisfaite, n'a été marquée que par de courtes joies suivies de regrets sans fin.

Valérie MASUYER,
dernière Dame d'honneur
de la reine Hortense
(*Mémoires*).

Il est intéressant d'observer combien son divorce modifie la psychologie de Napoléon. L'autocrate s'affirme, comme si la douceur et la souplesse de Joséphine ayant disparu de son milieu ambiant, il se libérait des échos qu'elles trouvaient en lui. La perspective de son remariage, l'assurance de fonder sa dynastie — il sait en être capable depuis l'idylle avec Mme Walewska et le fils qui en est résulté — confortent son autorité. Il va s'affranchir du système familial sur lequel, depuis cinq années, il a assis son règne. Déléguer ne lui avait jamais été facile. Désormais, il va centraliser à l'extrême. Il entendra ne plus laisser échapper une parcelle de son emprise sur ce qu'il regarde comme sa création : l'Empire, autant dire l'idée qu'il se fait de la puissance et de la grandeur de la France, reflets de sa puissance et de sa grandeur personnelles, émanations aussi de la vision proprement romaine qu'il a de la politique. Son erreur est de croire que son œuvre sera éternelle, mais, sans cela, l'aurait-il accomplie ?

Après le divorce, donc, le remariage. En ce début d'année 1810, les tractations avec Vienne ont abouti, et il est décidé que l'archiduchesse Marie-Louise, nièce de Marie-Antoinette, deviendra impératrice des Français. Le choix est flatteur et il sied aux Beauharnais, à commencer par Joséphine qui n'avait pas craint de s'en ouvrir à Mme de Metternich, l'épouse de l'ancien ambassadeur d'Autriche à Paris. Mieux vaut celle qu'on surnomme la « fille des Césars », qu'une Slave égarée en Occident, une Saxonne par trop malléable ou la petite Lolotte, fille de Lucien, que la Famille avait cru adroit d'appeler auprès de son oncle, pour le cas où lui viendrait le goût d'une alliance corse, idéale à leurs yeux. Le mauvais esprit de Lolotte et ses lettres passant au crible tous ses parents — interceptées systématiquement par le « cabinet noir », la censure —, s'ils avaient fait rire l'Empereur, avaient aussi provoqué le renvoi à son père de l'impertinente.

C'est Caroline qui est déléguée par Napoléon pour aller chercher à la frontière autrichienne sa jeune femme, et la ramener en France, avec tous les honneurs dus à son rang. Elle s'acquittera de sa mission avec esprit sinon avec douceur : nous avons déjà dit que Marie-Louise se choquera de la rudesse inutile de sa belle-sœur, qu'elle n'appellera plus que « la Mère-emptoire » (!), ce qui, à la vérité, lui va à merveille... Caroline s'empresse de renseigner Hortense sur la nouvelle souveraine qui, bien sûr, s'enquiert de la Cour des Tuileries et de cette reine de Hollande dont on n'ignore à Vienne ni le charme ni la grâce :

[...] M. de Metternich lui a dit que tu étais la plus belle personne de la Cour, je lui ai dit que ce n'était pas cela précisément mais que tu étais très bien, et surtout très bonne et très [aimable]. L'impératrice est très fraîche, d'une belle tournure, très aimable, très douce, charmante enfin, mais pas très jolie. Elle désire beaucoup faire ta connaissance [1].

---

1. A.N. 31 AP, Lettre n° 35, de mars 1810.

Si, par la suite, Hortense aura de bonnes relations avec Marie-Louise, dont elle appréciera l'égalité d'humeur, la circonspection et, somme toute, la simplicité naturelle, cette absence d'artifice ou de malice, qui les rapprochent — les lettres de la seconde à la première en témoignent —, elle la verra très peu aux cérémonies du mariage, qui semblent menées au pas de charge : dès son arrivée à Compiègne, où Madame Mère, Julie et Élisa s'abstiennent de paraître, l'Empereur la subtilise aux yeux des siens, dont aucun, à l'exception de Caroline, ne peut l'approcher. Les mariages civil et religieux ont lieu les deux premiers jours d'avril, à Saint-Cloud et aux Tuileries. On a été quérir les manteaux d'hermine (ceux du sacre) gardés à Notre-Dame, et, une fois encore, Hortense, aidée de la discrète Julie, de l'excellente Catherine (de Wurtemberg, épouse de Jérôme, et donc, reine de Westphalie), de Pauline et d'Élisa, soutient celui de l'Impératrice, le temps d'une rapide onction dans le Salon carré, transformé en chapelle pour l'occasion. C'est tout à l'honneur de la fille de Joséphine de n'avoir montré qu'un visage serein en une circonstance dont on pouvait penser qu'elle ne la laissait pas insensible. Quelques fêtes suivront, à Compiègne, de nouveau, où, de nouveau, l'Empereur s'enfermera avec sa jeune femme, laissant leurs entourages passablement déconcertés. Un ton autre présiderait, maintenant, à leur vie à tous.

L'émancipation : Hortense devient « la reine Hortense »

Deux des frères de l'Empereur, en ce tournant du règne, n'allaient pas tarder de l'apprendre, à leurs dépens.

Lucien, pour commencer, qui, depuis l'Italie où il

s'était établi en 1803, tente de s'embarquer pour l'Amérique, avec toute sa famille. Il ne va pas plus loin que la Sardaigne, où il est arrêté par les Anglais qui le conduisent à Malte puis à Plymouth, après qu'ils ont décidé de lui donner asile. C'est, évidemment, une insulte à Napoléon, qui réagit sans tarder : il destitue Lucien de la fonction de sénateur — qu'on lui avait conservée —, et il l'interdit d'Empire, lui et sa descendance.

Autre litige grave : avec Louis. On sait la divergence de leurs vues sur les affaires de la Hollande. Elles prennent bientôt des allures de crise ouverte. Louis était venu à Paris, sur ordre de son frère, pour assister au divorce impérial. Accompagné de son encombrante suite, il avait envahi l'hôtel de Brienne, préférant descendre chez sa mère plutôt que de revoir Hortense, celle-ci, plus maîtresse d'elle-même, lui ayant rendu immédiatement une visite de bienséance. Louis n'avait pas manqué de s'entretenir avec Napoléon du problème qui les occupait. Le ton était monté, l'Empereur lui signifiant son mécontentement, le désir qu'il avait que Louis ne reparte pas pour La Haye — il le mettra sous surveillance policière, ce qui ulcère Louis —, et il finit par lui stipuler fermement ce qu'il attend de la Hollande, pays vassal : de l'argent, des soldats, une petite flotte, et la cessation de tout commerce avec l'ennemi, c'est-à-dire l'Angleterre. Il lui impose un traité (le 16 mars) que Louis feint d'accepter, en tergiversant, ce dont Napoléon n'est pas dupe. Bref, l'Empereur se voit obligé de mettre son frère devant un choix clair : ou il obtempère, en appliquant à La Haye la politique décidée à Paris, ou ce sera l'annexion pure et simple de la Hollande, dont, déjà, il fait occuper le Brabant et la Zélande.

En vérité, bien qu'il menace crûment de « manger la Hollande », Napoléon aimerait éviter un esclandre dont l'Europe ferait des gorges chaudes. Mais Louis se crispe. Passé les fêtes du mariage, Napoléon accepte que Louis reparte dans son royaume, et comme celui-ci, toujours contradictoire, semble vouloir qu'Hortense l'accompagne, l'Empereur suggère à sa belle-fille qu'elle pourrait tenter, une ultime fois, de reprendre la vie commune avec le roi. Hortense n'en a aucune envie. Mais elle ne tient à contrarier personne et, comme Eugène paraît, lui aussi, abonder dans ce sens, c'est bien tristement qu'elle se détermine à quitter Paris.

L'Empereur venait de se montrer particulièrement généreux avec elle, en la nommant princesse protectrice des Maisons Napoléon d'Écouen et de Saint-Denis, maisons d'éducation destinées aux orphelines dites « de la Légion d'honneur », filles des Braves tombés sur le champ de bataille. De plus, lors d'un conseil de famille qui s'était réuni juste après le divorce, Louis ayant, à son tour, émis le vœu de divorcer, Napoléon avait refusé sèchement, mais il avait comblé Hortense en lui confirmant la garde de ses enfants, en lui désignant pour habitations personnelles l'hôtel de la rue Cerutti et Saint-Leu, y ajoutant un apanage annuel d'un million. Aussi, malgré les réticences d'Adèle — qui venait de perdre brutalement son mari, tombé malade à Milan —, Hortense juge-t-elle que mieux vaut se plier au souhait des siens.

Elle quitte Compiègne peu après Louis, le 11 avril, emmenant avec elle son fils aîné, toujours aux mains de la bonne Mme de Boubers — bien que son père commence à rédiger des plans d'éducation le concernant —, et laissant à Paris le plus jeune, toujours délicat même s'il a commencé à se mieux porter après qu'on eut changé sa nourrice... Le 13, Hortense ne s'arrête à Anvers que le temps de relayer ses chevaux, et le lendemain, elle arrive à Utrecht où l'attendent ses dames et ses officiers. Le roi l'y rejoint pour y passer avec elle la Semaine sainte. Il montrera les premiers signes d'une dévotion qui, avec les années, s'accentuera d'une

manière quasi monomaniaque, comme tout ce qui pénètre profondément son être. La famille royale est fêtée et
se présente, réunie, au balcon.

Le 24 avril, Hortense s'installe au Palais royal
d'Amsterdam — en fait, l'ancien palais municipal sur le
Dam, Louis préférant Amsterdam à La Haye —, et très
vite, elle se rend compte qu'elle est quasiment séparée
de son fils et de son mari : la voici prisonnière, abandonnée de tous, car l'approcher signifie encourir aussitôt la
disgrâce du roi... On comprend qu'elle ne résiste qu'à
peine un mois, dans ces conditions. Elle écrit à Adèle,
lui explique sa situation. Elle reprendra ces impressions
sinistres, dans ses *Mémoires* :

> [...] J'ai eu plus de courage que de force en souscrivant au
> choix de ma famille, toi seule qui savais tout ce qui m'atten-
> dait, tu as tout fait pour m'en empêcher, je me suis laissée
> aller, le roi a désiré me ravoir près de lui, que me veut-il,
> j'y suis venue mais quelle vie, mon fils même à peine si je
> puis le voir, il est bien gâté, j'en souffre mais je n'y puis
> rien ; ainsi la volonté de Dieu est faite, ce pauvre abbé
> Bertrand est venu me voir, il m'a donné du courage en me
> disant le mal que l'on avait fait courir sur moi ici, et
> combien ma vue m'avait ramené les opinions, l'on dit,
> comment cette femme que nous avons vue si fraîche et
> qu'on nous peignait si insasiable [*sic*], de plaisirs et détes-
> tant la Hollande comme ne pouvant pas lui en procurer, la
> voilà mourante, on nous a donc trompés. Ainsi, ma chère
> Adèle, tu vois qu'en se sacrifiant, qu'en tâchant toujours de
> faire ce qu'on croit le mieux, il vous en revient au moins
> quelque chose. Le palais ici est absolument comme une
> inquisition, personne n'ose se parler, tout le monde tremble,
> j'ai bien vite renvoyé l'Abbé de peur de lui nuire en le gar-
> dant et je n'ose plus voir personne [1]...

La plainte s'exhale au fil de l'élégante petite écriture
penchée, démêlant l'écheveau des réminiscences dou-

---

1. A.N. 400 AP 35.

loureuses car « le grand malheur » d'Hortense a aiguisé sa sensibilité, a tendu ses nerfs : « tout frappe un cœur déjà ulcéré », remarque-t-elle judicieusement. Ces odeurs de tourbe qu'elle avait enregistrées alors qu'on la transportait quasi inconsciente d'un palais à l'autre, après la mort de son fils, le cri des sentinelles dans la nuit, pendant qu'elle veillait son enfant... tout revient, intact. Et la tourbe et les sentinelles la rendent malade. Le climat maussade, la solitude, l'absence de compagnie, la peur et l'angoisse qu'excelle à répandre Louis, tout cela est irrespirable. Cette jeune femme sensible, raffinée, éprise de propos et d'activités choisis, qui, dès qu'elle se trouve hors de l'emprise névrotique d'un mari malade, domine sa peine et rayonne, comment peut-elle résister à ce traitement détestable ?... Cette vie est intolérable. Il lui faut s'en dégager.

Elle agit avec doigté. Dans un premier temps, elle obtient de quitter Amsterdam pour le Loo, un beau château dans la campagne d'Apeldoorn, que Louis s'était plu à embellir — en en redessinant les jardins —, et dont les bois et les clairières ont la vertu de n'être pas oppressants. Elle s'y installe le 21 mai. Elle argue de sa mauvaise santé, que les médecins constatent, ce dont elle s'autorise pour aller prendre les eaux. Les gazettes l'annoncent : la reine se rendra à Plombières. Le 1er juin, elle a rejoint la France. Du moins, est-elle hors de portée de Louis. De nouveau sous la juridiction et la protection de l'Empereur, elle doit maintenant attendre ce qu'à Paris, on décidera pour elle.

Eugène, qui y réside encore, va s'en occuper activement. Il le lui fait savoir par Mme de Souza, le 10 juin, il a vu l'Empereur la veille : qu'elle ne pense qu'à réparer sa santé. Le 14, c'est sa mère qui lui annonce que, la veille, l'Empereur lui a rendu visite à la Malmaison : « Je lui ai parlé de ta position, il m'a écoutée avec intérêt », lui écrit-elle, l'Empereur lui demande de prendre les eaux, puis d'informer son mari qu'elle a besoin d'« un climat chaud pendant quelque temps »... Elle compte la rencontrer à Aix-en-Savoie, où elle va se rendre bientôt, son fils cadet « se porte très bien, il est rose et blanc... » L'Empereur, en outre, tenant à protéger l'enfant, ne veut pas qu'il quitte Paris, mais « au moins, peux-tu être tranquille sur [*sic*] lui », ajoute Eugène, quelques jours plus tard. Eugène confirme les propos de l'Empereur : Hortense est libre de voyager en Italie si elle le souhaite, elle peut venir à Paris quand il lui plaira, enfin, « il n'est pas du tout question de [son] retour en Hollande [1] ». Il prend soin dès qu'il le peut, le 30 juin, de préciser d'autres dispositions de leur beau-père la concernant :

> L'Empereur m'a chargé de défendre à M. Turgot 1° de laisser aller le jeune prince en d'autres mains sans un décret de lui. 2° de permettre à personne [*sic*] de loger dans la maison, excepté les personnes de ton service et de celui des princes. 3° de recevoir aucun fonds [*sic*] pour le jeune Prince que de toi. L'Empereur a ajouté : il ne faut plus penser à ce que la reine retourne jamais en Hollande. Je l'engage à revenir à Paris et à y rester tranquille [2].

Autant de bonnes nouvelles pour Hortense. Que va conforter un coup de théâtre : le 1er juillet, Louis abdique. Mieux, il s'enfuit, et nul ne sait où le trouver. Il a laissé son fils aîné en Hollande et la Hollande sous la régence d'Hortense. L'Empereur rassure immédiatement celle-ci : « le nouvel acte de folie du roi » ne doit pas l'inquiéter. Il lui écrit de nouveau, le 10 juillet, pour l'informer qu'il envoie son aide de camp Lauriston — qui a toute la confiance des Beauharnais — chercher le prince royal « que le roi a laissé à Haarlem, dans le plus

---

1. A.N. 400 AP 28, Lettre du 28 juin. La lettre de Joséphine est du 14, A.N. 400 AP 25.

2. A.N. 400 AP 28.

grand dénuement », qu'elle prenne tranquillement les eaux, son fils sera installé à Saint-Cloud, dans l'ancien Pavillon de Breteuil, réaménagé pour lui et son cadet. Il considère, et il en fait part à Joséphine, que cette fuite de Louis détermine, de fait, l'émancipation d'Hortense. Il va lui donner la propriété de la rue Cerutti et de Saint-Leu, avec un apanage augmenté, qu'un décret du 23 avril prochain portera à deux millions [1].

Non seulement Hortense est rassurée sur le sort de ses enfants, que l'Empereur veut garder auprès de lui — dans l'incertitude des projets de leur père —, non seulement le cauchemar hollandais s'est dissous comme un mauvais rêve — elle cesse d'être la reine de Hollande, la Hollande étant rattachée à la France, pour devenir, officiellement, *la reine Hortense* —, mais en un mois, sa vie a basculé : en ce début d'été 1810, Hortense est libre et, petit détail qui a son importance, elle est riche.

Elle se prépare à rejoindre sa mère aux eaux d'Aix-en-Savoie : son médecin, Lasserre, accouru de Paris, les lui conseille, la craignant attaquée de la poitrine. Heureusement, si elle se ressent encore des récents ébranlements qui l'ont agitée, Hortense se rétablira peu à peu, parmi ces montagnes et ces lacs qu'elle aime, au contact, surtout, d'une société affectueuse et douce. Elle apprend bientôt la retraite de Louis, en Bohême, aux eaux de Toeplitz, et le peu de velléités qu'il a de jamais revenir en France. Elle éponge les dettes qu'il y a laissées, et c'est l'esprit en paix qu'elle tourne cette page conjugale. Si plus tard, elle écrira, en commentaire à l'attitude du roi de Hollande : « il y a de la noblesse à renoncer au trône pour obéir à sa conscience », il n'empêche qu'elle

_____

1. A.N. 400 AP 25.

est épouvantée, comme toute la Famille, des délires et
des lubies de Louis, dont on sait qu'après Toeplitz il
ira vivre obscurément à Graz, en Autriche, où pendant
plusieurs années il se montrera rebelle à toute sollicita-
tion visant à l'en faire sortir. Sans doute n'est-elle pas
loin de penser, comme l'Empereur, qu'il est « fou »,
mais, comme l'Empereur, elle se contente, en public, de
le considérer comme un malade, aigri par ses infirmités.
Ce triste personnage, mû par un idéalisme sincère mais
torturé de maux, de scrupules et de contradictions, se
tiendra longtemps aux marges du monde et de la raison.

C'est une rude épreuve morale pour une jeune femme
— la reine Hortense n'a que vingt-sept ans —, que cette
dissolution de type pathologique de ce qui fut sa vie
conjugale et sa relation avec le père de ses enfants. A
peine aura-t-elle apprécié — à cause de Louis — la fonction royale qui était la sienne auprès des Hollandais. Ses
séjours en Hollande ont été brefs, dramatiques et douloureux. Sans cesse reléguée dans son intérieur, chaque fois
qu'elle a essayé d'agir là où elle le pouvait — sur le
terrain social, principalement —, le roi s'est mis à la
traverse, l'humiliant, annulant par des contrordres absurdes la moindre de ses tentatives. Privée de son rayonnement légendaire, à peine apparaissait-elle aux
Hollandais, sinon comme une figure évanescente, sans
poids ni réalité. Et pourtant, sa bonne volonté était
entière : « Je ne regardais, dira-t-elle, le titre de reine,
qui m'était tombé en partage, que comme une obligation
de plus de servir les autres et de les protéger... » Fille de
sa mère, en cela aussi, elle va, désormais, ne rien négliger pour rattraper le temps et les occasions perdus. La
reine Hortense, bien plus que la reine de Hollande, laissera sa marque partout où elle passera, sous forme de
bonnes œuvres, de protection active, d'animation, dirait-
on aujourd'hui, sociale et culturelle. Quittée la Hollande,
ce malentendu greffé sur une mésentente conjugale, Hortense va régner. A sa manière.

Elle emploie souvent dans ses écrits la métaphore de la respiration, contrariée, ou retrouvée, et rien n'est plus juste : avec la disparition du carcan qui l'enserrait, Hortense va se revivifier à l'oxygène ambiant. En un mot, elle va s'épanouir et réaliser brillamment toutes les promesses qui sont en elle. Elle va voyager, composer, dessiner, danser, écrire, s'occuper de ses enfants, de ses amis, reprendre à la Cour une place originale... Elle va, librement, devenir elle-même. Et ce poids de douleur qu'elle a accumulé pendant les trois dernières années, elle saura s'en dégager et mettre à profit l'armature qu'il lui a donnée, pour être encore plus aimable et plus compréhensive envers ce qui l'entoure, avec une particulière aptitude à reconnaître chez les autres ce qu'elle sait d'expérience, la souffrance, à la partager et, quand elle le pourra, à la soulager.

Une présence nouvelle dans sa vie va aider à cette métamorphose : Charles de Flahaut. Nous nous souvenons de l'inclination qu'Hortense éprouvait pour lui, secrètement, jusqu'au jour de son départ pour La Haye, où les circonstances avaient favorisé son aveu au jeune homme qui, assurément, tombait des nues. Le cœur d'Hortense, ses rêveries, ses improvisations musicales, ses promenades, sa conversation même, s'étaient nourris à ce sentiment qui coloriait son existence, l'irradiait d'intérêt, de réceptivité et de relief. Le secret ajoutait sans doute à cette lumière intérieure qui, souvent, devait ressembler à la plus belle des aurores...

A Plombières, elle l'a revu, brièvement. Il y soignait, en compagnie de Mme de Souza, sa mère, les séquelles de la blessure qu'il avait reçue pendant la dernière campagne d'Allemagne. Flahaut, à vingt-cinq ans — deux ans de moins qu'Hortense —, était le modèle du brillant jeune officier d'état-major : il avait commencé par appartenir au 5e dragons, le régiment de Louis, puis il était passé en octobre 1802 à l'état-major de Murat, sous

lequel il s'était illustré à Austerlitz et avec lequel il était
entré dans Varsovie, prenant possession, à sa suite, du
palais Potocki. Il avait eu plus de succès que son chef à
gagner les bonnes grâces de la maîtresse de maison, et
même, en vertu de sa particulière distinction, son cœur.
Murat en prit-il ombrage ? Toujours est-il que, lorsqu'il
avait commandé à ses aides de camp qu'ils adoptent les
couleurs de sa livrée, ce que Flahaut avait refusé —
l'extravagance vestimentaire ayant des limites que la
dignité répugnait à franchir —, Murat l'avait aussitôt
renvoyé dans le rang. C'est comme chef d'escadron du
13e chasseurs que Flahaut s'était battu à Eylau. Il avait
ensuite connu un interminable purgatoire dans les garni-
sons poméraniennes, d'où Hortense l'avait tiré, en août
1809. Grâce à elle, avec l'entremise de leurs deux mères,
Flahaut avait rejoint l'état-major de Berthier, et s'en était
allé guerroyer en Espagne, puis en Allemagne. A Schönbrunn, l'Empereur l'avait fait colonel, et il ne dédaignait
pas de charger le courageux jeune homme de certaines
missions diplomatiques.

Flahaut savait ce qu'il devait à la reine Hortense. Il
savait l'attachement qu'elle lui portait, et il y répondait,
de loin, par un « sentiment de devoir », celui-là même
que persiflait la rieuse comtesse Potocka. Cet incorrigible séducteur, qui menait sa vie à sa guise, avait le cœur
vif. Il avait confié à sa mère que le raccommodement de
la reine (que, dans leurs lettres, ils appellent Sophie ou
Henriette) avec son mari, en 1807, et « la nouvelle
qu'elle [était] enceinte [le] peinait plus qu'[il] ne saurait
dire »... Touché des malheurs de la jeune femme, attentif
à elle, du jour où elle est libérée de son mari, il met sa
vie à ses pieds. Il retourne immédiatement à Paris, où
séjournait Mme Potocka et rompt avec elle. Celle-ci rapporte, dans ses *Mémoires*, sa version de l'explication
provoquée par Charles. Il va sans dire qu'elle en est
ulcérée. Libre, à son tour, Flahaut repart pour Aix-en-

Savoie, où il attend celle à laquelle, désormais, il voue plus que ses pensées : son existence. On a parlé de *mariage morganatique* pour qualifier la relation qui les unira Hortense et lui, mais nous lui préférons l'expression plus exacte parce que strictement subjective de *mariage de cœur* [1].

Ils vont partager, autant qu'ils le pourront, leurs heures, leurs loisirs, leurs plaisirs. Ils sont mieux assortis que ne l'étaient Louis et Hortense, par la naissance, l'éducation et le tempérament. Ils aiment paraître mais ils sont vrais, ils aiment le monde, mais ils en savent la vanité et les limites, ils aiment danser, chanter, converser, ils aiment les parties improvisées, ils aiment les enfants — avec quelle sollicitude Flahaut avait tenu informée Mme Potocka, à Varsovie, d'une maladie de son fils, alors que celui-ci se trouvait dans l'aile du palais qu'occupaient les Français, sans que sa mère

---

1. La biographe de Flahaut, Françoise de Bernardy, pense que celui-ci s'est lié à Hortense deux ans avant le début de leurs « vacances » communes à Aix, l'été 1810. Nous ne le croyons pas. Car Flahaut, en 1808 et 1809, était toujours en garnison, puis en campagne. Et cette indication vient de la comtesse Potocka, qui met dans la bouche de Flahaut, lorsque celui-ci la quitte : « Depuis deux ans je me suis dévoué à son (celui d'Hortense) bonheur et je me suis cru moi-même heureux en voyant avec quelle reconnaissance elle acceptait ma sincère affection... » (*Mémoires*, 1924, p. 269). Et qui lui valut sa nomination auprès de Berthier... Longtemps étranger au sentiment qu'elle avait pour lui, Flahaut, sur les conseils de sa mère, a compris quelle était la qualité — et l'influence — d'Hortense, et il a su se rapprocher d'elle, cultiver une tendre amitié. Jusqu'à quel point ? C'est Hortense elle-même qui dans ses *Mémoires* met au jour le tournant de sa relation avec Flahaut, en juillet 1810. C'est dans la logique de notre héroïne : maintenant, elle est libre. Et elle a sans doute obtenu que Charles le devienne aussitôt. Quant à Mme Potocka, ses propos valent ce que valent les justifications d'une femme quittée, et dépitée de l'être ; si on l'en croit, si les protestations d'amour de Charles pour elle sont si virulentes, pourquoi l'aurait-il avertie qu'il s'en allait vers une autre, fût-ce par devoir ?... Dans ce domaine, Flahaut ne se gênait guère, et il savait être discret.

puisse s'en rapprocher la nuit ! —, ils aiment, en un mot, être jeunes et pleins de grâce, amoureux de la vie comme ils le sont l'un de l'autre...

Flahaut est extrêmement séduisant et il n'est pas étonnant qu'Hortense l'ait distingué : comme Alexandre, son père, comme Eugène, son frère, dont il est un ami, il est le type même du « beau cavalier », la version moderne de ces preux médiévaux que, dès son adolescence, elle se plaisait à évoquer. Il en a les qualités : la bravoure, l'entrain, l'aura. Comme son père et son frère, Flahaut possède une prestance remarquable : il est grand, alluré, d'une blondeur qu'illumine le regard bleu de Talleyrand, son père. Élevé par une femme, il aime le beau sexe, comme on l'aimait à la fin du XVIIIe siècle, avec vivacité, légèreté, et une courtoisie dénuée d'arrière-pensées, sinon d'une pointe de cynisme, qui le met à l'abri des chagrins d'amour. Il aime plaire — d'aucunes le jugeront d'une indélébile fatuité —, mais il ne conçoit pas qu'il puisse en souffrir. De toute façon, il repart sur les champs de bataille, et la moindre complication amoureuse s'envole à la première chevauchée... Sa mère lui est une confidente de premier choix. Cette femme délicieusement spirituelle et fine — elle avait coutume de dire qu'elle « tenait l'hiver pour une injure personnelle ! » — s'embarrasse peu de scrupules moraux, déteste les états d'âme et considère qu'avec un peu de temps devant soi, l'art et la manière envers ses semblables, tout finit toujours par s'arranger... Comme Joséphine, comme toutes les femmes de sa génération, qui ont été élevées dans la « douceur de vivre », qui ont traversé la Révolution et ses épreuves, elle ne s'attache qu'à l'efficience, à condition que celle-ci soit de bon ton. Tout naturellement donc, Flahaut sera accoutumé à aimer ses protectrices, et Hortense en est une. Cette affection de devoir de Charles envers elle est largement encouragée et par Mme de Souza et, désormais, par Joséphine.

Tout cela, Hortense le sait. Elle a reçu les confidences de Caroline — qui a remplacé Flahaut par le beau Metternich à qui succédera le fougueux Junot —, et elle a démêlé la psychologie de celui qui occupe ses pensées. Se sachant moins jolie que beaucoup d'autres, elle est consciente que pour réussir là où les autres ont échoué, c'est-à-dire pour retenir Flahaut, il lui faudra être habile. Elle n'ignore pas que les succès faciles — trop faciles — de Flahaut vont l'inquiéter, qu'elle va trembler. Mais qui dit qu'elle ne saura pas vivre avec cette inquiétude ? Comme elle est altière, elle s'efforcera d'avoir l'air de ne s'apercevoir de rien, de ne rien exiger, de se montrer aimable, disponible, compréhensive. Influente aussi, ce qui, avec le type d'homme qu'est Charles, n'est pas anodin. Hortense essaiera que sa jalousie ne soit pas perceptible. Y parvenait-elle toujours ? En tout cas, elle se liera avec Flahaut autant que celui-ci pouvait le désirer, non sur le mode de la passion, mais sur celui de la complicité et du sentiment. C'est le terrain d'Hortense. Pendant cinq ans, leur relation sera excellente. Et puis, un jour, une « faiblesse » de Flahaut, une de plus, lassera la patience de la reine Hortense. A distance, ils garderont une réelle amitié, doublée, pour tous deux, d'« un intérêt bien cher ». Nous verrons lequel.

« Jours d'or » à *Aix-en-Savoie*

Pour l'heure, c'est une jeune femme encore dolente, mais souriant de nouveau — à ses projets ? —, qui, suivie de son escorte, s'éloigne de Plombières en direction d'Aix-en-Savoie. Elle a l'idée de faire un détour par la Suisse que son « imagination [lui] représentait comme un lieu de repos et de bonheur. Ces mœurs simples, cette grande et belle nature, cet horizon borné qui semble mettre une barrière entre nous et les maux inévitables du grand monde, tout [l'] aurait portée à fixer là une félicité idéale, à laquelle cependant [elle] avait renoncé depuis longtemps [1] ». Éternelle idylle helvétique qu'accentue encore la sensibilité rousseauiste ! Elle ignore qu'un jour, vouée aux persécutions du « grand monde », elle y viendra trouver un définitif asile... Il y a, pourtant, une logique au choix qu'elle fera d'Arenenberg, et qui a sa source, en ces beaux jours de juillet 1810, dans le moment où elle décide d'entreprendre une escapade qui aura la saveur d'une aventure et la force d'une découverte.

Comme elle ne peut, sans autorisation impériale, quitter le territoire français, elle a recours à un subterfuge : elle envoie ses voitures et sa maison par la route normale, et, en petite compagnie, elle se dirige par Besançon et Pontarlier vers Lausanne. Elle se fait appeler, pour garder l'incognito, Mme de Comart, Mlle Cochelet (sa lectrice) et M. de Marmold (son écuyer) passant pour les époux Durangski (!). Les paysages qu'elle découvre de sa voiture ou de la petite chaise dans laquelle on la porte, dans les côtes, l'enchantent. L'air lui semble d'une pureté tonique, délectable. Longeant les rives du Léman, elle fait halte, le 26 juillet, aux portes de Genève, au Sécheron, descendant dans l'agréable Hôtel d'Angleterre, qui surplombe le lac — et qu'honoreront de leur présence les célébrités de l'époque. Tout a un goût d'imprévu et de liberté. En chemin, comme elle aime s'intéresser aux gens simples qu'elle rencontre, elle a failli faire mourir de bonheur un vieillard de quatre-vingt-dix-sept ans, un ancien hussard qui s'était battu à Fontenoy, et qu'elle a secouru trop généreusement. Arrivée à l'auberge de M. Dejean, les nerfs encore tendus, elle rejoint ses dames dans le jardin voisin : le propriétaire se prend de sympathie pour cette jeune femme

---

1. *Mémoires*, p. 260.

souffrante et il la convainc de consulter un de ses amis médecin. Celui-ci demande paternellement : « Quel mal avez-vous ? », mais son regard est si sagace que la reine sent percés à jour ses chagrins, et fond en larmes... Elle sera reconnue, et « l'esculape » (comme elle dit dans la lettre qu'elle envoie aussitôt à Adèle) se trouve tout embarrassé d'avoir été si familier. « C'est lui qui a apporté en France la vaccine, je voudrais bien qu'il pût m'innoculer [*sic*] un peu de bonheur et de santé », conclut Hortense dans son récit à Adèle [1]. Autre quiproquo : elle se joint à une partie improvisée chez ces mêmes voisins, et la jeune fille de la maison chante — très joliment — ce qu'elle annonce comme « une romance nouvelle, de la reine de Hollande »... Le lendemain, sortie de l'incognito, la reine devra la réentendre, exécutée cette fois « en tremblant » par la demoiselle... La douceur des soirées, la musique sur le lac, la gentillesse des personnes qu'elle y côtoie, font que la reine Hortense ressent, pour la Suisse, ce qui ressemble à un coup de foudre.

Mais, pour cette fois, elle ne peut y séjourner. Aussi reprend-elle la route d'Aix. Elle a bientôt l'heureuse surprise de voir venir à sa rencontre deux cavaliers « accourant au grand galop » : ce sont Charles de Flahaut et Fritz (Frédéric) de Pourtalès, l'un des écuyers de l'impératrice Joséphine, que celle-ci envoyait au-devant de sa fille. L'émotion d'Hortense augure de l'agrément de son séjour en Savoie.

Rattachée à la France depuis 1793, la Savoie, devenue le département du Montblanc — elle le restera jusqu'en 1815, qu'elle retourne à la couronne de Piémont-Sardaigne —, connaît alors une sorte d'âge d'or. Aix, ce joli village en bordure du sauvage lac du Bourget — que

---

1. Lettre du 3 août 1810, dont elle reprend, en les rédigeant, les anecdotes dans ses *Mémoires*. A.N. 400 AP 35.

chantera Lamartine —, offrait à ses « baigneurs » des
eaux sulfureuses qu'appréciaient déjà les Romains (Aix
s'appelait *Aquae*) [1]. L'Empire le met à la mode et, à partir de 1808, la présence successive, ou simultanée, des
princesses impériales renforce son prestige : Madame
Mère, Pauline, Julie, sa sœur Désirée, future reine de
Suède, Joséphine, Hortense ou Marie-Louise, s'y plairont, et le feront savoir. Aix sera lancé et prospérera, à
la mesure de sa belle réputation. Ce regain extraordinaire
s'explique, alors, autant par la vertu curative des sources
que par la beauté de la région et le style de vie qu'on y
menait lorsqu'on venait s'y établir. Car, prendre les eaux
à la belle saison signifiait deux choses : se soigner par
des bains — y compris, à domicile —, et des ingestions
régulières d'eau minérale, mais aussi, mais surtout, cou-
ler une existence paisible, sans contraintes, toute dédiée
au repos, aux plaisirs des excursions, des parties de campagne, en compagnie d'une société choisie et dénuée de
tout formalisme. Voilà pourquoi on faisait état de ses
malaises et de ses fatigues, afin que soit accordée la permission de se mettre « en vacance », littéralement, de
ses obligations de cour ou d'affaires. On prenait — ou
on ne prenait pas — les eaux, mais on était assuré de
mener, pendant de longues semaines, de mai à septembre
généralement, une vie exquise et qui constituait l'occasion de ce que nous appelons aujourd'hui une « remise
en forme ». Le séjour aux eaux était l'ancêtre aristocratique de nos bourgeoises villégiatures qui sont plus souvent marines que thermales. Nous avons vu Louis
Bonaparte partir, l'un des premiers, pour les eaux des
Pyrénées, découvrir Bagnères, Barèges et Cauterets.
Nous l'avons suivi de Plombières à Saint-Amand, ou à
Wiesbaden, toujours désireux d'enrayer la progression

---

1. Dans *La vie d'autrefois à Aix-les-Bains* (Chambéry, éditions
Darde, 1967), Gabriel Pérouse recense deux cent soixante-huit baigneurs en 1799 et sept cents en 1805.

de ses rhumatismes. Ses sœurs Pauline et Élisa avaient expérimenté les *Bagni* de Pise, Florence et Lucques, en Toscane, puis Pauline avait révélé Gréoux où l'on soignait les dermatoses. Joséphine allait depuis le Directoire à Plombières — réputé pour les maladies féminines —, ou à Aix-la-Chapelle... Elle essayait maintenant Aix-en-Savoie, uniquement, dirions-nous, pour le plaisir... Comme Hortense, elle s'en montrerait ravie.

Ces dames devaient se répartir les maisons de maître que les notables du cru acceptaient de leur louer, quitte à loger séparément les membres de leur suite, si celle-ci se révélait trop nombreuse. Ce sera le cas de l'impératrice Joséphine, descendue à Aix, sous le pseudonyme, vite éventé, de Mme d'Alberg, comme plus tard, la reine Victoria y viendra par trois fois se faisant nommer la comtesse de Balmoral [1]. Mme de Rémusat, sa fidèle accompagnatrice, n'ayant pu la rejoindre qu'à la fin du mois de juin, se plaindra, dans ses lettres à son mari — préfet du Palais de l'Empereur — de l'exiguïté de son logement. Mme d'Audenarde, Annette de Mackau, Lancelot de Turpin de Crissé et Fritz de Pourtalès étaient-ils mieux partagés ? L'une des résidences les plus prisées était la Maison Dommanget — démolie au siècle dernier —, qui avait l'avantage de se trouver près des Thermes. C'est probablement là qu'était descendue la mère d'Hortense, laissant celle-ci prendre possession de la Maison Chevalley, superbement située sur les hauteurs d'Aix, construite sur un plan carré orienté aux quatre points cardinaux, et qui, si elle était excentrée, jouissait d'une vue délicieuse : en contrebas de ses vastes jardins, le lac, et, sur l'autre rive, la silhouette élégante de la Dent du Chat, montagne à la cime échancrée comme un ergot, qu'Hor-

---

1. On ne doit pas confondre le pseudonyme pris par Joséphine, Mme d'Alberg, avec le nom de sa nouvelle Dame d'honneur, Mme d'Arberg, sœur de la comtesse d'Albany, encore que l'un ait pu donner l'idée de l'autre.

tense se plaira à escalader, bien avant Alexandre Dumas.
On comprend que les romantiques aient recherché et
chanté ces lieux, ces lumières pures, ces rives verdoyantes
et inabordables, abritant, de loin en loin, un château perdu
— comme celui du Bourdeau, qui avait, en son temps,
reçu la visite de Montaigne —, ou de belles ruines évoca-
trices d'un Moyen Age qu'on connaissait mal, mais qu'on
réinventait comme un inépuisable roman d'aventures.

Et précisément, dès son arrivée auprès de sa mère, Hortense avait eu droit au récit de l'excursion que celle-ci
avait faite deux jours plus tôt (26 juillet) aux ruines de
l'abbaye d'Hautecombe, ancienne nécropole des rois de
Savoie. Cette « longue course » avait failli finir tragique-
ment. On avait traversé le lac, pour débarquer au pied
d'une vaste grange batelière, seul vestige — cistercien —
intact de l'abbaye. On avait visité les ruines de la chapelle,
ses ogives ouvertes au ciel et mangées de ronces, on était
monté à la fontaine intermittente, on s'était reposé sous les
ombrages — Turpin, excellent dessinateur, a fixé la
scène —, puis, vers cinq heures de l'après-midi, on était
reparti. Malheureusement, une de ces tempêtes fréquentes
l'été sur ces lacs de montagne s'était levée. Avec sang-
froid, Joséphine avait fait décrocher une toile placée sur
l'arrière du bateau, destinée à la protéger du soleil —
qu'on craignait comme la peste, à l'époque —, et dans
laquelle le vent s'engouffrait dangereusement. Pendant
qu'Annette de Mackau recommandait son âme à Dieu,
que Mme de Rémusat piquait une crise de nerfs, MM. de
Flahaut et de Pourtalès tenaient chacun l'Impératrice par
la main, prêts à se jeter à l'eau et à la maintenir fermement
entre eux jusqu'à la berge. Tout cela, au soleil couchant,
sur un lac moutonnant, que des tourbillons agitaient sans
qu'on sache d'où ils venaient ni où ils voulaient entraîner
les pauvres passagers, cependant que les Aixois s'apprêtaient à leur porter secours... Napoléon aura un commentaire parfait : « J'ai vu avec peine le danger que tu as

couru. Pour une habitante d'au-delà de l'Océan, mourir dans un lac, c'eût été fatalité ! »...

Cet été était vraiment l'été de toutes les émotions : l'abdication du roi de Hollande et sa fuite, le quasi-naufrage de l'impératrice Joséphine s'ajoutaient à l'horrible drame qui venait d'endeuiller Paris : lors d'un bal de deux mille personnes — dont la Cour et les souverains — à l'ambassade d'Autriche, la salle de bal et la galerie hâtivement construites dans le jardin avaient brûlé. On imagine la panique générale, ces jeunes femmes endiamantées, couronnées de fleurs et chaussées de satin blanc, qui s'enfuyaient en hurlant, heureuses quand elles n'étaient pas brûlées, les blessés qu'on évacuait jusqu'à la maison voisine de Mme Regnaud de Saint-Jean-d'Angély, l'Empereur, après qu'il eut mis à l'abri Marie-Louise, étant revenu pour diriger les opérations — il y resta toute la nuit, aux côtés de son hôte, le prince Schwarzenberg —, puis l'inquiétude et l'affliction des familles... Les princesses Schwarzenberg et de la Layen avaient péri : la première était la belle-sœur de l'ambassadeur, la seconde avait une fille mariée à un Tascher, neveu de Joséphine. Sans compter ceux qui allaient mourir dans d'intolérables souffrances. A Aix, comme partout, il avait fallu attendre des nouvelles fiables pour se rassurer : Mme de Rémusat, dont la sœur Mme de Nansouty était à ce bal, ne vivait plus. Caroline et Marie-Louise écrivent à Hortense, toutes deux bouleversées de n'avoir rien vu venir, la reine de Naples, pourtant si brave, tremblant rétrospectivement : elle a été sauvée par le grand-duc de Wurtzbourg « qui [l']avait entraînée malgré [elle], ignorant le danger, un moment plus tard, il n'était plus temps... », la jeune Impératrice, heureuse toutefois de corriger l'impression de cette nuit d'horreur par la bonne nouvelle : elle est grosse [1].

---

1. Caroline : de Saint-Cloud, 3 juillet, A.N. 31 AP, Marie-Louise, A.N. 400 AP. 26.

La saison se passe agréablement. Aux matinées pares-
seuses, entrecoupées de soins aux Thermes construits
par Amédée de Savoie à la fin du XVIIIᵉ siècle, et dont
certaines pièces ornées de carreaux de faïence bleue
existent encore — si Hortense les utilisa, elle dut apprécier l'harmonie dominante de ces alcôves, sa couleur
favorite parce que assortie à ses yeux —, succèdent les
promenades de l'après-midi. Selon le temps, selon
l'humeur, on va à pied, jusqu'aux sources de soufre ou
d'alun, on s'aventure au fond des grottes jusqu'au pittoresque « griffon », on admire ces mystères naturels qui
font sourdre à flanc de colline des eaux venues du fond
de la fracture entre les Alpes et le Jura... On peut aussi
descendre s'asseoir au bord du lac, au frais, et regarder
la Dent du Chat, son inoubliable dessin qu'irradie, en
contrejour, le soleil déclinant. En calèche, on va visiter
les gorges du Sierroz, un site réputé pour sa solitude
resserrée, on se risque jusqu'à Chambéry, retrouver les
Charmettes qui abritèrent Jean-Jacques Rousseau et
Mme de Warens, ou plus loin encore, vers les ruines du
Bourget... La variété des environs permet des program-
mes d'autant plus amusants qu'ils sont nouveaux. Les
soirées se déroulent dans les jardins escarpés de la Maison Chevalley, sous la tonnelle de bois, recouverte de
jasmin et que la petite société a élue pour en faire un
salon de verdure : on y converse interminablement. Mais
on peut aussi prendre place dans le salon jaune, chanter
les romances de la reine, — Flahaut possède, comme
Hortense, une voix qui a toujours fait les délices de ses
contemporaines — ou suivre les lectures, à haute voix,
des livres à la mode. A noter que, si Hortense a toujours
pratiqué le billard — y en avait-il un à Aix ? —, elle n'a
jamais aimé les cartes. Chez elle, on ne joue pas, on
cause. A la différence de chez sa mère, experte à faire

des patiences, ou de chez Mme de Souza joueuse invétérée [1]...

Ainsi les jours appellent les jours... « je me suis rappelée [*sic*] ce mois passé si doucement, comme le temps le plus heureux de ma vie », nous dit Hortense, dans ses *Mémoires*. Et, si elle prend soin de préciser que, sa mère partie pour la Suisse, M. de Flahaut reprend la route de Paris, nous n'en croyons pas un mot. Et nous imaginons beaucoup de choses. Charles demande à sa mère de faire faire un petit cachet, pour sa belle, représentant une feuille d'aloès, entourée de cette devise : *Praemium aevi aurea dies*, « Un jour d'or est la récompense d'un siècle d'attente. » Rien n'est mieux trouvé.

Le dimanche 12 août, jour de la Sainte-Claire, la reine Hortense organise une petite sauterie en l'honneur de Mme de Résumat, née Claire de Vergennes, dont c'est la fête : un buffet dans le jardin, des petits cadeaux, des couplets rimés... Tout le monde est enchanté. Mme de Rémusat, qui a trouvé la fille aussi « pâle et languissante » que sa mère est grasse — signe de santé, à l'époque — et épanouie, a bon espoir de la voir se remettre. Et sans doute, en femme avertie et vieille amie de la famille, sait-elle à quelle influence bénéfique, autre que l'eau sulfurée, attribuer ce changement. Cette amie de Talleyrand amènera la fille de Joséphine à des relations moins superficielles avec le grand dignitaire, qui, pour sa part, possède de bonnes raisons, maintenant, de s'intéresser à elle. Car Talleyrand n'est pas un père indifférent, loin de là. Il suit Charles, le protège s'il le peut comme il paie ses dettes. Il est, de nouveau, en termes amicaux avec Mme de Souza, ce qui ne va pas sans quelques escarmouches avec le « sérail » habituel du prince.

---

1. Actuellement abandonnée, la Maison Chevalley constituerait un idéal musée historique. Située sur l'emplacement d'un nouveau forage, espérons qu'elle sera un jour enclavée, restaurée et rouverte...

Mme de Talleyrand, dont la réputation de sottise n'est plus à faire, trouvera toujours en Mme de Souza une interlocutrice impitoyable. Un jour, la première dit à la seconde : « N'est-ce pas, Madame, que vous donneriez votre vie pour votre fils ? » « Mon Dieu ! Madame, lui répond Adèle, et la vôtre avec ! »...

Le 25 août, Joséphine quitte Aix pour un périple en Suisse, qui durera un mois, avant qu'elle ne séjourne plus longuement au Sécheron : elle commencera par acheter le château de Prégny, sur les hauteurs de Genève, résidence qu'elle aimera tout spécialement bien qu'elle l'ait peu habitée, puis elle s'en ira découvrir Neuchâtel, la Jungfrau, Berne. Elle reviendra par Chillon, Lausanne et descendra jusqu'à Chamouny et sa célèbre Mer de Glace, où, contrairement à Mme de Staël et à Mme Récamier, elle évitera que la réverbération solaire ne lui brûle les bras... Une incertitude assombrit son automne : la jeune Impératrice s'étant froissée des nombreuses visites que l'Empereur faisait à la Malmaison, celui-ci suggère à Joséphine d'aller passer l'hiver, jusqu'aux couches de Marie-Louise, soit à Milan, auprès des vice-rois et de leurs enfants, soit à Navarre, séjour normand encore mal aménagé. Il faut choisir entre être loin, ou être mal chauffée... Quand Joséphine se décide pour Navarre, toute sa suite respire ! Personne n'avait envie de s'expatrier. Et Navarre, on s'en arrangera... Hortense va au Sécheron faire ses adieux à sa mère, et le 24 septembre, elle est en route pour Fontainebleau, où se tiendra la Cour pendant les deux mois à venir. Elle quitte Aix heureuse. Elle se promet d'y revenir, ce qu'elle fera par trois fois, et elle retourne vers ses enfants et un hiver à Paris dont elle sait que Charles l'embellira.

*
* *

La Cour a changé. Un ton nouveau est perceptible, qui se résume en un mot : sévérité. Tout y est rigide, à

commencer par l'étiquette beaucoup plus stricte
qu'auparavant, et Dieu sait que le protocole d'approche
n'était ni simple ni souple du temps de Joséphine. Mais
celle-ci, par son amabilité et sa connaissance de la
société, rendait personnelle toute relation, humanisait
tout échange, toute cérémonie. Avec Marie-Louise, c'est
différent : l'Impératrice est jeune et étrangère, et d'un
naturel peu urbain. Elle tient son rang, comme la princesse de Habsbourg qu'elle est, mais elle n'a aucune
chaleur. Pire, elle est maladroite, non de son fait, mais
de celui de sa Dame d'honneur, Mme de Montebello, la
veuve du maréchal Lannes, femme irréprochable, mais
qui n'avait ni goût ni dispositions pour la vie de représentation. Le choix que l'Empereur avait fait d'elle
l'honorait, comme il honorait la mémoire de son mari,
mais elle était incapable d'orienter l'Impératrice, de lui
expliquer, comme sa charge le lui commandait, qui était
qui, dans ce microcosme complexe qu'est une Cour
digne de ce nom. Que d'impairs et de malentendus eussent été évités avec un peu de discernement et de sens
mondain !... « Que de fois, constate Hortense en parlant
de sa belle-sœur, elle a demandé des nouvelles d'un mari
à une femme qui venait de le perdre dans une bataille et
qui, les larmes aux yeux, était forcée d'annoncer elle-
même un événement malheureux, dont elle s'attendait à
être consolée [1] ! »

Si l'Impératrice était encore peu faite à ce qu'il faut
bien appeler sa fonction — et quel contraste avec la précédente qui aimait tant à s'en acquitter ! —, l'Empereur
devient distant, désireux d'imposer par ce sérieux et
cette discipline un climat d'indiscutable respectabilité.
Avec Hortense, il est le même, chaleureux, accueillant,
heureux de la voir auprès d'eux, souhaitant qu'elle se lie
avec Marie-Louise, comme si l'amitié entre sa belle-fille

1. *Mémoires*, p. 267.

et sa jeune femme était le trait d'union entre son ancienne existence et la nouvelle. Et puis, il exulte de la grossesse de l'Impératrice : si c'est une fille, il la mariera à Napoléon ! Tout de même, sa famille s'en émeut : il tient les Bonaparte à distance et ceux-ci ont du mal à s'y accoutumer.

Dans cette Cour guindée, Hortense a la chance d'être la fille du souverain, qui la soutient et la gâte : au premier de l'an suivant, il lui enverra deux tapisseries des Gobelins et, petite attention qui est sans prix pour Hortense, il fera lever le séquestre sur Saint-Leu, pour qu'elle puisse en disposer librement... Elle a la chance, aussi, et cela tient aux circonstances, mais surtout à sa personnalité, de s'y ménager une place originale. Elle en fait intrinsèquement partie et, cependant, elle y est relativement indépendante : elle dispose à Fontainebleau d'une maison à part, et si elle participe à toutes les grandes cérémonies, aux bals et au Grand Cercle, elle peut s'abstraire le reste du temps, à condition de recevoir une fois par semaine l'Impératrice. C'est une position, compte tenu de son statut et de sa fortune, on ne peut plus enviable. Et les Bonaparte ne se privent pas de l'envier, étonnés qu'ils sont de la revoir ! C'est Louis qui est loin, qui a perdu l'estime de son frère et tous les avantages qui étaient siens, et c'est Hortense, avec sa bonne grâce, sa douceur et sa détermination, qui tire les marrons du brasier hollandais... Elle les connaît assez pour être vigilante et se surveiller, de façon que rien ne transpire de sa nouvelle vie. Elle se méfie aussi de Savary qui, s'il était un charmant aide de camp, est devenu un redoutable ministre de la Police. Avec lui, c'en est fini des complicités à la Fouché, qui était la finesse même, qui comprenait et se faisait comprendre à mi-mot, qui savait ménager et le faubourg Saint-Germain et ses vieilles connaissances des heures révolutionnaires, dont la bonne éducation tempérait le zèle...

Maintenant, toutes les jeunes femmes tremblent et se gardent, car les correspondances sont lues et les vies privées, dans l'entourage même du souverain, sont impitoyablement traquées. Personne n'est à l'abri de ces inquisitions, et Hortense se le tient pour dit. Elle saura être discrète et arranger son organisation de maîtresse de maison libre d'elle-même, de manière à concilier les douceurs d'une existence de particulière et les obligations d'une princesse impériale.

A la mi-novembre, passé le baptême collectif par le cardinal Fesch, dans la chapelle de la Trinité, de son fils et d'une vingtaine d'enfants de dignitaires et de maréchaux, elle se libère des contraintes de la Cour, qui réintègre les Tuileries, n'y apparaissant que lorsqu'elle le doit, et elle reprend pied, chez elle, rue Cerutti, précisément pour fêter gaiement la Sainte-Eugénie. Comme l'Empereur le souhaite, elle recompose sa Maison, éparpillée du fait des récents événements de Hollande. Mme de Caulaincourt est dame d'honneur, ses anciennes Dames qui le peuvent reviennent près d'elle, se joignant à sa dame hollandaise, Mme Harel, qu'elle apprécie. Mme de Boubers est cédée à Marie-Louise. Désormais, Mme de Boucheporn et M. de Marmol s'occuperont de ses enfants, l'abbé Bertrand deviendra son aumônier. La gentille et sagace Adèle, veuve du général de Broc, viendra vivre chez elle. Son personnel domestique, comme toujours, sera très nombreux. Cet entourage, amical et spirituel, convient à merveille à la reine Hortense, précisément parce qu'il est de bonne qualité et que, loin d'entraver sa vie, il l'enrichit.

Hortense a la sagesse de filtrer ses visiteurs : elle appelle cela *sa liste*. Les matinées sont à elle et à Adèle, consacrées aux enfants et aux arts d'agrément, surtout le dessin, la musique étant l'un des divertissements des soirées. A celles-ci n'apparaissent donc que les personnes portées sur la liste, et elles forment une société régu-

lière qui s'apparente à un salon. Hortense crée une
habitude qui fera fureur sous la monarchie de Juillet : « Je
fus la première qui établit dans son salon une table ronde
pour pouvoir travailler ou s'occuper le soir, comme on le
fait à la campagne. Les maîtresses de maison françaises
étaient autrefois placées auprès de la cheminée ; toutes les
dames étaient en cercle, les hommes debout au milieu
d'elles et une conversation où chacun faisait briller son
esprit était la seule occupation de la soirée. » C'est ce que
continueront à faire Mme Récamier et M. de Chateaubriand, à l'Abbaye-aux-Bois : chacun dans son fauteuil,
de part et d'autre de l'âtre, accueillant les visiteurs depuis
leurs immuables positions.

Chez la reine Hortense, dès 1810, il en va autrement :
on joue au billard, on chante des romances et des airs
d'opéra à la mode, les dames travaillent à leurs ouvrages
ou entretiennent la conversation. Chacun fait ce qu'il
veut. A dix heures, on sert le thé, comme on le faisait
en Hollande, car Hortense avait maintenu cette habitude,
et les conversations reprennent jusqu'à minuit ou une
heure du matin. « J'avais eu beaucoup de peine à persua-
der à mes officiers de ne pas rester debout comme sous
les armes et de prendre part aux agréments de la société,
écrit-elle. Je voudrais que mon intérieur ressemblât à une
réunion de famille où le bon ton règne toujours et où
une gaieté paisible n'exclut pas le respect dû à celle qui
la préside. » Ce qu'elle institue rue Cerutti, au début de
l'hiver 1810, cette élégance et cette souplesse, la reine
Hortense y sera fidèle, où qu'elle se trouve, jusqu'à sa
mort. Cette jeune femme, qui a rang aux Tuileries, qui
sacrifie à la figuration en grand apparat quand il le faut,
mêle, chez elle, le meilleur ton du Faubourg Saint-Germain — sans l'affectation de classe, qu'elle déteste —,
et la qualité de facilité, d'urbanité d'une société plus
jeune et plus libre. C'est là un style de vie, éloigné du
faste mais soucieux de bien-être intelligent, qui la distin-

gue. S'il lui fera des envieux, il exprime mieux que tout quelle femme elle est, et combien elle excelle à oser *faire*, mettre en pratique, ce qu'elle croit être le mieux. Dans sa vie publique, comme dans sa vie privée. A son époque, c'est une rareté.

Ainsi se passe cet hiver paisible. Eugène, à Milan, entouré de sa petite famille qui s'agrandit régulièrement, Joséphine, à Navarre, qui, depuis sa « marmite » — ainsi appelait-on le château de Mansart, surmonté d'un dôme passablement disgracieux —, assiste aux parties de patinage de sa suite sur les pièces d'eau gelées. La fidèle Mlle Avrillon se cassera une jambe pour être tombée malencontreusement d'une luge improvisée, et, chaque jour, l'Impératrice montera jusqu'à sa chambre, passer un moment auprès d'elle. Elle lui proposera même de faire venir de Paris une toute récente invention appropriée à la situation : un lit articulé...

A Paris, Hortense coule des heures douces, occupée, entre autres choses, à mettre à jour ses compositions musicales. Ses romances connaissent un succès grandissant, tant dans les milieux impériaux que dans ceux qui sont opposés à l'Empire. Sa mère, avant qu'elle ne quitte Genève, lui avait écrit : « J'ai entendu chanter dans toute la Suisse ta romance du *Beau Dunois* ; je l'ai même entendu jouer sur [*sic*] le piano avec de jolies variations... » Mme de Staël et Mme Récamier, au retour de leur exil, confieront à la reine qu'elles aimeraient particulièrement interpréter *Fais ce que dois*..., empruntant son titre à une vieille devise aristocratique que Louis avait reprise sur ses armes royales, en Hollande, et qu'Hortense adoptera à son tour. Elle n'avait pas manqué de dédier une romance à l'illustration du début de la devise des Beauharnais : *Autre ne sers*..., et une autre, à sa devise personnelle : *Moins connue, moins troublée*.

Hortense a trouvé dans la création une évasion. Mais aussi, elle s'est donné un territoire à elle, un espace onirique où elle évolue librement, et que son active imagination enrichit à sa guise. Ses romances remettent à l'honneur la chevalerie, et l'on peut dire qu'elle est, vingt-cinq ans avant la duchesse de Berry, à l'origine de cette vogue extraordinaire pour le Moyen Age, copieusement exploitée pendant la majeure partie du XIXe siècle. Le style troubadour, les drames romantiques ou les restaurations de Viollet-le-Duc relèveront d'une inspiration « gothique ». Hortense, elle, s'intéresse à la matière courtoise et, dans les deux cas, il s'agit, bien entendu, d'une évocation fantaisiste, qui s'alimente à quelques clichés communément admis, mais qui renseignent sur la personnalité de celui ou de celle qui les élit. Pour Hortense, c'est clair : son héros de prédilection, dans ses romances, comme dans la vie, est le chevalier, le preux armé de pied en cap, qui part pour la croisade (en Syrie, par exemple) et, malgré sa vaillance en « terre étrangère », soupire après sa patrie et la dame de ses pensées. Si la notion de « patrie » est anachronique — elle est apparue, en France, avec les armées républicaines —, celle de l'amour nostalgique ne l'est pas. Hortense réactualise le thème guerrier auquel, à l'époque napoléonienne, surtout, chacun peut s'identifier, comme le thème de l'attente amoureuse, que tous ressentent intensément.

La spirituelle amie de Réal, Mme de Chastenay, le notera dans ses *Mémoires* : sous l'Empire, ce qui la surprend le plus, « c'est la prédilection de tout le monde pour les romances de chevalerie, il n'était question dans toutes que des vieux châteaux de nos pères, que de preux, de paladins, même de rosaires et de croix. La reine Hortense faisait les airs, et les courtisans les paroles. Mme de Noailles disait : "En ce moment, on parle de chevalerie comme en Révolution on parlait de liberté." [1] » Les plus célèbres étaient : *Partant pour la*

---

1. *Mémoires*, Perrin, 1987, p. 426.

Syrie, appelée aussi *Le Beau Dunois*, et plus tard l'*Air de la reine Hortense*, *La Sentinelle*, *Héloïse au Paraclet*, *Le Lai de l'exil*, *Le Bon Chevalier*, *Le Retour en France* ; les titres parlent d'eux-mêmes. A cette veine « médiéviste », Hortense ne dédaignait pas d'ajouter des romances élégiaques, chantant les émois sentimentaux de jeunes gens séparés : *Serments d'amour, Regrets d'absence, L'Heureuse Solitude, Ne m'oubliez pas...* Parfois même, elle mettait en scène des « bergeries » héritées de Bernardin ou de Jean-Jacques, où, près de leurs chaumières, dans leurs frais vallons, des paysans soupirent dans le langage le plus maniéré qui soit. Il y en a pour tous les goûts.

Elle composait les phrases musicales, harmonisait ses mélodies — d'une très grande séduction, pour celles que nous connaissons —, ses musiciens attitrés en faisaient les arrangements, et ses amis, Elzéar de Sabran (le frère de Delphine) ou Alexandre de Laborde, y ajustaient les paroles. C'est Laborde qui est l'auteur de celles de *Partant pour la Syrie*, écrite en 1808 à la Malmaison. Félix Blangini, maître de musique très recherché de la Cour, qui sera successivement attaché à Caroline et à Pauline, qui a connu tout le monde musical de l'époque, Grétry, Méhul, Spontini (dont *La Vestale* fut créée pour Joséphine, à Strasbourg, en 1805), Paër (maître de chant et de piano de Marie-Louise), Lesueur qui avait remplacé Paisiello auprès de l'Empereur, ou Boieldieu, se souvient d'avoir donné des leçons « à la reine Hortense, qui a pu cesser d'être reine mais non la femme la plus aimable, la fille la plus dévouée, et la meilleure des mères. J'ai composé pour elle beaucoup d'airs et de romances, et elle avait la bonté de me faire entendre celles qu'elle a composées elle-même, et qui n'avaient réellement pas besoin d'être d'une reine pour mériter le succès qu'elles

obtinrent partout où l'on aimait les paroles chevaleres-
ques soutenues par des chants simples et vrais [1] ». Cet
hommage d'un connaisseur met Hortense à sa juste
place, et infirme les ragots, tardifs il est vrai, qui, là
encore, tentèrent de rabaisser ou de nier son talent.

C'est à cette même époque qu'Hortense lance une
mode, elle aussi très suivie, celle d'éditer ses partitions
assorties chacune d'une illustration de sa main. Rien
n'était plus réussi (et, notamment, les cadrages qu'elle
choisissait) ni plus apprécié. Elle a l'idée de réunir douze
romances, illustrées par elle, et de les relier en un album
dédié à son frère. Le premier que nous connaissons date
de 1812, mais pendant tout le siècle à venir, ils seront
reproduits, y compris pendant l'exil de la reine, à Londres ou à Bruxelles. La Restauration s'offusqua de ce
que *Le Beau Dunois* était l'hymne de reconnaissance des
bonapartistes, et elle l'interdit. Tout naturellement,
quand ils revinrent aux affaires, c'est cet air, appelé l'*Air
de la reine Hortense* ou la *Marche impériale* quand on
l'exécutait accompagné de six pianos, qui, pendant tout
le Second Empire, servit d'hymne national. Lors de
l'Exposition Universelle de Londres, le 10 juillet 1862,
devant cent mille visiteurs, les gendarmes et les zouaves
de la Garde impériale française, en réponse au *God save
the Queen* jouent l'*Air de la reine Hortense* : tout le
monde se lève — Anglais et Français confondus —, les
hommes chapeau bas, pour écouter, dans un silence parfait. Si Napoléon (Ier) avait pu voir cela !...

Ses romances, et les gravures qui les rehaussent, ont
beaucoup contribué à la célébrité de la reine Hortense :
son goût des arts dans quoi se reconnaissaient les jeunes
femmes, ces mélodies qu'on s'envoyait, se recopiait,
s'échangeait en permanence, et que les hommes aussi

---

1. *Souvenirs*, de Félix Blangini, 1797-1834, publiés par Villemarest, pp. 112-113.

bien que leurs compagnes chantaient chaque soir, ou chaque fois qu'ils étaient en société, lui ont valu, de son vivant, un rayonnement remarquable. Il tient autant à l'élégance, à la simplicité, à l'expressivité des airs — et de leur contenu — qu'à la diffusion constante qu'on en fit : jusqu'à sa mort, on trouve dans la correspondance de la reine des demandes d'*Albums*. Jusqu'à la duchesse d'Abrantès, Laure Junot, qui le lui réclame pour le jeune Victor Hugo, très impatient de le recevoir. Le mot « médiatisation » n'existait pas — sauf à parler des princes germaniques, « médiatisés », mais c'est autre chose —, cependant Hortense, son entourage et ses fils, au-delà d'elle, s'y entendirent grandement. Et, comme toujours en la matière, le produit comblant l'attente du public, avec ou sans étude de marché, ils obtinrent un des *best-selling* du siècle. Il faudrait retrouver aujourd'hui ce patrimoine exquis des vieilles chansons françaises : chansons de toile, berceuses, complaintes et romances. Elles mériteraient qu'on leur redonnât vie. Celles de la reine Hortense, particulièrement, car elles sont un des témoignages les plus beaux de l'expression préromantique, et Dieu sait qu'en France ils sont rares [1].

La naissance de Morny

L'année qui s'ouvre sera pour la reine Hortense l'année de deux naissances, celle, que tout le monde attend, de l'enfant de l'Empereur, et celle, que tout le monde ignorera — du moins pendant vingt ans —, du fils qu'elle aura de Flahaut, le futur duc de Morny.

La naissance du roi de Rome a lieu aux Tuileries, au matin du 20 mars 1811. Ce n'est pas une naissance

---

1. Nous reproduisons, en annexe, la partition de *Partant pour la Syrie*, que nous extrayons de notre *Album* personnel des romances de la reine Hortense.

facile. Hortense en est le témoin, qui, avec une compréhension toute féminine, compatit toute la nuit qui précède, en compagnie de son frère, appelé lui aussi pour
l'occasion, du grand-duc de Wurtzbourg, de Pauline et
de Caroline, dans un salon près de la chambre de l'Impératrice. La Cour est répartie dans d'autres salons.
L'Empereur vient, de temps en temps, leur donner des
nouvelles. Les souffrances sont vives, Napoléon est
anxieux, il demande à ses sœurs et à sa fille « quelles
conséquences fâcheuses » peuvent résulter de ces douleurs « pour la mère ou l'enfant ». Vers sept heures,
l'enfant se présente, mais mal, on doit employer « les
fers ». L'Impératrice « pousse des cris affreux », et enfin,
à huit heures, elle est délivrée. Mais l'Empereur a tant
craint pour elle qu'Hortense le voit apparaître « pâle,
respirant à peine », si « oppressé » de ce qu'il vient de
vivre, que, lorsque Hortense l'embrasse, il la repousse,
en disant : « Ah ! je ne puis sentir tout ce bonheur là !
La pauvre femme a tant souffert ! » Il sera toute la journée sous le choc, « dans une espèce d'agitation ner-
veuse », remarque-t-elle [1].

Hortense se sait enceinte. Elle se promet d'assister
aux fêtes du baptême puis de s'échapper aussitôt, sa
santé nécessitant son départ pour les eaux. On comprend
que, dans ses *Mémoires*, elle soit véridique sur ses allées
et venues de cet été 1811, encore qu'elle mente par
omission.

Elle figure donc au somptueux baptême du roi de
Rome, à Notre-Dame, où elle remplace Caroline, comar-
raine avec Madame Mère. Comme il lui déplaisait de
retourner dans la cathédrale où était enterré son fils, elle
y avait pénétré, la veille au soir, en compagnie d'Adèle,
pour se vaincre et surmonter l'appréhension de la douleur qu'elle n'allait pas manquer de ressentir : de fait, le

_____

1. *Mémoires*, p. 282.

jour de la cérémonie, elle contiendra son émotion. A la mesure de l'événement, des fêtes grandioses se déroulent à Saint-Cloud et à l'Hôtel de Ville de Paris. « Incapable d'en supporter plus », nous dit-elle, Hortense part, le 4 juillet, pour Aix-en-Savoie.

Elle reprend ses habitudes à la Maison Chevalley où elle a la joie de recevoir Eugène, qui redescend vers l'Italie, et qui l'invite à venir faire la connaissance de ses enfants. Elle accepte. Le projet prend forme, et il est décidé que tous se retrouveront, en septembre, au bord du lac Majeur. C'est une bonne idée. Mais Hortense n'y parviendra jamais : elle tombera malade, en Suisse, sur la route du Simplon, où Eugène, inquiet, accourra près d'elle. La maladie ne durera pas. Malicieusement, Mme de Souza renseignera sa vieille amie, la comtesse d'Albany, sur la nature de ce mal qui affecte la reine : elle a été, lui écrit-elle, victime « d'un lumbago, qui lui fait jeter les hauts cris. Mais, on ne meurt pas d'un lumbago »...

Ce lumbago, c'est Morny. Comment les choses se sont-elles passées ? Pour commencer, Eugène était-il dans la confidence comme Flahaut, Mme de Souza et Adèle ? C'est probable. Il est le « meilleur ami » de sa sœur et il lui fournit une invitation-alibi que tout le monde — les souverains, Joséphine, la maison de la reine — accepte pour argent comptant. Malgré cela, ses lettres à Hortense demeurent transparentes, innocentes, strictement familiales. Elles pouvaient être interceptées, d'une part et, d'autre part, Eugène ménageait ses arrières : jamais la princesse Auguste n'aurait pu partager un tel secret, elle n'était pas femme à cela. Donc l'alibi a été délibérément préparé avec la complicité d'Eugène, qui pourra témoigner que sa sœur était bien souffrante en Suisse, et qu'elle ne peut passer le Simplon. Nul ne soupçonnera quoi que ce soit. La gentille Marie-Louise écrira de Laeken à sa belle-sœur, la remerciant des

« pailles (chapeaux) de Genève » que celle-ci lui a
envoyées. Elle pense qu'elle « aura vu le Vice-roi et la
Vice-reine[1] »... Hortense se doit de suivre, point par
point, son plan : après les eaux d'Aix, un petit voyage
en Suisse — où elle réside, à Prégny, depuis le
31 août —, puis, une quinzaine plus tard, la descente
vers le lac Majeur. Elle écrit à la gouvernante de ses
enfants, Mme de Boucheporn, à Paris, qu'elle va chez
son frère : « Je serai à Paris du 10 au 15 octobre. Ne
m'écrivez plus à partir du 20 de ce mois [septembre],
car je serai toujours en course. »

Flahaut l'accompagne. Ils s'arrêtent à Saint-Maurice
en Valais. Et ils n'iront pas plus loin. Sans doute Morny
y est-il né le 15 ou le 16 septembre, puisque (nous
empruntons l'argument à Françoise de Bernardy, avec
laquelle nous sommes pleinement d'accord sur ce point),
dès le 21, Mme de Souza, qui suit, de loin, l'évolution
du « lumbago », est avertie que Charles revient près
d'elle. C'est donc que tout est fini. Et que tout s'est bien
passé. Non seulement, on n'en meurt pas, mais quand
c'est le quatrième, on commence à en avoir l'habitude
et, si les trois premiers se sont résolus facilement, il n'y
a pas de raison pour que celui-ci se complique et traîne
en longueur. Saint-Maurice en Valais était bien trouvé.
Le préfet du Simplon était un ami de Flahaut : le comte
de Rambuteau, gendre du charmant M. de Narbonne, et
parfaitement fiable. Le couple n'avait qu'à emprunter
une identité anodine, laisser se dérouler normalement la
péripétie, et le tour était joué. Et bien joué : on ne retrouvera jamais les pages du registre d'état civil concernant
le mois de septembre 1811 aux Archives de la sous-
préfecture. Une main complaisante les a arrachées. Fin
du premier acte.

Deuxième acte : le rapatriement de l'enfant et son

---

1. A.N. 400 AP 26, Lettre du 27 septembre 1811.

inscription à Paris. C'est Flahaut qui s'en charge. Sa
mère et lui ont tout prévu et tout organisé. Ils l'élèveront
dans leur splendide hôtel de la Grande Rue Verte (rue
de Penthièvre), nº 6 — M. de Souza était riche —, nanti
d'un jardin regorgeant de roses, et dans lequel Charles
dispose d'un appartement. Ils ont arrêté la nourrice,
ensuite, ils le confieront à la bonne Madeleine Rousseau
qui a si bien soigné Hortense enfant, et puis, ils l'intègre-
ront, ouvertement, à partir de 1817, dans leur vie.

C'est ainsi que, le 22 octobre 1811, est déclaré à la
mairie du IIIᵉ arrondissement de Paris, Charles-Auguste-
Louis-Joseph, né la veille, d'Émilie Coralie Fleury,
épouse d'Auguste-Jean-Hyacinthe Demorny, demeurant
à Villetaneuse et propriétaire à Saint-Domingue. Des
prête-noms, évidemment. Il a été établi que Demorny
était un ancien officier, pensionné par Joséphine, et qu'il
est mort en 1814. Exit Demorny. Auguste de Morny est
né, et il saura illustrer ce nom de hasard, qu'il agrémen-
tera d'un titre de son choix, celui de duc, alors que son
époque le reconnaîtra comme « le roi Morny[1] »...

Contrairement à ce qu'on a longtemps cru, Hortense
ne se détournera pas de ce fils naturel, dont le père l'était
aussi, dont la première fille (de la comtesse Le Hon),
princesse Poniatowska, le sera aussi, d'où son mot si
célèbre : « Je dis comte à mon père, Sire à mon frère,

---

1. Il existe deux autres versions, peu crédibles, de la naissance de
Morny. Elle aurait eu lieu, le 17 septembre 1811, aux environs d'Aix,
dans la propriété « Sur les monts », du docteur Aimé Rey, à La Bon-
niaz (source aixoise). La deuxième version voudrait que la reine soit
rentrée à Paris, incognito, pour accoucher chez Mme de Souza, pendant que d'Arjuzon et Flahaut attendaient, dans un salon voisin
(source d'Arjuzon).

Dans les deux cas, il y avait un danger (majeur à l'époque) que la
reine soit reconnue. Alors qu'en Suisse, où nous avons toutes les preuves qu'elle s'est rendue avec Flahaut, elle pouvait, avec lui, figurer un
couple normal, et obtenir, en toute discrétion, la caution d'Eugène, sur
son impossibilité de rejoindre le lac Majeur, où elle était attendue.

Princesse à ma fille, je suis duc, et tout cela est naturel ! » Hortense ne pourra le voir sous l'Empire :
l'Empereur, mis au courant, lui ayant marqué sa volonté,
sauf à invalider, si elle ne s'y pliait pas, les chances
dynastiques de ses deux autres fils. Cela dit, elle ne manquera pas de subvenir à ses besoins, de choisir le banquier Delessert pour son tuteur, de lui faire tenir des
fonds, régulièrement. En 1819, elle renflouera les premiers 500 000 francs qu'elle avait versés, et qu'inconsidérément, Mme de Souza avait perdus au jeu. Cela
mettra un froid entre elles.

La vie séparera Hortense et Flahaut : elle partira en
exil, vers la Suisse, Bade, la Bavière, avant qu'elle ne
se fixe à Arenenberg. Il se mariera avec une Anglaise
de haute volée, la fille de l'amiral Keith, et partagera
son temps entre Paris, Londres et l'Écosse. Néanmoins,
ils s'écriront. Nous avons retrouvé la seule lettre à notre
connaissance d'Hortense à Flahaut, en date du 20 mai
1820, insérée par erreur dans la liasse des lettres de la
reine à son amie tardive Mme Salvage. La voici, dans
toute sa nouveauté : elle donne le ton de leur relation,
cinq ans après leur rupture, elle évoque cet « intérêt bien
cher » qui les unit. Il y est question, aussi, du collier du
sacre qu'Hortense essaie — déjà ! — de vendre, et l'on
voit que Flahaut dispose de toute sa confiance :

> Je trouve une occasion pour vous écrire, mon ami, et j'en
> profite. Je suis à ma petite campagne qui est dans une posi-
> tion délicieuse. J'espère que le papa [Flahaut lui-même] aura
> reçu une lettre de Philadelphie [par où passait l'argent
> qu'elle faisait tenir à Delessert]. C'est un point de tranquil-
> lité pour une mère que de savoir son fils avec quelqu'indé-
> pendance, bien élevé dans son pays. Il peut au moins y faire
> son chemin, et que lui donnerait-on ailleurs ! Les détails que
> la pauvre femme [elle-même] a reçu [*sic*] lui ont fait grand
> bien. Je vous avais demandé si l'année dernière, vous aviez
> reçu une lettre de moi. Vous m'avez répondu *oui* mais vous
> avez confondu. Je parlais d'une lettre que j'avais encore

envoyée en Angleterre et où je vous parlais de ma campagne, du plaisir que j'y trouvais, et je répondais peut-être
avec trop de détails à un reproche que vous aviez semblé
me faire d'oublier un intérêt bien cher [Morny]. Je crains
que cette lettre n'ait été perdue, je vous envoye le dessin du
beau collier qu'il faut absolument que je vende pour avoir
une tranquillité nécessaire dans ma position. Je l'ai reçu
dans un partage pour un million. J'en voudrais huit
cent mille francs et je [ ] même moins pour m'en défaire.
Personne n'en veut car on trouve cela trop beau. Les boucles
d'oreilles surtout sont sans prix. Ma mère en avait refusé
500 000 f. au mariage de l'Imp. Marie-Louise, et à présent,
je les compte pour bien peu de chose. Si cela convenait en
Angleterre on pourrait venir le voir, car je ne désire
l'envoyer qu'étant sûre qu'il puisse être vendu. Vous me
ferez plaisir de vous occuper de cela, mon ami. J'ai vu la
grande demoiselle [Mme de Souza] qui m'a parlé de votre
grande ville en détail et tout ce qui vient de là m'intéresse.
Il n'a nullement été question entre nous de notre séparation,
c'est ce que je voulais ; mais je trouve son esprit bien grand
et elle a pris tout cela comme s'il ne s'était rien passé, toujours même attachement pour moi, *dit-elle*, mais comme je
suis bien plus difficile sur le degré de l'attachement qu'il
faut attendre des hommes en général, je me contente de peu
sans murmurer et je crois que c'est le bon moyen d'être
toujours assez satisfaite des autres. Vous voyez, mon ami,
que vous me trouveriez bien changée.

On dit votre petite fille charmante [Émilie-Jane, née en
1819], et j'espère qu'elle est bien à présent. Embrassez la
pour moi et croyez à mes sentimens.

le 20 mai 1820[1].

Comment Hortense n'aurait-elle pas aimé le fils de
Flahaut ? Comment n'aurait-elle pas été heureuse, si elle
avait vécu *normalement* dans son pays, d'avoir avec lui
une relation sinon avouée, du moins proche, bienveil-

---

1. A.N. 400 AP 35, dans la liasse des Lettres à Mme Salvage, ce
qui est absurde, puisque la reine Hortense n'a fait la connaissance de
celle-ci qu'à Rome, en 1824, par l'entremise de Mme Récamier.

lante et active ? Mais, du fond de son exil, elle ne pouvait faire plus que ce qu'elle faisait : se tenir informée de lui, participer aux dépenses de son entretien, plus tard, le rencontrer, et enfin, œuvrer, avec l'appui de la comtesse Le Hon, à son adoption légale par les Flahaut. Du moins avait-elle l'assurance que Charles se comportait en père responsable, d'autant que Morny était son seul fils : Mme de Flahaut lui donna cinq filles. Celle-ci, conformément aux vieux usages aristocratiques, acceptera l'enfant de son mari, ce « petit neveu » qu'elle fera, dès 1819, portraiturer à l'intention d'Hortense. Élevé par Mme de Souza, Auguste grandit heureux. Il deviendra un jeune homme irrésistible d'esprit — celui de ses grands-parents, Mme de Souza et Talleyrand —, d'élégance — celle des Beauharnais — et, comme son père, il sera adoré des jolies femmes. Il ressemblait beaucoup à sa mère, ce dont il était fier. On sait qu'il fut l'instigateur du coup d'État qui porta au pouvoir le Prince-Président et qu'il devint son éminence grise, l'un des grands dignitaires du Second Empire, doublé d'un chevalier d'industrie audacieux. Cependant une rivalité — tenant à leur ascendance maternelle — opposera ces deux frères aux destins exceptionnels. Deux anecdotes, que nous empruntons à Arsène Houssaye, l'illustrent clairement :

Napoléon III et Morny partageaient les bonnes grâces de la même jolie personne, une comédienne. Morny, bon musicien, se mettait au piano avec la dame, et ils chantaient des airs de la reine Hortense. Quand Napoléon III arrivait dans le boudoir, il avait coutume de dire, agacé : « Oh ! Oh ! ça sent la romance ici ! » Et la dame de répondre, un jour : « Oui, quand vient Morny, nous partons toujours pour la Syrie. » Et ceci, très révélateur : un jour, devant Persigny, Morny demande au Prince Louis-Napoléon de lui donner une copie d'un beau portrait de la reine Hortense. « Pourquoi ? » lui dit le Prince, glacial. Et il sort. Furieux, Morny éclate : « C'est lui qui n'est qu'une copie, moi je suis l'original ! »

Adoration déclarée de l'un, revendication puissante, venant des profondeurs de son être, de l'autre : il n'était pas anodin d'avoir été engendré par une telle femme !

Le drame de la cascade de Grésy

De retour à Paris, Hortense soigne sa santé — entendons qu'elle se remet, en se reposant, de ses dernières couches —, et lorsque les souverains reviendront d'une longue visite en Belgique et en Hollande, elle sera reçue par eux avec une réelle affection : Marie-Louise ne cesse de lui dire combien elle a pensé à elle, à Amsterdam, et combien, en visitant les lieux où la reine avait vécu en recluse, elle la comprenait rétrospectivement. L'Empereur lui fait part de son souci concernant sa mère : celle-ci recommence à accumuler les dettes, ce dont « il se plaint mais sans aigreur », comme elle l'écrit immédiatement à son frère, mais aussi, la jeune Impératrice trouve malséant la présence de celle qui l'a précédée, à l'Élysée, son séjour parisien. Comment lui faire comprendre qu'elle doit s'éloigner ? Hortense s'en ouvre à Eugène. On parle de la nommer gouvernante de Rome, qu'en pense-t-il ? La sagacité, la mesure d'Eugène ne se démentent pas : il n'envisage pas cette solution. Mieux vaudrait que sa mère accepte de s'établir dans une grande ville de la province française et qu'elle voyage régulièrement... L'Empereur transigera : Joséphine pourra résider, à son gré, dans sa chère Malmaison, mais, en revanche, elle perdra l'Élysée au profit de Laeken, où il souhaiterait qu'elle se rende régulièrement. Et l'été prochain, Joséphine le passera auprès des vice-rois et de leurs enfants, à Milan et à Monza, avec étape en Suisse, à Prégny. Quant aux dettes, comme d'habitude, ses enfants feront pression sur elle afin qu'elle gère mieux la fortune dont elle dispose. Elle promettra et, comme d'habitude, elle se laissera entraîner, inconsidérément, à la dépense.

Le Grand Empire est à son apogée : il s'étend, de Rome à Hambourg, d'Anvers aux Provinces illyriennes, sur cent trente départements, regroupant sous la coupe de l'Empereur plus de soixante-dix millions d'habitants. Ce monstrueux ensemble, sans cohésion, paraît prospère, d'autant plus qu'il est assuré, depuis la naissance du roi de Rome, de sa continuité. Et cependant... Cependant, les mécontentements se fortifient chaque jour, au moins sur quatre fronts : la religion, la fiscalité, l'armée et la pensée. En effet, le Pape, celui-là même qui l'avait sacré, est maintenant le prisonnier de Napoléon, depuis qu'ayant refusé d'appliquer le Blocus, les États pontificaux ont été occupés par les Français. Rome, la Ville Éternelle, n'est plus que la préfecture du département du Tibre. Le Saint-Père a été conduit de Savone à Fontainebleau : l'opinion, pas plus que le clergé, ne peut être insensible à cette situation. Autre sujet de crispation quasi générale : la pesanteur des impôts et la cherté de la vie, que provoquent les impôts indirects. Plus le temps passe, moins les dépenses excessives de la Famille sont acceptées. De plus, la population est inquiète : les relations avec l'allié russe se détériorent — en partie à cause des déséquilibres dus au Blocus —, et il est clair que la guerre va reprendre. Impénétrable, l'Empereur décide de préparatifs militaires d'une ampleur inusitée, ce qui suppose de nouvelles levées en hommes. Elles sont mal accueillies, les insoumis se font de plus en plus nombreux. Et, si Eugène, dans ses lettres à sa sœur, piaffe d'impatience de partir (dès le mois de mars 1812), sa famille, comme toutes les familles, et bien qu'elle ne soit encore avertie de rien, pleure et se désole. Enfin, la sévérité du régime, la permanente pression policière sur les personnes, la censure omniprésente, la multiplication d'envois en exil de personnalités aussi marquantes que

la grande Mme de Staël (Hortense avait intercédé, en
vain, en novembre 1810, afin que soit publié son livre
De l'Allemagne), ou la belle Mme Récamier, tout cela
aigrit les esprits éclairés contre ce pouvoir absolutiste,
cette poigne de fer qui, inéluctablement, se referme sur
eux, au moindre mouvement suspect, ou jugé tel, en haut
lieu. En un mot, l'atmosphère se fait lourde. D'ici à peu,
elle deviendra irrespirable.

S'il en est conscient, l'Empereur tient fermement sa
position, persuadé qu'à long terme, il vaincra les oppositions comme il a vaincu les peuples : pour leur bien.
Pour réaliser sa vision d'une société européenne admi-
nistrée et régentée selon ses principes. Le pouvoir ne
l'isole pas. Son esprit est trop puissant pour être assu-
jetti, mais il se méfie de la pensée — celle des autres —,
il se méfie de l'aspiration anarchique à la liberté, c'est
là une notion pernicieuse, toujours porteuse de ce qu'il
hait le plus maintenant, la sédition, la contestation de sa
souveraine autorité. « Pourvu que ça dure ! » dit judicieusement sa mère. La réponse est contenue dans
l'énoncé même de cette intuition fataliste : ça risque de
ne plus durer très longtemps. Ces années de gloire, ces
années de fer reposent sur la force — et les forces — de
l'Empereur. Et dans tous les milieux, au Palais comme
à la Ville, au cœur de l'astre impérial comme à sa péri-
phérie, un malaise se fait jour. Comment le traiter ?
L'Empereur ne conçoit qu'une réplique, et elle lui ressemble : la surenchère.

Avant qu'il ne se remette en campagne, il entend que
sa Cour brille de tout son éclat. Il veut que ce grand
spectacle, ce symbole de son Empire, agisse, une fois
encore, comme un soleil aveuglant dont le faste et le
déploiement rituel jugulent les possibles critiques à une
impossible situation. C'est dans cet esprit qu'il ordonne
que les fêtes du Carnaval de ce début d'année 1812
redoublent de magnificence. Il a l'idée de commander un

bal paré et un bal masqué qui, à cinq jours d'intervalle, présenteront chacun un quadrille costumé, confié à une princesse. Caroline, dont les affaires à Naples ne sont pas florissantes, se trouve aux Tuileries pour tenter de regagner la faveur de son frère : elle est chargée par l'Empereur du premier quadrille. Hortense, que la reine de Naples, toujours bien intentionnée, a négligé d'avertir, apprend bientôt qu'elle est chargée du second.

Branle-bas de combat ! Les voilà en rivalité directe, sous les regards des souverains, de la Cour et des bourgeois de Paris, pour qui se dérouleront ces divertissements. Forte de son avance, Caroline a recruté les plus jolies danseuses.

Ce sera le « quadrille des Belles ». Qu'à cela ne tienne ! Hortense aura pour elle les meilleurs danseurs, au nombre desquels MM. de Canouville, de Sainte-Aulaire et de Flahaut. Ils formeront le « quadrille des Beaux ». Il faut déterminer le sujet du quadrille : c'est une grave question qui requiert goût, originalité et sens esthétique. Caroline opte pour une allégorie de la réunion de Rome à la France, à la gloire de l'Empereur : un quadrille-péplum, en quelque sorte, dont l'intention courtisanesque doit porter ses fruits... Hortense, elle, préfère puiser son inspiration dans l'exotisme culturel, purement décoratif : son quadrille figurera les Incas adorant le Soleil. Thème moins rebattu, plus abstrait, plus séduisant. Malgré les tentatives d'intoxication permanente de Caroline, qui envoie espions et émissaires scruter et démoraliser l'équipe adverse (!), Hortense ne se démonte pas, et dirige les préparatifs. Il lui faut habiller cinquante-six personnes, et c'est un brillant élève d'Isabey, Garneray, qui s'en charge. Il faut régler les ballets, et c'est l'excellent Gardel qui mène les répétitions.

Enfin, le grand jour arrive, celui du bal paré, comprenant le quadrille de Caroline. On a transformé le théâtre des Tuileries en salle de danse et, en présence d'une assemblée dévorée d'impatience — car la frivolité est souvent l'un des masques, elle aussi, de l'inquiétude —, l'Empereur prend place, sur une estrade, entre Marie-Louise et Hortense. Rien n'est plus joli que Caroline et Pauline évoluant sous leurs petits casques piquetés de diamants assortis à leurs boucliers, entourées de naïades du Tibre, d'Heures, d'Étoiles et de Zéphyrs empanachés... Rome se pâme d'aise d'être dominée par le nouveau César, et tout est pour le mieux dans le meilleur des Empires... ! Malheureusement, le succès est mitigé : l'Empereur, s'il se contient ce soir-là, réprimande sa sœur, le lendemain : ce quadrille « n'a pas le sens commun ! Rome est soumise à la France, mais elle n'en est pas contente ! » En un mot, tout cela est déplacé et hors de propos. A voir ce que fera Hortense ! Celle-ci se tient coite jusqu'au bal masqué, assorti du ballet des Incas. Vingt-quatre dames représentent les Prêtresses du Soleil, en blanc et or, douze dames et douze messieurs, coiffés de plumes rouge et or, figurent les Péruviens adorateurs, en tuniques rayées, enfin, Hortense, en grande prêtresse, s'avance, recouverte d'argent et de diamants, suivie de huit danseuses, en argent et turquoises... Les harmonies sont bien trouvées, les petits masques noirs des danseurs, évitant qu'on ne les reconnaisse, sont du meilleur effet, et le sujet fait l'unanimité par sa grâce dénuée d'arrière-pensées. « Ah ! c'est mieux ! s'écrie publiquement l'Empereur, c'est beaucoup mieux que vous ! » ajoute-t-il, à l'intention de Caroline. Celle-ci aura du mal à s'en remettre...

Tout à l'honneur du tact et du raffinement d'Hortense, ce grand succès de Cour sera le dernier. Ils ne le savent pas, ces princes, ces princesses, ces dignitaires, ces courtisans chamarrés, ivres de faste et d'éclat, qui tourbillonnent à en perdre le souffle : sous leurs pieds, les premiers craquements ébranlent les bases de leur fragile et illusoire euphorie. Les heures sombres s'annoncent, qui vont dégriser ces têtes le plus souvent inconsistantes, que trop de gloire, de richesses et de servilité ont vidées.

*
* *

Au printemps, l'Empereur part pour ce qu'il croit être « le dernier effort pour arriver au repos », selon les mots d'Hortense, qui ne voit pas sans une double inquiétude se préciser une guerre qui sera aussi longue qu'elle est — déjà — impopulaire. Inquiétude pour Eugène, qui, appelé à Paris, a été pressenti afin d'assurer la régence, et qui, finalement, comme il le désirait, est allé prendre son commandement à Dresde. Inquiétude pour Flahaut, qui, lui, avec la Grande Armée, marche sur la Vistule.

« La France semblait tout entière en Russie », constate Hortense, qui parle d'expérience. Ils vont être douloureux, ces mois que durera la campagne la plus coûteuse de l'Empereur. Douloureux à celles qui restent et dont les pensées ne peuvent se détacher de ceux qui sont loin d'elles, exposés à des dangers qu'elles n'imaginent que trop. Après un séjour à Saint-Leu où elle reçoit sa mère, en partance pour Milan, elle prend ses quartiers d'été à Aix-la-Chapelle, Aix-en-Savoie étant pris d'assaut par Madame Mère, Pauline et leurs suites. Auprès d'elle : Adèle, Mlle Cochelet, M. de Marmold, ses enfants. La rejoignent Mmes de Rémusat, de Nansouty, de Lavalette et la maréchale Ney : cette société de jeunes femmes — toutes agréables et toutes amicales — partage son intérêt pour le déroulement des lointaines opérations.

Napoléon, son fils aîné, fait une scarlatine, dont il guérit normalement, et passé la quarantaine habituelle, Hortense part pour Spa, rejoindre Marie-Louise qui s'y est établie au retour de Dresde. Les deux belles-sœurs se rapprocheront et révéleront leur solidarité tout au long de ce mois d'août, où l'on sait que l'Empereur et ses hommes progressent, depuis qu'ils ont franchi le Niémen, dans un pays déserté, vers l'ancienne capitale des tsars, Moscou. Le 29 août Hortense regagne Paris, et Saint-Leu pour ne pas laisser la jeune Impératrice isolée, et c'est là qu'elles apprennent la résistance de Koutouzov à Borodino et l'incertaine issue de la bataille de la Moskova, dans les premiers jours de septembre. Flahaut a été chargé de plusieurs missions spéciales par l'Empereur, à Lemberg, en Pologne ; il a été légèrement atteint, sans blessure, à Ostrovno, avant l'entrée, sabre au clair, dans Vitebsk ; il a participé, au côté de Ney, à la prise de Smolensk, le 17 août ; le 2 septembre, il a été invité à partager le déjeuner de l'Empereur, et le 15 octobre, avec les états-majors, il est au Kremlin. Eugène, à la tête de son corps d'armée, a dû marcher sur les brisées de Jérôme pour réparer les erreurs de celui-ci, et il s'est bien comporté à la Moskova. Il donnera toute sa mesure, lors de la retraite.

Est-ce sa lettre qui, la première, apprit à Hortense la perte que tous allaient déplorer ?

> Je ne t'écris que deux mots, ma bonne sœur, pour te dire que je me porte bien après la brillante affaire qui a eu lieu avant-hier [à la Moskova]. La bataille a été fort chaude mais les résultats ont été en faveur de l'Empereur. Nous avons fait de grandes pertes, entre autres ce pauvre Auguste [de] Caulaincourt que nous regrettons tous. L'Empereur m'avait confié la gauche de l'armée et j'espère qu'il n'aura pas été mécontent de moi. Nous attendrons les bulletins officiels pour en juger. Je t'écris d'une petite ville à vingt lieues de Moscou, je pense que nous marcherons bientôt sur cette ancienne capitale et que nous y ferons une bonne paix qui nous ramènera bientôt au sein de nos familles [1]...

Sa prochaine lettre à Hortense sera datée de « Moscou, faubourg de Pétersbourg »... Brave Eugène !

---

1. A.N. 400 AP 28, Lettre du 9 septembre 1812.

La perte d'Auguste de Caulaincourt, son ancien premier écuyer, et l'un des fils de sa dame d'honneur, est
un rude coup pour Hortense et son entourage. Elle la
commente dans une lettre à Adèle : « J'en suis bien
affectée. L'on retrouve difficilement dans la vie des personnes qui ont connu tous vos malheurs, et qui [ont]
sçu vous apprécier [...]. Comme un malheur appelle des
souvenirs tristes, ce pauvre homme fut chargé de ramener le corps de mon pauvre enfant, cela l'avait rendu
intéressant pour moi [1]... » Le lendemain, elle lui envoie
plus de « détails » : les morts du général Montbrun, de
Davout, du « petit Canouville », les blessures de Nansouty et de Rapp.

Ce n'est que dans les derniers jours d'octobre qu'Hortense apprend la destruction de Moscou, la ville sainte
ayant préféré s'incendier plutôt que de subir l'occupation française ; ce qui désarçonne l'état-major impérial :
Napoléon tarde à décider de la retraite qui sera, en raison
du climat autant que des escarmouches permanentes
avec l'ennemi, effroyable : des cent mille hommes entrés
à Moscou, trente mille seulement repasseront le Niémen.
Eugène se distinguera de façon inoubliable. A Maro-
Iaroslavets, sur la route de Smolensk, quatre fois moins
nombreux que lui, il défait l'adversaire. L'Empereur le
félicite chaleureusement, les troupes l'acclament. Il couvrira, dès lors, lui seul, les défections françaises — dont
la plus grave fut celle de Murat — ce qui lui vaudra
bientôt le commandement de la Grande Armée, qu'il ras-
semblera et mènera, au prix d'immenses souffrances, à
ses cantonnements d'hiver. L'Empereur le dira hautement : « Nous avons tous commis des fautes. Eugène est
le seul qui n'en ait pas fait. » Cependant que l'Empereur
regagne précipitamment Paris, Eugène continue ce qu'il
appelle, dans ses lettres à sa sœur, son « mouvement

1. A.N. 400 AP 35, Lettre du 23 septembre 1812.

rétrograde » à travers la Prusse orientale, Marienwerder, puis Posen, puis, toujours plus à l'ouest, vers l'Oder. Car il est clair que les Russes veulent poursuivre la guerre, le harcèlent et, ne lui laissant aucun répit, s'allient (en mars 1813) aux Prussiens. Le mois suivant, les hostilités reprennent, sur la Saale, en présence de Napoléon. A la mi-mai, l'Empereur libère pour « deux mois » son beau-fils, qui, après plus d'un an de campagne, rejoint enfin sa famille. Flahaut, rentré à Paris dans la foulée de l'Empereur, a donné satisfaction à celui-ci, à un échelon et un degré moindres qu'Eugène, certes, mais qui lui vaut, au mois de janvier suivant, d'être fait général de brigade et aide de camp du souverain.

Hortense ne cesse d'envoyer à son frère des « vête-ments en poils de lapin », de la toile cirée, des pâtés et des victuailles : démuni de tout, par ces grands froids, Eugène lui en est reconnaissant. Comme d'« une petite perruque » (Eugène a le front dégarni, ce qui sera le cas, plus tard, de Morny) dont il lui accuse réception, qui n'est pas de la même couleur que ses cheveux, mais qu'il « ne veut pas quitter de tout l'hiver ». Il prévoit qu'elle s'usera très vite et la prie de lui en « faire faire 3 ou 4 autres [1] ». Ces attentions avaient leur prix et le héros, s'il est bien nourri et bien équipé, n'en est que plus valeureux ! Rien n'est plus humain que les lettres régulières d'Eugène à Hortense pendant cette intermina-ble retraite : aucune gloriole, mais une simplicité dans l'endurance, le goût de la besogne bien faite, du devoir accompli. Percent, cependant, deux éléments qui expli-queront l'attitude d'Eugène dans le désastre qui se pré-pare : le poids de la responsabilité — et rappelons-nous ce que représentait, même déroutée, la Grande Armée —, et le désir de paix, pour qu'enfin, il puisse

1. A.N. 400 AP 28, Lettre du 18 décembre 1812.

vivre auprès d'une femme qu'il adore, ainsi que de leurs nombreux enfants.

Comme son frère, Hortense s'efforce, malgré la vivacité de ses émotions, de maintenir l'égalité de son âme : quand, à Paris, le 23 octobre, éclate la ridicule affaire Malet — un général républicain faisant courir le bruit que l'Empereur est mort et profitant du désarroi des autorités pour tenter de prendre le pouvoir —, elle ne perd pas son sang-froid : ses officiers et ceux de sa mère — dont le retour de Suisse est imminent — sont prêts à se mettre à la disposition de la jeune Impératrice et « à se réunir autour du roi de Rome ». Elle quitte immédiatement Saint-Leu pour Saint-Cloud, où elle trouve « à merveille » le petit prince et sa mère, qui ne s'est doutée de rien, croyant « que ce n'était qu'affaire de brigands », et qui demande à sa belle-sœur de la recevoir le lendemain à Saint-Leu [1]. Déconcertante placidité de Marie-Louise, qui, quoi qu'il arrive, ne considère qu'une chose : que son époux et son fils « se portent bien ». Ses lettres à Hortense en sont le constant témoignage : à la fin d'août, par exemple, ce qui l'occupe, à son retour de Spa, c'est que son fils « marche tout seul », qu'elle le retrouve « plus gai qu'il était avant qu'il fût sevré » et surtout que « Gérard lui [ait] dit que c'était l'un des plus beaux enfants qu'il ait vu, et quand un peintre porte un jugement, on ne peut faire autrement que le croire [2] »... Soyons juste, si elle est dénuée de maturité, la jeune femme se montre d'une bienveillance avérée envers Hortense : dès qu'elle reçoit des nouvelles militaires susceptibles d'intéresser celle-ci, elle les lui fait tenir sans tarder. De même pour la princesse Auguste, qu'elle fait avertir par le télégraphe.

En l'absence d'Eugène et de Flahaut reparti en mis-

---

1. *In Les Beauharnais...*, pp. 247-248.
2. A.N. 400 AP 26, du 18 août 1812.

sion auprès de celui-ci, qu'il rejoint à Leipzig, Hortense passe l'hiver et le printemps 1813 dans la tristesse, comme tous les Parisiens. La population est sombre, la Cour dévitalisée. Nul ne songe à s'amuser et, si la reine doit donner, par ordre impérial, un ou deux bals, ils seront le reflet de la dépression qu'on traverse : les jeunes femmes regrettent ceux qu'elles ont perdus ou qui sont retenus prisonniers, et elles n'ont le cœur à rien. Les blessés — qu'Hortense se refusera à exclure de ses salons, sous prétexte que leur état est démoralisant —, s'ils font plus ou moins bonne figure, ne dansent évidemment pas. Quant aux étrangers dont la présence constituait, depuis plusieurs années, l'un des agréments de la capitale, ils sont désormais absents. Bref, rien n'est plus morose que cette société occupée à pleurer ses morts et à panser ses blessures. Hortense trouve plus décent d'organiser quelques soirées musicales et quelques lectures bien choisies. Ensuite, elle « prend la clef des champs », annonçant à son frère son départ pour Aix-en-Savoie, avec l'idée d'arriver, cette fois-ci, jusqu'aux îles Borromées, pour partager quelque temps sa vie et celle de sa petite famille. Pas plus qu'il y a deux ans, elle n'y parviendra. Comme si le sort s'acharnait sur elle, un terrible drame va se dérouler sous ses yeux, annulant tous ses projets.

* *
*

Le début de la saison, à la Maison Chevalley, est attristé par la nouvelle de la mort de Duroc, grand maréchal du Palais, ami intime d'Eugène, et leur compagnon des jours heureux à la Malmaison : Duroc est tombé à Bautzen, sur la Sprée, le 20 mai. Dernière grande victoire française avant le congrès de Prague, qui entérinera la disparition de la Confédération du Rhin et permettra à Metternich de gagner le temps nécessaire à l'Autriche

pour se préparer à entrer dans le conflit. Il reprendra en
août, opposant les trois armées alliées — celles de Blücher, de Schwarzenberg et de Bernadotte — aux Français. Forts de leur supériorité numérique, les coalisés
l'emporteront à la décisive bataille de Leipzig, du 16 au
19 octobre. Achevée la campagne d'Allemagne, celle de
France ne tarderait pas à se déclencher.

Malgré ce climat politique incertain, Hortense et sa
suite s'apprêtent à passer l'été sereinement. Le 10 juin, on
décide de montrer à M. d'Arjuzon la jolie cascade de
Grésy, dans les gorges du Sierroz, près de Moiron, en
arrière d'Aix. Ce qui survient alors, au pied du moulin
surplombant des eaux vives qu'il fallait traverser, la reine
choisira des mots sobres pour le raconter : « Je passai la
première sur une planche mal assurée. Je me retourne :
Grand Dieu ! quel spectacle ! Mon amie [Adèle] entraînée
par les flots, disparaît à mes yeux... je ne retrouve que son
corps inanimé. Mes officiers, mes domestiques veulent
m'arracher à ce lieu de douleur. Je ne puis consentir à
m'éloigner. Je m'obstine à espérer, mais vraiment. Elle
n'existait plus ! Quel désespoir [1] ! »

Mlle Cochelet, qui a assisté à la noyade d'Adèle, en fait,
dans ses *Mémoires*, un récit plus circonstancié qui nous
permet de mieux comprendre comment est survenu l'accident. L'endroit n'est plus accessible aujourd'hui, mais il
suffit d'en reconnaître les abords, ténébreux, escarpés,
animés du seul grondement du torrent profondément situé
entre des berges particulièrement accidentées, pour prendre conscience de l'imprudence d'Hortense et de ses
compagnons. Tout cela pour jouir d'un point de vue pittoresque ! Selon Mlle Cochelet, nul ne s'en émouvait :

[...] M. d'Arjuzon vint prévenir que la calèche attendait. « Où
irons-nous ? » dit la reine, « vous savez que je n'ai jamais de
volonté sur ces choses-là. » Et en effet je n'ai jamais vu quel-

1. *In Mémoires*, p. 306.

qu'un plus disposé à ne faire que ce qui plaisait aux autres et avoir moins de volonté pour les petites choses que la reine. Cependant on se serait grandement trompé si on avait cru avoir de l'ascendant sur elle pour les grandes. Elle l'avouait elle-même et disait : « Je suis naturellement paresseuse, j'aime assez à être menée ; mais lorsque ma raison et mes sentiments me disent qu'une chose est nécessaire, qu'elle est noble et bien, je réunis toutes mes forces pour la faire, et ma dose de force et de volonté devient d'autant plus considérable que j'en use plus rarement. » Elle nous dit donc dans cette occasion, comme elle nous disait tous les jours : « Décidez quelle est la promenade qui vous fera plaisir. » « Ah ! » dit madame de Broc, « M. d'Arjuzon ne connaît pas la jolie cascade de Grésy, dont nous avons dessiné la vue il y a deux ans ; allons la lui montrer. » Cette proposition est approuvée, et nous voilà tous en calèche, nous dirigeant vers cette cascade qui est à deux lieues d'Aix.

Nous laissâmes la voiture sur la grande route et nous nous approchâmes à pied du moulin qui s'alimente des eaux de la cascade. Pour la bien voir il fallait passer sur une planche que le meunier posa à l'instant sur un petit bras d'eau qui allait d'une vitesse effrayante. La reine passe lentement sur la planche, à peine si elle la touche et elle est déjà de l'autre côté. Madame de Broc la suit, le pied lui manque... Elle est entraînée dans le gouffre et disparaît à mes yeux. J'allais passer ! je m'arrête, je jette un cri affreux. M. d'Arjuzon qui nous suivait à quelques pas accourt, il était trop tard pour empêcher ce funeste accident. La reine était toute seule de l'autre côté de l'eau sur un rocher glissant, la planche avait été aussi emportée ; elle ne pense qu'à son amie, elle ne perd pas la tête, elle arrache son schall de dessus ses épaules, le jette dans le gouffre en retenant un bout, se tient sur le bord et appelle à grands cris celle qui ne répond pas, et qu'on ne devait plus revoir ; car cette eau, qui coule toujours à grands flots dans l'endroit où elle a disparu, est un obstacle épouvantable... La reine alors au désespoir repasse en s'élançant, au risque d'être entraînée aussi dans ce funeste bras d'eau ; elle est éperdue, elle se joint à nous pour demander du secours. Il arriva de toutes parts à nos cris, mais tous nos

efforts furent vains. Je voulais faire emmener la reine, craignant tout pour elle de l'état où je la voyais. « Non, » me
dit-elle, « je ne quitte pas d'ici que l'on n'ait retrouvé son
corps, j'y suis décidée, » et elle restait assise sur un tronc
d'arbre, anéantie, sa tête dans ses mains, n'ayant plus ni
force ni espoir, en me criant de temps en temps : « Louise,
en grâce, qu'on la sauve ! promettez tout ce qu'on voudra
et qu'on la retrouve ! » Enfin les paysans détournent les
eaux ; après mille efforts inouïs, on parvient à retirer ce
corps, qui fut déposé dans mes bras !... Tous mes soins
furent inutiles, et j'aidai M. d'Arjuzon à porter dans la voiture de la reine cette intéressante victime. J'eus le courage
de la reconduire ainsi moi-même jusqu'à la ville, où je la
remis aux soins des sœurs de la charité et des chirurgiens.

Toutes les personnes de la maison de la reine étaient
accourues à l'endroit où ce fatal événement venait d'avoir
lieu ; on avait même fait courir le bruit que c'était elle qui
avait péri, et tous arrivaient au désespoir. Hélas ! elle était
plus malheureuse sans doute que si cela eût été vrai. Tous
ses gens l'entouraient pendant qu'on plaçait le corps dans
la voiture, et elle ne se décida à se laisser emmener dans
une chaise à porteur que lorsqu'on lui eut dit que le corps
de son amie était en avant dans sa voiture. Elle espérait peu,
car le temps avait été si long pour retirer le corps ; mais elle
ne m'en faisait pas moins répéter tous les moyens employés
pour rappeler à la vie cette chère Adèle, et, comme je ne la
quittai pas de la nuit, elle m'envoyait à chaque instant savoir
s'il y avait quelque espoir.

Je pleurai aussi bien sincèrement cette compagne si intéressante. Si quelquefois j'avais été jalouse de l'amitié de la
reine pour elle ; si cette préférence m'avait souvent affligée,
tout autre sentiment avait disparu maintenant devant celui
de la douleur ; il ne restait plus dans mon cœur que le chagrin de sa perte ; je trouvais bien naturelle l'affliction de la
reine, et je la partageais bien vivement [1]. »

Le chagrin d'Hortense fut grand, à la mesure de la

1. *In Mémoires* de Mlle Cochelet (Mme Parquin), I, pp. 99 et suiv.,
Paris 1836.

perte qu'elle faisait. Adèle était sa meilleure amie depuis l'enfance, la sœur qu'elle n'avait pas eue, la confidente discrète et dévouée, qui, jamais, ne parlait d'elle, qui tout entière s'absorbait dans la vie de la reine, empressée à la consoler, à la conforter, à la conseiller. Car Adèle était judicieuse. Et, en son temps, sa douceur et son bon sens avaient désarmé Louis lui-même, si vindicatif pourtant envers ceux qui approchaient sa femme. Jamais Adèle n'avait encouru la moindre critique de sa part, moins encore une de ces absurdes disgrâces qu'il distribuait avec tant de facilité. Peut-être parce qu'elle était la voix de la raison et de la vertu. Hortense dut se reprocher son intrépidité ! En perdant Adèle, elle perdait une partie d'elle-même et le témoin le plus intime de sa douleur, cette douleur dont elle se faisait maintenant une force, mais qu'Adèle avait, à tout moment, partagée et qu'elle avait su si souvent tempérer. Ce qu'Hortense allait se reprocher aussi, c'était d'avoir négligé Adèle pour l'abreuver de ses propres préoccupations sans jamais l'interroger sur les siennes. Et Adèle engloutie brutalement, c'était un peu comme l'expression d'un inéluctable anéantissement, celui des rêves, des illusions et d'une certaine qualité d'égoïsme propre à la jeunesse.

Hortense reçoit mille témoignages de condoléances : d'Eugène, de sa mère, de Marie-Louise, de Caroline, sans compter la famille d'Adèle, Mme Campan, sa tante, M. Auguié, son père, la maréchale Ney, sa sœur...

Tous regrettent la jeune femme. Tous s'inquiètent de la vivacité du chagrin d'Hortense. Sa mère lui envoie Turpin de Crissé, à défaut de pouvoir venir elle-même, mais elle est en charge des deux petits princes — qui, par ailleurs, l'enchantent —, et ce que tous espèrent, c'est qu'Hortense va quitter Aix, ce lieu de malheur, pour mieux se reprendre et surmonter son deuil. Hortense choisit, en accord avec son médecin, les bains de mer, et contre l'avis d'Eugène qui la souhaiterait près de lui, à Gênes ou à Nice, elle se décide pour Dieppe. Un climat nouveau, des paysages autres, une forme différente de traitement — quasi inédit à l'époque —, c'est, pense-t-elle avec raison, le meilleur dérivatif à sa peine.

Avant de quitter Aix, elle prend trois mesures : elle fait transporter le corps de son amie à Saint-Leu, une façon comme une autre de la conserver près d'elle. Elle ordonne la construction d'un monument commémoratif de l'accident, sur les lieux mêmes où il s'est produit, afin de marquer le souvenir d'Adèle et, aussi, de prévenir d'autres drames semblables. Enfin, elle crée, chez les sœurs de Saint-Joseph qui ont accueilli le corps de la baronne de Broc dix lits d'hospice qui seront destinés aux indigents, en mémoire de la personnalité hautement charitable de la morte. Le 27 août, de Dresde, Napoléon enverra le décret de fondation. Au cours des années, on construira une Maison hospitalière — avec le soutien d'un mécène anglais —, ouverte aux jeunes filles pauvres et aux nécessiteux. Les donations de la reine s'accroîtront pour arriver, à la veille de sa mort, à « 600 journées » (c'est ainsi qu'on comptait), que Napoléon III amplifiera. En 1860, il ordonnera la reconstruction de l'Hospice, uni désormais aux Thermes. Cet « Hospice de la reine Hortense » s'est changé en un Hôpital, moderne, qui porte toujours le nom de son initiatrice et première bienfaitrice. Quelque chose de la baronne de Broc, la douce Adèle, anime encore, même si on l'a oublié, ces lieux lumineux et paisibles.

*
* *

Avant qu'elle ne les retrouve, pour les amener au bord de la mer avec elle, Hortense a la joie de recevoir des nouvelles rafraîchissantes de ses enfants. Ils ont successivement séjourné à Saint-Leu et à la Malmaison. Voici deux témoignages, l'un inédit, l'autre peu connu de leurs occupations. D'abord une lettre du prince Napoléon, que nous reproduisons telle que son précepteur l'a adressée à la reine, dénuée d'orthographe mais non de vivacité :

St-Leu ce 20 juillet 1813

Ma chère Maman,

Quand tu auras la bonté de me répondre, je te prie de me donner des nouvelles de mon Oncle, de ma Tante, de mes cousines et de leur dire que je les aime beaucoup.

Aujourd'hui il ne fait pas si beau que le jour où tu es parti et tout les jardiniers disent qu'il pleuvra beaucoup demain, ce qui me fait beaucoup de peine parce que c'est dimanche. La semaine n'a pas été mauvaise pour moi excepté aujourd'hui où j'ai eu beaucoup d'humeur ; mais dès que j'ai pensé que tu détestait ce défaut, je me suis repenti et je t'assure bien que cela ne m'arrivera plus, encore une faute que j'ai faite c'est d'avoir tourner en ridicule les paroles de Mr l'Abbé : j'ai reconnu le mal qu'il y avait mais trop tard car ne ce fut que quand Mr l'Abbé m'a fait dîner à la table séparé, dans un coin de la chambre, alors honteux, et confu, je reconnu mais un peu tard que tout homme est la victime de celui qu'il a tourné en ridicule, comme dans la fable de maître corbeau. Je te prie de me dire si tes bains t'ont fait du bien, si tu as un tems favorable pour en prendre, si Cochelet ira en enfer, si l'imbécile vit encore et si tu loge dans la même maison que quand j'y ai été avec toi. J'ai monté à cheval vendredi parce que jeudi il faisait trop chaud. Nous nous sommes embarqués deux fois, la première fois, (Maman, j'intéromp mon récit pour te prier de bien faire attention à cette phrase), nous naviguer[ent] et nous avons trouvé... une ille !... que nous avons appelé l'ile *Hortense*, je l'ai parcouru et je n'ai rencontré aucuns sauvages qui ont troublé ma marche. La seconde fois nous avons été en char a banc jusqu'en haut et là nous nous sommes embarqués de nouveaux, nous aurions bien voulu entrer dans l'île, mais cette fois nous avons vu un sauvage noire et blanc, et enfin, ma chère Maman, un des pylotes était votre très respectueux

fils Napoléon

Je laisse cette lettre brute comme elle l'est, sans l'avoir polie nulle part. Les fautes y pleuvent à foison[1].

Et voici un exemple des réactions charmantes du petit Louis, rapportée par Joséphine à sa fille :

> L'abbé Bertrand lui faisait lire une fable où il était question de métamorphoses ; s'étant fait expliquer ce que signifiait ce mot : « *Je voudrais*, dit-il à l'abbé, *pouvoir me changer en petit oiseau, je m'envolerais à l'heure de votre leçon ; mais je reviendrais quand M. Hase* [son maître d'allemand] *arriverait.* » « *Mais, prince,* répondit l'abbé, *ce que vous me dites-là n'est pas aimable pour moi.* » « *Oh !* reprit Oui-Oui, *ce que je dis n'est que pour la leçon et non pas pour l'homme.* » Ne trouves-tu pas comme moi cette répartie très spirituelle ? Il était impossible de se tirer d'embarras avec plus de finesse et de grâce[2]...

Certes, d'autant que l'enfant avait tout juste cinq ans, mais entre sa mère et sa grand-mère, il était à bonne école...

Hortense s'en va, en compagnie de Mlle Cochelet, découvrir Dieppe et les plaisirs déconcertants de la cure marine que Mme de Boigne avait, la première, introduite en France, s'inspirant d'une mode qu'elle avait observée pendant son émigration outre-Manche. Bien avant, donc, que le popularise la duchesse de Berry, à la fin des années 1820, la reine Hortense expérimentait le rituel des bains de mer. On descendait en grande suite jusqu'à la plage et, dans une baraque aménagée à cet effet, on revêtait le « costume de bain » comprenant une sorte de blouse de laine de couleur chocolat et un « serre-tête » de taffetas ciré. Ainsi harnachée, la baigneuse était conduite, en roulotte, jusque dans les vagues. Après quoi, deux matelots « gantés de fil blanc » se saisissaient d'elle et l'y jetaient violemment — la rudesse du choc

---

1. A.N. 400 AP 27, n°15.
2. A.N. 400 AP 25.

avec l'eau froide faisant partie, apparemment, du traitement —, cependant que toute la ville se tenait sur la
grève, en amphithéâtre, pour assister à cette scène merveilleuse ! Inutile de dire que le procédé ne plaisait guère
à la pauvre reine soumise publiquement à cette brutalité
d'un genre nouveau ! Elle préférait l'autre aspect de la
cure : une sorte de thalassothérapie à domicile. Et l'eau
de mer chauffée, dans sa baignoire, devait lui sembler
infiniment plus agréable...

Pour s'égayer, elle parcourait les environs, à la rencontre de beaux lieux. C'est ainsi qu'elle visite longuement le château d'Arques. De cette époque date le goût
d'Hortense pour les tableaux figurant des scènes historiques. Comme sa mère, elle sera soucieuse de commander, ou d'acquérir des sujets intéressants. Elle se
souvenait du succès qu'avait obtenu, au Salon de 1804,
la grande composition de Gros mettant en scène le
Consul en présence des pestiférés de Jaffa, dont le thème
avait été établi par elle. Son frère Eugène s'était offus-
qué de ce que les aides de camp du Consul aient été
peints, *en retrait*, un mouchoir sur le nez, alors qu'ils
entouraient leur général à visage découvert, comme lui,
lors de la visite : il en était ! Hortense avait eu de la
peine à lui faire admettre que la réalité est une chose,
mais que l'œuvre d'art, pour mieux exprimer celle-ci,
doit parfois la styliser. — Et, en l'occurrence, l'important était que le Consul et son geste courageux ressortent, ce qui n'entachait en rien la bravoure de son état-
major...

Le tsar prend le thé chez la duchesse

Au retour d'Hortense, la situation générale s'est
aggravée et l'opinion, dans son ensemble, souhaite la
paix :

La France la voulait, nous dit-elle. Épuisée par ses derniers efforts, elle ne semblait pas disposée à en faire de
nouveaux. Ses militaires ruinés, épuisés par les désastres
essuyés dans les deux dernières campagnes [celle de Russie
et celle d'Allemagne], commencèrent à se demander quel
était le fruit de leurs travaux. Le découragement succédait
déjà à l'élan si naturel dans les temps de conquête. [...]
L'approche de l'étranger devait réunir tous les intérêts,
toutes les opinions pour la défense de la patrie et il fallait
se confier au seul homme capable de la sauver encore. Mais
on ne sentait que le poids de cette main qui s'était appesan-
tie si longtemps et l'on oubliait sa force tutélaire [1]...

Hortense ne se leurre pas sur le sentiment de ses
compatriotes. Elle ajoute :

Les victoires auraient tout calmé ; les malheurs ont tout
aigri. En un instant furent oubliés les bienfaits du législateur,
les hauts faits du général. On ne vit que le conquérant.
Nous-mêmes, sa famille, habitués à le considérer comme
l'arbitre de tout, nous osâmes nous révolter et blâmer trop
une guerre qu'il n'était peut-être plus en son pouvoir d'arrêter [2].

Et le moins qu'on puisse dire, c'est qu'on les
comprend ! Il devient clair, après le désastre de Leipzig,
que Napoléon doit traiter avec ses vainqueurs pour faire
la paix que tous souhaitent. Pourquoi s'acharner, au prix
de plus grandes pertes et d'un plus grand mécontentement dans ses rangs, à espérer régler sur le terrain ce qui
ne peut plus l'être, désormais, qu'autour d'une table de
négociations ? Les coalisés se rapprochent des frontières
nationales. Que l'Empereur soit « malheureux », comme
on disait alors, et c'en est fini de l'Empire : tout se délite
autour de lui, lorsque son charisme cesse d'agir. S'en
rend-il compte ? C'est ce qu'Eugène se demande dans

---

1. *Mémoires*, p. 309.
2. *Mémoires*, p. 311.

ses lettres à sa sœur. Il parle pour le pays qu'il administre et qu'il essaiera de défendre jusqu'au bout :

> Vérone, le 6 novembre 1813.

Parce que je ne t'ai pas écrit depuis longtems, ma bonne sœur, j'espère bien que tu n'en auras pas conclu que j'aie pu t'oublier un seul instant. Mais depuis plusieurs semaines j'ai été bien tourmenté et bien occupé, occupé car je n'ai jamais dû faire la guerre d'une manière plus active, puisque chacun est dégoûté et qu'il faut faire la besogne de tous, tourmenté par tous les faux bruits qu'on a répandus sur moi et surtout par l'ingratitude éclatante de cette nation. Tu t'en fais peu d'idée. Ni huit ans continuels de travaux, ni le bien qu'on leur a fait, ni l'attachement qu'on leur a montré n'a pu relever leur âme et les sortir de leur habituelle et basse servilité. Je te jure que si les évènemens me faisaient sortir d'ici, je ne regretterais ce pays que pour la politique de l'Empereur et nullement pour moi. Je connais bien mon monde à présent et je fais bien peu de cas de tout ce que j'ai connu ici. Je préfère cent fois être sous-préfet ou président de canton dans un pays où il y a du cœur que Roi dans un pays où les âmes élevées sont si rares. En voici trop long sur un si mauvais chapitre. Garde cela pour toi, car encore ne faut-il pas se faire inutilement des ennemis. Ma santé est bonne, me voici sur l'Adige, j'y resterai j'espère, et puis j'ai encore la ligne du Mincio et puis après je n'ai plus rien. Est-ce que l'Empereur n'y verra pas une fois clair ? Qu'il prenne garde que ce ne soit trop tard. S'il perd une fois l'Italie, Dieu seul sait quand il y rentrera.

Les affaires de la grande armée ont consterné tous les esprits : qu'on se dépêche donc de faire la paix, le prix n'en saurait être trop cher.

Je n'ai pas oublié que c'est le 15 notre fête et je t'envoie, ma chère sœur, un petit souvenir sur lequel se trouvent gravés les traits de celui qui toute sa vie sera

> ton bien tendre frère et meilleur ami,
> Eugène [1].

---

1. A.N. 400 AP 28.

Trois jours plus tard, Eugène envoie à son beau-père le général d'Anthouard, chargé de lui transmettre sa position. Eugène tiendra sur l'Adige, autant qu'il le pourra. Et compte tenu de la défection de Murat, passé aux Autrichiens, mais dont il est incertain qu'il attaque Eugène — ils concluront une sorte de pacte amiable de non-agression, mais Murat le respectera-t-il ? —, Eugène espère gagner du temps et éviter le pire. Sa position se complique du fait de ses liens familiaux avec le roi de Bavière, rallié, lui aussi, aux coalisés. Celui-ci lui adresse un émissaire, le jeune prince de Thurn et Taxis. Eugène, s'il n'est pas disposé à lâcher l'Italie du Nord, n'en est pas moins loyal à Napoléon. Il l'informe aussitôt de cette première ambassade (du 22 novembre), ainsi que sa « bonne sœur », évidemment :

Vérone, le 29 novembre 1813.

Ma bonne sœur, depuis huit jours j'ai le projet de t'écrire et chaque jour de nouvelles occupations viennent me déranger. J'avais pourtant besoin de te mander ce qui m'est arrivé la semaine dernière.

Un parlementaire autrichien demande avec instances à nos avant-postes de pouvoir me remettre lui-même des papiers très importans ; j'étais justement à cheval, je m'y rends et je trouve un aide de camp du roi de Bavière qui avait été sous mes ordres la campagne dernière. Il était chargé de la part du Roi de me faire les plus belles propositions pour moi et ma famille, et assurait d'avance que les souverains coalisés approuveraient que je m'entendisse avec le Roi pour m'assurer la couronne d'Italie. Il y avait aussi un grand nombre de protestations d'estime etc... Tout cela était bien séduisant pour tout autre que pour moi. J'ai répondu à toutes ces propositions comme je le devais, et le jeune envoyé est parti rempli, m'a-t-il dit, d'admiration pour mon caractère, ma constante fermeté et mon désintéressement. J'ai cru devoir rendre compte du tout à l'Empereur en omettant toutefois les complimens qui ne s'adressaient qu'à moi.

J'aime à penser ma bonne sœur que tu aurais approuvé toute ma conversation si tu avais pu l'entendre. Ce qui pour moi est la plus belle récompense c'est de voir que si ceux que je sers ne peuvent me refuser leur confiance et leur estime, ma conduite a pu gagner celle de mes ennemis.

Adieu, ma bonne sœur. Ton frère sera dans tous les tems digne de toi et de sa famille et je ne saurais assez te dire combien je suis heureux des sentimens de ma femme en cette circonstance. Elle a tout à fait suspendu ses relations directes avec sa famille depuis la déclaration de la Bavière contre la France et elle s'est réellement conduite parfaitement pour l'Empereur.

Adieu, je t'embrasse ainsi que tes enfants, et suis pour toujours ton bon frère et meilleur ami,

Eugène [1].

Une autre proposition identique lui sera faite le 17 janvier 1814. Une nouvelle fois, Eugène refusera. Il est trop clairvoyant cependant pour ne pas prévoir que, si les hostilités reprennent, les Français seront écrasés. Et, comme d'habitude, c'est à Hortense qu'il confie ses pensées :

Vérone, le 25 décembre 1813.

[...] Pourtant si l'Empereur ne fait pas avant le 15 janvier la paix, et si elle n'est pas duement signée et ratifiée, rappelle toi ce que je te dis, les affaires sont perdues pour lui presque sans ressources. Nous verrons les ennemis à Lyon et à Bruxelles et alors il sera bien tard pour s'entendre. Si on ne trompe pas l'Empereur, il doit savoir que l'élan de la nation est épuisé. Il lève des hommes et croit avoir des soldats, et c'est malheureusement aujourd'hui même par la tête que notre organisation faiblit. Les généraux, les officiers, sont les premiers dégoûtés. Ne crois pas que ce soit seulement dans mon armée, c'est ainsi dans toutes et [en] France, le militaire a besoin de trois ans pour se retremper. Voilà la

1. A.N. 400 AP 28.

vérité, malheur aux flatteurs qui voudront prouver le contraire [1].

C'est ce qui arrive : la France est envahie par Bernadotte au nord, par Blücher et Schwarzenberg au nord-est, par un autre corps d'armée autrichien au sud-est et par Wellington, au sud-ouest. Malgré la réaction inespérée de Napoléon, qui, l'espace de trois mois, retrouve les réflexes du général Bonaparte, sa rapidité et sa virtuosité, malgré les victoires de Champaubert, Montmirail et Montereau qui font encore aujourd'hui l'admiration des connaisseurs, cette campagne de France se terminera par la prise de Paris et l'abdication de l'Empereur, à Fontainebleau, cependant que le traité du 11 avril fixera le sort des Napoléonides.

Le 8 février, Napoléon donne à Eugène l'ordre d'évacuer le Milanais dès que Murat l'attaquera. Il a même recours à Joséphine pour qu'elle insiste auprès de son fils. « Suis ta tête, écrit Hortense à son frère, elle te fera mieux juger ce qu'il faut faire, étant de près [2]. » Et cette « tête carrée », comme disait l'Empereur, pensera que Murat ne bougeant pas encore, mieux vaut tenir ses positions. Les événements clarifieront sa situation. Dans le traité du 11 avril, Napoléon demandera pour Eugène « un établissement convenable hors de France » : à défaut de recevoir une principauté ou un duché, au congrès de Vienne, Eugène ira vivre en Bavière où, bien naturellement, la princesse Auguste préférait résider. Que cette Wittelsbach retourne dans sa famille, quoi de plus simple ! Pour rien au monde elle n'aurait lié son sort à celui des Bonaparte qui, jamais, n'avaient fait cas d'elle. Quand Napoléon l'avait sommée, en février, de venir faire ses couches, imminentes, en France, elle avait refusé de quitter son mari. Elle n'avait aucune envie de

---

1. A.N. 400 AP 28.
2. *In Les Beauharnais...*, p. 263.

servir d'otage éventuel, et mieux lui valait, pensait-elle, accoucher au sein d'une position fortifiée, auprès d'Eugène, que seule, parmi une société parisienne toute d'ostentation et de « caquets », qu'elle détestait ! Auguste n'aura aucune peine à réintégrer la Cour de son père, non plus qu'à y faire valoir son mari. La bravoure, les manières, les qualités humaines d'Eugène, qui, toujours, avaient provoqué l'admiration de ses ennemis — on verra quel jugement le tsar portait sur lui —, l'y imposeront d'emblée. Leurs enfants seront assurés d'un avenir brillant, ce qui, en ces temps troublés, n'avait pas de prix...

Ainsi s'achèvera, pour eux, l'aventure napoléonienne. Sans peur, sans reproche, sans illusions, le prince Eugène deviendra le duc de Leuchtenberg et il trouvera son repos dans la vie familiale. Quant à ce Milanais qu'il s'était échiné à administrer pendant des années, au profit de l'Empereur, il en fera son deuil. Et il souhaitera bien du plaisir aux Autrichiens, ses successeurs.

*
* *

Qu'allait-il advenir d'Hortense et de sa mère, dans le bouleversement qui s'annonce ?

Au sein de la capitale française, le sentiment est partagé : à l'approche de l'envahisseur, selon l'appartenance, impériale ou royaliste, on panique ou on espère. Hortense, très avisée, décide de voir venir. Et rien n'est plus révélateur que son comportement en ces moments d'incertitude. Observons-la, nous comprendrons mieux qui elle est. Son mari a resurgi à la faveur de cette fin de règne et, pour Hortense, nul doute que le péril qu'il représente pour elle et ses enfants — dont il revendique la garde — paraît bien plus redoutable que tout autre. Entre le 28 et le 31 mars, tandis que Paris capitule sans que l'Empereur ait pu tenter une dernière action pour l'empêcher, elle assiste à un affolement généralisé : les institutions s'effondrent comme l'armée, ordres et contrordres s'entrecroisent, compliqués des arrière-pensées politiques de chacun, Joseph, en charge des affaires, est incapable de fermeté, l'absence de communications aggravant encore la situation. Sous la pression des frères de l'Empereur, Marie-Louise quitte la capitale, et son départ s'opère en catastrophe : pour un peu, on oubliait le Trésor, sa Maison d'honneur s'éparpille, les dignitaires suivent, ou ne suivent pas, les ministres sont démoralisés, la désorganisation est complète.

On a, évidemment, négligé l'impératrice Joséphine, seule à la Malmaison, sous la garde de seize hommes, « malades ou estropiés » que lui avait généreusement fournis le général Ornano. Hortense lui écrit en lui conseillant de s'éloigner et de gagner Navarre, pendant qu'il est encore temps. C'est ce qu'elle fait, le 29 mars. Hortense est indignée du départ de Marie-Louise, persuadée que les Parisiens se défendront, et que, malgré la faiblesse des fortifications, la Garde nationale et les habitants se montreront à la hauteur de leur réputation. Selon elle, la présence de la famille impériale dans la capitale aurait grandement aidé à soutenir une éventuelle résistance.

Qu'en plus, dans cette atmosphère de sauve-qui-peut, Louis se mêle, à tout bout de champ, de lui réclamer ses enfants, la révolte. C'est bien le moment de raviver cette vieille querelle ! Ils sont plus en sécurité auprès de leur mère que parmi ces Bonaparte affolés, ne sachant plus où prendre leurs ordres ni où les mènera leur exode haletant devant l'ennemi. Trois fois dans la même nuit, du 28 au 29 mars, des messages impérieux de Louis réveillent Hortense, lui enjoignant de quitter la rue Cerutti et de rallier Rambouillet, où il se trouve. Cette débandade n'a pas le sens commun ! Harcelée, elle finit par céder et, le 29 au soir, elle embarque son petit monde — Mlle

Cochelet, les d'Arjuzon, les enfants et leurs gouvernantes —, et se met en route, en faisant bientôt halte au château de Glatigny, où la mère de Mme Doumerc, ancienne compagne de Louise Cochelet chez Mme Campan, lui offre l'hospitalité. Mauvaise nuit, la canonnade, au loin, est incessante ! Par Trianon, elle atteint Rambouillet, laissé à l'abandon depuis que Marie-Louise a été convaincue de se diriger sur Blois. C'est là qu'Hortense apprend la capitulation de Paris. Devant l'incurie de ce qui reste d'autorités, devant la hargne de son mari, elle fait un choix clair : elle ne rejoindra pas les Bonaparte, mais sa mère, à Navarre. Quoi qu'il arrive, ses enfants y seront à l'abri, et elle confortera Joséphine, regroupant autour d'elles amis et serviteurs, en attendant la suite.

Marie-Louise, à ce moment précis, lui envoie une petite lettre montrant à qui sait lire qu'elle n'est pas dupe des agissements des frères de l'Empereur — on sait qu'ils l'ont brutalisée, elle ne l'oubliera pas —, et elle ne peut que souhaiter meilleure chance à Hortense :

Ma chère sœur, je vous envoie cette lettre par un courier pour vous annoncer que j'avais reçu votre lettre datée de Rambouillet. Je suis bien peinée de ne pas pouvoir vous avoir près de nous, mais d'un autre côté je sens toutes les bonnes raisons que vous me donnez. J'ai envoyé votre lettre au Roi [Louis], il a voulu à toute force me faire donner un ordre pour vous faire revenir, j'ai dit que ce n'était pas possible, car même si je l'avais pu, mon cœur s'y serait refusé. Je vous prie de me donner souvent de vos nouvelles, j'ai besoin de vous savoir en sûreté avec vos enfants. Je suis arrivée hier bien fatiguée à Chateaudun, je voulais me rendre à Tours, lorsque j'ai reçue [*sic*] une lettre de l'Empereur qui me disait de me rendre à Blois, je vais donc partir pour cet endroit. J'espère que votre santée [*sic*] est meilleure que la mienne. Je vous embrasse tendrement

votre affectionnée sœur Louise.

ce 1ᵉʳ avril 1814 à 3 heures du matin [1].

---

1. A.N. 400 AP 27, Lettre n° 30.

Ce même 1er avril, Hortense arrive à Navarre, non sans avoir, auparavant, averti l'Empereur, Marie-Louise et Louis, de sa décision. Celle-ci est on ne peut plus sensée et décente. Il n'y a plus qu'à attendre quel sort les Alliés réservent à la France, à l'Empereur et aux Napoléonides. Pour le moment Hortense est hors d'atteinte des cosaques — qui terrifient les âmes sensibles, Mlle Cochelet plus encore que ses enfants ! — mais surtout, elle est hors d'atteinte de Louis.

*
* *

C'est à Navarre qu'Hortense et sa mère sont informées des dispositions concernant l'Empereur et sa famille, prises en accord avec les Alliés, spécialement le tsar Alexandre et Talleyrand. Celui-ci a déclaré dès le début de la discussion : « Je plaide pour la reine Hortense, c'est la seule que j'estime ! » Le grand diplomate a opté pour une attitude que, dans l'ensemble, partageront les souverains européens, et bon nombre de ses compatriotes : la séparer des Bonaparte. De plus, à tout moment, pendant les mois qui vont suivre, Hortense va mesurer à quel point elle est populaire et aimée. L'empereur Napoléon ira donc régner sur l'île d'Elbe. Un bien petit royaume pour un bien grand homme, mais encore le doit-il à la magnanimité du tsar, qui n'a aucune animosité envers lui, du moment qu'il abandonne la France et qu'il se trouve, désormais, hors de portée de nuire à l'Europe en y rallumant la guerre. Les Alliés se sont inclinés devant le choix des Français — c'était du moins celui de Talleyrand —, de restaurer la monarchie bourbonienne. Le tsar aurait préféré la régence (pendant la minorité du roi de Rome), d'autres auraient été favorables au duc d'Orléans (futur Louis-Philippe), d'autres encore à Bernadotte, prêt à sacrifier ses espérances suédoises au profit de la couronne de France...

La famille impériale est disséminée. Napoléon a demandé, le 11 avril, le traitement suivant, qui favorise les Beauharnais, une fois de plus, relativement aux Bonaparte : un million annuel pour l'impératrice Joséphine qui, après elle, reviendra à la Couronne, un établissement à l'étranger pour Eugène, et 400 000 francs de rentes pour Hortense et ses enfants. Il a fixé les sommes allouées chaque année aux siens : 300 000 francs à sa mère, 500 000 à Joseph, autant à Jérôme, 200 000 à Louis et 300 000 à chacune de ses sœurs, Pauline et Élisa. Ils peuvent garder leurs titres, ceux-ci étant, dans l'esprit de l'Empereur, qui le répétera jusqu'à sa mort, indélébiles : en fait, pour les besoins de leurs déplacements, beaucoup adopteront des identités de rechange.

Cependant qu'Eugène s'apprête à rejoindre sa mère et sa sœur, en France, les Bonaparte, au lieu de se regrouper auprès de leur frère — sauf Pauline qui, de Nice où elle avait passé l'hiver, le rencontre avant son embarquement à Fréjus, et, séparée de son mari, affaiblie par ses maladies, opte pour l'île d'Elbe —, s'en vont en ordre dispersé, essayant d'obtenir des établissements de fortune. Letizia, accompagnée de Fesch, part pour l'Italie, où le Pape accepte de les voir se fixer à Rome. Joseph, Louis et Jérôme auront l'idée de passer en Suisse, l'un à Allaman, l'autre à Lausanne, le dernier à Berne. L'épouse de Joseph, Julie, choisit sagement Mortefontaine, où elle saura s'organiser une existence discrète, loin des affaires du monde, pour lesquelles elle n'avait aucun goût : elle vivra en paix, entourée de sa nombreuse famille — les Clary —, sous la protection de son beau-frère, Bernadotte. La plus admirable est Catherine de Wurtemberg, l'épouse de Jérôme, qui refuse de céder aux pressions de son père et se déclare solidaire de son

mari. La malheureuse se fera dévaliser sur les grands
chemins, et son cousin le tsar devra intervenir pour acti-
ver la police française, peu pressée, si elle n'était pas
complice du vol, de retrouver la cassette des Jérôme...
Quant à Élisa, bloquée à Montpellier, elle réussira à rallier Bologne, en attendant mieux.

En vertu de leur ancienne appartenance autant que de
leur excellente réputation d'obligeance et d'urbanité —
en clair, ce sont des gens fréquentables —, les Beauharnais n'auront aucun mal à réintégrer Paris. Mlle Cochelet s'y rend la première et, par le biais de ses amitiés
russes, elle renoue avec un diplomate de haut rang, le
comte de Nesselrode, ministre en charge des Affaires
étrangères, qui lui fournit tous les détails relatifs à l'évolution de la situation. Elle s'empresse d'en informer
Navarre. Hortense aura ce mot qui résume tout : « C'est
donc un changement de dynastie ! » Au regard des cala-
mités attendues, c'est, en effet, peu de chose...

Tout le personnel allié, présent dans la capitale, est
connu des Beauharnais et le souverain le plus influent,
et aussi le plus aimable, le tsar Alexandre, n'a qu'un
désir, celui d'assurer leur sort. Il est impatient de rencontrer l'impératrice Joséphine, et le fait savoir à plusieurs reprises. Qu'elle regagne la Malmaison, il lui
rendra visite, se faisant une joie de l'obliger. Ces mœurs
n'ont rien que de très normal à l'époque, ce sont celles
de tout gentilhomme digne de ce nom : on compatit au
sort des vaincus, et pour peu qu'on les estime, on pourvoit aux besoins de ceux qu'on a défaits. Pour avoir pratiqué cette générosité aristocratique — car ce code de
conduite vient de l'Ancien Régime — pendant quinze
ans, Joséphine et Hortense en seront payées de retour.

Le prince Léopold de Saxe-Cobourg (le futur premier
roi des Belges) adresse à la reine cette lettre dont le ton
protocolaire ne doit pas masquer la bienveillance :

[le 14 avril 1814]

Madame,

Je suis bien heureux de pouvoir enfin me rappeler au souvenir de Votre Majesté et en même temps d'être à même de lui donner des nouvelles qui ne lui seront peut-être pas désagréables. Depuis mon arrivée ici, je suis inquiet du sort de Votre Majesté. Dans des circonstances aussi fâcheuses pour Elle, M. de Humbold fut le premier qui me donna des nouvelles certaines de son séjour et qui me rassura. Depuis ce moment, j'ose le dire, mon unique désir était de lui être utile, pouvant lui prouver par des actions un attachement qui jusque-là n'avait pu être exprimé que par des paroles. L'arrivée de cette excellente Cochelet me fit enfin voir ce qui serait nécessaire pour les intérêts de Votre Majesté et son Auguste Mère. Je résolus d'en parler à cœur ouvert à mon Empereur et maître et je m'empresse de rendre compte à Votre Majesté du résultat de cette conversation qui a eu lieu aujourd'hui et Elle me pardonnera que, sans m'en avoir chargé, je me sois pris la liberté de m'occuper de ses affaires. Le meilleur, j'ose l'appeler ainsi, des empereurs dit que son intention était depuis longtemps de faire connaissance de princesses aussi dignes qu'aimables et qu'il s'intéressait vivement au sort de cette famille respectable qui s'était conduite avec tant de noblesse dans des circonstances difficiles. Il loua beaucoup la conduite du Vice-Roi qui, seul, avait montré de la dignité et de la noblesse. Il serait trop long de répéter tout le bien si justement mérité qu'il dit de Vos Majestés. Il me chargea finalement d'exprimer à Votre Majesté ainsi qu'à son Auguste Mère, le désir qu'il avait de faire leur connaissance, qu'il serait venu à Navarre si cet endroit n'était pas si éloigné, mais qu'il proposait comme le plus agréable la Malmaison, où il espère voir Votre Majesté ainsi que ses enfants. En même temps il m'a donné les assurances les plus agréables relativement aux affaires de la famille de Votre Majesté. Mlle Cochelet se charge de faire partir cette lettre ainsi que celle où je rends compte du résultat de mes démarches à S.M. l'Impératrice sa mère. J'ose supplier Votre Majesté de daigner me faire savoir quand Elle sera arrivée à la Malmaison ainsi que son Auguste Mère pour que je puisse en prévenir l'empereur, et de disposer absolument de moi comme de son chargé d'affaires pour tout ce qu'Elle jugera nécessaire que je fasse et que ma plus belle récompense sera si Elle daigne en être satisfaite, jusqu'au moment heureux où je pourrai en personne lui présenter mes hommages et la supplier d'agréer l'assurance du dévouement et du profond respect avec lesquels j'ai honneur d'être, Madame,

　　de Votre Majesté,

　　Le très humble et très obéissant serviteur,

　　　　　　　　　　Léopold, prince de Saxe-Cobourg
　　　　　　　　　　Général au service de Russie.

Paris, le 14 avril 1814 [1].

Bref, si elle se fait un peu prier, Hortense ne peut que se louer de ces bonnes dispositions. Elle retrouve son hôtel — qu'occupaient les Suédois, à l'exception de son appartement particulier — et une partie de son ancienne Maison : la marquise de Caulaincourt, en tête, bien placée pour savoir ce qui se décide en haut lieu, son fils, le duc de Vicence, jouant un rôle central en ce moment. Elle va revoir aussi nombre des « arrivants de Fontainebleau » comme dit l'« excellente Cochelet », qui sont restés aux côtés de l'empereur Napoléon jusqu'à ce qu'il les congédie, « en leur recommandant de servir avec zèle leur patrie » : MM. de Flahaut, de Lacour, de Lawoestine, de La Bédoyère, de Montesquiou. Par eux, elle apprendra les détails de l'abdication, et ils auront à cœur de constituer autour d'elle une sorte de garde personnelle, chaleureuse et dévouée. Leur virulence bonapartiste restera intacte et, s'ils n'ont pas accompagné l'Empereur à l'île d'Elbe, ils demeurent ses admirateurs. Cela ne sera pas sans créer quelques malentendus, car bien sûr, la police bourbonienne les surveille, et il sera vite dit que le salon de la reine Hortense est un foyer de conspirateurs... Mais que ne dira-t-on !...

---

1. *In Mémoires*, pp. 329-330.

Avant de se rendre à la Malmaison, Hortense entend aller faire une visite de pure sympathie à Marie-Louise, à Rambouillet. Elle y sera reçue par la jeune femme, d'une manière embarrassée : celle-ci attend l'empereur d'Autriche, son père, et sa seule crainte est qu'on l'envoie à l'île d'Elbe ! Hortense ne peut s'empêcher de comparer cette réaction avec celle, quelques jours auparavant, qu'avait eue sa mère. « Confiné à l'île d'Elbe ? Ah ! sans sa femme, j'irais m'enfermer avec lui !... » C'est à de tels mots qu'on juge d'un cœur, d'une stature, on aurait envie de dire, d'une âme.

Si la première entrevue d'Hortense avec le tsar Alexandre, dans les jardins de la Malmaison, manque de chaleur, une relation forte ne va pas tarder à s'établir entre eux. A la Malmaison ou rue Cerutti, il se sentira à son aise, bien accueilli, heureux de figurer à un dîner d'apparat comme de partager une tasse de thé. Il se plaît en la compagnie des Beauharnais : « Vous savez que j'aime et que je respecte cette famille, confie-t-il au prince Léopold, le prince Eugène est le prince des chevaliers, j'estime d'autant plus l'impératrice Joséphine, le prince Eugène et la reine Hortense que leur conduite envers l'empereur Napoléon est supérieure à celle de bien d'autres... » Et, de plus en plus, il se plaît en la compagnie d'Hortense. Qu'Alexandre ressente une inclination pour elle ne nous étonne pas : le charme, l'allure incomparable de la jeune femme, la finesse de son cœur et l'aura de malheur qui entoure sa réputation, le naturel de sa sensibilité comme l'excellence de son jugement, tout en elle pouvait retenir un homme d'autant plus réceptif à la séduction féminine qu'il était lui-même doté d'une douceur légendaire. Alexandre, dont l'immense pouvoir et la belle prestance ne laissent aucune femme indifférente, se distingue par un étrange mélange de virilité et d'affabilité. Plus même, il est fluctuant, insaisissable, sa nature qu'on a souvent dite « ondoyante » le rend énigmatique à ses interlocuteurs. Napoléon l'avait perçu, qui le qualifiait de « Grec du Bas-Empire ». Il ne dit ni oui ni non, et il n'est pas difficile de déceler dans sa composante orientale un potentiel de traîtrise qui inquiète autant qu'il fascine... Alexandre aime plaire, mais il n'est pas sûr qu'il ne soit une sorte de marivaudeur frigide, usant de ce qu'Hortense appellera dans les lettres qu'elle lui adressera « sa coquetterie ». Il est l'homme le plus recherché de Paris, et Mme de Boigne avoue qu'« on ne peut s'empêcher de reconnaître que sa conduite sage et modérée, généreuse [...] justifiait l'enthousiasme que nous lui montrions [le « nous » s'applique au noble Faubourg]. Il était alors âgé de trente-sept ans, mais il paraissait plus jeune. Une belle figure, une belle taille, l'air doux et imposant tout à la fois prévenaient en sa faveur. Et la confiance avec laquelle il se livrait aux Parisiens, allant partout sans escorte et presque seul, avait achevé de lui gagner les cœurs [1] ».

Car il est vrai que les Parisiens sentaient peu l'occupation étrangère et pas du tout l'humiliation que celle-ci aurait pu engendrer. Il n'en sera pas de même en 1815. Une fois la paix établie et les Bourbons restaurés, les troupes avaient été cantonnées hors les murs, et la population savait qu'elles n'y demeureraient que le temps indispensable. Elle savait aussi le devoir au tsar, toujours prompt à tempérer les ardeurs des autres Alliés. On menait les enfants aux Champs-Élysées, à la frontière de la campagne, s'émerveiller du campement des cosaques, qui ne quittaient jamais leurs chevaux, fût-ce pour aller chercher de l'eau, à trente mètres...

Le tsar appréciait d'autant plus la compagnie des Beauharnais, leur esprit, leur exquise urbanité, que les Bourbons l'avaient bien mal reçu, à leur arrivée

---

1. *Mémoires*, I, p. 383 et suiv.

d'Angleterre, au château de Compiègne. Les airs de « house-keeper » de la duchesse d'Angoulême, aussi mésavenante que mal fagotée, l'avaient rebuté. La froideur cérémonieuse de Louis XVIII l'avait froissé. Les dédains dont on l'avait abreuvé n'appelaient pas son indulgence. Ce galant homme n'aurait aucune gêne, désormais, à dire souvent « que toutes les familles royales de l'Europe avaient prodigué leur sang pour faire remonter celle des Bourbons sur trois trônes, sans qu'aucun d'eux y eût risqué une égratignure... ». Il racontera, rue Cerutti, au sortir d'un dîner aux Tuileries, qu'on venait de lui rapporter (depuis son enfance, Alexandre était sourd de l'oreille gauche) que la duchesse d'Angoulême, toujours revêche, « avait demandé au prince de Bavière [le frère de la princesse Auguste], en désignant le grand-duc de Bade : « N'est-ce pas le prince qui a épousé une de ces princesses de Bonaparte ? Quelle faiblesse de s'être allié à lui ! »... Mutisme gêné du prince de Bavière ! Encore heureux que l'empereur d'Autriche, tout près d'elle, n'ait pas entendu la remarque ! C'était manquer aux usages, car à qui devait-elle de retrouver son palais ? C'était montrer qu'elle ne connaissait pas son monde, ce qui la situait, comme princesse, à son désavantage. Enfin, autre erreur : c'est une Beauharnais qu'avait épousée le grand-duc de Bade, petite-fille d'un officier de la Royale, que son propre aïeul, le roi Louis XV, avait fait « comte des Roches-Baritaud », en remerciement de ses services... Manifestement, ces souverains importés devaient beaucoup apprendre. Leur maladresse doublée de leur légendaire ingratitude n'allait certes pas apaiser le climat...

Depuis qu'il a rencontré et les Beauharnais et les Bourbons, Alexandre n'est pas en peine de comprendre qu'il va falloir faire pression sur les seconds pour qu'ils appliquent ce qui, dans le traité du 11 avril, concerne les premiers. Joséphine est heureuse dans sa merveilleuse

Malmaison, encore faut-il qu'on lui verse son revenu.
Pour Eugène, le congrès qui réunira les souverains de
l'Europe, à Vienne, s'en occupera. Quant à Hortense, le
tsar est décidé à obtenir de Louis XVIII la garantie de
son nouveau statut. Il sollicitera l'érection en duché de
sa terre de Saint-Leu, assorti d'un apanage dont le montant annuel correspondra à ce que prévoit pour elle le
traité, à savoir 400 000 francs. Il y tient d'autant plus
qu'Hortense ne lui demande rien : mettre ses enfants à
l'abri de leur père, leur assurer un avenir en France et
vivre en particulière bien entourée, voilà ce qu'elle souhaite. Car ce changement dynastique la laisse sereine. Et
pour cause ! Tous ses amis, les gens de sa maison de
reine de Hollande comme de princesse impériale appar-
tenaient à l'ancienne société, et ceux qui voudront se
séparer d'elle n'auront aucune difficulté à retrouver des
charges à la Cour nouvellement rétablie. Elle a tant aidé,
quand le rayonnement de son beau-père lui en donnait
les moyens, ceux qui, alors, étaient dans le besoin, voire
persécutés, qu'elle n'a rien à craindre, à part quelques
ingratitudes inhérentes à la nature humaine, de ce ren-
versement.

Avec Alexandre se développe, tout au long de ces
beaux jours de fin avril et de mai, une amitié amoureuse,
nourrie d'entretiens, de réceptions, de promenades. Le
14 mai, elle l'accueille à Saint-Leu et, connaissant les
intentions de son hôte, elle organise une de ses habituelles randonnées dans son grand char à bancs qui peut
contenir jusqu'à dix personnes. On traverse bois et forêts
— le futur apanage —, et rien n'est plus instructif ni
plus charmant. Il semble que, le soir venu, Joséphine
aurait pris froid. Les jours suivants, Hortense et sa mère
reçoivent, sans discontinuer, à la Malmaison. Le roi de
Prusse et ses fils découvrent le domaine enchanté où
Bonaparte vivait en famille ses heures de loisir à l'époque consulaire, où il allait, au fil des conciliabules et des

méditations dans sa bibliothèque, se métamorphoser en empereur... Le 24 mai, ce sont les grands-ducs de Russie, qui, fraîchement arrivés en France, viennent saluer la première Impératrice. Celle-ci se repose dans sa chaise longue cependant qu'Hortense et Eugène font les honneurs de la propriété. Nul ne prend garde à ce refroidissement, à cette fatigue soudaine, à cette fièvre latente qu'accompagne une sorte de découragement inaccoutumé... Car Joséphine jouit d'une excellente santé, et succédant à l'exil à Navarre, ces journées peuvent lui sembler une récompense : les souverains de l'Europe n'ont de cesse qu'ils n'aient pu admirer sa grande serre chaude, sa ménagerie, les cygnes noirs de l'étang, sa galerie de tableaux. Et celle qui n'a jamais faibli sous les contraintes parfois rudes de la vie consulaire et impériale n'entend pas s'écouter pour un mal de gorge... Aussi élégante qu'à l'accoutumée, elle tient son rang.

Cependant, le samedi 28 mai, lorsque l'empereur Alexandre se présente pour dîner, fait rarissime, la maîtresse de maison est alitée. Eugène, lui aussi, est en proie à un accès de fièvre. C'est donc Hortense qui préside, avec la bonne grâce qu'on lui connaît, à toute la réception. Le tsar propose son médecin car il est inquiet, et il a le bon goût de ne pas prolonger la soirée. Les médecins de l'Impératrice, appelés de Paris, visitent celle-ci : ils ne décèlent qu'une forte inflammation de la gorge. Son entourage se relaie à son chevet, et le lendemain, dimanche de Pentecôte, 29 mai 1814, à son réveil, ses enfants trouvent leur mère très « altérée ». Son état devient alarmant. L'abbé Bertrand lui donne les derniers sacrements. Eugène et Hortense s'absentent pour aller à la messe, et à leur retour, le cœur serré, ils ne quittent plus l'Impératrice. Les médecins ne leur laissent aucun espoir. Joséphine essaie de leur parler : à peine le peut-elle. Hortense s'évanouit. Seul Eugène demeure près de sa mère. Peu après, à midi, dans les bras de son fils, elle

rend le dernier soupir. Une angine gangréneuse venait
de l'emporter en moins de quinze jours.

La mort subite de l'impératrice Joséphine ne manque
pas de provoquer un saisissement et une émotion
indescriptibles. Cependant qu'Hortense, sous le choc, est
conduite à Saint-Leu, Eugène, auquel l'étiquette interdi-
sait qu'il parût aux funérailles de sa mère, organise celles-ci [1]. Dans ces circonstances délicates, son tact
s'exerce sans fausse note : ni armes ni couronne impériales ne marqueront le convoi de celle qui régna sur la
France. Aucun billet de faire-part — qui aurait dû faire
mention des titres de la défunte —, mais un petit nombre
de lettres rédigées de sa main. Les deux fils d'Hortense,
les princes Napoléon et Louis, mèneront le deuil. Le
2 juin, suivie d'une foule de maréchaux, de généraux, de
pairs, de députés, d'ambassadeurs, d'artistes et de
savants, sans compter les anonymes, entre une haie de
hussards, détachés par le tsar, et de gardes nationaux,
Joséphine quitte à jamais sa chère Malmaison pour aller
reposer dans la chapelle Saint-Nicolas de l'église de son
village. Vingt mille personnes sont venues saluer, avant
le départ du cortège, sa dépouille, exposée dans le vestibule du château.

Eugène rejoint sa sœur à Saint-Leu et, ensemble, plus
unis qu'ils ne le furent depuis leur enfance, ils commencent leur grand deuil. Comment ressentent-ils, dans ces
beaux lieux, le malheur qui les foudroie ? Ils sont très
sobres sur ce sujet. Peut-être parce que la mort d'une
mère, fût-elle brutale, n'est pas contre nature, et que le

---

1. Hortense, dans ses *Mémoires*, indique que ni son frère ni elle
n'ayant eu assez de *courage* pour paraître à Rueil, ils en préviennent
le tsar, qui renonce, en leur absence, à s'y rendre et délègue le général
Saken. Elle précise qu'ayant manqué le départ du courrier autorisé
pour l'île d'Elbe, il ne leur fut pas permis d'en envoyer un second :
Napoléon fut averti par le duc de Vicence de la mort de Joséphine ainsi
que du « sort convenable » qu'on allait faire, en France, à Hortense.

choc émotionnel se résorbe plus aisément que dans le cas, par exemple, de la mort d'un enfant... Leur mère, si elle avait été, aux côtés de Bonaparte, l'agent de leurs étranges destinées, s'ils l'avaient adorée sans la juger, était, cependant, très différente d'eux. Plusieurs témoins l'affirment : s'il n'y eut jamais un nuage, un reproche envers Eugène, qui fut un fils exemplaire, Hortense et Joséphine s'aimaient sans toujours se comprendre. Différence de sensibilité, de génération, de nature. Joséphine possédait la grâce de la souplesse : à tout, elle savait s'adapter et son intelligence subtile lui valut, nous l'avons dit, de se tenir au cœur des centres de pouvoir, réussissant à merveille à débrouiller l'écheveau complexe des intérêts et des stratégies politiques. Hortense s'en écartait, visant, au contraire, à l'excellence de son existence particulière, encore que soumise aux exigences de sa position. Comme si la disparition de sa mère lui ouvrait la voie, orpheline, elle va prendre son relais. L'émancipation de sa pensée, très clairement, date de ce deuil. Nécessité fait loi, sans doute, et il va lui falloir, désormais, agir par soi-même, et non sous l'éternelle égide de cette femme rayonnante, influente et réaliste. Aussi, et n'est-ce pas dans l'ordre des choses, la disparition de celle qui l'a formée va permettre à Hortense de devenir pleinement adulte.

Les expressions de sympathie, les condoléances et les visites affluent. L'Europe entière se manifeste. Dès le 31 mai, M. de Talleyrand fait l'« hommage de sa sensibilité » (toujours le mot juste !) à la « juste affliction » de la reine. Jusqu'à la lointaine Marie-Louise, qui d'Aix-en-Savoie lui fait passer, par Isabey, un message affectueux, faisant état, avec une grande simplicité, de ce qu'« ayant éprouvé une perte semblable [elle sent] mieux que personne l'étendue de [son] chagrin [1] ».

---

1. A.N. 400 AP 32 et 26 (n° 33).

L'affluence à Saint-Leu inquiète les Bourbons, toujours sourcilleux, bien qu'ayant eux-mêmes réagi à la perte cruelle qui frappait les Beauharnais. Eugène décide qu'il est temps de regagner Munich.

Avant qu'il ne passe en Angleterre, le tsar leur a demandé l'hospitalité et c'est dans l'intimité que s'est effectuée son étape. Hortense gardant encore la chambre, c'est auprès de son lit qu'ils déjeunèrent tous trois, au lendemain de sa première nuit chez eux. Alexandre a eu l'élégance de se mettre, lui aussi, en deuil. Il apporte à Hortense la nouvelle que le 30 mai, sous sa pression (énergique), le roi Louis XVIII a signé le brevet lui donnant le duché de Saint-Leu. Il y a eu problème, le Bourbon de droit divin ne reconnaissant pas le titre napoléonien d'Hortense. Mais enfin, il a signé le traité du 11 avril, dans lequel les titres sont explicitement garantis. Et, de plus, Hortense n'entend pas substituer le titre de *duchesse de Saint-Leu* à celui de *reine Hortense*. Ce duché, elle l'accepte pour ses enfants et pour eux seuls. Le roi avait tourné la difficulté en accordant le duché à « Madame Eugénie-Hortense de Beauharnais, désignée dans une Convention faite le 11 avril dernier [1] ». Ce qui, en bon français, veut dire la même chose. Il est vrai que, pour ces revenants, cette nouvelle société est souvent indéchiffrable. La jeune Joséphine de Gontaut, quand elle arrive, dans la suite du roi, à Calais, regarde ébahie autour d'elle. Elle remarque un officier, de police, probablement, assez vulgaire et parlant haut. Elle demande à sa mère : « Maman ! Cet homme a l'air bien commun ! Est-ce un maréchal ? » Et la mère, à Paris, après tant d'années d'émigration, n'y comprend rien : on parle, sans cesse, devant elle, chez Mme de Valence de « la reine »... Quelle reine ? La reine Hortense, évidemment !

---

1. Nous reproduisons, en annexe, l'intégrale du document.

Celle-ci attendra la fin de son grand deuil pour remercier le roi. Saura-t-elle qu'en partant le tsar Alexandre avait pris ses précautions : « Je n'ai laissé à Pozzo di Borgo [son ministre] que deux ordres qui me tiennent au cœur, l'un est de connaître à fond la catastrophe de la reine de Westphalie [le vol de la cassette des Jérôme] et de lui faire retrouver ses diamants, l'autre est de veiller sur la reine Hortense. » Cependant que s'effectue l'inventaire des biens de sa mère, sous la responsabilité de Soulange-Bodin et de Devaux, intendants d'Eugène et d'Hortense respectivement, et que se prépare une succession difficile, Joséphine ayant laissé 3 millions de dettes, Hortense part, en petit équipage, pour Plombières, puis pour Bade, où elle rejoint, le 18 août, sa cousine Stéphanie, actuelle grande-duchesse, et une société particulièrement choisie.

* *
*

On la sent le cœur allégé de retrouver son frère et sa belle-sœur, heureuse de partager leur petite maison, la seule qu'ils aient réussi à louer, Bade étant, cet été-là, envahie par les têtes couronnées. Qu'on en juge : la vieille Margrave y a réuni ses quatre filles : la tsarine Élisabeth (l'épouse d'Alexandre), Frédérique-Dorothée, ancienne reine de Suède, Caroline, reine de Bavière, la belle-mère de la princesse Auguste dont le père est, lui aussi, présent, et Amélie de Bade, sœur jumelle de la précédente. Si l'on y ajoute la princesse de Hesse-Darmstadt et les Beauharnais : Eugène, Auguste, Hortense et Stéphanie, la grande-duchesse régnante, on aura l'idée du disparate d'origine et de situation qui préside à ce congrès en miniature.

La vie se passe en promenades dans les environs et, à heure fixe, en déambulations dans la Grande Allée, où les passants se plaisent à remarquer le roi de Bavière, en

chapeau rond, comme un brave bourgeois, dont il a le
facile et la bonhomie. Le soir, on se groupe autour de
Stéphanie, au Pavillon, pour dessiner et faire de la musique. Hortense mettra à profit son séjour pour réaliser les
portraits de toutes les personnalités qu'elle rencontre,
dont la plus spectaculaire est un jeune prince Ypsilanti
qui vient de perdre un bras à la guerre. Être convié au
château, pour un dîner chez l'Impératrice de Russie, est
un événement ! La première fois qu'Hortense s'y est
rendue, probablement assez curieuse de découvrir
l'épouse de son nouvel ami — nul n'ignore qu'ils sont
séparés mais en termes excellents —, elle a fait sensation : simplement revêtue d'une robe noire, les cheveux
relevés, sans fleurs ni diamants. En vérité, Mlle Cochelet
ne s'était pas chargée des parures, persuadée qu'elles ne
seraient pas nécessaires ! Le deuil et le naturel d'Hortense se conjuguent pour offrir un éclatant démenti à la
réputation d'ostentation fastueuse des Napoléonides.
Elle sera admirablement traitée par son impériale hôtesse
et la brave Cochelet de s'émerveiller quand se forme le
cortège d'entrée à la salle à manger : le roi de Bavière
le mène, avec, à son bras, la tsarine et sa mère, la
Margrave, derrière eux, les trois reines, à égalité de rang,
si l'on peut dire : la reine de Suède, la reine de Bavière
et la reine Hortense ! Suivent le prince Eugène et Stéphanie, puis les autres...

Ce qui enchante plus encore la lectrice d'Hortense,
c'est que le souverain bavarois s'ébahit de sa dextérité
à fabriquer, à la demande générale, de la gelée de gro-
seilles et de framboises. En retour, il fait goûter à ces
dames sa soupe glacée aux abricots et, sans les visites
de Mme Krüdener qui, déjà, prophétise que « l'année
1815 sera terrible ! », tout serait pour le mieux dans la
plus œcuménique des villes d'eaux...

Hortense ne peut s'y attarder : elle a prévu d'aller
prendre quelques bains de mer au Havre, incognito, cette

fois, et le 28 août, elle reprend le chemin de la France. Une étrange aventure lui arrive et, comme il serait aisé d'en faire une interprétation tendancieuse, la reine, adroitement, la relate dans la première des longues missives qu'elle adresse au tsar Alexandre. La voici. Admirons, au passage, le ton dégagé avec lequel Hortense se confie à son puissant protecteur. Rien n'est plus séduisant que son style :

[...] Vous ne croiriez pas que je vous vois deux : quand je pense au souverain qui m'a marqué de l'intérêt, qui s'est occupé de ma position avec bonté, je suis reconnaissante, je fais des vœux pour son bonheur et voilà tout ; mais quand je pense à l'homme qui m'a marqué de l'amitié, de la confiance, quand je me rappelle qu'il a cherché à m'aimer, mes peines me conseillent d'espérer dans la providence ; enfin il a su parler à mon cœur, car combien de fois depuis, éprouvant une émotion ou crainte sur l'avenir, je me résignais en disant : mon Dieu, j'espère en vous ! Ah, celui dont les sentiments sont si semblables aux miens, c'est un ami, un soutien que le ciel m'a envoyé. J'ai besoin de lui écrire, de lui dire tout ce que je sens, même les folies qui me passent par la tête ; il doit me connaître, il doit me juger, je lui ferai même peut-être plaisir en l'occupant de moi. Mais quand j'ai fini ma lettre, qu'il faut mettre l'adresse, je crois que je me suis trompée !

Comment c'est à vous que j'écris tout cela, moi qui vous suis étrangère, à qui vous ne pouvez pas prendre grand intérêt ! Vraiment vous devez me trouver un peu folle [...].

En arrivant à Saverne des officiers français s'étaient groupés autour de ma voiture et j'entendis qu'ils disaient : « C'est la reine Hortense et ce ne seraient pas des officiers français qui ne la reconnaîtraient pas toujours. » Je n'eus pas l'air d'entendre et en ayant changé de chevaux, j'arrivai au bas de la montagne. Je voulus la monter à pied et en prenant un petit chemin plus raide, étant seule avec mademoiselle C., je me retournai et je vis quatre officiers ; j'ignorais si c'étaient les mêmes qui m'avaient nommée à la porte et je me décidai toujours à garder mon incognito. Un jeune, assez agréable, m'offrit le bras dans un endroit difficile ;

j'avoue qu'il me prit une envie de rire ; je refusai d'abord ;
ensuite j'acceptai ; enfin, au bout de quelque temps, ils
m'avouèrent qu'ils m'avaient reconnue, que je serais toujours la reine Hortense pour eux, que leur régiment était à
mon service, que je n'avais qu'à dire un mot, qu'ils seraient
trop heureux de me donner leur vie. Vous devez penser de
ma manière de répondre ; je leur dis qu'ils devaient penser
à leur pays avant tout, que l'Empereur avait abdiqué, que
leur souverain était rempli de bonnes intentions, qu'il fallait
être sage, éviter la guerre civile et aimer son pays avant tout.
Il serait trop long de vous répéter les pourparlers ; seulement
en arrivant en haut de la montagne où l'on venait de
construire un arc de triomphe pour le duc de Berry que l'on
attendait, ils m'y ont fait passer en disant : « Honneur à la
Reine ; c'est pour elle ; elle y aura passé la première et nos
cœurs sont satisfaits. »

Arrivés à la ville, ils voulaient m'escorter, mais enfin je
m'en suis débarrassée avec toutes les peines du monde et
craignant beaucoup que cette aventure ne soit connue ; mais
comme je les en avais priés, ils m'ont bien gardé le secret,
car personne n'en parle. Mais vous auriez ri de me voir
sermonnant très bien ; j'avais affaire à de terribles têtes ; le
plus jeune surtout, je crois qu'il se voyait déjà un héros de
roman, secourant ou enlevant une reine ; je n'ai pu m'en
débarrasser qu'en promettant d'avoir recours à eux toujours,
si j'en avais jamais besoin.

Je suis arrivée près de mes petits enfants, heureux de les
trouver à merveille ; tous mes amis sont venus me voir ;
vraiment je n'ai pas lieu de me plaindre du sort. Je retrouve
des affections si tendres ! il me semble que je suis plus
aimée qu'autrefois. Peut-être ose-t-on plus me le marquer,
mais c'est si doux d'être aimée ! Que peut-on regretter
quand on ne perd pas des amis ? Je me suis encore éloignée
quelques jours de mes douces habitudes ; je cours aussi
après la santé, et mes enfants ont tant besoin de moi que je
ne veux plus rien négliger pour la retrouver. J'ai été au
Havre prendre six bains de mer, mais cela irrite trop les
nerfs et me voici de retour de toutes mes courses, ne voulant
plus quitter mes petits enfants, mais étant tous les jours tour-

mentée par leur père qui me les réclame et qui dit que si son sort est malheureux, son fils doit l'être aussi.

Vous voyez que ce n'est pas une mère qui parle ; je résiste encore en pensant à l'avenir de mes enfants, mais je ne serais pas étonnée de voir encore quelque article dans les journaux et peut-être un procès. Enfin je m'abandonne à la Providence et toujours je pense à vous, à vos conseils quand je me résigne ; vous voyez bien que je vous dois beaucoup, que vous m'avez fait un grand bien et si vous avez toujours de l'amitié pour moi, ce sera celui que j'apprécie davantage.

Je suis honteuse de la longueur de ma lettre, aussi je ne la relirai pas, car sûrement elle ne partirait pas ; mais en voilà pour bien longtemps, car je dois réellement craindre d'abuser de vos moments et peut-être vous ennuyer [1].

Les violettes de Saint-Leu

Après un tranquille séjour au Havre, où elle prend donc des bains de mer moins brutaux et plus discrets qu'à Dieppe, où elle loge chez le même couple, les Dubuc, qui les avait accueillies, sa mère et elle, lorsqu'elles s'apprêtaient à s'embarquer pour les Antilles, avant la Révolution, et où elle caresse l'idée d'une escapade à Londres — elle oblige même la pauvre Cochelet à potasser avec elle une grammaire anglaise ! —, Hortense réintègre Saint-Leu. L'y attendent ses enfants, ses amis et quelques obligations.

La première est de solliciter une audience particulière aux Tuileries, pour remercier le roi de son brevet. Elle lui est accordée le dimanche 2 octobre, à onze heures. Quel effet cela lui fait-il de se rendre dans le Palais que son beau-père avait métamorphosé, qu'elle avait habité et fréquenté depuis l'âge de dix-sept ans ? Elle ne nous le dit pas. En revanche, elle rapporte la réception que lui

---

1. *In La Revue de Paris*, septembre-octobre 1907, pp. 676 et suiv.

réserve le souverain, dans son cabinet, qui, quelques
mois auparavant était encore celui de l'Empereur. Il la
fait asseoir près de lui et elle lui exprime « le désir
qu'elle avait de le voir pour le remercier ». Le roi,
« assez embarrassé » au début de leur entretien, se montre « constamment obligeant et même galant ». Ils se
séparent très satisfaits l'un de l'autre. Hortense, parce
qu'elle le sent disposé à la soutenir — et, spécialement,
dans son différend avec son mari —, et le roi, parce qu'il
se déclare enchanté de « cette femme qui réunit tant de
grâce à des manières si distinguées ». Ce commentaire
qui exprime assez la séduction de la reine Hortense, il
le fera à plusieurs reprises, à tel point que son entourage
lui suggérera gaiement qu'il n'a qu'à presser le divorce
et l'épouser ! Ce qui déplaira grandement à la duchesse
d'Angoulême, toujours aussi dénuée de fantaisie que
d'humour...

La succession de Joséphine prend forme : Eugène gardera les biens immobiliers, à l'exception du petit château
de La Chaussée, qui revient à sa sœur — elle le vendra,
en 1816, au banquier Ouvrard, qui possédait déjà La
Jonchère, proche aussi de la Malmaison — et Hortense
aura sa part des bijoux et des tableaux. Eugène vendra
tout ce qu'il pourra, sauf à amputer le domaine de la
Malmaison — sept cent cinquante hectares à l'époque ! —, pour apurer les dettes laissées par l'Impératrice. Le tsar se fera l'un des principaux acquéreurs des
superbes collections qui trouveront à l'Ermitage une
seconde vie. Les héritiers se verront contraints de mettre
de l'ordre dans les allocations de pensions que leur mère
prodigua, toute sa vie, plus que largement. On pourrait
écrire un volume sur les seules bienfaisances de la
Consulesse et de l'Impératrice [1]. Ces nécessaires réduc-

---

1. Nous renvoyons à la biographie très documentée de Bernard Chevallier, déjà citée, et qui présente les nombreux bénéficiaires de la
cassette de Joséphine.

tions ou suppressions ne feront pas que des amis à Eugène et à Hortense. Mais leur situation était changée, et leur avenir, relativement incertain.

Alors qu'elle se dispose à passer une fin d'automne paisible à Saint-Leu, Hortense connaît l'immense désagrément de devoir soutenir un procès l'opposant à son mari. Eugène comme le tsar — réunis au congrès de Vienne — ne sont pas favorables à cette exhibition publique des litiges conjugaux de la reine, mais celle-ci, confiante en la justice, pense obtenir gain de cause. Le traité du 11 avril ne lui garantissait-il pas la garde de ses enfants ? Selon elle, ses avocats, Bellard, Chauveau-Lagarde, Bonnet et Laborie, s'efforceront de faire valoir ses droits. Et n'a-t-elle pas l'assurance qu'aux Tuileries on l'appuiera ? Elle se trompe.

Pour mieux comprendre combien elle est atteinte par l'insistance névrotique de Louis et sa volonté maligne de la blesser, il faut nous représenter quelle mère elle était : attentive, fine, gaie. Très proche de ses fils, elle les élève selon son cœur, avec simplicité. Elle a toujours reproché à sa mère de les gâter plus que de raison et n'a jamais voulu qu'on les traite en princes, mais plutôt en petits garçons intelligents qui, un jour, en ce siècle où rien n'est acquis, devront embrasser un état. Neveux d'un grand empereur déchu, il leur faudra, avant toute chose, servir leur pays. Cette civilisation française qu'elle incarne si bien, elle les en pénètre et la leur fait aimer. Et elle préfère les voir heureux, épanouis, dans la mouvance Beauharnais, toute d'élégance et de valeur, que livrés aux aigreurs et aux démesures des Bonaparte. Voici une lettre de son aîné, agrémentée du premier autographe à notre connaissance du petit Louis, le futur Napoléon III, assez laborieux à dire vrai, mais délicieusement touchant. Les enfants sont demeurés à Saint-Leu alors que leur mère a dû faire une course à Paris, dont il nous semble bien qu'elle devait être un entretien avec

ses hommes de loi. C'est à ce moment qu'Hortense décidera de passer l'hiver rue Cerutti où l'on se réinstallera
au lendemain de sa fête, à la mi-novembre :

> Ma chère maman,
> Tu sais combien cela me fait de la peine quand tu n'es pas
> avec nous surtout pour le motif pour lequel tu es allée à
> paris. Je ne peu ni te dire ni t'écrire combien je suis
> reconnaissant de toutes les peines que tu prends pour moi si
> c'était possible de t'aimer davantage que je ne le fait ceci
> bien sur me le ferait faire. J'espère que cela s'arrangera et
> que je serai exaucé, car je prie Dieu pour cela, tous les jours.
> je te prie de vouloir bien dire à Cochelet bien des choses
> (si toutesfois elle veut de mon amitié).
> je t'envoie ma chère maman le bouquet de violettes.
> Demain ce sera au tour de Louis, depuis ton départ il ne se
> plaint pas du mal de dent, toute la maison se porte bien
> même Boubers dont le rhume est passé, pour moi, cela ne
> se demande pas. Mais j'espère que tu auras la bonté de me
> donner de tes nouvelles, de celles de tes trois demoiselles
> et de Madame de Veaux et de Madame Cochelet. Adieu
> ma chère Maman, Louis et moi nous te prions d'agréer les
> sentiments respectueux de vos enfans.
>
> > Napoléon et
> > Louis aime bien maman

StLeu ce 30 8bre [octobre] 1814 [1].

Il n'est pas difficile d'apprécier combien ces enfants
aiment leur mère, et quelle catastrophe serait pour eux
d'en être séparés, du moins pour l'aîné, le petit Louis
étant encore trop tendre pour, décemment, « passer aux
hommes » comme on disait alors... Hortense en perd le
sommeil.

On aura remarqué que, chaque jour, les enfants
envoient à leur mère un bouquet de violettes. Ce sont,
avec l'hortensia, son emblème, ses fleurs préférées. Tout

---

1. A.N. 400 AP 27, n°.18.

l'automne et tout l'hiver, la rue Cerutti recevra avec une ponctuelle régularité des caisses de fer-blanc, remplies de ces violettes, dites de Parme, qu'en France on découvrait et qu'Hortense avait acclimatées dans les serres de Saint-Leu. Elle ne savait s'en passer. Comme l'armée mécontente des Bourbons grondait que « le petit caporal reviendrait aux violettes » — au printemps prochain —, on n'a pas manqué d'amalgamer autour de ce symbole de ralliement le retour de l'île d'Elbe et la reine Hortense, centre de tous les espoirs bonapartistes. Au Château, on accréditait cette idée au fait qu'Hortense était entourée d'une escouade de jeunes aides de camp de l'Empereur, dont l'ardeur ne se dissimulait guère.

Que pouvait-elle y faire ? Un jour, Flahaut et son cousin La Bédoyère, le plus enflammé de tous, arrivent sans leur croix de la Légion d'honneur. Ils sont outrés de l'usage qu'en font les Bourbons qui les distribuent à des Chouans, autant dire pour ces brillants officiers d'état-major aux campagnes innombrables, à des détrousseurs de diligences ! Du coup, ils refusent de porter la leur. A force de douceur, la reine finit par les apaiser : qu'ils se calment, ce zèle lui fait du tort, et qu'ils portent leur croix, ils l'ont bien méritée ! Flahaut, La Bédoyère et les autres trouvent la parade : ils arrivent chez la reine Hortense avec leur croix dans leurs poches, et procèdent, comme ils le disent en riant, à « leur toilette chez le portier ». Ils peuvent, ensuite, se présenter au salon dans une tenue orthodoxe !

Comme la belle Récamier, Hortense est recherchée par tout ce que Paris compte de personnalités marquantes et de célébrités. Elle s'est fait une règle de ne jamais sortir le soir, mais elle accueille tous les jours ses amis, dans son salon particulier, et le lundi, elle reçoit plus largement. Ses commensaux sont, pour commencer, les fidèles du régime précédent : M. de Flahaut, dont on sait quelle place il occupe dans sa vie, et ses compagnons,

Lascour, Canouville, La Tour-Maubourg, La Bédoyère, auxquels se joignent Lavalette, Forbin et Philippe de Ségur. A ce cercle d'habitués s'ajoutent les maréchales et les femmes d'anciens dignitaires ralliées au roi. Elles viennent avec entrain raconter les changements survenus aux Tuileries, les difficiles coexistences entre les vieilles duchesses d'Ancien Régime et elles, les « duchesses à plumes », comme on les appelle, au Château, en référence à leurs armoiries qui, presque toutes, en sont ornées. Du moins ont-elles, pour affronter les dédains bourboniens, le triple privilège de la jeunesse, de l'élégance et de la gaieté !

Une partie de l'ancienne aristocratie était acquise à Napoléon depuis son mariage avec Marie-Louise, et Hortense y conserve des amitiés, cependant que certaines des personnalités les plus hostiles à l'Empereur, et qui, maintenant, retrouvent leurs charges de Cour et leur fortune, ne dédaignent pas de paraître chez elle pour lui marquer leur reconnaissance d'anciennes intercessions en leur faveur : Sosthènes de La Rochefoucauld ou le marquis de Rivière — dont Joséphine a sauvé la tête, jadis — encourront peut-être les critiques d'« un certain quartier », comme dit la bonne Cochelet, à savoir le faubourg Saint-Germain, il n'empêche qu'ils se conduiront en gentilshommes méprisant un esprit de parti dont la hargne commence à faire des ravages. « Je me ris du tapage des hommes », écrira bientôt Hortense à son frère. Mais elle est bien trop lucide pour ne pas noter que « l'exagération des uns faisait naître l'exagération des autres ».

Elle n'ignore pas que, durant cet hiver, son salon est surveillé par des espions multiples. Beaucoup d'Anglais, nombreux à Paris depuis la paix, demandent à lui être présentés. Mme Récamier se fera l'ambassadrice du plus célèbre d'entre eux, le duc de Wellington — représentant son pays dans la capitale française —, désireux lui aussi de connaître cette femme charmante et qui touche de si près à son grand ennemi. La reine le recevra, ce qui déclenchera, en haut lieu, une véritable panique ! La police en fera le rapport en ces termes :

> On a remarqué qu'il est resté avec elle dans son cabinet pendant plus d'une heure et que, pendant tout le temps qu'il a figuré au cercle, il a, contre son ordinaire qui est une extrême hauteur et un grand sérieux, montré à la duchesse la déférence la plus grande et la plus respectueuse, et à sa société les attentions les plus marquées [1].

Bien qu'Hortense soit reçue par Louis XVIII une seconde fois, le 9 janvier 1815, les critiques à son endroit ne tarissent pas. Comme si la personnalité de la reine focalisait les mécontentements qui, de tous côtés, s'exacerbent. Quand les Bourbons, ostensiblement, bafouent le traité du 11 avril, en faisant mettre sous séquestre les biens des Bonaparte, les impérialistes s'indignent. Et cependant que le climat se dégrade, que les maladresses et les raideurs du pouvoir en place trahissent l'espoir général qui était, à la chute de Napoléon, de paix, mais aussi de liberté, la coterie qu'on appellera bientôt « Ultra », se sentant mal assurée, sécrète son venin envers la séduisante Hortense, dont on répand partout qu'elle est l'âme d'un complot visant à faire sortir l'Empereur de son île... En bref, le succès d'Hortense — la seule de l'ancienne Famille présente à Paris — lui vaut un faisceau d'inimitiés, soit qu'on la considère comme trop favorisée du nouveau souverain, soit qu'on lui impute la volonté de restaurer l'ancien ! Comme elle le constate dans ses *Mémoires* : « Je me trouvais, moi si calme, le but des coups comme le but de la défense [2]. » Comme un arbitre dont les camps adverses ne respectent

---

1. *In* Ch. Nauroy, *Les secrets des Bonaparte*, établi à partir des rapports de police, p. 162.
2. *In Mémoires*, p. 385.

pas la neutralité. Car ces haines cuites et recuites des
salons « Ultras », autant que la virulence piaffante des
Bonapartistes — comme on commence à dire —, répu-
gnent à sa nature. Prise dans cette mêlée qu'elle
réprouve, Hortense n'aurait qu'un désir, celui de s'en
abstraire. Il est bien évident que c'est impossible.

*
* *

Le lundi 6 mars 1815, alors qu'elle sort de chez Mme
de Nansouty qui venait de perdre son mari, la reine Hortense repasse le Pont Royal, pour rentrer chez elle, rive
droite. Un cavalier aborde sa voiture : c'est lord Kinnaird, en proie à une réelle excitation. Il lui demande si
elle sait la nouvelle : « L'Empereur Napoléon est débarqué à Cannes ! » Hortense envisage immédiatement les
troubles qui s'ensuivront, car, ne doutant pas une
seconde du succès de l'entreprise — elle connaît trop
bien son beau-père pour n'être pas certaine que, s'il tente
l'aventure, c'est qu'il est résolu à la réussir —, et elle
craint, dans le climat actuel, soit une guerre civile, soit
« une guerre étrangère », comme elle dit, c'est-à-dire la
reprise des hostilités européennes. Jamais, si les Français
accueillent favorablement leur Empereur, le congrès de
Vienne n'admettra son retour. Une nouvelle coalition en
résultera, et Dieu sait quelles en seront les fatales conséquences...

Pour l'heure, les royalistes sont relativement confiants
dans leur capacité d'arrêter cette marche insensée.
Curieusement, c'est sa plus ancienne amie, la sœur
d'Adèle, la maréchale Ney, qui tente de convaincre Hortense que jamais l'Empereur n'atteindra Paris. Son
époux n'est-il pas parti, immédiatement, pour Besançon,
afin de l'affronter... ? Et Hortense, pour la première fois,
peut-être, s'oppose à Églé, faisant état, avec fermeté, de
ce que, si l'Empereur progresse, il a toutes les chances

de voir se rallier à lui paysans et soldats. Églé est outrée, et cette conversation, dûment rapportée aux Tuileries, ne servira qu'à renforcer l'opinion admise, à savoir que la reine Hortense est l'agent de l'Empereur et que c'est par sa faute que ce cataclysme s'abat sur la France. Il n'est jusqu'au Palais-Royal — résidence des ducs d'Orléans — qui ne lui en tienne rigueur : à l'encontre de la messagère que lui enverra Hortense, dans un souci d'obligeance, la princesse Adélaïde s'écrie, furieuse : « C'est cette duchesse de Saint-Leu qui nous perd ! »

Pendant longtemps, Hortense traînera après elle cette accusation dont elle essaiera, sans désemparer, de se défaire. Ses *Mémoires* insistent longuement sur cette période de sa vie, justifiant avec précision chacun des choix qu'elle fit alors. Plus tard, dans ce qu'elle a laissé publier des *Mémoires* de Louise Cochelet, non sans les avoir revus de près, on retrouvera ces mêmes explications circonstanciées des événements de 1814-1815. Il est peu probable qu'Hortense ait été pour quelque chose dans le retour si spontané de Napoléon. L'aurait-elle été, dans ce cas, comment expliquer le mécontentement, pour ne pas dire la colère de l'Empereur lorsqu'il la revoit ? Aurait-elle joué double jeu ? Quand on connaît ses désirs, qui sont de tranquillité et de sécurité pour elle et ses enfants, et dont nous avons toutes les preuves, on démêle sans difficulté que le retour de Napoléon la surprend et la gêne plus qu'il ne la transporte de joie... Ce bouleversement, dont elle n'augure rien de bon, l'inquiète. Et on la comprend : il va lui falloir affronter, de nouveau, la Famille, son mari, et comme au même moment (le 8 mars), elle vient de perdre son procès, qu'adviendra-t-il, alors, de ses enfants ? Son frère, depuis Vienne, ne pourra la défendre. Bref, Hortense a plus à perdre qu'à gagner — encore qu'elle ne pose pas le problème en termes aussi crus —, de la situation qu'engendre le légendaire « Vol de l'Aigle ». A elle, comme aux Français, il va coûter cher.

Dans l'atmosphère de panique que provoque la fou-
droyante nouvelle, Hortense pare au plus pressé : mettre
ses enfants à l'abri d'éventuelles représailles royalistes.
En grand mystère, Mlle Cochelet les mène dans une
retraite sûre, près de Paris : inutile de préciser qu'ils sont
enchantés ! Plus de salle d'étude, plus de contraintes, et
une clandestinité dont ils ignorent la raison, mais qui
leur paraît avoir un délectable goût d'aventure. Le soir
même, leur mère a décidé de ne rien changer à ses habitudes : comme on est lundi et que Garat vient chanter
devant l'assemblée de la rue Cerutti, assemblée priée, on
maintient le programme prévu. Et la reine fait bonne
figure face à ses visiteurs, beaucoup plus nombreux qu'à
l'accoutumée. Son entourage attend la confirmation du
débarquement de l'Empereur, car on n'est pas sûr qu'il
ne s'agisse d'un coup d'éclat du seul La Bédoyère, parti
depuis quelque temps rejoindre son régiment, à Chambéry, et qu'on sait assez fou pour tenter une action... Il
s'avérera que La Bédoyère n'y était pour rien, même s'il
est heureux de donner l'exemple, le premier, du ralliement.

Paris est en effervescence : on vient avertir la reine
qu'elle est sur la liste des personnes les plus suspectes
au Château, susceptibles, donc, d'être arrêtées. Fouché,
son voisin, le lui confirme, en venant lui demander la
clef de la porte de son jardin, pour le cas où il serait
inquiété — et de fait, il le sera —, leurs parcs étant
mitoyens, il s'échappera en passant par celui de la reine.
Il n'y a pas à hésiter : il faut se soustraire à ces menaces.

Hortense décide sur-le-champ d'aller se réfugier chez
la fidèle Euphémie, dite Mimi, Mme Lefebvre, une Martiniquaise qui avait accompagné sa mère lorsque celle-
ci était venue en France, en 1779, pour s'y marier, qui,
ensuite, avait été la bonne d'Eugène et qui vivait paisiblement dans un joli appartement, rue Duphot, à l'angle
du Boulevard. L'idée était bonne — comme toujours, en

pareil cas, Hortense fait confiance à d'anciens fournisseurs, qui lui sont dévoués, et aussi, elle se sait plus en sécurité au milieu du peuple, qui l'aime, et dont elle ne craint rien —, mais comment se rendre chez Mimi ? L'Hôtel de la rue Cerutti est surveillé en permanence et, comme personne n'est plus reconnaissable qu'elle, même si elle sort à pied, elle n'a aucune chance de ne pas alerter les argousins. On finit par imaginer le stratagème suivant : la reine se fera passer pour Cochelet, en revêtant la redingote de celle-ci (« de casimir couleur poussière », nous apprécions le détail que donne la propriétaire du vêtement !), son chapeau et son voile de mousseline, et, au bras d'Adrien, l'un des frères Cochelet, elle se rendra tranquillement chez les Lefebvre. Les hommes en faction sont si habitués à voir sortir en cet équipage la brave demoiselle, qu'ils ne penseront pas un instant qu'il puisse s'agir de sa maîtresse.

Aussitôt dit, aussitôt fait. Tout se passerait bien si Hortense n'était prise d'un fou rire et Adrien, d'une peur panique, réactions dues, sans doute, à la tension à laquelle ils sont soumis. Adrien tremble, obsédé par les dentelles du bas-de-robe de la reine, dont elle n'a pu se défaire. Il ne cesse de lui dire : « Madame, votre dentelle passe, prenez-garde ; jamais une femme ne se promène avec toute cette élégance, et vous avez encore, de plus, des petits souliers de taffetas ! » Et la reine ramasse tant qu'elle peut ses jupes, mourant de rire à l'idée que c'est elle, seule, dans la rue, au bras d'un jeune homme ! On aura peine à le croire, et, pourtant, cela ne lui était jamais arrivé ! Toute sa vie, elle était sortie, comme il se devait, accompagnée de domestiques et, plus tard, de sa suite et de son escorte. On comprend que la situation lui paraisse insolite, plus même, irrésistible et cocasse ! On se souvient de la jeune Marie-Antoinette, se rendant incognito à un bal masqué à l'Opéra, cassant sa voiture entre Versailles et Paris, et disant à tout le monde, à l'arrivée,

rayonnante de plaisir : « C'est moi, en fiacre ! », se faisant immédiatement reconnaître, tant prendre un fiacre,
comme une particulière, lui semblait plus extraordinaire
que quoi que ce soit d'autre...

Hortense, sur le Boulevard, est bien près de vendre la
mèche, elle aussi. Mais comme, grâce à Dieu, il pleut,
le parapluie d'Adrien masque son visage. Et c'est, finalement, sans encombre qu'on atteint la rue Duphot. Hortense y séjournera du 11 au 20 mars, un peu engourdie
de ne pouvoir sortir, mais ravie de scruter, de son quatrième étage, tout ce qui se passe dans la rue, et dans les
appartements d'en face. Perce là, à la faveur de cette
péripétie, le tempérament curieux de la reine, on a envie
de dire son tempérament de romancière rentrée, amateur
de tranches de vie, qui reconstitue d'après ses observations l'état social, les pensées et même l'appartenance
politique de ses voisins. Elle remarque un peintre, parmi
eux, et c'est en voyant l'artiste exposer en bonne place
un grand portrait qu'elle reconnaît pour être celui de
M. de Montalivet, ancien ministre de l'Empereur, qu'elle
comprend que celui-ci n'est plus très éloigné. De fait, le
roi vient de quitter les Tuileries pour Gand. L'Empereur
y est attendu le soir même.

Hortense se doit d'être présente, ce qui n'est pas une
mince affaire ! Une foule animée entoure le Palais, il
faut la traverser. A la façon dont la Garde prend les
armes, à son arrivée, aux cris qu'elle pousse, Hortense
croit que « l'Empereur entrait par une autre porte »...
Enfin, elle parvient jusqu'à lui, pour le saluer. L'accueil
est glacial : il lui demande où sont ses enfants et la
convoque pour le lendemain matin. Le 21 mars, de
bonne heure, elle est introduite dans le grand cabinet
du souverain. C'est une véritable mercuriale que celui-
ci inflige à sa belle-fille, qui se termine par ces mots :
« Quand on a partagé l'élévation d'une famille, on doit
en partager le malheur ! » La pauvre Hortense fond en

larmes. Cette scène et son dénouement, la reine les décrira dans ses *Mémoires*. Au dialogue « officiel », entre elle et l'Empereur, qu'elle rapporte soigneusement, nous préférons de beaucoup, parce que moins guindé — l'Empereur est hors de lui ! —, le récit qu'elle en fait, dix années plus tard à Mme Récamier, qu'elle retrouve à Rome, et avec laquelle elle a de longs entretiens. Mme Récamier, qui écrivait peu, mais d'une plume fine et juste, qui sait le poids des mots, le rythme d'un phrasé, le reproduit, avec plus de vie, et probablement plus de véracité :

[C'est Hortense qui parle :]

L'empereur m'a toujours inspiré beaucoup de crainte, et le ton dont il me donna ce rendez-vous n'était pas fait pour me rassurer. Je m'y rendis cependant avec la contenance la plus calme qu'il me fut possible de prendre. Je fus introduite dans son cabinet. A peine nous eut-on laissés seuls qu'il s'avança vers moi avec vivacité : — « Avez-vous donc si peu compris votre situation, me dit-il brusquement, que vous ayez pu renoncer à votre nom, au rang que vous teniez de moi, et accepter un titre donné par les Bourbons ? Était-ce là votre devoir ? — Mon devoir, Sire, repris-je en rassemblant tout mon courage pour lui répondre, était de penser à l'avenir de mes enfants, puisque l'abdication de Votre Majesté ne m'en laissait plus d'autre à remplir.

— « Vos enfants ! s'écria l'empereur, vos enfants n'étaient-ils pas mes neveux avant d'être vos fils ? L'avez-vous oublié ? Vous croyez-vous le droit de les faire déchoir du rang qui leur appartenait ? » Et comme je le regardais tout éperdue : — « Vous n'avez donc pas lu le Code ? » ajouta-t-il avec une colère croissante. J'avouai mon ignorance, en me rappelant tout bas combien il eût autrefois trouvé mauvais qu'aucune femme, et surtout celles de sa famille, osassent afficher des connaissances en législation.

Alors il m'expliqua avec volubilité l'article de la loi qui défend de changer l'état des mineurs et de faire en leur nom aucune renonciation. Tout en parlant, il arpentait à grands pas son cabinet, dont la fenêtre était ouverte aux premiers

rayons d'un beau soleil de printemps. Je le suivais en
m'efforçant de lui faire entendre que, ne connaissant pas les
lois, je n'avais pensé qu'à l'intérêt de mes enfants, et pris
conseil que de mon cœur. L'empereur s'arrêta tout à coup,
et se tournant brusquement vers moi : — « Alors il aurait
dû vous dire, Madame, que quand on a partagé les prospéri-
tés d'une famille, il faut savoir en subir les adversités. » A
ces dernières paroles je fondis en larmes ; mais en ce
moment une bruyante clameur, qui me fit tressaillir, inter-
rompit cet entretien.

L'empereur, sans s'en apercevoir, s'était, tout en parlant,
rapproché de la croisée qui donnait sur la terrasse des Tuileries, alors couverte de monde ; toute cette foule, en le
reconnaissant, fit retentir l'air d'acclamations frénétiques.
L'empereur, accoutumé à se dominer, salua tranquillement
le peuple électrisé par sa présence, et je me hâtai d'essuyer
mes yeux. Mais on avait vu mes pleurs, sans toutefois en
soupçonner la cause ; car le lendemain tous les journaux
répétèrent à l'envi que l'empereur s'était montré aux fenêtres des Tuileries, accompagné de la reine Hortense qu'il
avait présentée au peuple, et que la reine avait été si émue
de l'enthousiasme qui s'était manifesté à sa vue qu'elle
n'avait pu retenir ses larmes.

Et voici comment on écrit l'Histoire !

Dans le même temps, Hortense manque de provoquer
un incident diplomatique qui aurait pu avoir de graves
conséquences pour Eugène. Profitant d'une occasion de
courrier pour Vienne, elle adresse à son frère un billet
lui annonçant le retour de l'Empereur, et son intime
espoir que la paix sera préservée, ce qui dépend du bon
vouloir du tsar. Malheureusement, la lettre parvient à
Eugène décachetée. Telles étaient les mœurs de l'époque ! L'empereur Alexandre l'a lue, et elle fera le tour
des souverains réunis, amplifiée, dénaturée. La position
d'Hortense, son allégeance autant que son « pacifisme »,

---

1. *Souvenirs et Correspondance tirés des papiers de Mme Récamier*, Paris, 1860, II, pp. 78 et suiv.

comme on dirait aujourd'hui, entraîneront un tollé !
Eugène serait passible d'un enfermement en Moravie si
le tsar ne s'entremettait. Il sauve le frère, mais tiendra
rigueur à la sœur de son ingérence dans les affaires politiques. Voici l'objet de sa susceptibilité :

[Paris], [21 mars 1815].

Mon cher Eugène, un enthousiasme dont tu n'as aucune
idée ramène l'Empereur en France. Je viens de le voir. Il
m'a reçue très froidement ; je pense qu'il désapprouve mon
séjour ici. Il m'a dit qu'il comptait sur toi, qu'il t'avait écrit
de Lyon. Mon Dieu ! pourvu que nous n'ayons pas la
guerre ! Elle ne viendra pas, je l'espère, de l'empereur de
Russie ; il la déplore tellement ! Ah ! parle-lui pour la paix !
Use de ton influence près de lui ; c'est un besoin pour
l'humanité. J'espère que je vais bientôt te revoir. J'ai été
obligée de me cacher pendant douze jours, parce qu'on avait
fait mille contes sur moi. Adieu, je suis morte de fatigue.

HORTENSE.

*
* *

On ne s'étonnera pas qu'après un si mauvais début
pour elle, ces trois mois de nouveau règne impérial, ces
Cent-Jours, n'apportent à la reine Hortense qu'agitations, remuements et mécomptes de toutes sortes. Il faut
imaginer combien le climat est différent de ce qu'il était
un an auparavant, lorsque l'Empereur vaincu laissait le
champ libre aux Alliés, restaurateurs de la paix, puis du
pouvoir politique. Les Bourbons avaient repris pied en
France, sous l'égide des Puissances, peu disposées à
transiger — du moins le tsar et les Anglais, les plus
influents — sur la libéralisation nécessaire des institutions dont se doterait la France. La Charte, Constitution
tempérant l'absolutisme monarchique — cette monar-

1. *In Les Beauharnais...*, pp. 279-280.

chie de droit divin, que de 1789 à 1792 on avait si bien
combattue en construisant un appareil légal anéanti par
les excès de la Terreur —, cette Charte était porteuse,
après dix ans d'absolutisme — impérial, cette fois —,
de tous les espoirs. Quelles qu'en aient été les imperfec-
tions et les limites — dont la première est la répugnance
des Bourbons à son encontre —, elle garantissait l'une
des idées des Lumières, à savoir les libertés personnelles. Les deux Chambres qu'elle instituait promettaient
d'être actives. Une respiration inconnue traversait Paris,
où tout le monde s'exprimait. Enfin !

Sauf aux Bonaparte et à leurs partisans les plus
convaincus, la première Restauration avait été facile :
l'ensemble du haut personnel militaire, politique et
diplomatique, Fouché et Talleyrand en tête, s'était rallié
aux Bourbons, ou du moins, au nouvel état de fait. Et
quels qu'aient été les désagréments inévitables à la co-
existence de deux sociétés — les « duchesses à plumes »
en sont une anecdotique illustration —, la volonté générale était de vivre en paix, et plus librement qu'avant.
Cette émancipation du joug policier et guerrier comme
l'expression de la pensée de Mme de Staël ou de Benjamin Constant, ces grands libéraux persécutés sous
l'Empire qui ne manqueraient pas de faire des émules,
apparaissaient comme les garants d'une ère de prospérité. Un pays soulagé, un pays libéré, se remettait en
marche. Les cénacles se reformaient, les salons politiques renaissaient, les artistes et les écrivains osaient pro-
duire des œuvres qui n'étaient plus de commande, les
étrangers revenaient, les journaux, de nouveau, avaient
droit de cité, bref, l'esprit soufflait sur Paris, l'animant
d'une vie qu'on croyait depuis trop longtemps abolie.

Le bouleversement que génère la réapparition de Napoléon met un terme brutal à cette vitalité collective. Évidemment, le saisissement quasi merveilleux de l'héroïque
remontée d'un homme seul, auquel font allégeance sur

son passage le peuple et, bientôt, l'armée, fascine l'imagination populaire pour atteindre une ampleur, une force légendaires. Le « Vol de l'Aigle » a quelque chose de magique, le retour d'un charismatique chef de guerre, assez audacieux pour reconquérir son royaume perdu, aussi... Mais quoi ? Une fois revenu dans la place, que peut-il faire ? Il est clair qu'il ne peut reprendre ses anciennes manières de gouverner. L'opinion ne l'accepterait pas. Son soutien, il en est conscient et l'exprime à Hortense, est « dans le peuple et l'armée jusqu'au grade de capitaine ». L'enthousiasme qu'il a trouvé chez eux ne suffit pas. La méfiance est partout ailleurs : les ralliés en douceur doivent, une nouvelle fois, changer leur fusil, ou plutôt leur maroquin d'épaule. Situation peu enviable. L'Empereur annonce son intention d'ajouter un « Acte additionnel » à la Constitution, de ton libéral : ce sera Benjamin Constant qui le rédigera, d'où le surnom de *Benjamine* donné au document. Il n'empêche, la bourgeoisie et les Libéraux demeurent circonspects : ils sont payés pour savoir qu'entre les intentions et les réalités, il y a une marge que Napoléon a trop souvent, par le passé, rendue redoutable. Quant à la sensibilité royaliste modérée, qui est la plus répandue dans la haute société, les Ultras ne constituant qu'une minorité très agissante, surtout chez les grandes dames, elle est heurtée de plein fouet par le retour du Bonaparte aux affaires : leurs titres, leurs charges, leur fortune, tout ce que 1814 leur a rendu se trouve, de nouveau, menacé. Ils sont mécontents, inquiets, mais décidés à ne plus se laisser bâillonner comme auparavant. En vérité, quoi que fasse l'Empereur, au moindre geste de fermeté, les salons s'agitent et les journaux dénoncent le retour à l'absolutisme ! L'élan de 1814 est brisé. Mais, pour le relancer, Napoléon n'a rien à offrir aux Français, hormis la perspective d'une guerre contre l'Europe, dont on ne peut dire qu'elle avive les énergies...

Hortense se rend tous les jours à l'Élysée où son beau-père a choisi de s'installer pour profiter d'un printemps particulièrement agréable, et elle passe un moment en sa compagnie, à l'heure de son dîner, avant de retourner à ses habitudes, rue Cerutti.

Le spectacle que présentait la Cour, écrit-elle dans ses *Mémoires*, était fort curieux et donnait la mesure de la confiance que les souverains doivent accorder aux protestations d'amour et de fidélité. Un grand nombre des royalistes les plus exaltés, croyant la cause du roi irrévocablement perdue, cherchaient déjà à s'excuser et à faire oublier leur conduite en se montrant d'autant plus enthousiastes de l'Empereur. Autour de lui se pressaient à l'envi les membres des deux Chambres, les chambellans, les écuyers, les généraux, les magistrats, même ceux qui en avaient dit le plus de mal. Ils sollicitaient ses faveurs et vantaient le bonheur de la France de le posséder encore. Lui, en homme supérieur, semblait ignorer entièrement tout ce qui avait été dit et fait contre lui.

Certes ! mais, à la décharge de ces allégeances douteuses, il faut bien admettre que les individus n'étaient pas garantis, à cette époque, comme ils le sont aujourd'hui. Tout dépendait — leur fortune, leur place, leurs déplacements même — du bon vouloir du souverain, et dans la haute société, quel que soit le monarque, on se faisait une règle d'être en bons termes avec lui, sinon on perdait son identité sociale. Qu'avait fait Hortense en 1814 ? Cultiver l'attrait que ressentait le tsar pour les siens, afin d'obtenir la protection du Château. Elle avait agi pour ses enfants, et elle-même n'était pas sortie d'une position particulière — il lui était inimaginable de paraître à la Cour, en « Princesse à plumes » ! —, mais elle avait dû, comme tout le monde, en passer par là. Encore avait-elle la chance d'être aimable et connue. Plus obscurs et moins recherchés, nombreux sont ceux qui, gravitant dans les allées du pouvoir, doivent, pour

---

1. *In Mémoires*, p. 418.

maintenir famille et position, professer un dévouement qui, dans ces moments déréglés, ne peut être que formel et successif. Les grands engagements — Chateaubriand envers le roi, le général Bertrand envers l'Empereur — sont rares, coûteux, réservés aux seuls hommes. Et l'on sait le traitement infligé aux perdants. Mais Ney fusillé, La Bédoyère fusillé, Mouton-Duvernet fusillé sont des cas d'espèce. L'immense majorité du haut personnel comme de la société n'a aucune vocation au martyre. Elle ne songe sérieusement qu'à une chose, recouvrer, au plus vite, stabilité et paix.

La situation d'Hortense n'a rien d'aisé. Il lui faut subir le mécontentement de son beau-père, mais, de plus, renouer avec les membres de la Famille qui le rejoignent. Et avoir été séparée officiellement d'eux, en 1814, n'ajoute aucune chaleur à une relation qui fut toujours dénuée d'aménité. Caroline et Marie-Louise, les seules avec lesquelles elle ait été liée, appartiennent désormais au camp ennemi, l'une, sur le point de perdre son royaume, l'autre, quasi recluse à Schönbrunn, n'étant pas encore autorisée à rejoindre sa principauté de Parme. Les frères sont les premiers à regagner Paris : Joseph, Jérôme et Lucien, le plus chaleureux maintenant, fort de son indépendance qui le dégage de toute servilité vis-à-vis de Napoléon, auquel il a su tenir tête depuis douze ans... Madame Mère opère une sorte de détour obligé par Naples pour gagner la France, et Hortense lui fait une visite de courtoisie. Purement respectueuse, Hortense n'ignore plus le tort que Letizia et Pauline lui ont fait auprès de l'Empereur, tout le temps qu'elles résidaient à l'île d'Elbe : Fanny Dillon, sa lointaine cousine, épouse du grand maréchal du Palais, le général Bertrand, le lui a rapporté par le menu. Si elle avait jamais eu quelque illusion sur les Bonaparte, cette fois-ci, elle est éclairée : pour eux, elle n'est qu'une étrangère. Elle s'en consolera.

Lorsqu'il distribue les futurs revenus qu'il destine aux

siens, l'Empereur se montre désagréable envers Hortense : un million pour chacun, mais 500 000 francs pour elle, si elle ne se raccommode pas avec son mari ! La reine répond que cette perspective est impensable. Et curieusement, Louis fait savoir à son frère qu'il n'a aucune intention de revenir en France tant que le divorce d'avec Hortense n'est pas prononcé ! Jolie ambiance, comme on voit... Les deux époux sont du moins d'accord sur un point : ne pas revivre ensemble. Quant à divorcer, Hortense ne le veut pas. Scrupule social, religieux ? Ce qu'elle souhaite, c'est une séparation légale, assortie de la garde de ses enfants. Comme elle a perdu son procès et que, de toute façon, Napoléon ne jure que par l'« autorité paternelle », elle sait qu'il lui faudra lutter et s'arranger à l'amiable si, d'aventure, Louis arrive à imposer son droit sur le petit Napoléon. Elle opte pour une politique franche : obtenir, on dirait presque « extorquer » à Napoléon l'expression écrite, de sa main, de cette séparation. Elle se la voit remettre, in extremis, le 10 juin 1815, rédigée comme sa jumelle adressée à Louis :

> Mon frère, d'après le Statut de Famille du   je vous
> autorise à vivre séparé de votre épouse
>
> Votre affectionné frère,
>
>   N.

Paris, le 10 juin 1815
Au prince Louis.

Comme on pouvait s'y attendre, les souverains de l'Europe rassemblés en congrès à Vienne ont refusé les propositions faites par Napoléon, à son retour aux Tuileries : respecter le Traité de Paris (le premier, celui du 30 mai 1814), c'est-à-dire les frontières de la France revenues à ce qu'elles étaient en 1790, englobant Avignon, la Savoie, la Sarre du Sud et Mulhouse. Il promet-

---

1. A.N. 400 AP 25, n° 48.

tait, en outre, d'accepter les futures conclusions du congrès. Hortense et le duc de Vicence reçoivent *via* Mlle Cochelet l'avis suivant :

> J'ai rempli auprès de notre ange [surnom que donnent ses diplomates au tsar] votre commission. Je lui ai trouvé des principes invariables. Il aime votre nation ; il la plaint et la sépare de l'homme qui, de nouveau, veut devenir son chef. Ni paix, ni trève ; plus de réconciliation avec cet homme. Toute l'Europe professe les mêmes sentiments. Hors cet homme, tout ce qu'on veut. Aucune prédilection pour personne, et, dès qu'il serait de côté, pas de guerre. J'ai l'honneur de vous offrir l'hommage de mon respectueux dévouement.

La lettre, dictée par Alexandre, est de la main de son chargé d'affaires à Paris, Boutiaguine, qui a succédé à Pozzo di Borgo, et qui entretient une sorte de marivaudage avec la rieuse Cochelet, à tel point qu'Hortense en a déjà écrit au tsar pour que, le cas échéant, il favorise ce mariage. En tout cas, les intentions russes sont nettes.

Tout ce qui vient de Vienne les confirme : Eugène prévient Paris que les Alliés procèdent à des préparatifs militaires qui ne trompent pas. Quant à Charles de Flahaut, envoyé en mission particulière par Napoléon auprès de Marie-Louise, il n'a pu dépasser, sans être arrêté, la frontière du Wurtemberg. La guerre est inéluctable.

Soit qu'on soutienne l'Empereur, soit qu'on le réprouve, on sent que l'heure est décisive et l'enjeu, définitif. Ce que risque la France, c'est son intégrité.

L'Empereur a réussi à rassembler une armée d'environ cent vingt-cinq mille hommes. Les coalisés, Anglais et Prussiens, en compteront, face à lui, plus du double. Pense-t-il vaincre dans ces conditions ? Il attend un sursaut d'unité nationale, mais que se passera-t-il si la lassitude est plus forte que l'élan et le feu sacré ? Le 15 juin, il pénètre en Belgique. Il a l'idée de battre séparément

— c'est sa seule chance — Blücher et Wellington. Le
16 juin, il rencontre Blücher, à Ligny, entre Charleroi et
Bruxelles. Il le fait reculer et envoie Grouchy le poursuivre, cependant qu'avec Ney il marche plus au nord, vers
les Anglais. Le 17 juin, Wellington s'assure du Mont-
Saint-Jean, dans la plaine de Waterloo. Le 18, Napoléon
l'attaque, de front, espérant que Grouchy viendra renforcer son flanc droit. Les Français s'épuisent tout le jour
en charges successives. Au lieu de Grouchy, c'est
l'ennemi qui se présente, en la personne de Bülow,
menant l'avant-garde de Blücher. La débâcle est inévitable. La Garde « meurt et ne se rend pas » : son sacrifice
permet la retraite. Napoléon a perdu trente mille hommes dans la bataille. En termes clairs, c'est ce qu'on
appelle un désastre.

Chevauchant au pas, toute la nuit, botte à botte avec
Flahaut, vers Charleroi et la France, « il était tellement
accablé par la fatigue et le travail des jours précédents
qu'il ne put s'empêcher plusieurs fois de céder au sommeil qui s'emparait de lui, et il serait tombé de cheval
si je ne l'avais soutenu », dira Charles qui, de sa vie,
n'oubliera ce moment suprême, auprès du dieu vaincu,
qu'il avait si ardemment servi, mais dont la course prodigieuse se brisait ici.

Rue Cerutti, c'est le 20 juin au soir, pendant que Benjamin Constant termine la lecture de son roman autobio-
graphique, *Adolphe*, devant un salon ému aux larmes,
qu'on vient prévenir discrètement Hortense des rumeurs
de défaite en provenance du Nord. Elle sent qu'on arrive
au terme d'une époque déterminante pour tous, pour
elle, tout spécialement. Le lendemain, l'Empereur rentré
à l'Élysée, elle assiste à son dîner, qu'il prend seul, et
« demeure longtemps avec lui », selon les termes de

Mlle Cochelet, qui attend dans le salon de service. Le 22 juin, il demande à sa belle-fille si la Malmaison lui appartient. Elle répond qu'elle est à son frère, « mais que c'est la même chose ». L'Empereur lui demande l'hospitalité. Fouché et la Chambre des Représentants ont pris la situation en main, pour éviter un appel désespéré de Napoléon à la patrie en danger. Ils viennent d'obtenir son abdication. A la Malmaison, où il va résider cinq jours avant son départ pour Rochefort, il va procéder, sous l'égide de la douce Hortense, à ses premiers adieux au monde civilisé.

Là, tout avait commencé. Là, tout finira. Au début du mois d'avril, l'Empereur avait souhaité se recueillir dans la chambre mortuaire de Joséphine. Moment d'émotion perceptible à tous. Hortense, qui le recevait ainsi que Molé et Denon, s'était abstenue de monter avec lui. Ces lieux lui poignaient le cœur. Le plus beau de sa vie y était inscrit : le rayonnement de sa mère, la grâce de sa jeunesse, l'allégresse des séjours consulaires ou impériaux, jusqu'au bonheur de ses enfants lorsqu'ils résidaient dans cette demeure enchantée, à nulle autre pareille. Et maintenant, avec ce grand homme vaincu que visitent ses derniers fidèles, c'est toute sa vie qui s'en va. Les pièces silencieuses, le parc abandonné, les serres désertées, ce monde qui se meurt, ce destin qui se clôt sur lui-même, tout cela est d'une tristesse à pleurer. Mais personne ne pleure. La dignité et le calme président à ces derniers moments familiaux. On doit se séparer. Se reverra-t-on ? C'est peu probable. Et pourtant, en vertu de l'imprévisible personnalité de l'Empereur, qui peut le savoir ? Il pense aller chercher asile en Amérique. Peut-être là-bas retrouvera-t-il un autre souffle, un regain politique, un nouveau destin. Qui le sait, en vérité ?

Il prend congé de Jérôme, puis de Letizia. Sobriété et force contenue, à l'antique :

« — Adieu, mon fils !

— Ma mère, adieu ! »

Puis, c'est au tour de Joseph et, enfin, d'Hortense, dans la bibliothèque. Hortense le persuade — difficultueusement — d'accepter son collier de diamants, ce qu'elle a de plus précieux, cousu dans une ceinture en étoffe noire. Il finit par y consentir, touché de l'attention. Les voitures de voyage sont annoncées. Ses fidèles l'entourent. Sa calèche accueille le général Bertrand, le général Beker et le duc de Rovigo. Il s'éloigne. Hortense ne le reverra jamais.

*
* *

Lorsqu'elle regagne la rue Cerutti, occupée cette fois-ci par Schwarzenberg, au soir du 29 juin, tout son monde est inquiet pour elle. Ses enfants sont à l'abri, dans le faubourg Montmartre, mais le gouvernement provisoire se révèle trop faible pour rétablir un semblant d'ordre, dans une ville en émoi. Fouché fait prévenir la reine que sa sécurité est menacée. Le lendemain, le général Müffling, Gouverneur de Paris au nom des Alliés, lui fait savoir qu'elle doit partir sur-le-champ. L'occupation prussienne a la main lourde et le tsar se garde bien de protéger Hortense, trop blessé par le retour de flamme napoléonien qui l'a quasi ridiculisé aux yeux des souverains du Congrès. Il s'était porté garant de la tranquillité qu'assurerait la solution qu'il avait proposée et qui avait prévalu. On ne l'y reprendra pas. Pour Hortense, c'est une autre page qui se tourne. Elle réussit à gagner quelques jours : le temps de prendre ses dispositions, de congédier sa maison et, enfin, de s'exécuter.

Une longue route s'ouvre devant elle. Ce ne sera pas une route facile. Elle n'ignore pas que, sans la protection d'Alexandre, les Alliés la poursuivront de manière impitoyable, comme tous les Napoléonides, désormais. Et ce qu'elle ne va pas tarder à comprendre, c'est que les

Bourbons, de nouveau réinstallés aux Tuileries, se montreront, en raison de sa prétendue implication dans le retour de l'Aigle, encore plus inflexibles. Sous l'escorte particulière du comte Édouard de Woyna, un jeune aide de camp de Schwarzenberg et chambellan de l'empereur d'Autriche, qui se conduira de façon aussi charmante qu'efficace, la reine quitte Paris, le 17 juillet, avec ses enfants, son écuyer M. de Marmold et quelques domestiques. Elle a l'idée d'aller s'établir à Prégny, en attendant que se décante la situation générale, encore confuse. Ce sera au prix de mille dangers que les trois voitures traverseront des provinces en ébullition, livrées aux corps francs, aux soulèvements sporadiques, à une quadruple occupation, dont les ordres se contredisent en permanence. Elle parvient au Sécheron, croyant toucher au port. Elle se trompe. Les autorités suisses, sur lesquelles l'ambassadeur de France, Auguste de Talleyrand, a fait pression, se refusent à l'autoriser à séjourner à Prégny. Ne sachant que faire, elle opte pour Aix-en-Savoie, proche, où elle est aimée et connue, et où M. Finot, le préfet de Chambéry qu'elle a obligé, la tolérera peut-être. M. de Woyna l'y laissera, le temps d'aller à Paris, prendre de nouveaux ordres la concernant.

Du moins Hortense espère-t-elle trouver un peu de repos dans la Maison Dommanget, qu'elle loue aussitôt et où elle s'installe en compagnie de Mlle Cochelet, bientôt rejointe par l'abbé Bertrand et M. de Marmold, expulsés à leur tour par les Genevois. L'atmosphère n'est pas à la gaieté : Aix subit l'occupation piémontaise, les espions y grouillent dans le sillage des belles dames suspectes. On y reçoit les nouvelles, qui ne sont pas réjouissantes : Ney, La Bédoyère, Lavalette sont arrêtés, Brune a été massacré dans le Midi. Le 12 août, un visiteur inattendu fait son entrée chez la reine, un revenant que tous sont heureux de revoir : M. de Flahaut. Il fait le récit de l'arrestation de son cousin La Bédoyère, rentré intem-

pestivement à Paris, et qui sera passé par les armes, le
19 août. M. Finot s'inquiète de la présence de Charles,
et prie la reine de le convaincre de s'éloigner. Trois jours
après son arrivée, Flahaut repart comme il est venu, en
coup de vent.

Il était désireux de lier son sort à celui d'Hortense et,
autant que les événements des deux dernières années le
lui avaient permis, il ne l'avait pas quittée. Sans doute,
d'après ses lettres à sa mère, espérait-il la voir se libérer
de Louis, afin qu'il l'épouse. Mais, nous l'avons dit,
Hortense ne tient aucunement à divorcer. Non par vanité,
comme certains biographes l'ont suggéré, sans preuves,
mais plus probablement parce que, au fond d'elle, elle
redoute la « légèreté » de Charles, ses « faiblesses » successives. Et, de fait, c'est à Aix, où ils ont été si heureux,
où leur union s'est faite, qu'elle va se défaire. Un paquet
de lettres arrive pour Flahaut après qu'il a quitté Hortense. Vu les circonstances troublées, celle-ci préfère
s'assurer de leur contenu. Intuition féminine ? La reine y
découvre la prose enflammée de Mlle Mars, une actrice
célèbre, qui mène une interminable liaison avec
Charles... Celui-ci, à distance, aura beau se justifier,
expliquer longuement que Mlle Mars exerçait sur lui un
chantage, menaçant de tout révéler à la reine si Flahaut
la délaissait, Hortense est trop blessée cette fois-ci pour
pardonner.

Afin de mettre un comble à cette série noire, le chargé
d'affaires de son mari se présente à elle avec l'ordre de
ramener le prince Napoléon à son père, en Italie. La mort
dans l'âme, Hortense ne peut que plier. En moins de trois
mois, tout s'est effondré sous ses pieds. Elle a perdu son
éminente position, une partie de sa fortune. Elle a perdu
le droit de vivre dans son pays. Elle a perdu l'homme
qui animait son cœur depuis beaucoup d'années, et
enfin, elle perd son fils aîné, repris par un père névrotique et intraitable.

La voici sans protection, errante, incertaine de son sort. Croire que ces épreuves vont l'anéantir serait une erreur. C'est dans l'adversité qu'Hortense va se définir, s'affirmer dans ce qu'elle est, une femme de qualité. Comme le lui écrit Mme Campan, elle a connu « l'honneur, le bonheur et le malheur d'être princesse ». Les grandeurs ne l'ont ni étourdie ni pervertie. Elles lui ont été une école d'endurance et de maintien de soi au sein des plaisirs du monde et des vanités. Au moment où s'achève l'époque la plus mouvementée et la plus brillante de son existence, la reine Hortense, à trente-deux ans, est une femme seule. Mais elle est riche, riche d'elle-même. Et c'est maintenant que va s'exercer le meilleur de ses facultés : son excellente éducation, ses talents, l'art de savoir s'entourer autant que celui de savoir se souvenir, vont lui permettre, à la faveur d'un exil intelligent, de trouver un apaisement qui ressemble à une plénitude.

VII

L'EXIL

[...] Que je me trouverais honoré de lui pou-
voir offrir moi-même mes vœux et mes res-
pects et d'aller apprendre auprès d'elle
comment on supporte avec dignité et courage,
l'injustice des hommes et les chagrins de
l'exil.

CHATEAUBRIAND à la reine Hortense.

L'exil qui frappe les Napoléonides est, cette fois-ci, inexorable. Les Bourbons sont décidés à ne plus courir le risque de s'affronter à leur activisme et, dès lors que l'Empereur est déporté vers Sainte-Hélène, sa famille se trouve soumise à un régime dont le principe est simple : tous sont passibles de la peine de mort s'ils reviennent en France. Une Convention comprenant les quatre puissances coalisées — l'Angleterre, l'Autriche, la Prusse et la Russie — désigne leurs résidences et les y maintient sous surveillance. S'ils prétendent se déplacer, les Puissances devenues la Sainte-Alliance — dans un esprit de croisade contre les Lumières auxquelles s'apparentera bientôt le bonapartisme — devront donner leur autorisa-

tion. Mis à part Joseph, parti pour les États-Unis, et
Julie, demeurée à Francfort puis à Bruxelles, les Bonaparte sont, dans un premier temps, répartis en deux groupes : Élisa, Caroline et les Jérôme, en Autriche, Madame
Mère, Fesch, Pauline, Lucien et Louis, à Rome, sous
l'autorité du Pape. Seulement après la mort de Napoléon, en mai 1821, quelques assouplissements seront
perceptibles et, conformément au vœu dernier de leur
frère, ils réussiront à se réunir dans la Ville Éternelle,
mais aussi à Florence, dans la mouvance de Letizia,
Élisa, Pauline mourront précocement, Joseph ne regagnera l'Europe qu'après la révolution de Juillet et Caroline aura beau faire, elle restera confinée à Trieste, sous
contrôle autrichien. Toutefois, leur exil leur apportera
une quiétude obligée que les grandeurs n'avaient pas
favorisée, et ils mèneront, dans l'ensemble, des existen-
ces de patriciens assagis. Les Beauharnais s'en tireront
mieux. Eugène, devenant prince du royaume de son
beau-père, le roi de Bavière, aidera grandement sa sœur
à assurer ce qu'elle avait toujours souhaité et qu'elle
obtient enfin : son indépendance.

*
* *

Jusqu'à ce que le général Roxhmans, commandant à
Lyon pour les Autrichiens, évacue la Savoie — qui
demeurera alors sous occupation piémontaise et surveillance policière française —, Hortense séjourne à Aix.
« Les étuves détendirent mes nerfs », constate-t-elle
sobrement. La présence de son petit garçon aussi. Il se
trouve très affecté du départ brutal de son frère (ils ont,
respectivement, sept et onze ans), et sa constitution délicate requiert une attention fine et soutenue. Hortense
s'emploie à le distraire, à le consoler. Par la pensée, ils
suivent le voyage de Napoléon, qui leur écrit régulièrement, à dater du 9 novembre : deux jours plus tôt, il est

arrivé à Rome, ravi, manifestement, de s'être arrêté à
Lodi, de découvrir son cousin Charles (fils de Lucien)
avec lequel il sympathise. Sa tante Borghese lui a donné
« une montre qui joue la tirolienne [*sic*] à toutes les heures et qui est à répétition [1]... » Jamais il n'oublie son petit
frère, « Loulou » « Petit Louis » ou « Oui-Oui », auquel
il raconte fidèlement ses chasses au rossignol, ses promenades à âne et autres divertissements des villégiatures
où ne manque pas de l'entraîner son père. Celui-ci entreprend de réformer l'éducation, déficiente selon lui, de
l'abbé Bertrand, et demande à Hortense un nouveau précepteur — ce sera le polytechnicien Viellard — auquel
il adjoindra une série d'abbés — le premier d'entre eux
portant le doux nom de Paradisi ! —, tous chargés
d'appliquer le règlement qu'il rédige à l'usage de leur
élève :

Règlement pour mon fils pour cet hyver.

24 novembre 1817.

A 6 h 1/2, lever ; plus tard, à 7 h, prières, déjeuner.

Travail à 7 h 1/2.

De 7 h 1/2 à 10 h 1/2, travail, mathématiques, histoire,
géographie.

10 h 1/2, déjeuner.

11 h 1/2 à 1 h, récréation. Promenade à cheval.

1 h à 2 h, écriture, français et allemand.

2 h à 4 h. Latin dans ma bibliothèque.

4 h à 5h. Escrime ou musique.

5 h à 9 h. Récréation.

9 h. Coucher, au plus tard à 10 h.

Jeudi et dimanche, fête, mais pas d'autre fête. Le jeudi il
devra écrire à sa mère. Il ne sortira de sa chambre que cette
lettre écrite et bien écrite.

Ne boira que du bordeaux ; ni café, ni liqueurs.

Se lavera les pieds une fois par semaine ; se nettoiera
les ongles avec du citron, les mains avec du son, jamais
de savon.

---

1. A.N. 400 AP 27, Lettres des 9 et 10 novembre 1815.

L'usage de l'eau de Cologne ou de toute autre odeur lui est interdit ; on ôtera les taches de cire de ses habits avec du feu.

Quand il ira au théâtre, il mettra toujours sa capote avant de sortir de sa loge.

On lui fera faire des souliers larges qui servent aux deux pieds.

Se nettoiera la tête avec une éponge sèche ; pas d'eau.

Son serviteur aura soin de tenir ses bretelles très longues, afin qu'il se tienne droit.

Devra faire l'état de sa garde-robe et de son argent.

Devra obéir même à un ordre injuste.

Le chocolat sera tenu dans un lieu fermé. Un quart de tablette par jour au plus [1].

Le « Devra obéir, même à un ordre injuste » fait froid dans le dos... Et pour le cas où l'on aurait mal apprécié ce qu'Hortense a subi pendant sa vie conjugale, on ne peut, rétrospectivement, que rectifier son point de vue !

Un monde sépare Hortense de Louis, qui se mesure, aussi, à la relation qu'ils entretiennent avec leurs enfants. Qu'y a-t-il de commun entre la douceur intelligente de l'une et la rigueur tatillonne, les aigreurs de l'autre ? Les enfants n'en souffriront pas outre mesure. D'une part, parce que leur mère aura à cœur, du moment qu'elle doit s'incliner devant une décision de justice, de composer avec son mari afin que ces allées et venues — ses fils passent la belle saison avec elle — se déroulent le plus aisément possible. D'autre part, parce que les enfants sont à un âge où l'adaptation est chose naturelle, où les alternances entre un univers et l'autre provoquent un renouvellement tonique et distrayant. Il n'est que de lire leurs lettres à leur mère, pour comprendre combien les voyages les enchantent et quel profit ils sauront en tirer. Peut-être aussi la marque maternelle est-elle trop inscrite, déjà, dans leurs manières et dans leur mentalité

1. *In* Jules Claretie, *op. cit.*, pp. 46-47.

pour que les humeurs noires de leur père les atteignent
malignement.

Seule une chose les importune lorsqu'ils résident chez
lui, c'est la dévotion excessive à laquelle il leur faut se
soumettre. S'ils s'y plient, ce n'est pas sans une pointe
de dissimulation. La nature expansive de l'aîné n'en
pâtira guère, et peut-être son inclination précoce pour les
sciences et les techniques s'est-elle définie *a contrario*
de cette ambiance étriquée, bigote et soupçonneuse.
Mais le cadet, le futur Napoléon III, gardera de ses jeunes années l'habitude des silences, des omissions, des
dérobades mentales et des acquiescements douteux. A la
gaieté et à l'esprit de sa mère, il répond par une franchise
équivalente. A l'inquisition paternelle qui se délègue à
travers une théorie d'abbés sourcilleux, il oppose une
souplesse qui touche parfois, disons le mot, à la sournoi-
serie.

C'est, toutefois, au contact des Bonaparte résidant en
Italie, que les deux fils d'Hortense fortifieront leur identité de princes impériaux, au point qu'un jour ils se
feront carbonari, persuadés que cette allégeance les rapproche au mieux de la vision de leur oncle, l'Empereur,
de son idéal de libération des peuples qui, à terme, devra
entraîner une Fédération européenne homogène. L'Épopée, leur mère en est une protagoniste qui sait, avec
grâce, la leur conter, mais c'est à Rome qu'ils en appro-
cheront les autres grands témoins. Ils y connaîtront
mieux leur hiératique aïeule, dont la dignité sévère les
impressionnera toujours. Leurs visites au palais Rinuc-
cini, à l'angle du Corso et de la place de Venise, se
révéleront instructives, car on sait que, jusque dans son
grand âge, Madame Mère aimait à évoquer les épisodes
mouvementés de sa longue vie, y compris ceux de sa
jeunesse en Corse. Chez leur grand-oncle le cardinal, ils
auront la sensation de pénétrer dans un capharnaüm, les
trente mille tableaux du prélat envahissant son palais, ne

lui laissant que trois petites pièces où évoluer normalement. Cet avare aimait sa collection comme Harpagon sa cassette : d'une passion maniaque. Leur tante Borghese, qui s'éteindra en 1825, s'est aménagé, près de la Porta Pia, la belle villa « Paolina » que fréquentent, en majorité, les Anglais. Elle fera montre envers ses neveux d'une gentillesse que son éternelle langueur n'affadissait qu'à peine. Quant à leur oncle Lucien, il leur apparaît comme étant, sans conteste, le plus divertissant de tous : partagé entre sa somptueuse propriété de Frascati, la Rufinella, et son fief de Canino (dont le Pape l'a fait prince), il s'adonne à l'archéologie et aux belles-lettres. Et sa nombreuse progéniture leur est un recours. Jusqu'à ce que, malheureusement, leur père, qui a l'art de se brouiller avec tout le monde, tente de les maintenir dans une exclusion dont il fait, finalement, ses délices. La sociabilité qu'ils tiennent des Beauharnais saura toujours les en préserver.

* *

Quand, aux derniers jours de novembre 1815, elle quitte Aix-en-Savoie, Hortense a l'idée qu'elle pourrait tenter, de nouveau, de résider à Prégny, bel endroit où ses amis français n'auraient aucune peine à venir lui rendre visite, au cœur d'un pays qui parle sa langue natale. Elle comprend qu'il lui faut y renoncer, les ordres alliés ne s'y opposant pas mais les Français étant résolument décidés à l'éloigner au plus vite et au plus loin des frontières nationales. Elle obtient cependant la permission de la Russie — une attention de son ancien ami le tsar ! — d'aller s'établir à Constance, sur la rive du lac du même nom, en territoire badois, où son cousin par alliance, le grand-duc Charles, mari de Stéphanie de Beauharnais, l'accueillera. Elle traverse donc la Suisse, sous la neige, harcelée par les tracasseries de fonctionnaires zélés et de gendarmes intraitables dont le seul souci est de ne pas déplaire au voisin français. Rien n'est plus absurde que cette persécution d'une femme seule et de sa petite suite, qu'hier on traitait en reine, et qu'aujourd'hui on regarde comme une paria. A croire qu'elle disposerait d'une armée secrète capable de révolutionner l'Europe ! Cette cruauté la blesse, ces mauvais procédés la choquent. Mais aussi, ils lui apprennent à mieux pénétrer la nature humaine. La générosité et l'élévation qu'elle lui prêtait n'étaient que le reflet de sa disposition personnelle envers autrui. La petitesse et la grossièreté sont des réalités qu'il faut savoir affronter, ce dont elle tirera, nous dit-elle, des leçons « de résignation et de philosophie ». Elle n'en appréciera que plus le havre qu'elle rêve de se créer, assorti de ce qu'elle aime, un entourage à sa mesure.

A Constance, elle séjourne à *L'Aigle d'Or* — dont l'empereur Napoléon III se souviendra en en renouvelant, aimablement, l'enseigne —, puis dans une maison particulière du quartier résidentiel de Peterhausen, où elle passe discrètement l'année 1816, méditant sur ce qu'elle se propose de faire. Rien ne lui semble plus magnifique que ces rives du Bodensee — autre nom du lac — qui baignent au sud la Suisse, au nord-ouest le pays de Bade, au nord le Wurtemberg et la Bavière, et l'Autriche à l'est. Les escapades qu'elle s'autorise dans les cantons d'Appenzell et de Thurgovie l'enchantent : allant prendre le petit-lait à Gais, elle ne se lasse pas de contempler ces montagnes, ces bois, le lac en contrebas, les chalets et les maisons des vignes disséminées dans une nature qu'elle apprécie plus encore, nous dit-elle, maintenant qu'elle est en butte à la méchanceté des hommes et rejetée d'eux... Elle se lie avec des landammans locaux, magistrats éclairés et paisibles, qui ne souscrivent en rien aux persécutions françaises exercées en Suisse alémanique *via* M. de Watteville, le redoutable

Bernois, qu'ils n'estiment guère. Elle sent qu'avec eux, elle vivrait tranquillement, et rien ne lui devient plus cher que la perspective d'y parvenir.

Lorsqu'elle demande au grand-duc, son cousin, l'autorisation d'acheter les bois de Lorette, non loin de Constance, afin d'y faire construire une résidence, elle se heurte à un refus embarrassé. Et bientôt, le souverain badois lui écrit qu'il préfère renoncer à la visite qu'il projetait de lui faire, en compagnie de Stéphanie, les Français exerçant sur lui la même pression notoire qu'auprès des Suisses. Hortense ne s'étonne qu'à peine de la lettre qu'elle reçoit et que, immédiatement, elle transmet à Eugène, proposant à son frère une parade convenable :

[27 août 1816]

Madame,

Lorsque j'eus le plaisir d'écrire à Votre Altesse dans la lettre de ma femme que j'espérais la voir à Constance, je ne pouvais guère entrevoir un incident aussi fâcheux qu'inattendu qui exige supérieurement d'y renoncer. Le Ministre de France vient de présenter une note par laquelle en se référant aux conventions signées à Paris il exige l'éloignement de Votre Altesse de Constance. Je ne voudrais sous aucun rapport blesser les égards que je dois à Votre Altesse ni porter atteinte à l'amitié que je lui ai constamment vouée, par conséquent j'ai fait répondre à M. de Montlezun que Votre Altesse se trouvant munie d'un passeport russe et d'une lettre du Prince Metternich désignant tous deux son séjour actuel je me voyais obligé de porter le tout à la connaissance de la cour d'Autriche et d'attendre sa réponse avant de faire une démarche ultérieure. Je soumets au jugement de Votre Altesse si la Grande Duchesse et moi pourrions faire ce voyage dans ces circonstances, cela réveillerait l'attention de la France, cela fixerait celle des ministres étrangers résidant auprès de moi tout en rejaillissant finalement sur Votre Altesse même. La Grande Duchesse partage bien vivement le sentiment de regret que j'éprouve de ne pouvoir me retrouver avec Votre Altesse, je n'oublierai jamais tout ce qui lui en a coûté pour faire ce sacrifice. Je vous prie, Madame, d'être bien persuadée de toute la privation que j'éprouve et qui ne saurait être égalée que par la haute considération avec laquelle je suis

Madame
            de Votre Altesse
                        le très dévoué cousin
                                    Charles [1].

*
* *

29 août 1816

Mon cher Eugène, la voilà arrivée la nouvelle. Je t'envoie la copie de la lettre du Grand Duc [...].

Je vais donc penser à présent à ce que je vais devenir. Demande de ma part au roi [de Bavière] la permission de résider dans ses états, car je crois qu'on va m'offrir l'Autriche, et tu sais qu'ayant été toujours fort mal avec la famille de mon mari, je ne désire pas habiter le même pays qu'elle, je préférerais plutôt le Nord malgré ma pauvre santé, mais dans cette circonstance pour répondre à la cour qui m'offrirait un asile, il faut que je puisse dire je vais auprès de mon frère, mais pour cela, il faut la permission du roi. C'est à toi à la demander, comme je suis ici avec la permission première de l'Empereur de Russie, dois-je lui écrire ? Si le roi de Bavière répond oui, je vais à Lindau, mais conçois-tu cet acharnement car je voudrais bien savoir ce que je fais à ces gens-là [2]...

Au grand soulagement d'Hortense, le roi de Bavière accepte de la recevoir. La voilà certaine d'un établissement convenable autant que confortable. Son frère étant sa seule famille désormais, il est normal qu'elle s'installe auprès de lui. D'autant qu'Eugène est comblé par

1. A.N. 400 AP 32.
2. A.N. 400 AP 28, n° 117.

son beau-père et qu'il est devenu le premier prince du royaume. Prince d'Eichstaedt — un fief du Palatinat tombé en déshérence à la fin du XVIᵉ siècle, échu à la Maison de Bavière —, et duc de Leuchtenberg, jouissant du traitement d'Altesse Royale, Eugène occupe un rang considérable dans son nouveau pays. Il est doté, de plus, d'une immense fortune, le congrès de Vienne ayant stipulé des compensations financières à ses possessions perdues en Italie. Ce Beauharnais s'impose aux Wittelsbach, fort de son tempérament équilibré, de son urbanité et de sa félicité conjugale. Il saura incarner sa nouvelle identité sans états d'âme : français il fut, au service de l'Empire. Bavarois, il sera, au service de sa nouvelle famille. C'est donc une puissante protection qui isolera la reine Hortense des mesquineries policières, dont les pires, on l'a compris, émanaient de ses compatriotes.

Cependant, avant de se rendre à Munich pour y remercier le roi et les siens, puis à Augsbourg, où Eugène lui réserve le superbe hôtel Waldeck, rue Sainte-Croix, Hortense procède à un acte décisif : elle achète le château d'Arenenberg, aux rives de ce lac qu'elle aime tant. En février 1817, elle signe le contrat, assorti d'une clause résolutoire pour le cas où elle ne serait pas autorisée à habiter sa nouvelle propriété. Bien évidemment, les Français vont tout faire pour s'opposer à sa présence en Thurgovie, mais cette fois, ils se heurteront à une fin de non-recevoir. Tant Metternich que le tsar approuvent l'arrangement que fait la reine : elle passera la moitié de l'année, la mauvaise saison, en Bavière, et l'autre moitié, la belle saison, à Arenenberg, les Thurgoviens se déclarant ravis de la compter parmi eux. Paris et Berne doivent s'incliner. L'ambitieux Decazes, dont Hortense avait vu les débuts comme secrétaire du roi de Hollande, son mari, favori en titre de Louis XVIII, se consolera en affirmant qu'aux rives du lac de Constance, la reine sera plus facile à surveiller.

Hortense a gagné la partie. Désormais, on la laissera en paix. Elle le devait à Eugène. Elle le devait aussi au tsar qui avait accepté, lors de la Convention des Puissances réglant le sort des Napoléonides, de la prendre sous sa seule responsabilité.

*
* *

C'est avec une bienfaisante impression d'apaisement qu'Hortense prend possession, dans les premiers jours du mois de mai 1817, de la vaste demeure acquise pour elle dans l'ancienne capitale de la Souabe. Après deux années de « liberté inquiète », qu'elle avait préférées, toutefois, à « une prison protectrice », la reine Hortense peut procéder à une durable installation, qui lui apportera le repos auquel elle aspire. Cependant qu'elle emménage dans son hôtel d'Augsbourg, elle commande à Vincent Rousseau de faire exécuter les premiers travaux dans le petit château d'Arenenberg, qu'elle ira habiter l'été, dès qu'il sera en état de l'accueillir. Sa fortune se trouvant diminuée, elle réduit son train de vie, qui reste relativement opulent et qu'elle maintiendra en vendant, au fur et à mesure de ses nécessités, les nombreux bijoux qu'elle possède. Elle est entourée d'un personnel éprouvé qu'elle répartira, dans huit années, quand elle quittera définitivement Augsbourg pour Arenenberg, entre sa résidence favorite et Rome, où elle ira passer désormais l'hiver, la mauvaise saison se prêtant mieux, comme toujours, à la vie citadine et aux plaisirs de la société.

Sa suite, ou ce qu'il reste de son ancienne maison royale, est essentiellement constituée de jeunes dames pour accompagner, comme Élisa de Courtin qui avait été élevée à Écouen, chez Mme Campan, et qui se mariera avec Casimir Delavigne, un poète notoire rencontré dans l'entourage de la reine ou la belle Mlle de Mollenbeck

qui épousera le baron d'Oettingen. La fidèle Cochelet,
dont la bonne humeur compense tous les petits défauts,
surtout son bavardage inconsidéré et sa relative niaiserie,
ne se séparera jamais totalement d'Hortense : celle-ci
avait à plusieurs reprises essayé d'arranger son mariage,
et c'est finalement à Arenenberg qu'en septembre 1822,
Louise Cochelet deviendra Mme Parquin, épousant un
ancien chef d'escadron de la Garde, un militaire haut en
couleur, qui ne saluait jamais les visiteurs de la reine
qu'au garde-à-vous, assorti d'un tonitruant « Soldat de
l'Empereur ! »... Le ménage aura l'excellente idée de
s'établir non loin d'Arenenberg, sur les hauteurs boisées
d'Ermatingen, au château du Wolfsberg, où ils ouvriront
une sorte de pension de famille, destinée aux estivants
et aux nobles étrangers reçus chez la reine : Mme Récamier, M. de Chateaubriand ou Alexandre Dumas y descendront, sensibles à la cordialité pittoresque de Parquin
et à l'enjouement de sa femme, autant qu'à la beauté des
lieux [1]. Louise rédigera ses prolixes *Mémoires*, regorgeant d'anecdotes leur donnant une saveur de vérité, et
de lettres échangées entre les personnes influentes du
moment et la lectrice, toujours prompte — parfois trop !
— à s'entremettre entre elles et sa maîtresse. A la mort
de Louise, en 1835, la reine Hortense reverra ces écrits,
avant d'autoriser la publication de ceux qui portent sur
les années 1813-1817.

Parmi les hommes, le plus fidèle est, sans conteste,
l'abbé Bertrand, aimable dilettante, et, bientôt, la reine
le doublera dans son préceptorat de Louis par un professeur plus sérieux, Philippe Lebas, fils du Conventionnel
ami de Robespierre (qui se suicida le 9 thermidor) et de
la fille du menuisier Duplay établi rue Saint-Honoré,
chez lequel vivait l'Incorruptible. Son austérité toute

---

1. Propriété de l'Union des Banques suisses, ce domaine, admirablement restauré, mérite le détour.

républicaine corrigera l'excessive bigoterie des abbés requis par le roi Louis pour encadrer ses fils. Tant M. Viellard que M. Lebas marqueront leurs élèves et, s'ils leur donneront une solide instruction, leurs idées « progressistes » influenceront ces jeunes esprits au-delà des souhaits de leur mère.

La même ancienneté de bon aloi prévaut parmi la domesticité : Vincent Rousseau, le quasi-frère de lait d'Hortense, son homme à tout faire, s'attachera à Arenenberg au point qu'il y finira ses jours, en 1842, dans la fonction de régisseur. Charles Thellin, ou Thelin, sera le courrier favori et l'homme de confiance chargé, entre autres, des questions d'argent du personnel. Deux ménages successifs, les Lacroix et les Cailleau, serviront Hortense, l'épouse, comme femme de chambre, et le mari, comme maître d'hôtel. Veuve, Mme Lacroix deviendra la gouvernante à l'année du Palais Ruspoli que la reine occupera sur le Corso de Rome, où elle aura la charge de surveiller les collections de sa maîtresse. Sa fille Hortense servira à l'occasion de copiste ou de secrétaire à la reine. Elles seront rejointes, vers 1830, par Malvina, une Martiniquaise dévouée à l'impératrice Joséphine, tombée dans la misère à Paris, et qu'on fera venir en Thurgovie puis à Rome. L'ancienne nourrice de Louis, la belle Mme Bure, qui, jamais n'oubliera que l'Empereur avait publiquement souligné ses charmes, à Saint-Cloud, la première fois qu'elle lui présenta son nourrisson, ne quittera jamais celui-ci. Ajoutons le cocher Fritz, et nous aurons une idée générale de l'essentiel du petit monde qui entourait en permanence la reine exilée.

A Augsbourg, comme ensuite à Arenenberg, le rez-de-chaussée de la demeure est tout entier consacré à la réception et aux loisirs intellectuels d'Hortense et de sa compagnie. Très recherchée, la sœur du duc de Leuchtenberg se plaît à accueillir dignement ses hôtes. Elle se montre experte, comme l'était sa mère, à mêler les différentes sociétés qui sollicitent d'être reçues chez elle : l'artistocratie locale, les notables de la bourgeoisie, les anciens serviteurs de l'Empire en exil ou en voyage, sans compter, bien sûr, les membres de sa famille : la grande-duchesse de Bade dont la proximité renforce l'amitié qu'elle a toujours eue pour sa cousine, la princesse régnante de Hohenzollern-Sigmaringen qui continue au fil des années d'appeler Hortense « ma petite », comme au temps de la Révolution et que celle-ci considère comme une mère de substitution, les nombreux neveux et nièces Leuchtenberg et Bonaparte, et aussi, les familiers et les amis, demeurés en France, mais toujours fidèles à Hortense.

La grande présence dans la vie de la reine est son frère Eugène. Le revoir lui est toujours une fête : « Je venais de quitter le grand homme [Napoléon], je retrouvais l'homme de bien », note-t-elle finement. Et il n'est pas certain qu'elle ne gagne pas au change ! Après la vanité des grands, elle a éprouvé la mesquinerie des petits. Désormais, dans la mouvance de son frère, c'est selon leurs critères à tous deux et à l'exacte altitude qui lui convient qu'elle reconstitue son existence.

Si la belle maison d'Augsbourg offre son salon officiel, où trônent de solennels portraits en grand costume de sa mère, du roi Louis et d'elle-même, ainsi que sa galerie tendue des tapisseries des Gobelins offertes par l'Empereur, devant lesquelles elle fait régulièrement monter des pièces de théâtre, si la salle de billard et la bibliothèque ne désemplissent pas de visiteurs heureux d'admirer les nombreux tableaux de la reine, qui expriment son goût préromantique et son attrait pour les scènes historiques, si possible médiévales, Hortense s'est réservé un cabinet de travail et un salon particulier, où chaque matin, elle s'adonne aux arts d'agrément, à sa correspondance, toujours fort abondante, et, maintenant, à la mise en forme de ses souvenirs.

Si elle entreprend la rédaction de ses *Mémoires* — auxquels elle mettra un point final, en 1820, dans ce même lieu —, c'est que ses récentes tribulations ont fortifié sa réflexion, et si les calomnies dont elle a été victime l'ont désolée, elles ont, surtout, provoqué son désir de se faire entendre, afin d'être jugée, non sur des ragots, mais avec équité. « Moins connue, moins troublée » était sa devise au temps des grandeurs. « Mieux connue, mieux aimée », le correctif qu'y apportaient tous ses amis, devient son mot d'ordre. L'idée qui préside à son projet est simple : Hortense voudrait qu'en découvrant l'histoire véridique de sa vie, son lecteur comprenne qui elle est, comment et pourquoi elle s'est déterminée à agir de telle ou telle façon, spécialement en 1814-1815, et l'apprécie en toute justice. Cette fille bien née était révoltée par l'arbitraire de certaines assertions la concernant, et c'est dans un esprit de justification honnête, rigoureuse, circonstanciée qu'elle se met à la tâche.

Hortense tient son pari : ses abondants *Mémoires* s'imposent, d'abord, comme un pénétrant autoportrait, celui d'une femme de cœur que l'expression élégante de ses aspirations, de ses sentiments, de ses regrets ou de ses blessures nous rend aussi proche qu'une amie. Les nuances de son affectivité sont, à la fois, fines et transparentes. Nous ne sommes pas loin de ces romans d'analyse, à la française, qu'on prisait tant dans sa jeunesse. Peintre de son intériorité, Hortense sait aussi se faire l'observateur de sa famille, de son époque et de celui qui a commandé son destin, qui l'a fait entrer dans l'Histoire et demeure comptable de son malheur : Napoléon. Hortense excelle à le saisir dans sa dimension familiale, la moins connue et la plus séduisante. Point de vue irremplaçable que celui de cette Beauharnais qui, de l'intérieur du Palais, regarde évoluer les Bonaparte ! Et qui possède le double mérite de l'originalité et de la fraîcheur. Deux ans après la chute de l'Empire, la mémoire d'Hortense est intacte et n'a pas subi la déformation du travail inconscient qu'elle opère sur elle-même avec le temps. Mais aussi, à l'âge et dans la position qui sont ceux de la mémorialiste, le recul, la distance par rapport aux événements qu'elle a vécus, permettent à cette dessinatrice-née une mise en perspective qui leur donne tout leur sens.

Les *Mémoires* de la reine se démarquent à plus d'un titre des innombrables fresques en costume de Cour dont on nous a abreuvés : non seulement, ils émanent d'une femme de grande qualité, mais aussi, constamment, ils s'élèvent au-dessus du seul récit. Il y a là une pensée, des aperçus inédits, un entendement des situations et des êtres, une réelle perception des mobiles du souverain, qui, sans cesse, corrigent ce que la peinture du monde consulaire et impérial peut offrir de charme par trop superficiel ou pittoresque. La reine Hortense, si elle nous montre, dans son éclat — éblouissant, mais aussi, clinquant — cette Foire aux Vanités au sein de laquelle elle a vécu, n'oublie jamais de nous en dire les limites, celles qu'y mettent, en premier lieu, l'humanité et le sens moral. Une grande sensibilité, éprise de vérité, démonte, d'une main légère et sûre, les mécanismes de ce grand spectacle. Sans céder à une volonté réductrice qui en ferait un simple jeu de marionnettes, sans céder, non plus, à la facilité — quelque peu vulgaire — de n'en révéler que les coulisses, Hortense remet à leur juste place les acteurs et la pièce qu'ils représentent. Et ce que l'époque a d'exceptionnel, il fallait une femme d'exception pour le transmettre. Imaginons-la, les soirs ordinaires, dans sa belle bibliothèque, au très haut plafond, d'Augsbourg, entourée de sa société favorite. Les harpes aux ornements de bronze doré, le piano d'Érard ont pris leur place, arrivés depuis Paris, où le baron Devaux avait présidé aux déménagements des meubles et des objets favoris de la reine, la grande table ronde aussi, ainsi que les tables à jeux et les travailleuses, qui permettent à chacun de choisir son activité de prédilection. On chante des romances nouvelles, ou des duos tirés d'opéras à la mode, les dames sont occupées à leurs ouvrages, certaines dessinent ou feuillettent le splendide Album personnel de la reine, un de ces messieurs fait la lecture... Parfois, on écoute un visiteur particulier faire le récit de ses récentes aventures. Ce peut être Lavalette, réfugié à Munich, sous la protection d'Eugène — avec l'assentiment de son beau-père, le roi —, et qui raconte son sauvetage dramatique des prisons de Louis XVIII : condamné à mort, la veille de son exécution, sa femme Émilie — la cousine d'Hortense et d'Eugène —, sur le point d'accoucher, vient lui rendre une dernière visite. Elle oblige son époux à changer de vêtements avec elle. Stratagème presque parfait : Lavalette échappe à la sentence, mais son héroïque jeune femme, à force d'angoisse et d'émotions fortes, perd la raison... Parfois, la reine parle de son travail : elle lit certaines pages, demande approbation ou critique, retouche son manuscrit qu'elle fait recopier par Élisa de Courtin... Et tous d'évoquer les épisodes marquants qu'ils ont, selon leur âge, plus ou moins connus, et que domine sans conteste la grande figure du Consul et de l'Empereur. C'est toujours à la reine qu'il revient, inlassablement, d'expliquer, de rectifier, de compléter le propos général, et elle s'y prête avec une douceur qui n'exclut jamais, chez elle, la fermeté ni l'extrême clarté de l'expression. On aurait tort de croire ces exilés coupés de ce qui se passe en France : si la reine souffre d'être bannie de son pays, elle en reçoit des nouvelles, des brochures, des revues, des livres, qu'elle se plaît à étudier, à commenter ensuite...

On a, de loin en loin, des informations sur les Bonaparte, Caroline a pris la peine d'annoncer la catastrophe dont elle a été frappée, en septembre 1815 : impressionné par le Vol de l'Aigle, Murat, aussi brave et impétueux que dénué de sens politique, avait tenté l'impossible, reconquérir, lui aussi, son royaume perdu. A peine débarqué sur la plage de Pizzo en Calabre, il avait été pris et passé par les armes. Comme Ney, c'est lui qui avait commandé le feu à son peloton d'exécution ! Sous l'anagramme de comtesse de Lipona, la reine de Naples était reléguée aux confins de la Moravie, dans le château de Hainbourg, près de Frohsdorf. Les Jérôme, établis à quatre lieues d'elle, la voyaient régulièrement même si les humeurs de Caroline rendaient toute intimité difficile. Elle rejoindra, bientôt, Trieste, aux marges adriatiques de l'Empire, pour y partager la compagnie de sa sœur Élisa — qui mourra d'une fièvre putride, durant l'été 1820 —, des Jérôme, des Maret et de Fouché... Le 13 novembre 1817, Caroline remercie Hortense de s'être manifestée :

> [...] J'ai été touchée des expressions de ton attachement, et de l'amitié que tu témoignes à mes enfants [...]. Je n'ai pas comme toi la facilité de trouver dans les talents le moyen de m'occuper agréablement, car c'est bien assez de me livrer entièrement à ceux de mes enfans et j'ai au moins la satisfaction de voir qu'ils répondent à mes soins [1].

A défaut de l'expression artistique, c'est l'amour qui ne tardera pas à « occuper agréablement » les loisirs forcés de Caroline : elle trouvera dans le dévouement du général Francesco Macdonald, appartenant à la même famille que le maréchal d'Empire du même nom, un appui. Veuve avec quatre jeunes enfants à charge, peu de vrais amis et une grande ambition brisée, Caroline est celle des Bonaparte que le retournement de sa situation fait, sans doute, le plus souffrir. Elle sera la seule à être longtemps — jusqu'après 1830 — interdite de séjour à Rome, et sa relégation à Trieste ne lui offrait guère de distractions. Quelques visiteurs attentionnés se souvenaient d'elle, telle Mme

---

1. A.N. 31 AP, n° 41.

Récamier qui, en mai 1835, s'arrêta deux jours dans sa ville, pour les passer en sa compagnie.

Avec les Jérôme aussi, Hortense garde un lien régulier. Catherine, en route pour les eaux de Wiesbaden, rend visite à sa belle-sœur, à Augsbourg, au seuil de l'été 1818. Hortense s'apprête à partir pour Livourne où elle prendra des bains de mer, et où elle retrouvera son fils aîné — qu'elle n'a pas revu depuis Aix-en-Savoie —, que son père lui amènera. En échange, si l'on peut dire, Louis verra le cadet. Cet été sur le littoral toscan, où les rejoindra la maréchale Ney, déclenchera des supputations familiales : Louis et Hortense ne vont-ils pas se raccommoder ? Il paraîtrait que leurs enfants se seraient jetés à leurs pieds en les suppliant de le faire... Hortense s'en garde bien. Les incohérences de son mari ont été si flagrantes durant ces trois dernières années qu'elle est décidée à ne plus rien accepter qui ne soit d'arrangement amiable au sujet des séjours alternés des enfants. Louis, qui, en 1815, a refusé de rentrer en France si l'Empereur ne le séparait pas officiellement de sa femme, ce qui fut fait, on s'en souvient, s'est mis en tête, pendant l'année 1816, d'obtenir l'annulation de leur mariage en cour de Rome ! A la faveur sans doute de l'aventure survenue aux Lavalette, l'amour de Louis pour Émilie s'est ravivé, les vieux souvenirs ont refait surface, et il a écrit à tous, frères, sœurs, anciens amis, Hortense elle-même, pour obtenir assentiment et témoignages : ce mariage a été forcé, ils ont eu un enfant chaque fois — il en fait le compte méticuleusement — qu'ils ont vécu conjugalement, il n'empêche, c'est Émilie qu'il aimait, et ce lien absurde doit être dissous ! Comme elle s'était refusée au divorce, Hortense se refuse à la demande en nullité : ce serait ridicule, et néfaste à la future position de ses enfants. A là différence de Louis, elle y songe. Et elle y songera de plus en plus [1].

---

1. Nous reproduisons en annexe la lettre « récapitulative » de Louis à Hortense, sur leur vie conjugale.

La châtelaine du lac

Arenenberg ! Sans doute y a-t-elle rêvé longuement
aux heures incertaines de Constance, quand la tempête
et la neige brouillaient le lac, sur lequel se déchaînaient
« des ouragans affreux... » Et sans doute, sa rêverie la
reprenait-elle, comme le thème obsédant d'une mélodie
nouvellement élaborée, durant les longues soirées hiver-
nales dans la bibliothèque augsbourgeoise, au fil d'une
lecture qu'elle n'écoutait plus, les yeux absents d'un car-
net de croquis qu'elle ne regardait plus... Hortense appelait de ses vœux le retour du printemps, son ciel pur, ses
parties de campagne et ses crépuscules tièdes sur une
terrasse à la vue enchanteresse. Elle attendait que son
château « bien petit, bien délabré », comme elle le quali-
fie avec une tendresse maternelle — elle est si maternelle en tout ! —, fût restauré, afin d'y passer les beaux
jours et de jouir de sa situation incomparable. Dès 1819,
ce sera chose faite, même si la maison offre encore des
allures de campement...

Car Arenenberg, c'est *sa* maison. Non plus la demeure
de sa mère, non plus les Palais de son beau-père, non
plus les résidences choisies par son mari, ou louées le
temps d'une saison — encore qu'elle ait passionnément
aimé Saint-Leu et Aix-en-Savoie —, mais ce qui va
devenir son œuvre, son havre, le décor de ses jours jusqu'au dernier. On a souvent dit que la Malmaison était
le « Trianon consulaire », on dira d'Arenenberg qu'il fut
les « Charmettes du bonapartisme ». Certes. Mais Arenenberg est, avant tout, pour Hortense, le château du
rêve, la plaisance idéale que toute sa vie elle a attendue.
Lieu élu, Arenenberg abritera, à la juste convenance de
sa châtelaine, les souvenirs éclatants de ses grandeurs et

les plaisirs sereins d'un présent dénué de turbulences. Émanation de la personnalité de la reine, Arenenberg est trois choses : un site délicieux, un décor expressif et le carrefour où se rencontre, au fil des étés, une société venue des quatre coins de l'Europe, une société variée et choisie.

L'étymologie de l'endroit est évocatrice : « Arenenberg » vient de « Narrenberg », la Montagne du Fou. Quel fou ? Nous l'ignorons. Une sage en sera bientôt l'habitante qui se référera souvent dans ses lettres à « [sa] montagne, où (elle) discute toute seule sur l'avenir [1]... » La montagne d'Hortense, symbole de méditation et de solitude, est bien plutôt une colline (de 458 mètres) surplombant le bras inférieur du lac, le *lacus Brigantinus* des Romains, que traverse doucement le Rhin. Adossé aux Alpes, Arenenberg regarde le débarcadère de Mannenbach, à ses pieds, l'île de Reicheneau, et au-delà, les confins badois, wurtembourgeois et bavarois de la rive Nord. Rien n'est plus paisible, plus lumineux, plus verdoyant que ce lieu stratégique de la vieille Europe, piqueté d'anciennes abbayes et de petits ports fortifiés : Friedrichshafen, Lindau, Bregenz, Rorschach... La campagne est opulente et civilisée : coteaux de vignes, terrasses, promenades aménagées sous des futaies qu'une ambiance déjà méridionale rend hospitalières. Et d'où qu'on le contemple, partout l'appel du lac, à perte de vue, comme une pause harmonieuse, inespérée, de la nature.

Le petit château de la reine, un ancien domaine de vignes — encore intactes sur le versant descendant vers Mannenbach —, avait été fortifié au XVIe siècle d'un mur crénelé et de pignons à redents. Elle les fait supprimer et remplacer par un toit classique en pavillon. Sa maison

---

1. A.N. 400 AP 35, Lettre à Mme Salvage, du 1er mars 1834. Un exemple entre beaucoup d'autres...

d'habitation proprement dite n'étant pas grande, elle commande la construction, à proximité, d'un vaste bâtiment d'économie, d'un étage, à escalier extérieur en bois — dans le style rustique local —, disposé autour d'une cour carrée agrémentée d'une fontaine : il abritera les cuisines, les écuries, les communs et plusieurs logements. Les messieurs y dormiront et, plus tard, le prince Louis s'y établira ainsi que son précepteur, y recevant les jeunes gens qui lui rendront visite. Les invités de la reine descendront au beau château du Wolfsberg, réservant leurs journées et leurs soirées à Arenenberg.

La résidence principale, ouverte sur une magnifique terrasse orientée au nord-ouest, se compose d'un rez-de-chaussée voué à la réception, d'un premier étage où sont les appartements personnels d'Hortense et d'un second étage où demeurent ses dames. Seul un valet de pied dort, la nuit, dans l'antichambre. Ce vestibule doté d'un bel escalier en colimaçon — peu encombrant — commande, à main gauche, l'entrée au salon, et, à main droite, celle à la salle à manger. Chacune de ces deux belles pièces se prolonge, l'une d'une salle de billard, l'autre d'une bibliothèque, qui communiquent entre elles. Cette circulation qu'augmente, l'été, un salon en véranda sur le lac, et un avant-salon de verdure, sorte de petite loggia destinée aux plantes, procure une sensation de bien-être et d'espace due à son agencement.

Tout dans sa demeure exprime Hortense : aucune ostentation mais de riches souvenirs qui agrémentent chacune des pièces. Dans l'ensemble, on a l'impression d'une réduction gracieuse de la Malmaison : le vestibule, le salon et la salle à manger sont tendus de coutil blanc à légères rayures bleues, en forme de tente. Meubles, tableaux et beaux objets, dont beaucoup lui viennent de sa mère et les autres de ses intérieurs à Saint-Leu et rue Cerutti, se distribuent agréablement : chacun possède son histoire, ce qui leur donne plus de présence [1]. Sans être un sanctuaire, Arenenberg rappelle les épisodes marquants de la vie consulaire et impériale : les grands portraits de Gérard, Prudhon, Ary Scheffer, Gros, entre autres, témoignent du rôle joué dans l'existence de la châtelaine par Bonaparte, Joséphine, Eugène, son fils Napoléon-Charles, son mari... Et une partie de la collection des peintures de la Galerie de l'Impératrice sont regroupées ici, parmi lesquelles ces toiles historiques si prisées par la mère comme par la fille : *Le Tasse et Éléonore d'Este* par Ducis, *François Ier et Marguerite de Navarre à Chambord* par F. F. Richard, *Charles VII adressant son adieu à Agnès Sorel*, du même, *La Sentence de mort de Marie Stuart* et *La Naissance d'Henri IV* par J. B. Vernay ou *Héloïse au couvent* de L. A. Laurent... Mais aussi, au fil des chambres, des boudoirs et des couloirs, une multitude de jolies œuvres de Melling, Turpin de Crissé, Mme Chaudet, Cottreau — hôte attitré de la reine —, à quoi s'ajoutent les portraits de ses cousines et de ses amies...

Le mobilier, simple et beau, donne à l'ensemble de la maison une grâce féminine. Des guéridons en acajou (signés de Jacob), une belle bibliothèque vitrée à cinq panneaux, un serre-bijoux de Weisweiler, des chiffonniers, des consoles, des écritoires raffinés ne laissent pas oublier que la maîtresse de maison fit jadis travailler pour elle les plus grands ébénistes et bronziers du temps. Dans sa chambre, sa coiffeuse, garnie d'une vasque, d'une aiguière et d'un petit lavabo en vermeil, dit assez le raffinement de cette femme élégante, de même que ses instruments de musique ou son nécessaire à aquareller...

---

1. Nous renvoyons à l'étude détaillée de Guy Ledoux-Lebard in *Le château d'Arenenberg, op. cit.* Remanié par l'impératrice Eugénie, Arenenberg, devenu aujourd'hui propriété du canton de Thurgovie, est un musée napoléonien d'une grande richesse et d'un grand charme.

On comprend combien les visiteurs se plaisent auprès d'elle, dans l'atmosphère légère, empreinte de bon goût, chargée de sens, dont elle est experte à s'entourer. Il y a des demeures qui attirent moins par leur faste que par leur charme très prenant : Arenenberg est l'une d'elles, la Vallée-aux-Loups, où vécut Chateaubriand, en est une autre... Il y a là comme un miracle d'équilibre entre la maison, son environnement — l'incomparable vue sur le lac, pour l'une, les grands arbres du parc, pour l'autre —, et la personnalité unique de son propriétaire. Arenenberg, c'est pour Hortense, son Trianon, sa Malmaison, sa Vallée, c'est surtout Arenenberg, son petit château, humain, plaisant, accueillant, chargé d'esprit et de mémoire... Voilà pourquoi elle l'aime. Voilà pourquoi on aime l'y visiter.

Les premiers à découvrir son nouveau domaine sont, évidemment, les familiers d'Hortense : Eugène et Stéphanie. Ils seront à ce point séduits par le beau lac, qu'à leur tour ils acquerront des propriétés voisines. Eugène achètera la terre de Sandegg, où il fera construire l'imposant « Eugensberg ». La grande-duchesse s'établira dans la chapellenie de Mannenbach dont, après son veuvage, elle fera sa résidence d'été habituelle. La princesse de Hohenzollern-Sigmaringen venait en une journée d'Inzigkofen, son château d'été — où Hortense lui rendait la politesse — et qui offrait la particularité d'être traversé par le Danube.

Une visite importante pour la reine est celle que lui fait son ancienne institutrice, Mme Campan, durant l'été 1821. Sa carrière brisée par la chute de l'Empire — nous avons dit pourquoi les Bourbons ne sont guère souciés d'elle —, Mme Campan vit dans une petite maison, près de Mantes, entourée des soins de sa gouvernante, Mme Voisin. Elle a eu le malheur de perdre son fils unique, l'année précédente, et c'est atteinte du mal qui l'emportera bientôt — un cancer du sein — qu'elle se met en route pour les eaux de Bade où elle retrouvera deux de ses chères élèves : Stéphanie et Hortense. Celle-ci la ramènera, au début du mois de juillet, à Arenenberg où elle la gardera jusqu'à la fin du mois de septembre, avant qu'elle-même ne retourne à Augsbourg. Cette présence, qui ravive bien des souvenirs, la rend heureuse. Elle écrit à son fils aîné, Napoléon : « La société de Mme Campan est d'un grand charme pour moi. Son esprit et son cœur sont toujours jeunes... » Elle note, par association d'idées, sans doute : « avec une bonne éducation, de douces affections, on peut se passer de tout dans ce monde [1]... »

Mme Campan repartira enchantée, ragaillardie de son grand voyage (elle découvre qu'en empilant les nombreux édredons dont sont garnis les lits d'auberge suisses, on s'aménage un matelas de plumes bien douillet), et tonifiée par le plein d'informations qu'elle a engrangées et qu'elle distribue aux amies de la reine, ses anciennes compagnes qui, encore, fidèlement, revoient leur directrice. La pauvre femme aura connu là ses dernières joies : une opération, plusieurs fois différée, a lieu enfin, en février 1822. Elle la supporte vaillamment, en « se faisant tenir par un colonel d'artillerie » qui, en nage, déclare, à la sortie, qu'« il aurait mieux aimé assister à quatre batailles ! »... A cette époque, qui ignorait encore l'anesthésie autant que l'asepsie, ce charcutage devait être monstrueux... Mme Campan dictera une ultime lettre à sa « bonne et adorée » élève, et puis elle s'éteindra, en mars 1822. Du moins Hortense avait-elle été, jusqu'à la fin, la providence et la gloire de celle qui l'avait si bien formée, et à qui elle devait, aujourd'hui plus que jamais, de vivre avec intelligence et agrément.

Un autre deuil, de portée européenne, celui-là, venait de frapper Hortense et sa famille : l'Empereur était mort

---

1. A.N. 400 AP 35, Lettre du 6 juillet 1821.

à Sainte-Hélène, le 5 mai 1821, ce que tous avaient appris dans le courant du mois de juillet. L'écho de cette formidable nouvelle peina Hortense : elle en témoigne à Eugène un sentiment qui mêle le soulagement de voir abrégées de grandes douleurs et la compassion pour la solitude de l'Empereur, mort sans sa femme ni son fils à ses côtés. Son chagrin fut réel : c'est un père qu'elle perdait, mais surtout, la puissance tutélaire qui avait présidé, depuis vingt-cinq années, à sa destinée. Encore que cette grande absence, cette relégation sur un rocher lointain fussent, à l'époque, relativement abstraites pour ceux qui n'avaient de Sainte-Hélène que des nouvelles indirectes, décousues, déformées. On sait que l'Empereur et les siens ne s'étaient jamais pliés aux exigences grotesques de son geôlier anglais qui, non seulement, lui refusait son titre, mais n'acceptait de lui transmettre les lettres de sa propre mère que décachetées... Tant de grandeur soumise à tant de petitesse, voilà le vrai martyre enduré par l'impérial prisonnier.

La lettre de Madame Mère à Hortense, en réponse aux condoléances de celle-ci, est intéressante. Quand on connaît la hauteur un peu sèche de la plume de Letizia, quand on sait le peu de sympathie qu'elle éprouvait envers les Beauharnais, on mesure qu'Hortense avait excellé, une fois de plus, à laisser parler son cœur :

Madame Mère à la reine Hortense :

Ma très chère fille, Votre lettre m'a apporté quelque consolation, mon cœur ayant senti quelque douceur en lisant vos sentiments d'attachement pour Celui, pour lequel j'ai désiré de prolonger mon existence. Je n'ai plus de satisfaction à espérer dans ce monde, si ce n'est de voir mes autres enfants et mes petites enfants ; et puisque le sort a voulu que ma famille fût dispersée, qu'au moins je puisse avoir souvent des nouvelles de leurs nouvelles.

Veuillez donc vous rappeler quelque [sic] fois de moi, et écrivez-moi le plus souvent que vous pourrez.

Le Cardinal est le seul qui est dans ce moment-ci à Rome : il vous remercie de votre souvenir, et il vous prie de vous convaincre de tout son attachement.

Embrassez pour moi notre cher Louis-Napoléon et soyez convaincue de la tendresse avec laquelle je suis

Vostra ottima Madre

Rome, 29 7bre 1821 [1].

Ceux qui avaient partagé la captivité de l'Empereur se manifesteront à leur retour en Europe. Hortense recevra de nombreux témoignages d'affliction de ces fidèles. Deux d'entre eux méritent d'être cités ici. L'un de Gourgaud, rentré en 1818, l'autre du général comte Bertrand, grand maréchal du souverain jusqu'à la fin, et mari, on s'en souvient, de l'altière cousine d'Hortense, Fanny Dillon, qui n'oubliait pas s'être marié à Saint-Leu, en 1808, chez la reine de Hollande. L'affectivité emphatique de la première lettre contraste avec le ton mesuré de la seconde. Toutes deux rendent assez la qualité et la variété des informations qui parvenaient alors à la reine :

Lettre du baron Gourgaud à la reine Hortense :

Madame,

Le cœur brisé par la douleur, ne pouvant trouver aucune consolation, n'ayant plus d'espérance, vous me pardonnerez de chercher quelque soulagement en m'épanchant près de vous.

Des mots ne peuvent exprimer le malheur dont me pénètre la mort de l'Empereur mais vous, dont rien ne put altérer la constante amitié, refroidir le plus pur dévouement, diminuer la plus vive reconnaissance que vous lui aviez vouée, vous enfin, Madame, dont il appréciait si bien la bonté de cœur et l'élévation de caractère, vous concevez combien je dois souffrir. Nos sentiments pour l'Empereur étaient les mêmes, nos âmes doivent s'entendre.

Il n'est donc plus ! Le poison a terminé les jours de celui

1. *In Lettere di Letizia Buonaparte*, a cura di Pietro Misciatelli, Milan, 1936, p. 141, lettre n° 123.

qui faisait la gloire de l'espèce humaine, de celui dont la grande âme fut toujours au-dessus de la plus haute fortune et que ni l'adversité, ni les fers, ni les outrages ne purent ébranler un instant. Et cet homme unique, cet homme plus qu'homme, c'était notre bienfaiteur, notre ami, notre père... Nous avons tout perdu !

L'opprobre qui s'attache aux auteurs du crime, et l'Histoire et la colère céleste vengeront l'Empereur de toutes ses persécutions, mais, Madame, il est encore pour nous un devoir à remplir, c'est d'arracher sa dépouille mortelle des mains de ses indignes ennemis. Réunissons-donc tous nos efforts pour obtenir que, rendue à sa famille, elle soit transportée à Rome. C'est là, c'est sur cette terre qui a porté tant de héros, que peut reposer en paix le grand Napoléon.

Nous sommes déjà assez malheureux ; évitons au moins le déshonneur de laisser ses cendres au pouvoir de ses bourreaux, et de voir sa tombe profanée par leur présence.

Le souvenir des bontés que V. M. a bien voulu avoir pour moi, me fait espérer qu'elle daignera agréer les hommages de respect et de reconnaissance de celui qui a l'honneur d'être, Madame,

de votre Majesté,
Le très humble, très attaché et dévoué serviteur,
le baron Gourgaud

chez sa mère, rue du faubourg
Saint-Honoré, n°[12 ou 14 ?]

Paris, le 7 juillet 1821[1].

Lettre du comte Bertrand à la reine Hortense :

Londres, ce 28 septembre 1821

Je ne veux point quitter l'Angleterre sans offrir à Votre Altesse l'hommage de mon respect et mes remerciements

1. A.N. 400 AP 32.

pour les bontés dont elle m'a honoré dans des temps plus heureux. J'ai écrit il y a peu de jours au Prince Eugène. Ma femme est dans un état déplorable, qui s'est empiré dans ce brumeux climat. J'espérais que l'air de l'Europe lui ferait du bien, j'espère encore sur celui de la France où je compte rentrer sous peu de jours. La mauvaise santé de ma femme l'a empêchée de répondre à la lettre que Votre Altesse lui a fait l'honneur de lui adresser et je lui demande la permission d'y suppléer jusqu'à ce qu'elle soit en état de lui écrire elle-même. Nous avons vu ici le Cte de Flahaut, qui à notre grand regret a quitté Londres depuis quelques tems pour aller à Paris. Je l'ai revu avec grand plaisir.

Vous avez été surprise et accablée du coup qui nous a tous frappé. Quoique la fin de l'Empereur parût prochaine, je ne sais quelle espérance fascinait mes yeux ; je croyais toujours à son Étoile, je ne pouvais me figurer que ce grand homme pût mourir sur une terre inhospitalière. Nous nous flattions souvent d'aller parcourir les cités et les plaines de l'Amérique, le seul endroit où nous pussions espérer la liberté, le premier de tous les biens. Vous croirez sans peine que vous avez été fréquemment l'objet de nos entretiens. Nous avons cru un moment lors de votre voyage en Italie [à Livourne, durant l'été 1818] que vous alliez vous rapprocher du Prince Louis. L'Empereur en a toujours conservé l'espérance. Il aimait à causer de vos enfants, beaucoup de l'impératrice Joséphine, des premiers tems de son mariage ; tant de souvenirs se rapportaient à des tems heureux où il vous avait vu habituellement, qu'il y revenait volontiers ; il a été dans une terrible situation ; mais il est impossible de l'avoir supportée avec plus de fermeté de grandeur, de force d'âme, de sérénité ; souvent gai, il semblait de nous tous les [*sic*] moins sensible à son malheur. Les mauvais traitemens, le climat humide de Ste-Hélène, le défaut d'exercice ont sans doute accéléré les progrès de la maladie qui l'a porté au tombeau. Depuis un an son état empirait à vue d'œil. Il a conservé jusqu'aux derniers jours sa tête, son goût pour la lecture, pour la conversation ; il a dicté encore quelquefois. Les derniers jours sa mémoire lui a manqué. Quelques exclamations, des soupirs semblaient indiquer une vive douleur. Nous l'avons vu s'éteindre, comme une lampe qui n'a

plus d'huile pour me servir de son expression ; il a fini ce
grand prince, notre bienfaiteur, notre père. Adieu, Madame,
croyez que je n'oublierai jamais tout ce que vous m'avez
témoigné d'intérêt et veuillez agréer les sentiments de respect avec lequel je suis

Votre [illisible]
Cte Bertrand.

Je crois que l'Emp. a disposé du portrait en pied. Mes
enfants n'ont pas encore reçu ce que V. A. a bien voulu leur
envoyer ; on doit leur remettre à Paris.

Le grand homme était mort. Une nouvelle ère
commençait. Celle du souvenir et, possiblement, de sa
succession. C'était désormais le roi de Rome, le jeune
duc de Reichstadt qui héritait du glaive impérial. En
ferait-il quelque chose ?

* *
*

Et la vie reprend son cours, ponctuée de rencontres
avec ceux qu'Hortense aime, de séjours à Mannheim,
dans le beau château du XVIIIe siècle situé sur une île au
milieu du Rhin, où la reçoit Stéphanie, désormais veuve,
et avec laquelle elle éprouve cette conformité de sentiments qui remplace, dans son affectivité, ce que lui
apportait sa chère Adèle, une complicité dans l'échange,
une compréhension à mi-mots, l'irremplaçable impression d'être reçue pour ce qu'elle est, sans malentendu ni
arrière-pensées. L'été, elle réunit sa société sur sa terrasse, devant son beau lac, et sous une tente, on y dîne
tous ensemble. En 1822, il semblerait que sa nièce Joséphine de Leuchtenberg, l'aînée d'Eugène qui, à quinze
ans, vient d'être demandée par le prince royal de Suède,
Oscar — le fils de Bernadotte et de Désirée Clary —, y

1. A.N. 400 AP 32.

séjourne un temps avec ses parents. De grandes fêtes ont été données à la cour ducale d'Eichstaedt pour célébrer ces fiançailles hautement satisfaisantes. Les réjouissances qu'offrent Arenenberg sont plus modestes, mais charmantes : on procède à des charades et des tableaux vivants — très à la mode, alors, car on avait là la faculté de s'enchanter de plaisirs simples qui ne requéraient que talent et imagination —, et la jeune Joséphine apparaissant en sainte Cécile ou en madone de Raphaël faisait la joie de tous, y compris des Thurgoviens, jamais oubliés dans ces occasions.

A la fin du mois de septembre, c'est une noce campagnarde qui anime le petit château : Louise Cochelet épouse le commandant Parquin, logique union de deux vétérans. « Je crois que c'est un bon choix et qu'ils seront fort heureux », écrit Hortense à son fils aîné. Elle avait tenu à ce qu'« Arenenberg soit dans son beau » pour la circonstance. On imagine que le bal dut ravir la société locale. Comme la ravissaient les promenades sur l'eau, que la reine organisait le soir, sur un yacht qu'elle avait fait construire à cet effet, sur lequel on faisait de la musique — comme sur le lac de Genève, en 1810, ce qui avait contribué à son coup de foudre pour la « douceur de vivre » helvétique ! —, et les paysannes en costume traditionnel s'empressaient, paraît-il, dans de petites barques autour du bateau royal... Parfois, des musiciens s'arrêtaient chez la reine, le temps d'un concert au château. Parfois, on improvisait un bal, ou une comédie de paravent : la reine disposait d'une petite salle qui, si elle n'offrait pas le confort de celle de la Malmaison ou de Saint-Leu, n'en était pas moins accueillante.

Et, peu à peu, les visiteurs affluent : d'anciennes amies comme la maréchale Ney ou la duchesse de

---

1. A.N. 400 AP 35, Lettre du 19 juin 1822.

Raguse, mais aussi des peintres, des poètes, des étrangers de passage, sans compter les voisins notables, tous heureux de partager, dans le sillage de cette femme exquise, un moment de convivialité intelligente.

Et, l'automne venu, on se retrouve dans la bibliothèque de l'hôtel Waldeck, on commente les gazettes étrangères, françaises, mais aussi anglaises, « de l'opposition », que la reine, depuis la mort de l'Empereur, se faisait réserver par le précepteur de son fils Louis. Celui-ci est inscrit à l'excellent Gymnasium d'Augsbourg, qu'il fréquentera pendant quatre ans, où, chaperonné par Lebas, qui le « farcit de grec et de latin » — ce dont il se plaint à sa mère —, il fera de profitables études, en allemand. Il promet d'être un garçon charmant, vif et profond, intelligent et réfléchi, séduisant et — déjà — séducteur... Son frère aîné, peu enclin aux spéculations intellectuelles, dira souvent de Louis : « C'est un penseur ! » Cela étant, s'ils ne se ressemblaient pas, les deux frères s'entendaient, quand ils étaient réunis, à merveille.

Le 1ᵉʳ avril 1823, jour de Pâques, le prince Eugène est frappé d'une attaque d'apoplexie. Le mariage de sa fille est retardé. Munich est en émoi. Hortense accourt immédiatement à son chevet. Elle y relaie sa belle-sœur Auguste et ses enfants, affligés de cet accident. Eugène, qui n'avait pas encore atteint ses quarante-deux ans, payait, malgré la vigueur de sa constitution, les surmenages auxquels l'avaient soumis ses fonctions vice-royales, à Milan, autant que les campagnes épuisantes qu'il avait menées sur tous les champs de bataille de l'Europe depuis l'âge de quatorze ans. Le 16 avril au soir, on le croit perdu. Hortense le veille et, refusant de désespérer, elle insiste pour qu'on lui donne ses remèdes. « Les églises étaient pleines. On n'entendait que des sanglots et tout le peuple a passé cette terrible nuit sur la place. »

---

1. A.N. 400 AP 135.

Le lendemain, Eugène est sauvé. Tout au long de sa maladie, sa sœur l'entoure, au point, elle l'avoue à son fils Napoléon, qu'elle est épuisée, et qu'« on ne peut [lui] dire un mot sans qu'[elle] se mette à pleurer ». Elle n'en montre rien au malade, qui se remet doucement. Dès qu'il peut se lever, encore chancelant et d'une pâleur à faire frémir, Eugène assiste, dans la chapelle royale, au mariage par procuration de sa fille, qui prend la route aussitôt pour aller se préparer, auprès de son époux, à régner un jour sur la Suède et la Norvège.

Auguste et Hortense se tranquillisent et détendent leurs nerfs éprouvés. Eugène est conduit aux eaux de Marienbad, puis, au début du mois d'août suivant, il vient, en compagnie de sa famille, inaugurer, en quelque sorte, son château d'Eugensberg. Triste séjour ! Car, si Eugène a tout son entendement, il est encore diminué. Hortense et Stéphanie ne le quittent pas. Et son état commence à s'améliorer. Il envisage d'aller chasser le sanglier dès qu'il sera de retour à Munich. Il ne le pourra pas. Tout son entourage, cependant, est confiant : avec du temps, Eugène qui est si courageux, si désireux de rédiger ses Souvenirs et de reprendre une vie normale, se remettra.

C'est donc, dans une relative tranquillité d'esprit, que la reine Hortense part pour l'Italie. Accompagnée de ses deux fils, elle arrive, au début du mois de février, dans la Ville Éternelle dont elle se promet de parcourir les beautés. Elle se rend à la basilique Saint-Pierre, et là, ô surprise ! elle retrouve la belle Mme Récamier, qui, en compagnie de sa nièce et fille adoptive, Amélie Lenormant, et du jeune Jean-Jacques Ampère — le fils du grand savant —, séjourne à Rome, loin des agitations parisiennes, loin, surtout, de l'homme qu'elle aime, mais qui, à la faveur de son élévation ministérielle, n'a pas

---

1. A.N. 400 AP 135.

toujours su la ménager. M. de Chateaubriand laissé à ses
vertiges, la belle Juliette reconquiert son équilibre, au
sein d'une ville enchanteresse, entourée d'amis agréables et protégée par le plus ancien d'entre eux, Adrien
de Montmorency, duc de Laval, présentement ambassadeur de Louis XVIII dans les États Pontificaux. Les deux
femmes — sensiblement contemporaines, Juliette étant
de six ans plus âgée qu'Hortense — sont heureuses de
cette rencontre, après tant d'années de séparation. Du
temps qu'elle était agissante, la reine était intervenue
auprès de l'Empereur pour tenter de faire cesser l'exil de
la Belle des Belles, et sans doute y serait-elle parvenue si
l'Empire ne s'était écroulé auparavant. Pendant la première Restauration, Hortense avait accueilli à Saint-Leu
Mme Récamier et Mme de Staël, toutes deux désireuses
de lui exprimer leur reconnaissance pour son obligeance.
Maintenant, c'était la reine qui était proscrite. Mme de
Staël était morte en juillet 1817, sa belle amie, ayant
définitivement perdu sa fortune, s'était établie dans un
couvent, l'Abbaye-aux-Bois, où tout Paris allait la visiter, et le grand Chateaubriand lui avait fait découvrir les
sortilèges de l'amour. Bien qu'éloignée de Paris, Mme
Récamier demeurait une des personnes les plus influentes de son temps, alors que la reine avait perdu rang et
puissance... L'adversité se jouait d'elles, les touchant
tour à tour, et le Destin, en les réunissant une nouvelle
fois, sous de nouveaux cieux, semblait se rire de son
caprice...

Tout ce qui les rapproche, leur sens du monde, leur
bienveillance profonde, leurs amours malheureuses, leur
gaieté aussi, ce courage à la française, qui dans l'épreuve
les soutient et leur dicte un maintien également serein,
leur entendement des affaires politiques dont elles prétendent — ce n'est qu'une clause de style — ne rien
démêler, tout cela va s'exprimer à Rome, au fil de leurs
entretiens et du temps qu'elles auront à cœur de partager

l'une avec l'autre. Comment elles s'organiseront, n'appartenant pas à la même sphère sociale — l'une est très en vue des autorités, l'autre en est constamment surveillée —, c'est Mme Récamier qui nous le raconte dans quelques rares pages arrivées intactes jusqu'à nous des *Souvenirs* qu'elle avait entrepris de rédiger — d'une plume exquise — et qui ont disparu :

FRAGMENTS DES SOUVENIRS DE Mme RÉCAMIER.
LA DUCHESSE DE SAINT-LEU À ROME.

Je m'étais rendue un jour de fête à l'église de Saint-Pierre, pour y entendre la musique religieuse si belle sous les voûtes de cet immense édifice. Là, appuyée contre un pilier, recueillie sous mon voile, je suivais de l'âme et de la pensée les notes solennelles qui se perdaient dans les profondeurs du dôme. Une femme d'une taille élégante, voilée comme moi, vint se placer près du même pilier ; chaque fois qu'une émotion plus vive m'arrachait un mouvement involontaire, mes yeux rencontraient le visage de l'étrangère tourné vers moi. Elle semblait chercher à reconnaître mes traits ; de mon côté, à travers l'obstacle de nos voiles, je croyais distinguer des yeux bleus et des cheveux blonds qui ne m'étaient pas inconnus. — « Mme Récamier ! — C'est vous, Madame ! » dîmes-nous presque à la fois. — « Que je suis heureuse de vous retrouver ! » continua la reine Hortense, car c'était elle ; « vous savez que je n'ai pas attendu ce moment pour chercher à me rapprocher de vous, mais vous m'avez toujours tenu rigueur, » ajouta-t-elle en souriant. — « Alors, Madame, répondis-je, mes amis étaient exilés et malheureux ; vous étiez heureuse et brillante, ma place n'était point auprès de vous. — Si le malheur a le privilège de vous attirer, reprit la reine, vous conviendrez que mon tour est venu, et vous me permettrez de faire valoir mes droits. »

J'éprouvais un peu d'embarras à lui répondre. Ma liaison avec le duc de Laval-Montmorency, notre ambassadeur à Rome, et avec tout ce qui tenait au gouvernement du roi à cette époque, était autant d'obstacles à ce que la reine me vint voir chez moi ; il n'y en avait pas moins à ce que je me présentasse chez elle ; elle comprit mon silence. — « Je

sais, dit-elle avec tristesse, que les inconvénients de la grandeur nous suivent encore alors même que ses prérogatives
nous ont quittés. Ainsi la perte du rang que j'occupais ne
m'a point acquis la liberté de suivre le penchant de mon
cœur ; je ne puis même aujourd'hui goûter les douceurs
d'une amitié de femme, et jouir paisiblement d'une société
agréable et chère. »

Je m'inclinai avec émotion, mon regard attendri lui dit
seul ce que j'éprouvais. — « Il faut cependant que je vous
parle, reprit la reine avec plus de vivacité ; j'ai tant de choses à vous dire !... Si nous ne pouvons nous voir l'une chez
l'autre, rien ne nous empêche de nous rencontrer ailleurs ;
nous nous donnerons des rendez-vous, cela sera charmant !
— Charmant en effet, Madame, répondis-je en souriant, surtout pour moi ; mais comment fixer l'heure et le lieu de ces
rendez-vous ? — Ce serait à moi de vous le demander, car,
grâce à la solitude qui est pour moi d'obligation, mon temps
m'appartient tout entier ; mais il n'en peut être de même du
vôtre : recherchée comme vous l'êtes, sans doute vous allez
beaucoup dans le monde. — Dieu m'en garde ! Je mène au
contraire une vie assez sauvage. Il serait absurde d'être
venue à Rome pour y voir des salons et un monde qui se
ressemblent partout ; j'aime mieux visiter ce qui n'appartient qu'à elle, ses monuments et ses ruines. — Eh bien !
voilà qui s'arrange à merveille. Si vous n'y voyez pas
d'inconvénients, je serai de moitié dans vos excursions ;
vous me ferez part chaque jour de vos projets pour le lendemain, et nous nous rencontrerons *par hasard* au lieu que
vous aurez choisi. »

J'acceptai cette offre avec empressement. Je me faisais
une fête de ces courses dans Rome antique, en compagnie
d'une femme aimable et gracieuse, qui aimait et comprenait
les arts ; de son côté, la reine était heureuse de penser que
je lui parlerais de la France, et, pour l'une comme pour
l'autre, le petit air de mystère jeté sur ces entrevues n'était
qu'un attrait de plus.

    — « Où comptez-vous aller demain ? me dit la reine. —
Au Colisée. — Vous m'y trouverez certainement. J'ai à causer longuement avec vous : je tiens à me justifier à vos yeux
d'une imputation qui m'afflige. » La reine allait entrer dans

des explications, et l'entretien menaçait de se prolonger ; je lui rappelai sans affectation que l'ambassadeur de France, qui m'avait conduite à Saint-Pierre, allait venir m'y reprendre ; car je craignais que la rencontre ne fût embarrassante pour elle et pour lui. — « Vous avez raison, dit la reine, il ne faut pas qu'on nous surprenne : adieu donc, à demain, au Colisée. » Et nous nous séparâmes.

Le lendemain, à l'heure de l'*Ave Maria*, j'étais au Colisée ; j'aperçus la voiture de la reine Hortense, qui n'avait précédé la mienne que de quelques minutes. Nous entrâmes ensemble dans le cirque, en nous félicitant mutuellement de notre exactitude ; nous parcourûmes ce monument immense au rayon du soleil couchant, au son lointain de toutes les cloches :

« Che paja il giorno pianger che si muore. »

Nous nous assîmes ensuite sur les degrés de la croix au milieu de l'amphithéâtre. Le prince Charles Napoléon Bonaparte et M. Ampère, qui nous avaient suivies, se promenaient à quelque distance. — La nuit était venue, une nuit d'Italie ; la lune montait doucement dans les airs, derrière les arcades ouvertes du Colisée, le vent du soir résonnait dans les galeries désertes. — Près de moi était cette femme, ruine vivante elle-même d'une si étonnante fortune. Une émotion confuse et indéfinissable me forçait au silence. La reine aussi semblait absorbée dans ses réflexions. — « Que d'événements n'a-t-il pas fallu, dit-elle enfin en se tournant vers moi, pour nous réunir ici ! événements dont j'ai souvent été le jouet ou la victime, sans les avoir prévus ou provoqués ! »

Je ne pus m'empêcher de penser intérieurement que cette prétention au rôle de victime était un peu hasardée. J'étais alors persuadée qu'elle n'avait pas été étrangère au retour de l'île d'Elbe. La reine devina sans doute ce qui se passait dans mon esprit ; d'ailleurs il ne m'est guère possible de cacher mes sentiments ; mon maintien, ma physionomie, les trahissent malgré moi. — « Je vois bien, dit-elle avec vivacité, que vous partagez une opinion qui m'a profondément blessée ; c'est pour la détruire que j'ai voulu vous parler librement. Dorénavant vous me justifierez, je l'espère, car je tiens à me laver d'une ingratitude et d'une trahison qui m'aviliraient à mes propres yeux, si j'en étais coupable. »

Là se situe le récit du retour de l'île d'Elbe, et la colère de l'Empereur lorsqu'il reçoit sa belle-fille, aux Tuileries, le 21 mars 1815, au matin. Nous l'avons déjà cité.

Ce récit avait un caractère de bonne foi qui ébranla ma conviction, et les dispositions où je me sentais pour la reine y gagnèrent encore. De ce moment nos relations furent décidément établies. Chaque jour nous nous donnions rendez-vous, tantôt au temple de Vesta, tantôt aux thermes de Titus ou au tombeau de Cécilia Métella, d'autres fois à quelqu'une des nombreuses églises de la cité chrétienne, ou des riches galeries de ses palais, ou des belles *ville* de ses campagnes, et notre exactitude était telle que presque toujours nos deux voitures arrivaient ensemble au lieu désigné.

Ces mystérieuses promenades duraient depuis assez longtemps, quand on vint à parler d'un bal brillant qui devait avoir lieu chez Tortonia. Ce bal était masqué, ce qui fit venir à la reine la fantaisie d'y aller et de m'y donner rendez-vous. Nous convînmes de nous faire faire un costume semblable ; c'était un domino de satin blanc tout garni de dentelles. Ainsi vêtues, on pouvait facilement nous prendre l'une pour l'autre ; seulement, comme signe de reconnaissance, je portais une guirlande de roses, et la reine un bouquet des mêmes fleurs.

J'arrivais au bal conduite par le duc de Laval-Montmorency ; au milieu de l'immense et brillante cohue qui remplissait les salons, je cherchais la reine des yeux et je l'aperçus enfin accompagnée du prince Jérôme Bonaparte. Tout en passant et repassant l'une près de l'autre, nous trouvâmes moyen de nous dire quelques mots et nous eûmes bientôt organisé un petit complot. Dans un moment où la foule était excessive, je quitte tout à coup le duc de Laval, et, m'éloignant de quelque pas, je détache à la hâte ma guirlande ; la reine, attentive à ce mouvement, me donne son bouquet en échange et va prendre ma place au bras de l'ambassadeur de Louis XVIII, tandis que j'occupe la sienne sous la garde de l'ex-roi de Westphalie. Elle se vit bientôt entourée de tous les représentants des puissances étrangères, et moi, de tous les Bonaparte qui se trouvaient à Rome. Tandis qu'elle s'amusait des saluts diplomatiques que lui attirait la compagnie de l'ambassadeur, et dont quelques-uns sans doute n'étaient pas nouveaux pour elle, je m'étonnais, à mon tour peut-être, à la révélation de regrets et d'espérances que d'ordinaire on ne dévoile que devant les siens.

Avant qu'on ne pût soupçonner l'échange qui avait eu lieu, nous reprîmes nos premières places ; puis à une nouvelle rencontre nous les quittâmes encore ; enfin, nous répétâmes ce jeu jusqu'à ce qu'il eût cessé de nous amuser, ce qui ne tarda guère, car tout ce qui amuse est de sa nature peu durable.

Cependant cette ruse, dont on avait fini par se douter, avait mis le trouble dans nos sociétés respectives. Le bruit s'était répandu dans le bal que la reine Hortense et Mme Récamier portaient le même déguisement, et l'embarras de ceux qui nous abordaient l'une ou l'autre, tant qu'ils n'avaient pas constaté notre identité, prolongea quelque temps le plaisir que nous prîmes à cette plaisanterie. Tout le monde du reste s'y prêta de bonne grâce, à l'exception de la princesse de Lieven que la politique n'abandonne jamais, même au bal, et qui trouva fort mauvais qu'on l'eût compromise avec *une Bonaparte* !

Avouons que, si le Destin les malmène, les deux masques blancs savent lui rendre la politesse ! Que ces deux femmes, parmi les plus célèbres et les plus recherchées de leur temps, échangent leurs identités à la barbe des clans, des chancelleries et des Puissances, qu'elle leur donnent, *in situ*, avec tant de grâce, une leçon narquoise mais percutante sur la vanité et la relativité des choses de ce monde, nous semble un moment d'Histoire d'une élégance parfaite... Et qui vaut toutes les pages romanesques qu'on voudra. L'époque le retiendra. Et nous aussi.

---

1. *In Souvenirs et Correspondance tirés des papiers de Mme Récamier, op. cit.*, II, pp. 72 et suiv.

Pendant que se déroule l'allègre Carnaval romain, le prince Eugène dont la santé déclinait — il avait perdu l'ouïe, puis la vue, puis l'usage du côté gauche — s'éteignit brutalement à Munich, le 21 février 1824. Ce fut une affliction générale. Des funérailles solennelles en l'église Saint-Michel marquèrent la place de celui qu'on se plaisait à appeler le « *Bayard moderne.* » Enterré, comme Napoléon, dans son uniforme des Chasseurs de la Garde, il reposerait désormais dans son nouveau pays qu'il avait aimé et qui avait su le lui rendre. Thorwaldsen serait chargé du monument funéraire honorant sa belle mémoire, orné de ces seuls mots : « *Honneur et Fidélité.* » Ils sont, en effet, l'exact résumé de sa courte vie.

On retarda autant qu'on le put l'annonce de leur deuil à sa sœur et à son beau-frère, le prince royal de Bavière — le futur Louis Ier, l'admirateur de Lola Montès —, séjournant à Rome, lui aussi, et, quand ils en furent avertis, c'est une évidence de dire qu'ils en furent accablés. Eugène était le meilleur ami d'Hortense, son alter ego, son confident, son protecteur, le témoin de toute sa vie. Une part d'elle-même, la plus sensible, la plus profonde, partait avec lui. S'attendait-elle à la perte qu'elle faisait ? Espérait-elle que l'énergie et l'équilibre légendaires de son frère vaincraient la maladie qui l'avait terrassé ? Nous l'ignorons. Tous les témoins s'accordent sur la violence de sa douleur ; Mme Récamier qui, au mépris des critiques et des caquets d'ambassade, se rend dans l'antre bonapartiste, en l'occurrence la villa Paolina, comme le précepteur de Louis, M. Lebas, qui assiste au moment douloureux où le jeune prince de seize ans apprend à sa mère le malheur qui les frappe :

J'ai encore l'âme brisée de ses cris et de ses sanglots. Heureusement que le ciel ne lui refuse plus les larmes. Elle en a versé d'abondantes. Nous en avons tous versé avec elle et ce spectacle de la douleur générale a paru lui faire beaucoup de bien. Puis elle s'est levée, a pris un bain de pieds et s'est trouvée assez calme. Aujourd'hui 3 mars 1824, son état est aussi satisfaisant qu'on peut le désirer. J'espère qu'elle passera cette crise sans que sa santé en souffre.

Goethe, qui aura appris la mort d'Eugène avant Hortense, y réagit avec la sensibilité et l'élévation qui le caractérisent. C'est Eckermann qui rapporte sa réaction :

Dimanche 29 février

Il m'annonça la mort d'Eugène Napoléon, duc de Leuchtenberg. La nouvelle était arrivée ce matin même et paraissait l'affecter profondément. « C'était, dit Goethe, un de ces grands caractères qui se font de plus en plus rares ; et le monde s'est encore appauvri d'un homme remarquable. Je le connaissais personnellement ; l'été dernier, nous étions ensemble à Marienbad. C'était un bel homme d'environ quarante-deux ans, mais qui paraissait plus âgé. Il n'y a pas lieu de s'en étonner quand on pense à ce qu'il a enduré, aux campagnes et aux grands faits qui, sans interruption, se sont succédé dans sa vie. Il me fit part à Marienbad d'un plan sur l'exécution duquel nous avons beaucoup discuté. Il s'agissait précisément de réunir par un canal le Rhin au Danube. Entreprise gigantesque, si l'on réfléchit aux obstacles naturels. Mais à quiconque a servi sous Napoléon et, avec lui, a ébranlé le monde, rien ne semble impossible. Charlemagne avait déjà conçu le même plan et même il fit commencer les travaux, mais l'entreprise devait bientôt être suspendue : le sable ne tenait pas à l'épreuve, les masses de terre s'éboulaient sans cesse de part et d'autre.

Si Hortense reçoit, comme il se doit, des condoléances nombreuses, c'est auprès de son oncle Beauharnais, le

---

1. Lettre de Lebas, citée par Ferdinand Bac *in Napoléon III inconnu*, Paris, 1932, pp. 105-106.

2. *In Conversations avec Eckermann*, Paris, 1942, p. 65. Dimanche 29 février 1824.

« féal Beauharnais » de la Constituante, avec lequel le lien familial demeurait solide en dépit de leur éloignement, qu'elle s'épanche :

> Mon cher oncle, vous devez comprendre mon désespoir, mon frère était mon seul ami, ma consolation ! J'ai beau me résigner à la volonté de Dieu, je n'en ai pas moins le cœur déchiré et la vie me semble déjà finie pour moi tant mes facultés sont anéanties. Je compte bientôt aller pleurer avec ma pauvre sœur, cela me fera du bien de pleurer ! La pauvre femme sent son malheur bien vivement, ils étaient si heureux ensembles [*sic*]. Oh ! mon oncle, quelle perte pour tout le monde, il était si bon, si parfait. Au moins emporte-t-il la réputation la plus belle, la plus honorable, celle de l'homme de bien, mais que cette vie a été courte ! Adieu mon cher oncle, j'embrasse vos enfants. Je compte sur votre amitié et je vous assure de tous mes sentimens.

> Hortense.

Avant de reprendre le chemin du retour, Hortense fait quelques belles excursions, et le 26 avril, elle revoit une dernière fois Mme Récamier. Elles ont décidé d'aller ensemble à Tivoli, aux environs de Rome, admirer les célèbres cascatelles, au pied de la Villa d'Este, parcourir les gorges de l'Anio, que dominent, de l'autre côté de la vallée encaissée, le petit temple de Vesta et, le jouxtant, l'auberge de la Sibylle, où la compagnie dînera. C'est Jean-Jacques Ampère, très épris de la belle Juliette, qui raconte cette journée :

> Lundi 26 avril. Nous sommes partis par un fort beau temps. J'étais fort en train tout le long du chemin. Je soignais mon bonheur. J'étais décidé à éviter tout sujet de discussion, à éloigner tout ce qui pourrait troubler le plaisir que je me promettais de cette journée... A Tivoli, on descend, à travers de petites rues tortueuses, à l'auberge de la Sibylle. C'est une maison sans apparence dans une vilaine rue ; on

---

1. Lettre du 6 avril 1824, A.N. 251 AP (5). Papiers Beauharnais.

traverse une espèce de cuisine et on arrive dans une cour de
derrière. Là on découvre à sa gauche le charmant petit temple de Vesta. A côté de là on se trouve en face d'une chute
de l'Anio, dans une vallée bordée partout de hautes montagnes. Le coup d'œil inattendu des cascades, le bruit de l'eau,
ce temple dans la cour d'une auberge, l'horizon imprévu
que l'on découvre tout à coup, tout cela m'a mis, pendant
deux minutes, tout à fait hors de moi... Nous avons été
salués par le précepteur du Prince... Je craignais, en lui faisant des politesses, que ce fût un domestique. Bientôt on vit
la Reine, les deux princes, la dame d'honneur et le chambellan. La Reine est laide, bonne, d'un ton naturel et sans affectation. Le Prince Napoléon Bonaparte est, je crois, un assez
brave jeune homme d'assez mauvais ton, aux bancs de
l'école de droit. Louis, le plus jeune, a l'air d'avoir beaucoup plus de finesse, de sensibilité, d'esprit. Le Chambellan
a été choisi par la Reine pour ne donner d'ombrage, ni par
sa figure ni par son esprit... Mlle Piot, la suivante, est une
jolie personne d'une voix désagréable ; elle a l'air d'une
petite perruche qui se rengorge. Lord Kinnaird était avec
eux ; il n'était pas en train et avait l'air ennuyé, je crois,
d'être en bonne compagnie un peu trop longtemps. Comme
nous étions 13, on a mis un petit garçon à table pour rompre
le charme, et le chambellan s'est mis à le tourmenter. Le
pauvre petit, persécuté par l'un pour cacher ses mains, par
l'autre pour bien tenir sa cuiller, était d'abord sur le point
de pleurer... J'étais près de Mme Récamier. Le temps était
frais. Nous partîmes pour faire le tour des cascatelles... Je
suis tombé en voulant descendre trop vite pour donner le
bras à Mme Récamier. Elle me l'a fait donner à la Reine. Je
n'oublierai de ma vie que j'ai vu les cascatelles de Tivoli
avec la Reine Hortense me faisant des foules (de récits) sur
les cours, le naturel, le sentiment, et me racontant sa douleur
de la mort du Prince Eugène et que moi, dans ce moment,
j'étais si distrait par les cascatelles et par l'envie de rejoindre
Mme Récamier ! Enfin, arrivé au petit pont, j'ai campé Sa
Majesté sur un âne et j'ai été rejoindre Mme Récamier...
Nous sommes montés à la terrasse en passant le torrent sur
des planches assez étroites. Ce torrent se précipite avec un
bruit et une fureur épouvantables. Mme Récamier marchait

à quelques pas devant moi en donnant la main au Prince
Napoléon. Au milieu de la planche, son manteau a glissé.
Heureusement je n'ai pas eu le temps de me tromper. Ce
manteau a été ressaisi avant de tomber. Mais j'ai frémi en
songeant à la peur que j'aurais eue si je m'étais trompé...
Nous sommes revenus par la villa d'Este... Là nous avons
dit adieu à notre royale société, avec un souhait de se retrouver au bord du lac de Constance. Mon ami Napoléon Bonaparte m'a serré la main. Nous sommes rentrés à l'auberge.
L'âne avait fini par fatiguer beaucoup Mme Récamier et, en
montant à la Villa d'Este, le Prince et moi nous la soutenions
des deux côtés. C'est ce que nous appelions faire le
deuxième et le troisième cheval, et ce que j'aimais beaucoup
à faire.

Rentrés à l'auberge, tandis qu'eux se retiraient sur leurs
lits, je suis resté dans la cour à écouter le bruit des cascades... (Puis) j'ai été, avec Mme Récamier et M. Ballanche,
à la grotte de Neptune. Grand effet, eau blanche, fond noir,
oiseaux qui la traversent. Mme Récamier s'est assise auprès
d'une colonne, occupée et attristée par ses souvenirs...

Bien sûr, Ampère ne considère vraiment que l'objet de
sa flamme ! Mais tout de même, cette page nous permet
d'imaginer la teneur de cette course, où ces deux femmes de goût, devenues amies, ont pu, une dernière fois,
malgré le disparate de leur entourage, partager la joie
d'être ensemble.

Mme Récamier l'exprimera avec un rare bonheur,
dans la lettre (inédite) qu'elle adresse à la reine, en
réponse à celle-ci, arrivée à bon port :

Rome, le [12 ?] juillet [1824]

Madame,

J'attendais avec impatience votre première lettre, je ne
puis [assez] vous remercier de votre aimable souvenir, mes
vœux et mes regrets vous ont suivie dans ce triste voyage

---

1. L. de Launay : *Un amoureux de Mme Récamier, le Journal de
Jean-Jacques Ampère*, Paris, 1927, pp. 72 et suiv.

et je me suis associée à toutes vos impressions ! Je rêve à
présent au moyen de vous revoir ou à Rome ou en Suisse.
Je pense sans cesse aux moments que j'ai passés avec vous,
tout s'est réuni pour leur donner plus de prix encore. L'éloignement que vous aviez pour le monde, votre tristesse, la
mienne, le mystère de nos premières entrevues, nos promenades au milieu des ruines, ce charme attaché à des lieux
célèbres, enfin la lecture de [ces] Mémoires qui donnait à
notre relation la seule chose qui lui manquât en me rendant
pour ainsi dire le témoin de toute votre vie ! Voilà, Madame,
des souvenirs uniques. Je vous remercie de vous être fait
connaître à moi telle que vous êtes et je vous supplie
d'agréer l'expression la plus vraie de l'admiration la plus
tendre.

J. Récamier

Je pars pour Naples. J'aurai l'honneur de vous écrire à
mon retour de Rome.

*
* *

La mort d'Eugène détermine Hortense à quitter son
établissement en Bavière au profit de Rome. Elle loue
le palais Ruspoli, sur le Corso, y fait transporter ses
tapisseries et l'essentiel des collections de sa Galerie, y
installe Mme Lacroix à l'année, heureuse de partager
son temps entre les plaisirs d'Arenenberg, l'été, entre-
coupés de visites en pays de Bade, à Stéphanie, ou à
Inzigkofen, chez les Hohenzollern-Sigmaringen, et les
agréments de la saison d'hiver, dans la Ville Éternelle.
Hortense y est séduite par la variété et le brio de sa
société : le corps diplomatique autant que les nombreux
étrangers de passage — Anglais et Français, pour la plupart — lui donnent un entrain, un relief, une élégance

1. A.N. 400 AP 32.

dont la tranquille Augsbourg était, certes, dénuée. Qui plus est, les Bonaparte y séjournent régulièrement autour de Madame Mère, toujours verte en dépit des années et des deuils, toujours constante dans ses affections, spécialement envers ses petits-enfants, seconde génération nombreuse qu'elle voit grandir avec un contentement profond. Depuis la disparition de l'Empereur, l'étau policier s'est passablement desserré, et leur vie à tous y a gagné.

C'est à Florence que vit Julie, l'épouse de Joseph, non loin du roi Louis. Et c'est donc tout naturellement que leurs enfants se rapprochent. Le vœu dernier de Napoléon avait été que sa famille fasse souche en Italie et qu'elle favorise les mariages entre cousins Bonaparte. La fille aînée de Joseph, Zénaïde, avait épousé Charles-Lucien, le fils du prince de Canino. Napoléon, le fils aîné de Louis et d'Hortense, arrive en âge d'être marié. Malgré la préférence d'Hortense pour une union avec une petite Leuchtenberg, union à laquelle la princesse Auguste ne tient guère, c'est Charlotte, la cadette de Zénaïde, qui est retenue. A son retour de Point-Breeze, la propriété de son père près de Philadelphie, elle apparaît comme une petite personne vive et fine, dont les grands yeux noirs compensent le peu de beauté. Napoléon est devenu un superbe jeune homme aux manières fougueuses et dégagées, portant la marque de sa famille paternelle : il provoquera l'adoration de sa jeune femme. Les mises au point financières précédant leur union agacent les deux jeunes gens, au point que Napoléon écrit drôlement à son cadet qu'à la veille de son mariage, il « a un mal de tête fou... depuis le matin jusqu'au soir, on ne fait que me parler d'intérêts et de contrat. On dirait que nous sommes devenus Juifs... » Le prince attend impatiemment la résolution de son mariage pour mettre

---

1. A.N. 400 AP 27.

sur pied, avec l'optimisme énergique qui le caractérise, un certain nombre de projets dont le plus tangible sera une papeterie modèle, en Toscane maritime, non loin de Carrare, à Sarravezza. Ce passionné de physique et de mécanique en dessinera lui-même chacune des machines. Il s'intéresse aussi à la direction des aérostats, thème qui lui inspire un mémoire. L'intelligente Charlotte le soutient en tout, et rien n'est plus tonique que ce jeune couple aux idées neuves.

Pour Hortense, cette fin de décennie s'écoule agréablement, ponctuée d'autres mariages, dans sa famille, parmi la génération montante. Après sa nièce, Joséphine, devenue princesse royale de Suède, c'est Eugénie, sa cadette, qui se marie, avec le prince Constantin de Hohenzollern-Hechingen. La reine, très aimée de ses neveux, aura souvent l'occasion de voir ceux-ci chez les Hohenzollern-Sigmaringen, dont le prince héritier convolera bientôt avec l'une des trois filles de Stéphanie, (une autre) Joséphine. Puis c'est le tour de la troisième fille d'Eugène : celle-ci s'en va régner sur le Brésil aux côtés d'un jeune veuf, l'empereur Dom Pedro Ier. Il mourra prématurément, et la gentille Amélie reviendra vivre en Europe, sous le nom de duchesse de Bragance.

Peu avant le départ de sa nièce pour Rio de Janeiro, Hortense était allée prendre les eaux d'Aix-la-Chapelle, où elle avait revu Charles de Flahaut — avec lequel elle entretenait une régulière correspondance —, qu'accompagnait son grand fils. Qui avait été le plus troublé, de la reine ou du bachelier ? Celui-ci, les années ayant passé, se souviendra des attentions de la reine Hortense, sa mère, qui avait été « tendre » avec lui, sur le tard. C'est ainsi qu'il prendra la peine de l'indiquer dans son testament... Par une notable coïncidence, M. de Talleyrand séjourne, lui aussi, dans la cité carolingienne. Et les trois générations se côtoient, quotidiennement, dans son salon. Mais, est-ce une coïncidence ? L'œil sagace du vieux diplomate observait avec bonheur les débuts dans le monde du jeune Morny. L'un des premiers, le prince avait détecté les étonnantes promesses inscrites au front de son petit-fils...

Autour d'Hortense, les commensaux se renouvellent : le vieil abbé Bertrand s'est retiré en France, près de Mantes. L'ont remplacé le charmant et talentueux peintre Cottreau, qui saura fixer heureusement les traits de la reine — que la quarantaine épanouit —, l'original Coulmann, l'auteur futur des *Réminiscences*, le poète Casimir Delavigne, dont la renommée s'affirme et le sémillant colonel de Brack, dont les facéties autant que la célèbre taille de guêpe ne sont pas du goût de tout le monde. Ils agrémentent les séjours romains d'Hortense, l'accompagnent dans ses courses et ses randonnées et animent les salons du palais Ruspoli, où se rencontrent les personnalités les plus diverses, jusqu'aux attachés de l'ambassade de France, M. de Chateaubriand, auxquels il est dorénavant permis — signe des temps ! — de paraître chez elle. D'Haussonville se souviendra qu'au cours d'une promenade sur le Pincio, qu'il faisait en compagnie de son père et du prince Louis, Hortense évoquant l'avenir de celui-ci s'exclama : « Ah ! si je pouvais pour le mien [son fils] demander au roi Charles X une sous-lieutenance dans un régiment français ! » Le sang Beauharnais, en elle, était toujours aussi parlant !

« Evviva la libertà ! »

Tout l'été 1830, Arenenberg bruit de l'effervescence provoquée par la révolution de Juillet qui vient de chasser les Bourbons de France au profit de leur cousin, Louis-Philippe. Les assurances que celui-ci, encore duc d'Orléans, avait faites à la grande-duchesse Stéphanie, d'abolir, s'il venait aux affaires, la proscription frappant les Bonaparte, autant que la liberté reconquise, avec le drapeau tricolore, transportent d'aise tous ses habitants. Une ère de renouveau s'installe, pense-t-on. Elle ne va pas manquer d'entraîner les forces libérales qui, partout en Europe, fermentent, impatientes d'un grand soutien pour entrer en action et vaincre les oppressions et le conservatisme de la Sainte-Alliance. Les deux fils d'Hortense témoignent, l'un, d'Italie, l'autre, de l'école d'artillerie de Thoune, dans le canton de Berne, où il vient d'être admis, d'une ardeur impatiente. Napoléon écrit à sa mère son regret de n'avoir pu verser son sang pour sa patrie : « Vive la grande nation ! Vivent les trois couleurs ! » Le cadet est à peine moins trépidant, et rêve de devenir, enfin, citoyen français.

Si elle partage leur enthousiasme et leur admiration pour les Français qui ont su secouer leur joug, elle essaie de tempérer leur fougue : dès septembre, en effet, elle apprend qu'une nouvelle loi française vient de lever les proscriptions, à l'exception de celle qui s'exerce contre les Bonaparte. Ceux-ci demeurent bannis et, bientôt, le 10 avril 1832, un article nouveau viendra renforcer cette loi, qui interdit à la famille de l'Empereur la possession d'aucun bien en France. Si elle avait pu empêcher que son fils aîné s'engage dans la lutte des Grecs pour leur indépendance, Hortense est trop lucide pour ne pas redouter une fermentation accrue dans la Lombardie et l'Italie centrale, où l'occupation autrichienne est de plus en plus mal tolérée par les populations : ses fils n'ont qu'une envie, qui est de se battre pour une grande cause, celle de la liberté, et le nom qu'ils portent les expose aux sollicitations des futurs insurgés.

Elle les a élevés dans la conviction qu'on doit être homme avant que prince et que la naissance aux marches d'un trône ne commande qu'un devoir majeur : se mettre au service de ses semblables. Leur père, trop absorbé par lui-même, ses infirmités et sa dévotion, n'a aucunement pris garde que ces jeunes gens en mal d'action pouvaient être contactés, dans son palais même, par la société secrète, très agissante alors, des carbonari. Elle travaillait en profondeur les mentalités, structurait les recrutements et, le moment venu, comptait bien sur l'effet magique du nom des princes pour que, mis à la tête de l'insurrection, ils entraînent les soulèvements populaires. Leurs entourages ignorent l'affiliation des fils d'Hortense et de Louis, et si ceux-ci ne s'étonnent guère des opinions républicaines que leurs enfants professent véhémentement, ils ne s'attendent pas à ce qu'ils prennent les armes.

Lorsque, à la mi-octobre, la reine se met en route pour Rome, comme à son habitude à cette saison, elle n'est pas dénuée d'inquiétude. Mais que peut-elle faire ? Avec raison, elle pense qu'au moins sa présence préviendra d'intempestives aventures. Elle se trompe, ou plutôt, elle sous-estime l'emportement de la jeunesse, sa vivacité, sa conviction, et la frustration qui, chez ses fils, agit comme le plus puissant des mobiles. D'autant que la famille Bonaparte est extrêmement rangée et soucieuse de ne déplaire en rien au Pape, qui lui a offert un asile dont, pour rien au monde, ses membres ne voudraient compromettre la stabilité : autour de Madame Mère, désormais allongée depuis qu'elle s'est cassé le col du fémur, mais qui garde toute sa tête, le cardinal Fesch, les Jérôme, ainsi que les Lucien, Louis ou Julie, voisins toscans, font bloc. La péninsule frémit. Eux, ne bougeront pas.

Les trois voitures de la reine Hortense, son courrier les précédant, et son fourgon à bagages les suivant, comme à l'accoutumée, ont traversé le Tyrol pour atteindre par Feldkirch, Landeck, Merano, Trente, Trévise et Venise. Caroline, depuis Trieste, doit y envoyer réceptionner sa nièce, la jeune princesse Caroline de Hohenzollern-Sigmaringen, fille d'Antoinette Murat et du futur prince régnant. Hortense l'a chaperonnée depuis Inzighofen, où elle a passé le mois de septembre pour la conduire à bon port *via* Arenenberg, où elle prend son fils Louis au passage. Auprès d'Hortense, une autre nouvelle présence : celle de sa Dame d'honneur, Valérie Masuyer, dont la sœur Fanny est dame de la princesse Amélie de Hohenzollern, la vieille amie d'Hortense, et que Mme Récamier lui a suggéré de prendre avec elle.

Valérie se trouve liée aux Beauharnais par son oncle, le comte d'Esdouhard, qui, jeune clerc de maître Joron, avait rencontré la future Joséphine au moment où celle-ci formulait sa plainte contre son époux, le vicomte Alexandre. Valérie n'aurait su oublier que, trente-deux ans avant qu'elle ne soit présentée à la reine Hortense, c'était la mère de celle-ci, sa marraine, qui l'avait portée sur les fonts baptismaux de Notre-Dame-de-l'Assomption, rue Saint-Honoré. Elle gardait un souvenir inoubliable d'un déjeuner à la Malmaison, le 6 janvier 1810, douzième anniversaire de son baptême précisément, où, malgré son récent divorce, la belle Impératrice, vêtue d'une robe mauve rehaussée de fleurs brodées en perles, avait su triompher de son chagrin pour accueillir aimablement sa petite filleule qu'accompagnaient la comtesse d'Esdouhard, sa tante, et Mme de Lavalette. Ce jour-là, l'Empereur avait fait une apparition à la Malmaison, provoquant l'émotion de la compagnie, les larmes de Joséphine et l'admiration fascinée de l'enfant.

Valérie Masuyer succède auprès d'Hortense à Élisa de Courtin, et elle remplira ses nouvelles fonctions avec talent : excellente musicienne, condition *sine qua non* pour partager l'existence de la reine, elle est, de plus, dotée de bienveillance et d'esprit. Passionnée par le monde qu'elle découvre, elle saura le décrire avec finesse et expressivité. Parfaitement bien élevée, à sa place et sachant s'y tenir, Valérie est le modèle de la Dame d'honneur : elle aime sa princesse, elle la

comprend, la soutient, excelle à la distraire et à l'entourer. Cette jeune vieille fille, qui aura un durable sentiment pour un aristocrate italien, le comte Arese, qu'elle
refusera d'épouser, ne quittera pas sa maîtresse et, noble-
ment, après la mort de celle-ci, elle n'aura qu'un projet :
« se souvenir », comme elle le déclarera au prince Louis.
Témoin idéal, c'est à travers elle que nous apprenons ce
que nous voulions savoir des dernières années de celle
qu'elle aima et servit si bien.

C'est à travers les *Mémoires* de Valérie, aussi bien
que le *Récit* qu'en publiera la reine, en 1834, que nous
pouvons reconstituer la succession d'événements inattendus et tragiques qui marquent le début de l'année
1831, ce soulèvement généralisé de la Lombardie et de
l'Italie centrale, qu'on a appelé l'« insurrection des
Romagnes », mémorable feu de paille maîtrisé par
l'armée autrichienne, mais qui préfigure les révolutions
de 1848 ainsi que les luttes pour l'unité italienne. Ces
événements nous intéressent aussi pour la part qu'y ont
prise les deux fils d'Hortense, l'aîné y laissant la vie.
Essayons d'en retracer ici la trame.

A la fin du mois de novembre 1830, la reine et sa
suite s'installent au palais Ruspoli. Rome est en émoi :
le Pape, Pie VIII, vient de mourir, et, profitant de la
vacance du pouvoir pontifical — le conclave ne prendra
fin que le 3 février suivant —, des agitateurs troublent
sourdement la ville, provoquant la colère de ses habitants les plus anciens, ceux du Trastevere et des Monti,
qui sont prêts à la défendre : ils aiment leur pape et leurs
vieux prélats dont le paternalisme les abreuve de fêtes
et de processions spectaculaires, et n'ont que faire de
ces aspirations libératrices. Les étrangers présents dans
la cité papale, tout comme les Bonaparte, suivent avec
une inquiétude grandissante la montée des insurrections
qui prennent assez de consistance pour qu'à la fin du
mois de février un gouvernement provisoire s'installe
à Bologne.

Alors qu'elle descendait de Florence à Rome, Hortense avait croisé son mari qui, lui, faisait le trajet inverse, à Montefiascone : ils étaient convenus, se partageant leurs enfants — le cadet suivant sa mère —, qu'à la première alerte, tous se regrouperaient dans la pacifique Toscane. Et dès que les autorités romaines, par mesure de précaution, expulsent le prince Louis, un mois après son arrivée, celui-ci repart pour Florence, près de son père et de son frère, ce qui tranquillise la reine. Hélas ! Quand passé les cérémonies du couronnement du nouveau Pape, Grégoire XVI, et les fêtes du Carnaval, elle rejoint la Toscane, Hortense a la désagréable surprise d'apprendre que ses fils ont disparu ! Ni leur père ni Charlotte n'ont la moindre idée de l'endroit où ils sont allés. On apprend bientôt qu'ils se battent aux côtés des insurgés, qu'on les a vus à Spolète puis à Terni, où les rejoindra le colonel Armandi, un de leurs anciens précepteurs, qui commande maintenant les troupes constitutionnelles.

Indignation chez les Bonaparte ! Comment arrêter ce scandale ? Quel affront aux autorités papales ! D'autant que les deux princes, forts de leur nom, déclenchent partout où ils passent un enthousiasme prodigieux. Aux cris de « Evviva Napoleone ! Evviva la libertà », la révolution se répand comme une traînée de poudre, et Bologne se demande déjà s'il faut attaquer Rome ou non. Les princes sont chargés d'ouvrir la voie, organisant la défense jusqu'à Foligno, et se préparant à prendre Civita Castellana. Les pressions familiales se font plus fortes sur les deux garçons, Jérôme leur envoyant même un de ses officiers westphaliens, et ils menacent de partir aux côtés des Polonais — eux aussi insurgés — si on ne les laisse pas agir en faveur des Italiens ! Mais ils finissent par céder : au moins promettent-ils de ne pas attaquer la Ville Éternelle, où les leurs ont trouvé depuis quinze ans une hospitalité sans partage, et où réside leur grand-mère.

La famille est soulagée. Cela dit, les princes continuent, comme volontaires et non plus comme officiers de l'armée constitutionnelle, d'animer le terrain. Évidemment, leur mère est aux cent coups ! Comment les raisonner ? Comment les convaincre de ne pas s'exposer ainsi ? Hortense a compris, d'emblée, que manquant d'armes, ces soldats improvisés n'iront pas loin sans un appui venu de l'extérieur. La France pourrait les soutenir. Mais la France se garde bien de bouger. Si Louis-Philippe et Metternich étaient entrés en guerre à cause de l'Italie, à la bonne heure ! le soulèvement italien aurait pu réussir. Mais telle qu'elle se présente, la situation des Romagnes n'est guère tenable. Qu'arrivent les Autrichiens, en force, et c'en sera fait !

Le roi Louis n'est pas moins préoccupé pour ses enfants, mais quasi infirme, que peut-il tenter ? Il supplie Hortense d'aller dans les lignes ennemies rechercher Napoléon et Louis. Elle seule saura les extraire du guêpier où ils se sont fourrés. Elle seule pourra enrayer la compromission de la famille provoquée par ces deux inconscients. Et Hortense, bien sûr, y va. Elle emprunte au roi sa voiture de voyage, les siennes étant à Rome, où elle vient de renvoyer la dernière, avec M. de Bressieux, un émigré français — depuis les Trois Glorieuses — qui s'était offert, généreusement, pour l'escorter, comme il l'avait fait, quelques mois auparavant, pour Charles X reprenant la route de l'exil. La reine ne veut pas de présence masculine à ses côtés : elle traversera plus facilement le maillage policier qui entoure la Toscane, en compagnie de sa seule Dame, Valérie. Femme d'action, la reine pense à tout : elle se prémunit d'un double jeu de passeports, à son nom habituel et au nom d'une dame anglaise, ce qui permettra, si besoin est, de se déplacer discrètement. Elle a le sang froid d'organiser une fausse sortie de Florence, pour faire viser — autant dire valider — ces papiers de rechange, à la douane de

Florence. Le cas échéant, elle pourra rentrer légalement dans la capitale toscane. Et, armée de son seul courage, elle se dirige vers Foligno, où, pense-t-elle, se trouvent encore les deux princes.

Mais ceux-ci sont remontés vers Bologne, puis redescendus à Forli, non loin de Rimini. Les Autrichiens ont atteint Ravenne : il faut faire vite... La traversée des pays insurgés est indescriptible. La liesse et la bonne humeur s'y expriment à tout instant, et au passage de la reine, on redouble de vivats. Au bout d'un certain temps, à Foligno, la reine comprend qu'on lui cache quelque chose. Un courrier envoyé par les princes lui apprend qu'ils vont bien, puis que Napoléon « tousse un peu », puisqu'il est retenu à Forli, avec la rougeole. Elle décide de s'y rendre sur-le-champ, par la route de Pesaro. A la première poste, les nouvelles se font plus contradictoires, et plus inquiétantes : le prince réclame sa mère ! Valérie, elle, a déjà compris, ce qu'une indiscrétion brutale va révéler à la pauvre reine : le prince Napoléon a succombé !

Malgré son accablement, Hortense n'a qu'une pensée : retrouver son cadet et le sauver. Elle veut rejoindre Pesaro, et dans « une hâte fiévreuse », selon les mots de Valérie, on passe, de nuit, l'Apennin. Par le col du Furlo, on atteint Fossombrone, puis Fano, puis Pesaro où Louis est arrivé la veille : nous sommes le 20 mars 1831, le 20 mars ! date repère pour les Bonaparte, celle du retour de l'île d'Elbe. Hortense s'installe au palais Leuchtenberg, propriété de son neveu depuis la mort d'Eugène, lequel neveu, par une ironie de l'Histoire, est, au même moment, pressenti par les Belges pour devenir leur premier roi ! Louis-Philippe ne laissera pas aboutir cette candidature : comme ses fils, il refusera ce qu'ils appelaient la « Beauharniaiserie » (!) au profit de Léopold de Saxe-Cobourg, qui, non seulement, sera un excellent monarque mais épousera sa fille aînée Louise.

C'est à Pesaro que Louis fait à sa mère le récit de la maladie de son frère, qui a duré cinq jours, du 11 mars qu'elle se déclare au 17 au matin, que le malade s'éteigne, victime d'une inflammation au poumon que les sangsues et les saignées n'avaient pas enrayée. Le jeune prince avait été tenu éloigné de Napoléon, son médecin Versari, s'il était impuissant à sauver l'un, ne tenant pas, de plus, à ce que l'autre subisse la contagion et le suive dans la tombe. Cela est une version officielle du drame, la version autorisée par les Bonaparte et les contemporains du prince. La reine sut-elle la vérité ? Son *Récit*, par ailleurs si politique, des événements des Romagnes ne met pas en doute la raison de la mort brutale de son fils aîné. D'autant que le cadet et son compagnon de fuite, le jeune marquis Zappi, auront tous deux des attaques de rougeole en ce même mois de mars. Et, comme chacun sait, la rougeole, alors, pouvait être mortelle, si elle était virulente et si l'éruption, pour une raison ou pour une autre, ne se faisait pas normalement.

Valérie, elle, saura bientôt à quoi s'en tenir sur la mort de Napoléon : le prince a été exécuté par les carbonari eux-mêmes, pour avoir refusé de marcher sur Rome à leur tête. C'est le jeune Zappi qui vendra la mèche, en ces termes, qu'elle notera sur un de ses « papillons », retrouvés par Bourguignon, l'éditeur de ses *Mémoires* :

Lyon, 19 avril 1831, *mardi.*

Je ne puis me remettre de l'émotion que vient de me causer M. Zappi ! Entrant tout à l'heure comme un fou, tandis que je prenais quelque repos en attendant le retour de la Reine sortie avec son fils, il se précipita sanglotant à mes genoux ; croyant encore à une de ses démonstrations italiennes dont il a coutume et auxquelles je ne puis m'habituer, je le priai de vouloir bien quitter ma chambre, mais il pleura de telle sorte que j'eus pitié de cet écervelé et le faisant asseoir à quelque distance, m'inquiétai de la raison d'un tel état. Il me dit alors qu'il étouffait d'un secret qu'il ne pouvait plus conserver, maintenant que nous étions en France. Le prince Napoléon, m'assura-t-il, ne serait pas mort de la rougeole, mais victime d'un assassinat ! Ce malheureux jeune homme aurait été dénoncé par le comte Orsini comme refusant de marcher lui-même sur Rome à la suite des supplications des siens, de son père notamment, et condamné à la mort par le Conseil des Carbonari. L'un d'eux l'aurait alors frappé d'une balle ou d'un poignard, Zappi ne sait au juste, dans l'auberge même du Capello. Il n'en serait pas mort, mais tandis qu'on le soignait, la rougeole aurait achevé l'œuvre fatale en s'attaquant à un corps déjà moribond ! Maintenant que je me remémore les explications embrouillées de M. Roccassera, lorsqu'il nous apprit l'horrible nouvelle, le refus du prince Louis d'entrer dans des détails, alléguant son impossibilité d'augmenter ainsi son affreux désespoir, devant les affirmations de M. Zappi qui ne semble, hélas ! que trop sûr de ce qu'il avance, je me sens atterrée. Pauvre mère, pauvre frère ! Il est vrai que la Reine ne saura jamais cette atroce vérité si c'en est une, puisque heureusement l'autopsie, mensongère, dit M. Zappi, du docteur Versari, affirme que la mort est due à la rougeole. C'est pour cela, sans doute, que M. Roccassera m'a dit qu'il n'avait pas voulu que le prince Louis en fût témoin. Quel horrible imbroglio ! Ah ! ces Italiens ! qu'il est heureux que le prince Louis ne soit plus à leur portée ! Quels risques ne courait-il pas à son tour ! Combien ils sont déconcertants ! M. Zappi ne me conte-t-il pas aussi qu'un de leurs évêques, Mgr Nastaï d'Imala, a sacrifié 30 000 lires pour mettre des révoltés à l'abri de la poursuite des Autrichiens ! Dans tous les cas, j'ai supplié M. Zappi de borner à moi seule le besoin de ses confidences sur ce cruel sujet. Il me l'a promis, mais peut-on compter sur la parole d'un Italien ? La Reine et son fils ont grand besoin vraiment de dévouement français auprès d'eux. Que n'ai-je pour me seconder MM. Arese et Conneau au lieu de ce turbulent Zappi .

Le secret fut bien gardé jusque sous le Second

1. *In* Introduction aux *Mémoires* de Valérie Masuyer, présentés par Jean Bourguignon, Paris, Plon, 1937, p. XXVIII.

Empire, où il perça dans la biographie monumentale que
le baron Hippolyte Larrey, fils du grand chirurgien de
Napoléon, consacra à *Madame Mère*. Le prince Napoléon-Louis a trouvé la mort, écrit-il, à la tête des partisans. Il n'est déjà plus question de rougeole. Puis le
comte de Kératry, dans un ouvrage intitulé *Le dernier
Napoléon*, campe le récit de la scène dramatique survenue à l'auberge de Forli. Le fait nouveau est que l'exécuteur du prince, le comte Orsini, eut un fils, celui-là
même, semble-t-il, qui récidiva, tentant d'assassiner
Napoléon III, en posant des bombes à l'Opéra de Paris :

> Les conspirateurs arrivèrent un soir avec les deux Bona-
> parte dans une auberge de Forli. L'aubergiste apporte ce
> registre de police italienne, divisé en colonnes naïvement
> indiscrètes, que se rappellent bien ceux qui ont voyagé dans
> la Péninsule. Le registre demande au voyageur non seule-
> ment ses noms, prénoms et qualités, mais d'où il vient, où
> il va, l'objet de son voyage, etc.
>
> Les conjurés étaient à la veille de leur prise d'armes et
> n'avaient plus rien à ménager.
>
> Le premier prend la plume et écrit : « Accursi, conspira-
> teur, va à Rome pour renverser le pape ! » Puis il passe la
> plume à l'aîné des Bonaparte, lequel écrit, après son nom,
> les mêmes indications, et repasse la plume à son frère,
> lequel, après avoir répété les mêmes formules, la tend au
> quatrième qui est Orsini, et ainsi des autres.
>
> On avait vainement tenté de soulever les campagnes ;
> mais, « crétinisées par le fanatisme clérical », elles avaient
> refusé leur bonheur. On résolut donc de marcher sur Rome.
> La nuit, on tint conseil et l'on procéda à l'élection d'un chef.
>
> La chose se tira au sort.
>
> Le premier nom qui sortit fut celui de l'aîné des Bona-
> parte.
>
> Mais celui-ci, au grand ébahissement des Carbonari,
> refusa la dignité.

---

1. Le père de celui qui lança sur Napoléon III ses fameuses bombes
à l'Opéra, et fut exécuté à Paris le 13 mars 1858.

— Tous mes devoirs et tous mes sentiments de reconnaissance me défendent d'attaquer le pape. Ma famille n'a trouvé d'asile et de secours en Europe qu'auprès du Saint-Père, et je craindrais de rencontrer, sur l'escalier du Vatican, ma grand-mère et tous les miens. Je marche avec vous pour renverser le pouvoir clérical dans les provinces, mais ne me demandez pas de marcher sur Rome.

Les conjurés se regardent avec inquiétude, les fronts se rembrunissent et Orsini répond :

Que de pareils scrupules à l'heure suprême étaient étranges, fâcheux, mais surtout tardifs... ; qu'il eût mieux valu les manifester avant d'avoir accepté les secrets de la conspiration ; qu'attaquer le gouvernement clérical, c'est attaquer le pape, la différence ne se distinguait pas bien... ; qu'on avait bien insinué que les Bonaparte n'étaient entrés dans le mouvement que pour faire retirer aux autres conjurés une couronne du feu, etc.

Le matin, Napoléon-Louis expirait dans les bras de l'hôtelier, les uns disent d'une balle dans la poitrine, les autres d'un coup de poignard.

Louis-Napoléon n'attendit pas le reste ; il s'échappa la nuit même et s'enfuit à Ancône, d'où sa mère l'enleva et le ramena à Paris.

Le 24 mars 1831, les Autrichiens prennent Forli. Le corps du prince Napoléon y repose, jusqu'à ce que son père le fasse transporter à Florence, au cloître du Saint-Esprit, avant son transfert définitif à Saint-Leu. A Pesaro, la reine trouve la force de rédiger elle-même la notice nécrologique de son fils, qu'elle fait parvenir à l'abbé de Roccaserra, sympathisant des princes, et réfugié à Corfou, d'où il en assurera l'impression et la diffusion, sous sa signature. Les Autrichiens se rapprochent :

---

1. Cette page est reproduite dans la biographie que Joseph Turquan consacra à la reine Hortense.

Hortense transporte son petit monde de Pesaro à Ancône, plus au sud, sur l'Adriatique. Elle loge dans un autre palais Leuchtenberg, à l'étage noble, cependant qu'au-dessus d'elle s'établit le gouvernement provisoire replié depuis Bologne. On apprend qu'une amnistie générale est promise à tous les insurgés sauf au général Zucchi — un ancien officier de l'armée d'Eugène, que l'Empereur avait fait baron de l'Empire —, et au prince Louis. S'ils sont pris, ces deux-là doivent être fusillés sur-le-champ. Comment empêcher cela ? Tel est le problème que doit résoudre Hortense.

Son plan est le suivant : sortir au plus vite des Romagnes, traverser le plus discrètement du monde la Toscane et, longeant le littoral méditerranéen, remonter vers la France, de toute façon moins dangereuse que l'Italie, avant de rejoindre Londres et Arenenberg. Voici comment elle s'y prend :

Les étrangers compromis dans l'insurrection sont autorisés à s'embarquer pour Corfou et les îles Ioniennes. Parfait. Elle profite de cette circonstance pour demander des passages pour Louis et un domestique. Et elle fait répandre la nouvelle de leur embarquement. Tout le monde en est convaincu, à Ancône, mais à Rome et à Florence aussi. Elle patiente jusqu'au dimanche de Pâques, 3 avril, pour s'éloigner d'Ancône, de bon matin, afin d'aller entendre la messe au sanctuaire voisin de Lorette. Comment dissimuler les deux jeunes gens — Louis et son ami Zappi — sans qu'on s'en aperçoive ? C'est simple, on en fera des domestiques ! Affublés de livrées qui ne leur vont pas, Louis, la tête rasée, coiffé d'un bonnet de soie noire — le rendant méconnaissable —, ils quittent le palais Leuchtenberg, en compagnie de la reine et de sa petite suite, à quatre heures du matin. Commence une folle équipée à travers l'Italie en ébullition, qui divertit beaucoup Louis, parce qu'elle est pleine d'imprévu, de danger, de situations cocasses aussi ! Il joue son rôle à merveille, marchant à trois pas derrière ces dames, de l'air le plus niais qu'il peut, tenant leur parapluie avec componction. On passe des Marches en Ombrie sans encombre, mais à Foligno, où Louis est connu — et où la reine se trouvait encore il y a seize jours —, on fait mettre Louis dans la voiture des domestiques, un mouchoir sur le visage comme s'il dormait. On passe. A l'entrée en Toscane, nouveau danger : il faut déjouer les aubergistes trop physionomistes et les douaniers perspicaces. On passe. A Sienne, problème : c'est la reine qui est connue, depuis qu'elle s'y arrête chaque année, sur la route de Rome. On décide, pour plus de sûreté, que Louis contournera ou traversera à pied la cité, et qu'on le retrouvera à la porte de sortie, les deux contrôles policiers étant effectués. La reine voyage sous son identité normale de duchesse de Saint-Leu : les formalités sont longues, on perd du temps et, par malchance, la rue du rendez-vous est barrée ! Inquiétude : qu'aura fait le jeune homme ? On le découvre en train de manger des pommes, le plus benoîtement du monde, devant une petite boutique ! Et on parvient à partir, sans éveiller l'attention.

Bref, évitant Florence, Hortense progresse par Pise, Lucques, Pietrasanta — on ne résiste pas à monter jusqu'à Serravezza, voir la papeterie de Napoléon ; et par La Spezzia, Gênes et Nice, on atteint la France. On voyage désormais sous identité anglaise. Mme Hamilton et les siens : les jeunes domestiques deviennent des fils de famille. Pour plus de vraisemblance, le valet de chambre de la reine monte sur le siège arrière de sa voiture selon l'usage d'outre-Manche. La reine a écrit à son mari, par son banquier de Livourne, pour lui dire qu'elle s'embarque afin de rejoindre leur fils, qui a rallié Malte et que de là, elle le mènera à Londres. Son plan, est, en vérité, de se faire recevoir par Louis-Philippe et d'en appeler à sa mansuétude. En attendant, c'est une joie folle qui transporte les voyageurs à chaque étape de leur remontée vers Paris. Pour Louis, c'est une révélation : « Mon fils, électrisé par la vue de cette patrie qu'il aimait tant, n'avait qu'un désir, c'était d'y rester, de la servir même comme simple soldat », écrit Hortense, dans son *Récit*. Quand ils visitent Fontainebleau, que de souvenirs ! Que de questions de la part du prince ! Que d'émotion pour tous deux de rentrer « chez eux » !

A Paris, où l'on prend pied à l'Hôtel de Hollande, rue de la Paix, avec vue sur la place Vendôme et sa célèbre colonne — point de ralliement des Bonapartistes —, la position d'Hortense est plus délicate : elle se trouve là clandestinement, illégalement. Il lui faut donc se faire connaître du Palais-Royal au plus tôt, et demeurer discrète, de façon à n'incommoder ni ses ennemis, ni le souverain. Par l'intermédiaire de Valérie Masuyer, la reine contacte M. d'Houdetot, aide de camp du roi, qu'elle a un peu connu jadis. Il se présente à elle, et elle lui expose sa situation, et son désir de voir le roi. A l'aube d'un règne encore fragile, Louis-Philippe ne peut prendre le risque de recevoir la reine proscrite sans en avertir son président du Conseil. Certes la famille d'Orléans, dans les temps de l'adversité, n'a eu qu'à se louer des bienveillances de la reine de Hollande pour elle, il n'empêche qu'il est de bonne politique d'agir prudemment. Casimir Périer rend donc visite à Hortense. Elle doit être convaincante, puisque le lendemain on la mène au Palais-Royal.

L'entrevue est agréable : selon l'expression d'Hortense, le roi se montre « poli, gracieux même ». Il compatit, il temporise, il promet que bientôt il n'y aura plus d'exil dans son royaume, il ne s'étonne pas que Louis ait accompagné sa mère, il s'en doutait ; cela dit, que le jeune prince demeure dans un strict incognito, car son ministère qui ne sait rien pourrait bien s'en offusquer s'il apprenait cette présence en ville. Si la reine veut faire des « réclamations » sur ses biens confisqués, qu'elle lui fasse une note, « je m'entends en affaires et je m'offre d'être votre chargé d'affaires ». Si elle a des besoins d'argent immédiats, elle peut avoir recours à lui. On n'est pas plus aimable ! En conclusion de leur entretien, auquel n'assiste que le seul d'Houdetot, debout contre la porte de son salon, où se déroule la scène, pour empêcher toute arrivée indésirable, le roi fait venir sa femme et sa sœur, avec lesquelles la conversation se poursuit chaleureusement. Hortense a obtenu de pouvoir traverser la France, à son retour d'Angleterre, pour aller se réinstaller à Arenenberg, et elle emporte l'assurance que le roi des Français l'appuiera contre d'éventuelles représailles autrichiennes. « Enfin, nous dit-elle, je reçus tant de marques d'intérêt, que je les quittai enchantée de leur accueil et touchée de la sympathie qu'ils avaient montrée pour moi. »

Cette douzaine de jours qu'Hortense passe dans sa ville natale, après seize années d'exil, sont très intenses : elle rencontre à plusieurs reprises Casimir Périer, avec lequel on met au point les modalités d'un retour progressif d'Hortense en France, aux eaux de Vichy, par exem-

---

1. Ghislain de Diesbach nous signale aimablement une page des souvenirs inédits de son aïeul le comte Eugène de Diesbach, 1817-1905, évoquant la rencontre, au Palais-Royal, de Louis-Philippe et de la reine Hortense. « Le roi la reçoit gracieusement, prend une part très vive à l'état de dénuement dans lequel elle se trouve après tant de malheurs et d'infortunes, et lui remet 25 000 F en mains. » Hortense s'explique dans son *Récit* de ce que la proposition lui a été faite, et réitérée par le président du Conseil. Elle n'a pas eu besoin d'accepter, ayant fait tirer par Mlle Masuyer 16 000 F, le jour de son arrivée à Paris, chez le banquier Jacques Lefebvre. Hortense avait perdu le gros de sa fortune, mais elle n'éprouvait aucune peine, dans une situation semblable, à contacter les correspondants de ses différents banquiers. Son « dénuement » était tout relatif et très passager.

2. *In La reine Hortense en Italie, en France et en Angleterre pendant l'année 1831, ou Récit de mon passage en France et des causes qui l'ont amené*, Paris, Levavasseur, 1834, p. 211.

ple, ce qui ne serait annoncé dans la presse qu'à son départ, et celles d'un futur établissement du prince. Il lui faudrait bien sûr quitter son nom. Impossible ! Le prince, qui est souffrant, permet à sa mère de prolonger ces retrouvailles avec la capitale : elle revoit, au cours de discrètes promenades matinales, en voiture, avec Valérie, son ancien palais de la rue Cerutti, elle va au Néorama admirer l'abbaye de Westminster, dont l'intérieur est reconstitué. Elle récidive, au Diorama, cette fois, pour découvrir le tombeau de l'Empereur dans la Vallée des Géraniums, à Sainte-Hélène, elle reconnaît son portrait et celui de la famille impériale, dans de nombreuses boutiques, et son cœur en est touché.

Elle fait traîner en longueur ses préparatifs de départ pour Londres, s'autorisant de la maladie de son fils pour gagner un peu de temps. Le 5 mai, jour anniversaire de la mort de l'Empereur — dix ans ! —, une manifestation bonapartiste a lieu devant la colonne, dont le ministère avait fait savoir qu'il lui rendrait sa statue prochainement. Le décret datait du 8 avril, mais les partisans de l'Empereur ne voyaient toujours rien venir. Ils avaient projeté de hisser au sommet du monument une statue de bois, qu'évidemment on arrêta aux barrières de Paris. L'agitation est perceptible et elle déplaît en haut lieu. Cette poussée bonapartiste est de la dynamite qu'il faut manier avec précaution : n'en faire aucun cas étant aussi dangereux, aussi explosif que la favoriser. Louis-Philippe, pourtant si fin politique, mettra longtemps à trouver le juste dosage, et encore, cela lui sera, à long terme, puissamment néfaste... Toujours est-il qu'en ce 5 mai 1831 il ne peut prendre le risque que les Bonapartistes découvrent que le neveu de l'Empereur est dans leur ville ! Il faut l'éloigner. Hortense reçoit donc l'ordre de partir. Elle obtempère et, par Chantilly et Calais, elle passe en Angleterre où, redevenue duchesse de Saint-Leu, elle prétend être fraîchement débarquée de Malte !

Le séjour d'Hortense à Londres, dans ses environs et aux eaux de Thurnbridge-Wells, dans le Kent, lui sera une sorte de récréation mondaine, une bienfaisante pause estivale — elle y restera jusqu'au début du mois d'août —, après les agitations et les émotions du printemps. C'est un cabinet Whig, c'est-à-dire libéral, qui gouverne depuis le mois de novembre précédent que Lord Wellington a été renversé. L'ambiance dans laquelle Hortense évolue, celle de la Gentry éclairée, lui est profondément sympathique. Elle est reçue le plus fréquemment par Lady Grey — l'épouse du nouveau chef du gouvernement —, Lady Holland — qui fut si soucieuse d'adoucir le sort de l'Empereur à Sainte-Hélène —, Lady Glengall, qu'elle connaissait depuis la paix d'Amiens, Lady Tankarville et la duchesse de Bedford, chez qui elle séjourne à Wooburn Abbey. A Londres, capitale des émigrés dans cette Europe de la Sainte-Alliance, Hortense retrouve de vieilles connaissances qui tiennent à l'ambassade, nouvellement dirigée par Talleyrand, ou aux milieux impérialistes. La plus charmante est une ancienne compagne de Saint-Germain, Niévès hervas, veuve de Duroc, qui a perdu peu de temps auparavant sa fille Hortense — filleule de la reine —, âgée de seize ans, et dont la consolation tient à la présence à ses côtés du général Fabvier, qu'elle a épousé secrètement.

Hortense a l'occasion de faire la connaissance de deux fils naturels de l'Empereur, le comte Léon et le comte Walewski, et reçoit, dans la maison qu'elle occupe dans George Street, ses neveux Achille Murat, fraîchement revenu d'Amérique et Lady Dudley, la fille aînée de Lucien. Son fils, lui, est sollicité par des fidèles de l'Empire, mais aussi par certains Républicains plus ou moins douteux ou chimériques : si sa mère, ou Valérie Masuyer ne sont pas dupes, qu'y peuvent-elles ? Louis a l'art d'esquiver les conseils et les mises en garde :

comme sa mère, sa douceur entêtée ajoutée à son grand charme a raison de tout ce qui contrarierait ses désirs. Sur le terrain de ses juvéniles amours, c'est exactement la même chose. Hortense s'inquiète, évite d'affronter l'obstacle et, obliquement, adroitement, oriente son fils vers d'autres projets...

Les agitations tant républicaines que légitimistes, la duchesse de Berry, depuis les eaux de Bath, semblant vouloir, malgré les réticences de son entourage, se mettre en marche pour tenter de rallumer la Vendée et de rétablir la branche aînée sur le trône de France — ce qu'elle fera dans quelques mois —, inquiètent Louis-Philippe : dans ce contexte peu serein, M. de Talleyrand, s'il délivre à Hortense ses passeports de retour, au nom de la comtesse d'Arenenberg, lui suggère de traverser la France sans s'y arrêter, sans entrer dans la capitale, et le plus discrètement possible. Elle s'empresse donc de faire ses préparatifs, heureuse de n'avoir pas à passer par la Belgique. Léopold de Saxe-Cobourg, que les Anglais soutenaient fortement, lui avait rendu une aimable visite à Londres et, pensant que la reine se rendrait à Bruxelles, lui avait dit en souriant : « Vous ne me prendrez pas mon royaume en passant, n'est-ce pas ? » Non. Ni celui-là, ni un autre. Le seul auquel elle aspire, désormais, c'est celui sur lequel elle règne familièrement, qu'elle a quitté depuis de trop longs mois : sa petite montagne aux rives du plus beau des lacs.

*
* *

Son voyage de retour est ponctué de deux arrêts notables. A Boulogne, elle retrace pour son fils les dispositions du camp de l'Empereur, qu'elle avait visité en 1805, et ce ne sera pas un hasard qu'en 1840 le prince Louis y fasse sa deuxième tentative de prise de pouvoir. A la Malmaison, dont le domaine dépecé la rend méconnaissable, Hortense et son fils se heurtent à des grilles obstinément closes. Ils vont s'agenouiller dans l'église de Rueil, au tombeau de l'impératrice Joséphine. Triste pèlerinage ! Les saisons et les châteaux peuvent être aussi éphémères que les présences qui les animaient, hélas !...

Ce long périple dans une Europe profondément agitée et traversée de forces antagonistes a aiguisé la réflexion politique de la reine. Depuis l'accession au trône de Louis-Philippe, elle n'a cessé de rédiger ses pensées, ses observations, ses analyses comparatives des objectifs et des méthodes de gouvernement de Napoléon, des Bourbons et, maintenant, du monarque constitutionnel qui, s'il bannit la Famille ne dédaigne pas de s'entourer des fidèles de l'Empereur. Nous possédons ces papiers, ainsi que les lettres d'Hortense à l'ancien précepteur de son fils Napoléon, Narcisse Viellard, auxquels s'ajoutent des notes de lecture : tout cela servira à alimenter son *Récit*, cette justification très argumentée de ce qu'elle a vécu en Italie, en France et en Angleterre, pendant cette année cruciale, qu'elle finira de mettre en forme à la fin de 1832, et qui verra le jour, à Paris, peu après. Il aura un retentissement qu'amplifieront deux circonstances nouvelles : d'une part, l'extravagante aventure de la duchesse de Berry, revenue clandestinement, les armes à la main, ressusciter le soutien de la Vendée à la cause légitimiste, et la mort du duc de Reichstadt, l'héritier de l'Empire, à Schönbrunn, en juillet 1832. Ces deux faits provoqueront la déconfiture des Ultras, leur princesse, que le roi a été contraint, du moment où elle a été prise, de maintenir prisonnière, veuve depuis dix ans, ne se cachant pas d'une prochaine maternité (!), et les espérances renouvelées des Bonapartistes, qui, ainsi que Metternich l'a prévu dans ses notes à son ambassadeur en France, se mettent désormais au service du prince Louis. L'Aiglon disparu, le glaive impérial passe entre les

mains du fils d'Hortense qui aura ce mot prémonitoire :
« Cette épée est un sceptre ! » Les publications de la
mère et du fils renforcent leur position politique, désormais centrale : l'auréole de bénignité qui entoure Hortense n'empêchera pas, au contraire, le rassemblement
qui s'opère dans sa mouvance, en faveur de son fils.

Où l'on voit M. de Chateaubriand « bien tenté »...

Malgré son embonpoint — comme celui de sa mère,
au même âge et qui lui donne, selon la duchesse de
Dino, dont la plume est venimeuse lorsqu'elle touche
aux Flahaut et à la reine, des allures de « bonne grosse
Suissesse » —, Hortense conserve une jovialité et une
perspicacité remarquables. Depuis sa montagne, elle
rayonne, attirant à elle, en plus de ses habitués et des
membres de sa famille, de nombreux visiteurs qui, s'ils
arrivent ses hôtes, la quittent ses partisans. Et, s'ils sont
légitimistes ou républicains déclarés, tels Chateaubriand
ou Alexandre Dumas, avec quelle douceur persuasive
elle sait les écouter opposant à leur opinion un point de
vue non moins argumenté. Voici, par exemple, une note
qu'elle rédige lors de la publication des réflexions de
Chateaubriand sur *La Restauration et la monarchie élec-
tive*, dont elle se défendra, bien sûr, de l'avoir écrite pour
qu'il la lise... En vérité, non seulement il la lira, mais
elle sera à l'origine d'un échange de lettres et de billets
entre le noble vicomte et la reine exilée, qui ne se sont
jamais rencontrés, mais qui ne demandent, manifestement, qu'à le faire, au vu de l'élégant marivaudage qui
s'établit entre eux. Nous avons retrouvé les brouillons
des réponses d'Hortense à son correspondant, et nous
sommes heureuse de reconstituer quelques éléments de
ce puzzle tout à fait inattendu, dont, certainement, la

belle Mme Récamier aurait été, si elle en avait pris connaissance, passablement déconcertée :

> Ce 15 octobre 1831
> après avoir lu la dernière brochure
> de M. de Chateaubriand
>
> Arenenberg

M. de Chateaubriand a trop de génie pour n'avoir pas compris toute l'étendue de celui de l'Empereur Napoléon, mais à son imagination si brillante, il fallait plus que de l'admiration ; des souvenirs de jeunesse une illustre infortune [attirèrent] son cœur, il y dévoua sa personne et son talent, et comme le poëte qui prête à tout le sentiment qui l'anime, il revêtit ce qu'il aimait des traits qui devaient enflammer son enthousiasme. L'ingratitude dont il fut l'objet ne le découragea pas, car le malheur était toujours là qui en appelait à lui. Cependant, son esprit, sa raison, ses sentimens vraiment français en font malgré lui l'antagoniste de son parti. Il n'aime des anciens tems que l'honneur qui rend fidèle et la religion qui rend sage, la gloire de sa patrie, qui en fait la force, la liberté des consciences et des opinions qui donne un noble essor aux facultés de l'homme, l'aristocratie du mérite qui ouvre une carrière à toutes les intelligences, voilà son domaine plus qu'à tout autre. Il est donc libéral, républicain et même napoléoniste plutôt que royaliste. La nouvelle France, ses nouvelles illustrations, sauraient l'apprécier tandis qu'il ne sera jamais compris de ceux qu'il a placés dans son cœur si près de la divinité et s'il n'a plus à chanter que le malheur fût-il le plus intéressant, les hautes infortunes sont devenues si communes dans notre siècle, que sa brillante imagination sans but et sans mobile réel, s'éteindra faute d'aliment assez élevé pour inspirer son beau talent.

*
* *

---

1. A.N. 400 AP 33 (2).

Brouillon d'une
Réponse à une aimable accusation
de M. de Chateaubriand

ce 19 novembre 1831

Une femme fait plus vite attention à ce qui la touche qu'à ce qui la flatte, aussi je veux tout de suite me défendre des moyens de séduction qu'on m'accuse d'avoir employés quoiqu'il y ait des conquêtes dignes de mettre toutes les facultés en jeu, je laisse à plus habile que moi à les tenter et je ne qualifierais pas du nom indigne d'*infidélité* l'amour du bien commun et les entraînemens qui pourraient en être la suite. Ceci est mon opinion, mais les lignes écrites n'ont été inspirées que par ce besoin féminin de s'expliquer un homme distingué sans penser qu'il pourrait jamais les lire. L'art est si près de la séduction que je repousse vivement tout ce qui est art comme tout ce qui est calcul. Aussi dirai-je franchement que ceux dont je sais apprécier le noble caractère les grands talents, et le si [ ] dévouement me seront toujours chers à connaître et à aimer, n'importe leurs vieux amours que je respecte plus que personne.

*
* *

[Le vicomte de Chateaubriand à la reine Hortense]

Paris, 27 novembre 1831

Qu'on ait voulu ou qu'on n'ait pas voulu séduire, tant y a [*sic*] qu'on a séduit. Les vieux amours se tireront de là comme ils pourront, toujours fidèles sans doute, mais bien tentés. J'accuse donc d'une double tyrannie une femme-Reine qui tout en disant que certaines personnes lui seront toujours *chères à connaître et à aimer*, prétend les laisser libres au moment même où elle les rend esclaves par ses paroles.

Ch.

───────

1. A.N. 400 AP 33 (2).
2. A.N. 400 AP 32, n° 18.

*
* *

[Brouillon d'Hortense]
à M. de Chateaubriand

Je repoussai l'accusation de séduction, j'accepte volontiers celle de tyrannie si elle peut m'aller, c'est relever une femme à ses propres yeux que de lui accorder un empire quelconque sur tout ce qu'il y a de plus distingué ; mais pour être tyran, il faut savoir dire *je veux*, et je ne sais que dire *je désire*, il faut savoir exiger impérieusement et je ne trouve de bon que ce qu'on m'accorde tout naturellement, toutes réflexions faites je ne serais qu'un médiocre tyran tandis qu'il est si commode et si doux d'être menée, s'il ne redoute pas une dictature, je l'offrirais avec plaisir à celui assez aimable pour se déclarer esclave. Je sais qu'il a d'autres intérêts plus chers à régler, qu'importe, les événemens sont plus forts que toutes les prévoyances humaines, on doit les attendre avec patience et les prendre pour ce qu'ils seront mais heureuse celle, qui dans [*sic*] tout état de cause, aura pu trouver un conseil et un ami dans celui qui réunit tant de supériorité et auquel elle a voué de véritables sentimens.

*
* *

[Le vicomte de Chateaubriand à la reine Hortense]

Paris, 14 février 1832

Qu'il me soit permis de me ranger au nombre des esclaves d'une si noble Dame et de déposer à ses pieds tous les hommages dont le ciel n'a pas disposé pour d'autres malheurs. Que je me trouverais honoré de lui pouvoir offrir moi-même mes vœux et mes respects et d'aller apprendre auprès d'elle comment on supporte avec dignité et courage, l'injustice des hommes et les chagrins de l'exil.

---

1. A.N. 400 AP 33 (2).

Craignant d'être importun par des billets si répétés et si insignifiants le *Dictateur* n'osera plus écrire à moins d'un ordre formel de la *Tyranne*.

Ch.

Ces dispositions mutuelles font bien augurer de la rencontre qui aura lieu à la fin du mois d'août suivant, à Arenenberg. Mme Récamier y était arrivée, en avant-garde, escortée de Mme Salvage, une de ses amies qui, depuis qu'elle l'avait présentée à la reine, à Rome, en 1824, s'était rendue indispensable à celle-ci. Ni belle, ni jeune ni même aimable, Mme Salvage jouissait d'une autonomie que lui donnait sa considérable fortune, et d'un caractère dont le moins qu'on puisse dire est qu'il était décidé. Elle s'y entendait en affaires — Hortense la nommera son exécuteur testamentaire — et, à distance, elle rendait mille services à l'exilée : elle réglait les litiges financiers que la reine avait encore en France, elle procédait à des arrangements d'intérêts, elle se chargeait de petites missions personnelles, elle était l'agent d'Hortense auprès de ses éditeurs parisiens, tant au moment de la publication que la fille de Joséphine, judicieusement, décide de faire des *Lettres* de l'Impératrice, que lors de la mise en vente du *Récit* de 1831. Mme Salvage savait se montrer ferme et ses interventions, ses mises au point, auprès des journaux par exemple, répondaient toujours exactement aux vœux de la reine. Quand elle séjournait à Paris, elle descendait à l'Abbaye-aux-Bois, dans la proximité immédiate de la belle Récamier à laquelle on soupçonne qu'elle dut, plus d'une fois, prêter de l'argent.

Les deux femmes se mettent en route pour la Suisse, soulagées de quitter Paris, ravagé par sa première épidémie de choléra. On sait que le choléra morbus était né dans le delta du Gange, en 1817, et que sa progression

1. A.N. 400 AP 32, n° 19.

inexorable faisait des milliers de victimes : treize mille, dans la capitale française, dans le mois qui suit son arrivée !

Mme Récamier descend au Wolfsberg, à peine contrariée que ses bagages ne l'aient pas suivie, ce qui l'oblige à paraître chez la reine, toujours si élégante, dans sa robe de voyage... C'est égal ! Les habitants d'Arenenberg lui réservent un accueil plaisant, et prise par la beauté des lieux et la grâce de la compagnie, Mme Récamier coule des heures heureuses qu'agrémentent les plaisirs d'« une fort bonne conversation », comme elle l'écrit chez elle. Alexandre Dumas, présent, gardera un souvenir intense de la réunion de ces deux gloires vieillissantes, mais dont le charme et les attraits demeurent encore vivaces.

Lorsque paraît M. de Chateaubriand, « le grand homme », comme l'appelle Valérie Masuyer, il produit « une forte impression ». La dame d'honneur se déclare, après le premier dîner, fière de sa reine et de son prince : « Ils ont dignement représenté l'Empire aux yeux du défenseur de la royauté... » Chateaubriand fait, dans les *Mémoires d'outre-tombe*, le récit de sa réception chez Hortense : le site lui semble « jouir d'une vue étendue mais triste ». Où a-t-il pris cela ? Qu'il est subjectif Agacé aussi de la présence, parmi les hôtes d'Hortense, d'un « beau grand jeune peintre à moustaches, à chapeau de paille, à blouse, à col de chemise rabattu, au costume bizarre tenant des mignons d'Henri III et des bergers de la Calabre, aux manières sans façon, à ce mauvais ton d'atelier entre le familier, le drôle, l'original, l'affecté. Il chassait ; il peignait ; il chantait ; il aimait ; il riait spirituel et bruyant ».

Comme voilà arrangé le pauvre Cottreau ! Cette réaction quasi épidermique du vicomte sexagénaire envers

---

1. In *Mémoires d'outre-tombe*, *op. cit.*, Quatrième partie, Livre deuxième, pp. 140-143.

ce bohème, irradiant de talent et de joie de vivre, est on ne peut plus renseignante. On a beaucoup dit que la reine était sensible au charme du jeune peintre. Sans médisance, ce que ressent Chateaubriand, tout pénétré qu'il est de ses virtuels pouvoirs dictatoriaux sur son aimable *Tyranne*, nous indique une déception et, par contrecoup, son propos avaliserait les rumeurs répandues sur la vie sentimentale de la reine, à cette époque. En tout cas, Cottreau, comme son fils et les jeunes gens qui entourent celui-ci, emplit l'ambiance de gaieté et de projets, qui divertissent Hortense. Comment l'en blâmer ? M. de Chateaubriand, dans la page qu'il consacre à Arenenberg, campe un décor triste qui sied selon lui aux rigueurs de l'exil, et pour mieux exhausser sa fidélité à la dynastie capétienne, il présente ce monde impérial comme autant « de divinités descendues de leur char de carton doré... » « Aux Bonaparte, il manque une race ; aux Bourbons, un homme. » Bien dommage, en vérité, qu'il n'ait pas connu la suite !

Cela dit, il repartira, en compagnie de Mme Récamier, enchanté de la reine et de son fils, auquel il a déclaré que « si Dieu, dans ses impénétrables conseils avait rejeté la race de Saint Louis, si les mœurs de notre patrie ne lui rendaient pas l'état républicain possible, il n'y a pas de nom [Bonaparte] qui aille mieux à la gloire de la France que le vôtre »... A la mère, il aura l'élégance d'écrire qu'il « pense tous les jours à l'accueil bienveillant qu'[elle a] fait à un ennemi. Mais en tout temps, ce fut la coutume des grandes dames de panser les blessés du parti contraire quand l'inconstance de la fortune les fesait tomber dans leurs généreuses mains... » A qui le dit-il !

Et la vie suit son cours, égayée de visites, parfois nombreuses : « Dans mon petit château, écrit la reine à sa belle-fille, Charlotte, nous y couchions dix-sept personnes, tu vois qu'il est élastique ... » Le fils de la maison, s'il fortifie son rêve politique — succéder à son oncle à la tête de la France, le problème étant de savoir *comment* y réussir —, anime aussi la maison de ses frasques amoureuses. Sa mère n'a d'autre recours contre l'influence pernicieuse d'une certaine belle voisine, que d'éloigner Louis pendant quelque temps : elle l'envoie passer le premier semestre de l'année 1833 en Angleterre. Il y retrouvera Charlotte, et il parcourra la campagne anglaise en compagnie du comte Arese, un Lombard rescapé, lui aussi, de l'insurrection des Romagnes, dont Valérie Masuyer s'est éprise...

La reine songe à marier son fils. Elle regrette tant que Napoléon et Charlotte n'aient pas eu d'enfant ! Et, à juste titre, elle est persuadée qu'une union judicieuse aidera grandement Louis dans ses projets. Mais rien de concret ne sort des différents coups de sonde qu'elle fait donner autour d'elle : ni la fille du général Arrighi, duc de Padoue, dont la fortune serait appréciable, ni la petite reine du Portugal, veuve, après deux mois de mariage, du jeune Auguste de Leuchtenberg, fils aîné d'Eugène, ni la dernière fille de celui-ci, Linda, qui ressemble tant à Hortense, ne s'affirment comme futures brus de la reine exilée.

Un deuil brutal va, cependant, faire apparaître une candidate idéale : Catherine, l'épouse de Jérôme, meurt à Lausanne, pendant l'été 1835. Cette excellente et noble princesse, si loyale à son époux, ne laisse que des regrets unanimes. Et trois enfants, dont une fille, Mathilde, née en 1820, et le petit « Plom-Plom », né tardivement, en 1822. Hortense accueille le jeune garçon chez elle, cependant que la reine de Wurtemberg se charge de Mathilde. Jérôme se rapproche d'Hortense au point qu'il

1. A.N. 400 AP 33 (2).

songe à acquérir une propriété voisine d'Arenenberg.
L'idée d'unir Louis et Mathilde n'était pas nouvelle
puisque, dès après la naissance de celle-ci, les princes de
Montfort — c'était leur identité d'exil — ne manquaient
jamais dans leurs lettres à Hortense « d'embrasser leur
futur gendre »... Mathilde est devenue une charmante et
jolie jeune fille, piquante, spirituelle et sûre d'elle,
comme en témoignent les missives très enlevées qu'elle
adresse régulièrement à « sa bonne tante ».

Après un séjour de fin d'hiver et de printemps à
Genève, Rome lui étant, depuis 1831, interdit —, Hortense regagne sa petite montagne, bien décidée à faire
se rencontrer longuement les deux cousins. Mathilde,
accompagnée de son père, enchante, chaque fois qu'elle
s'y montre, la société d'Arenenberg. Louis est séduit.
Son père, qui a eu vent du projet, s'y oppose, pour des
raisons financières autant que pour contrarier son
monde. C'est égal ! Hortense est décidée à soutenir
l'idylle qui se noue sous ses yeux, au printemps de
l'année 1836. Quittant Arenenberg, Mathilde se rendra
à Florence, et peut-être son charme agira-t-il sur le roi
Louis, emportant son consentement... Cette perspective
matrimoniale enchante la reine, et c'est d'un cœur léger
que tout l'été suivant, elle anime son château. Elle a
la joie de recevoir son vieil oncle Beauharnais, que ne
décourage pas un si long voyage...

A la fin du mois d'octobre, Louis la quitte pour aller
chasser à Hechingen. En réalité, le prince se rend en
pays de Bade, pour y préparer le premier de ses coups
d'éclat — le troisième sera un coup d'État dont nous
savons qu'il le mènera au pouvoir suprême —, une tentative de soulèvement militaire à Strasbourg. Accompagné de Parquin, il rencontre des officiers strasbourgeois
demeurés fidèles à la mémoire de l'Empereur, avec lesquels il compte se rendre maître de la capitale alsa-
cienne. Conseillé par le colonel Vaudrey et Fialin, le

futur duc de Persigny, il passe à l'action le 30 octobre. C'est un fiasco complet ! On arrête la poignée d'insurgés — qui passeront en jugement et seront acquittés — ainsi que leur chef, le jeune prince, qu'on emmène à Paris. Louis-Philippe est bien embarrassé ! Il est décidé que cette incartade sera minimisée, traitée avec un mépris souriant. Une folle entreprise, une échauffourée, oui. Un incident sérieux, pas même !

Toute l'angoisse est réservée à Hortense : dès qu'elle a connaissance de l'événement, elle n'a de cesse qu'elle n'ait l'assurance que son fils soit sauf — Molé, le président du Conseil, lui fait savoir que la vie du prince n'est pas en danger, qu'il ne sera pas jugé —, et qu'il ne moisira pas dans les geôles françaises. Elle se met en marche, avec Mme Salvage pour compagne, Valérie ayant été immédiatement dépêchée à Strasbourg — où réside sa famille — afin d'aider, le cas échéant, à l'adoucissement du sort du prince. Hortense entre en France, une deuxième fois, illégalement, mais n'osant, dans sa situation, arriver jusqu'à Paris, elle s'arrête à Viry, dans le château de son amie la duchesse de Raguse : là, elle est à même de recevoir des nouvelles fraîches du prisonnier et de supplier en haut lieu qu'on le traite avec clémence. La duchesse de Dino, toujours charitable, persifle cette « ébourriffade » et ajoute, dans ses *Mémoires* : « Je plains la duchesse de Saint-Leu, quoique je ne la croie pas étrangère à ce fait et qu'elle soit aussi intrigante que comédienne... » Louis-Philippe se montre plus magnanime : il fait assurer à la mère que le fils sera envoyé aux Amériques, où si elle le veut, elle pourra le rejoindre...

Rassurée sur le sort de son fils, Hortense regagne Arenenberg. Ce qui la blesse c'est que dans cette nouvelle épreuve, une nouvelle fois, elle compte ses amis ! Si la bonne Récamier lui a rendu visite à Viry, si les Beauharnais la réconforteront tous, les Bonaparte se détournent d'elle. Son mari qu'elle soutient (« Ayez du courage,

comme moi, il nous en faut ! ») ne sera pas le plus vindicatif. Les Jérôme sont atterrés. Comment donner
Mathilde à un aventurier comme son cousin ! Jérôme
écrit à Hortense, tardivement, le 2 février 1837, parce
qu'il la sait souffrante : « J'ai dû éviter de vous parler
de l'entreprise de Louis, lorsqu'on n'a rien de bon à dire
sur un sujet, il est préférable de garder le silence, c'est
ce que j'ai fait, malgré que tous les projets que j'avais
formés pour mon avenir [s'établir auprès d'Arenenberg
où aurait vécu le jeune couple] se soient trouvés brisés !
[...] Prenez du courage, chère Hortense, ou plutôt,
conservez celui que vous avez montré dans toutes les
circonstances. Nous devons tous savoir envisager notre
position qui depuis l'entreprise de Louis n'est plus analogue, puisque nous avons des idées (du moins en ce qui
me concerne) entièrement opposées. La réussite même
n'eût pas, à mes yeux, justifié l'entreprise que j'eusse
toujours blâmée... » Il chantera une autre chanson
quand l'aventurier sera devenu président de la République puis empereur des Français !

Hortense n'est pas dupe : elle l'écrit à son oncle Beauharnais et à sa cousine, Hortense, qui se sont si bien
comportés avec elle, lui offrant l'hospitalité et se mettant
à sa disposition pour le cas où elle voudrait rester à
Paris. Plus tard, Valérie Masuyer, qui a tout vu, tout
entendu, tout compris, se souviendra de l'indignation de
la reine, parlant des Montfort : « Les lâches, ils fuient
devant l'infortune aussi vite qu'ils accoureraient au-
devant de la fortune ! » Et c'est exactement ce qu'ils
feront. Mais elle ne sera plus là pour le voir.

Elle suit avec anxiété le grand voyage transatlantique
de son fils, embarqué sur la frégate l'*Andromède* : « ce

1. A.N. 400 AP 35.
2. Manuscrit inédit de Valérie Masuyer, du 6 octobre 1848 : Lettre
à sa cousine Caroline de Chilly. Papiers de la Malmaison.

vent terrible qui souffle sur mon petit château me fait présumer qu'il est encore plus violent sur l'océan ! Cependant, je me fie encore plus à Dieu qu'aux hommes », écrit-elle à sa cousine Hortense de Beauharnais. Et au père de celle-ci, elle avoue qu'elle a bien envie d'aller rejoindre Louis : « Mon cher oncle, je vous le répète, je suis fatiguée des gens civilisés, je ne vois que des égoïstes, les sauvages de l'Amérique sont peut-être les meilleures gens du monde ... »

Elle apprendra bientôt l'arrivée heureuse de son fils au-delà des mers : elle ne le rejoindra pas. Elle est malade. Elle le fait savoir à sa famille — les Beauharnais, les Leuchtenberg, les Hohenzollern —, avec tact. Le 28 février 1837, elle écrit au marquis de Beauharnais : « Je suis comme vous savez, mon cher oncle, assez gravement malade mais on me donne de l'espoir de guérir. Le mal est fait, il faut le supporter. C'est une inflammation causée par le voyage etc... etc... et comme on ne m'a pas soignée à temps, il faut en supporter toutes les conséquences, ce sera long ... » Elle est atteinte d'un cancer à la matrice, qui, pris trop tard, l'emportera.

Le médecin qui soigne la reine, le docteur Conneau — qui fut au service du roi Louis, jadis —, se rendant compte de la gravité du mal, demande à des confrères de Constance, les docteurs Sauter et Schönlein, de voir sa patiente. Ils s'interrogent sur le point de savoir si une opération ne sauverait pas la reine. Mais comment se décider ainsi ? Conneau fait appel au grand gynécologue parisien, ancien élève de Dupuytren, le docteur Lisfranc, qui accepte de venir à Arenenberg. Nous sommes dans les premiers jours d'avril. La reine, rassurée par les nouvelles de Louis, datées de Rio de Janeiro où il a fait escale avant de gagner New York, est extrêmement sou-

---

1. A.N. 251 AP (5).
2. A.N. 251 AP (5).

lagée d'apprendre qu'on ne l'opérera pas : avec des
soins, elle se remettra — pieux mensonge qui ne trompe
évidemment pas son entourage : si on ne l'opère pas,
c'est qu'elle est perdue —, et déjà, elle fait le projet
d'aller aux eaux d'Aix-en-Savoie, à la veille de l'été.

Le 30 mars, elle avait rédigé son testament, et le
3 avril, une lettre d'adieu à son fils, pour le cas où on
aurait décidé de l'opérer. La voici :

> Mon cher fils,
>
> On doit me faire une opération nécessaire. Si elle ne réus-
> sissait pas, je t'envoie, par cette lettre, ma bénédiction. Nous
> nous retrouverons, n'est-ce pas, dans un meilleur monde, où
> tu ne viendras me rejoindre que le plus tard possible ; et tu
> penseras qu'en quittant celui-ci je ne regrette que toi, que ta
> bonne tendresse qui seule m'y a fait trouver quelque
> charme. Cela sera une consolation pour toi, mon cher ami,
> de penser que par tes soins, tu as rendu ta mère heureuse
> autant qu'elle pouvait l'être.
>
> Pense qu'on a toujours un œil clairvoyant et bienveillant
> sur ce qu'on laisse ici-bas ; mais bien sûr on se retrouve.
> Crois à cette douce idée : elle est trop nécessaire pour ne
> pas être vraie. Ce bon Arese, je lui donne aussi ma bénédic-
> tion, comme à un fils. Je te presse sur mon cœur, mon cher
> ami. Je suis bien calme, bien résignée, et j'espère encore
> que nous nous reverrons dans ce monde-ci.
>
> Que la volonté de Dieu soit faite
> Ta tendre mère,
>
>   Hortense.

Il semblerait que cette lettre — dont le futur empereur
ne se séparera jamais, jusqu'à sa mort — ne soit pas
partie. Toujours est-il qu'apprenant qu'on ne l'opérait
plus, Hortense envoie, le 11 avril, ces mots rassurants, à
Louis : « Mon cher enfant, je veux te donner de mes

---

1. Nous la reproduisons de l'édition Bourguignon des *Mémoires* de
Mlle Masuyer.

nouvelles moi-même. Je suis contente qu'on ait renoncé à me faire une opération, car c'était courir bien des risques. »

Au dos de l'enveloppe, Valérie Masuyer n'ajouta que deux mots, qui voulaient tout dire : « Revenez ! Revenez ! » Le prince entendra l'appel.

« Adieu ! Adieu ! mes chers amis... »

La reine a commencé de décliner ; le printemps venu, elle ne se lève pratiquement plus : on la transporte d'un lit à l'autre, et, si le temps le permet, elle est heureuse d'être descendue par deux des messieurs de la maison, jusqu'à son jardin. L'escalier en colimaçon étant impraticable, on a fait construire un escalier extérieur, en bois, qui relie la terrasse du premier étage au rez-de-chaussée. Le fidèle Vincent Rousseau a eu l'idée de réaliser une chaise à porteurs, recouvrable à volonté d'une capote, qui permet à la reine de n'être pas incommodée par la trop grande clarté. L'air la ranime, mais parfois la fatigue. Elle s'affaiblit doucement, sans grande souffrance, sans illusions non plus sur son état. Elle se nourrit de moins en moins.

Elle continue d'être entourée d'amis et de voisins qui régulièrement viennent passer un moment auprès d'elle. La dernière semaine de mai se déroule, pour sa plus grande joie, en compagnie de la princesse douairière de Hohenzollern qui aura l'affreuse douleur de perdre, avant l'heure, sa chère « petite »... Hortense vient de fêter son cinquante-quatrième anniversaire. Elle dicte des lettres charmantes et affectueuses aux siens, à Stéphanie, retenue loin de sa cousine. Elle répond aux témoignages nombreux de sympathie que suscite, dans toute l'Europe, sa maladie. Elle prend la peine de faire copier une longue lettre de son fils à M. Viellard, remarquable explication de sa tentative, où l'on mesure combien le jeune homme avait calculé le risque qu'il prenait : « Je faisais par un coup de main, en un jour, l'ouvrage de dix années peut-être... » Il récidivera, pour la même raison, en 1840. Il est bien évident que sa mère comprend la profondeur des vues politiques de son fils : cette longue analyse, assortie d'une réflexion sur l'histoire et les mœurs américaines, est une page d'anthologie. Jusqu'au bout Hortense aura été soucieuse de transmettre à Louis l'héritage impérial, fière de l'action de son fils, et désireuse qu'on sache l'incontestable crédibilité de sa revendication. Elle prendra soin de le déclarer dans son testament qui se clôt sur son pardon aux souverains, aux ministres et aux quelques Français qui l'ont accablée de traitements faux et calomnieux. Elle précise : « Je n'ai point de conseils à donner à mon fils. Je sais qu'il connaît sa position et tous les devoirs que son nom lui impose. » Joseph, Lucien, Jérôme et son père, dans une moindre mesure, ont renié Louis et vilipendé l'éducation politique que lui avait donnée sa mère. Elle seule est confiante en son enfant, en la force de leur conviction à tous deux : Louis, héritier de l'Empire, doit revenir un jour aux affaires, sachant préserver ce legs précieux que sa mère, d'une main douce, a su recueillir pour lui. Elle meurt, persuadée qu'il n'y faillira pas.

Le 9 juillet, il a atteint Londres, sur le *George Washington*, en provenance de New York, et le temps d'obtenir ses passeports, il arrive à Arenenberg, le 5 août. Ce retour qu'on apprend à la reine, avec les ménagements qui s'imposent, lui est un adoucissement final. Elle ne quitte plus sa chambre et, dans son alcôve, elle a fait accrocher un tableau de Reynolds représentant un enfant en prière. Sans doute pensait-elle à ses fils morts, qu'elle allait rejoindre...

Valérie, Mme Salvage, Élisa de Perrigny, son autre

dame, ne la quittent pas. Son cousin Louis Tascher —
ancien aide de camp d'Eugène — est présent ainsi que
le ménage Viellard, accouru depuis Paris dès qu'il a
compris qu'il n'y aurait pas de rémission à l'état de la
reine. La princesse Auguste, sa belle-sœur, vient la voir,
ainsi que la vieille princesse de Hohenzollern, une
ultime fois. La marquise de Crenay et les comtes Zeppe-
lin se montrent des voisins attentifs. Et, inéluctablement,
la reine qui ne peut absorber que quelques grains de
raisins et quelques cuillerées d'eau sucrée ou de fleur
d'oranger, se rapproche du seuil fatal. Le 26 septembre,
elle fait savoir qu'elle souhaite être enterrée auprès de
sa mère, à Rueil. Le chanoine Kissel vient tous les jours
au château. « C'est un bien brave homme, M. Kissel, ne
voulez-vous pas le voir, maman ? » lui demande Louis.
Elle fait signe que oui. Son sentiment religieux, sincère
dans son enfance et sa jeunesse, s'était émoussé au
moment de la mort, en Hollande, de son fils aîné.
Depuis, elle souscrivait aux formes, mais sans exagération. À l'heure dernière, sa foi est paisible. Le 5 octobre
1837, à cinq heures et demie du matin, après une agonie
de quatre heures, Hortense rend à Dieu son âme que les
épreuves avaient fortifiée. Ses derniers mots, que son
fils et tous les siens présents à son chevet ont recueillis,
sont : « les Français ont été bien méchants pour nous...
Ce sont des petites-gens, ces Juste-Milieu... Si vous faites un mouvement sur Paris, vous êtes perdus... Prends
bien garde... Ils ont peur de nous »... Et puis un peu plus
tard : « Adieu, adieu ! mes chers amis, ne m'abandonnez
pas. Priez pour moi... » « Tous vos vœux seront exaucés,
ma chère maman, on vous conduira près de votre mère,
nous prierons pour vous ; vous prierez pour nous, et
nous nous retrouverons bientôt », lui répond Louis.
« Adieu ! Adieu ! mes chers amis... » Et la voix s'éloigne, et le pouls s'endort, et puis s'éteint.

Embaumée, Hortense est conduite dans la chapelle

d'Ermatingen, tendue de noir, et placée sur un catafalque entouré d'« innombrables bougies » ainsi que prend soin de le noter Valérie dont l'affliction, encore aujourd'hui, fait peine à lire. Le 11 octobre a lieu la cérémonie des obsèques, en présence des autorités. C'est le prélat mitré de l'abbaye voisine de Kreuzkingen qui officie. L'éloge funèbre, inspiré par M. Viellard, est prononcé en allemand par l'abbé Nicolaï, professeur au collège de Constance. Il met l'accent sur l'élévation naturelle de la reine qui avait, dans la bonne comme dans la mauvaise fortune, conservé ses amis. Six prêtres assistent le prélat lors de la célébration de la grand-messe, et enfin, ultime hommage aux talents d'Hortense, on exécute le *Requiem* de Mozart... Lorsqu'on ouvre les portes du sanctuaire, la foule est si nombreuse à s'y précipiter qu'il y a un début de bousculade. La cérémonie achevée, on transporte la reine dans la petite chapelle qu'elle avait fait élever, dix-sept années plus tôt, à Arenenberg, où elle reposera avant qu'elle ne soit menée à Rueil. Le corbillard qui servira en cette occasion sera le même qui, l'année suivante, transportera M. de Talleyrand de Paris à Valençay.

C'est le 19 novembre qu'Hortense rejoindra sa mère. Mlle Masuyer s'installe dans un hôtel auprès de l'église de Rueil, où elle demeurera jusqu'aux funérailles. Celles-ci auront lieu le 8 janvier 1838. Caroline, qui mourra l'année suivante, menait le deuil, escortée du comte Tascher représentant le prince Louis, interdit de séjour en France, et qui n'assistera pas non plus aux obsèques italiennes de son père, en 1846. Ils étaient suivis de Valérie Masuyer, dernière Dame d'honneur de la reine. Il gelait à pierre fendre, Mme Récamier se souvenant d'un froid de 14 degrés (sous zéro). Le lendemain, le caveau où étaient réunies l'Impératrice et sa fille était muré. Symbole du silence éternel qu'elles partageraient désormais.

* *

Lors de ses funérailles, il fut rappelé qu'Hortense « avait été douce même envers la mort », selon la belle expression de Bossuet. Et c'était là son inaltérable vertu, qui n'empêchait ni sa détermination ni son courage. Elle puisait dans cette douceur la force de son rayonnement auprès d'autrui, qu'elle savait ménager, parce qu'elle respectait chez lui cette sensibilité dont elle était pétrie et dont elle mesurait, comme personne, les pièges et les effets. Obligeante, elle fit de la sociabilité un art de vivre, le secret de son équilibre. Elle cultiva cette image qu'elle tenait de son appartenance, donnant autour d'elle, parmi la bruyante animation, ou agitation, comme on voudra, qui caractérise l'époque où elle vécut, une durable leçon : celle de l'égalité de l'âme en toute circonstance. Les grandeurs et les malheurs, elle les accepta sans qu'ils altérassent son être. Son élégance, comme celle de sa mère et de son frère, fut de les intégrer afin d'atteindre, sans ostentation, mais avec patience à ce qui comptait le plus chez ces tenants de la vieille civilisation à la française : l'excellence personnelle, infaillible moyen de rendre à son tour excellent, ou du moins meilleur, le monde dans lequel on vit, que l'on traverse, mais qu'il est heureux de marquer, quand on le peut, d'un sceau d'exemplarité. Hortense s'y efforça... A nos yeux, elle y réussit.

Fontanilles,
Juillet 1987-Juillet 1992.

ANNEXES

LA RÉACTION D'ALEXANDRE DE BEAUHARNAIS À LA NAISSANCE DE SA FILLE : LETTRE À SA FEMME, DU 12 JUILLET 1783

(12 juillet) :

« Si je vous avais écrit dans le premier moment de ma rage, ma plume aurait brûlé le papier, et vous auriez cru, en entendant toutes mes invectives, que c'était un moment d'humeur et de jalousie que j'avais pris pour vous écrire ; mais il y a trois semaines et plus que je sais, au moins en partie, ce que je vais vous apprendre. Malgré donc le désespoir de mon âme, malgré la fureur qui me suffoque, je saurai me contenir ; je saurai vous dire froidement que vous êtes à mes yeux la plus vile des créatures, que mon séjour dans ce pays-ci m'a appris l'abominable conduite que vous y aviez tenue, que je sais dans les plus grands détails votre intrigue avec M. de B..., officier du régiment de la Martinique, ensuite celle avec M. d'H..., embarqué à bord du « César », que je n'ignore ni les moyens que vous avez pris pour vous satisfaire, ni les gens que vous avez employés pour vous en procurer la facilité, que Brigitte n'a eu sa liberté que pour l'engager au silence ; que Louis, qui est mort depuis, était aussi dans la confidence ; je sais enfin le contenu de vos lettres et je vous apporterai avec moi un des présents que vous avez faits.

« Il n'est donc plus temps de feindre, et, puisque je n'ignore aucun détail, il ne vous reste plus qu'un parti à prendre, c'est celui de la bonne foi. Quant au repentir, je ne vous en demande pas, vous en êtes incapable : un être qui a pu, lors des préparatifs pour son départ, recevoir son amant dans ses bras alors qu'elle sait qu'elle est destinée à un autre, n'a point d'âme ; elle est au-dessous de tous les coquins de la terre. Ayant pu avoir la hardiesse de compter sur le sommeil de sa mère et de sa grand-mère, il n'est pas étonnant que vous ayez su tromper aussi votre père à Saint-Domingue. Je leur rends justice à tous et ne vois que vous seule de coupable. Vous seule avez pu abuser une famille entière et porter l'opprobre et l'ignominie dans une famille étrangère dont vous étiez indigne.

« Après tant de forfaits et d'atrocités, que penser des nuages, des contestations survenus dans notre ménage ? Que penser de ce dernier enfant survenu après huit mois et quelques jours de mon retour d'Italie ? Je suis forcé de le prendre ; mais, j'en jure par le ciel qui m'éclaire, il est d'un autre. C'est un sang étranger qui coule dans ses veines ! Il ignorera toujours ma honte, et j'en fais encore le serment, il ne s'apercevra jamais ni dans les soins de son éducation, ni dans ceux de son établissement, qu'il doit le jour à un adultère ; mais vous sentez combien je dois éviter un pareil malheur dans l'avenir.

« Prenez donc vos arrangements ; jamais, jamais je ne me mettrai dans le cas d'être encore abusé, et, comme vous seriez femme à en imposer au public si nous habitions sous le même toit, ayez la bonté de vous rendre au couvent sitôt ma lettre reçue. C'est mon dernier mot, et rien dans la nature entière n'est capable de me faire revenir ; j'irai vous y voir dès mon arrivée à Paris, une fois seulement ; je veux avoir une conversation avec vous et vous remettre quelque chose. Mais, je vous le répète, point de larmes, point de protestations. Je suis déjà armé contre tous vos efforts, et mes soins seront tous employés à m'armer davantage contre de vils serments aussi faux et aussi méprisables que faux.

« Malgré toutes les invectives que votre fureur va répandre sur mon compte, vous me connaissez, Madame, vous savez que je suis bon, sensible, et je sais que, dans l'intérieur de votre cœur, vous me rendrez justice. Vous persisterez à nier parce que dès votre plus bas âge vous vous êtes fait de la fausseté une habitude ; mais vous n'en serez pas moins intérieurement convaincue que vous n'avez que ce que vous méritez. Vous ignorez probablement les moyens que j'ai pris pour dévoiler tant d'horreurs, et je ne les dirai qu'à mon père et à votre tante. Il vous suffira de sentir que les hommes sont bien indiscrets et, à plus forte raison, quand ils ont sujet de se plaindre ; d'ailleurs vous avez écrit, d'ailleurs vous avez sacrifié les lettres de M. de Be... à celui qui lui a succédé ; ensuite vous avez employé les gens de couleur qu'à prix d'argent on rend indiscrets. Regardez donc la honte dont vous et moi ainsi que vos enfants allons être couverts comme un châtiment du ciel que vous avez mérité et qui me doit obtenir votre pitié et celle de toutes les âmes honnêtes.

« Adieu, Madame, je vous écrirai par duplicata, et l'une et l'autre seront les dernières lettres que vous recevrez de votre désespéré et infortuné mari.

« *P.S.* — Je pars aujourd'hui pour Saint-Domingue, et je compte être à Paris en septembre ou octobre, si ma santé ne succombe pas à la fatigue d'un voyage jointe à un état si affreux. Je pense qu'après cette lettre je ne vous trouverai pas chez moi, et je dois vous prévenir que vous me trouveriez un tyran si vous ne suiviez pas ponctuellement ce que je vous ai dit. »

PLAINTE DE LA VICOMTESSE DE BEAUHARNAIS
CONTRE SON MARI, DU 8 DÉCEMBRE 1783

« L'an mil sept cent quatre-vingt-trois, le lundi huit décembre, sur les onze heures du matin, nous, Louis Joron, Conseiller du Roi, Commissaire au Châtelet de Paris, ayant été requis, nous nous sommes transporté rue de Grenelle à l'abbaye de Pantémon, ayant été introduit en un parloir, numéroté 3 au second étage ayant vue sur la cour, et, où étant, est comparue par-devant nous dame Marie-Rose Tascher de la Pagerie, âgée de vingt ans, créole de la Martinique, épouse de M. Alexandre-François-Marie, vicomte de Beauharnais, capitaine à la suite au régiment de Sarre-Infanterie ; demeurant depuis dix à onze jours dans le dit couvent de Pantémon, et auparavant demeurant rue Neuve-Saint-Charles, faubourg Saint-Honoré, en l'hôtel du vicomte de Beauharnais ;

« Laquelle nous a porté plainte contre le sieur Beauharnais son mary et nous a dit qu'elle a été amenée en France par M. de la Pagerie son père pour épouser le dit sieur vicomte de Beauharnais, que, le 12 octobre 1779 ils débarquèrent au port de Brest où Mme de Renaudin, sa tante, et le dit sieur vicomte de Beauharnais allèrent les rechercher. Les empressements du dit sieur vicomte de Beauharnais annoncèrent sa satisfaction. Le mariage a été célébré le 13 décembre de la même année 1779 ; les époux ont toujours vécu chez M. le Marquis de Beauharnais, père du vicomte, et la jeune femme n'a jamais quitté son beau-père ni sa tante aux soins desquels son mari l'avait confiée. Cette union qui aurait dû réussir n'a cependant pas été sans nuages. La grande dissipation du mari et son éloignement pour sa maison furent pour cette épouse infortunée des sujets de se plaindre à lui-même de son indifférence qu'elle ne méritait point. La dite dame de Beauharnais déclare qu'il a été plus fort qu'elle de ne pas lui en témoigner sa sensibilité. Malheureusement le cœur de son mari était fermé aux impressions qu'elle s'était flattée de lui faire en lui marquant ses craintes.

« La naissance d'un fils, qu'elle lui donna le 3 septembre 1781 semblait avoir resserré leurs liens. Le vicomte tint à la plaignante compagnie fidèle, jusqu'au rétablissement de ses couches, époque où le goût de sa liberté et d'une volonté absolue le décidèrent à voyager ; il partit pour l'Italie le 1er novembre suivant. De retour de ce voyage le 20 juillet 1782, il reçut de la comparante les plus grands témoignages de joie, et il parut enchanté de se retrouver avec elle.

« Ce bonheur dura peu. Le 10 septembre de la même année, elle eut le chagrin de le voir partir pour un voyage d'outre-mer qu'il avait sollicité avec beaucoup de vivacité. A son départ, M. le vicomte de Beauharnais se flattait de l'espoir de laisser son épouse enceinte. Ayant été obligé par les circonstances de séjourner à Brest, il se félicite d'en apprendre la certitude. En effet la comparante est accouchée d'une fille, le 10 avril dernier. Jusque-là toutes les lettres que M. le vicomte de Beauharnais lui avait adressées ne respiraient que des sentiments tendres et affectueux. Hélas ! pouvait-elle s'attendre que la nouvelle de ses couches servirait de prétexte à son mari pour l'accabler d'injustes reproches par deux lettres, l'une datée du 12 juillet seulement et l'autre datée de Châtellerault le 20 octobre seulement (elles sont toutes deux de 1783). La dite dame vicomtesse de Beauharnais nous a présenté ces deux lettres, lesquelles sont, à la réquisition de la dame vicomtesse de Beauharnais, demeurées cy annexées après avoir été par elle certifiées véritables et d'elle signées et paraphées et de nous commissaire sus-dit.

« Lesquelles lettres contenant des imputations les plus atroces où, non content d'accuser la comparante d'adultère, M. le vicomte de Beauharnais la traite encore d'infâme et ajoute qu'il la méprise trop pour vivre désormais avec elle ; en conséquence, il lui ordonne de se renfermer dans un couvent et, au cas qu'elle refuse d'exécuter cet ordre, il la menace d'être un tyran.

« Observe la comparante que, si ces horreurs n'étaient que l'effet d'un premier mouvement de jalousie, la jeunesse de son mari porterait peut-être à les excuser ; mais elles sont tellement réfléchies et imaginées à dessein de secouer un joug qui lui pèse, que, sans vouloir, sur l'innocence de sa femme, s'en rapporter ni à M. le Marquis de Beauharnais, son père, ni à aucune des personnes respectables qui ont toujours été témoins de son honnêteté, il persiste dans sa résolution de ne plus habiter avec elle, et, pour montrer même qu'il la fuit, au lieu de descendre dans l'hôtel, dont il est le principal locataire, rue Neuve-Saint-Charles, et dans lequel il habite ordinairement ainsi que Monsieur son père et Madame la vicomtesse de Beauharnais son épouse, il a été se loger ailleurs, observant qu'il est arrivé à Paris le 26 octobre dernier et que jusqu'à ce jour il n'a point encore repris son logement dans l'hôtel.

« Il n'est pas possible à la comparante de souffrir patiemment tant d'affronts. Ce serait manquer à ce qu'elle se doit, à ce qu'elle doit à ses enfants, et s'exposer au sort le plus affreux.

« A quoi désirant obvier la dite dame vicomtesse de Beauharnais nous a requis de nous transporter dans le dit couvent où nous sommes, à l'effet d'y recevoir la présente plainte des faits ci-dessus et dépendances dont elle nous a requis, acte que nous lui avons octroyé pour lui servir et valoir ce que de raison, se réservant de former incessamment sa demande en séparation de corps contre le dit sieur son mari, et a signé Tascher de Lapagerie.

Signé : JORON. »

LES « RÉPARATIONS URGENTES » COMMANDÉES PAR LOUIS BONAPARTE À SAINT-LEU [1]

1° Meubler entièrement le château.

2° Réparer les appartements du comble, ceux des remises et ceux du théâtre et l'appartement doré.

3° Réparer l'abreuvoir.

4° Paver les cours.

5° Faire faire des bibliothèques pour le petit salon du midi et pour l'appartement doré.

6° Faire réparer la pharmacie et le billard des domestiques.

7° Faire achever le billard du rez-de-chaussée.

8° Coller du papier à la pièce qui le précède, placer une glace et une causeuse.

9° Faire réparer toutes les serrures et toutes les clefs quelles qu'elles soient.

10° Faire faire l'estimation du prix des réparations à faire au chemin de Saint-Leu à Saint-Prix.

11° Faire faire le plan de Saint-Leu et des environs.

12° Faire faire l'estimation des ouvrages à faire aux murs de clôture du parc, l'état des portes à conserver et celles à murer.

13° *Faire condamner les portes de communication des appartements du premier. Faire condamner ces portes le plus solidement possible.*

14° Faire abattre les murs de clôture et tous les bâtiments dépendant du vieux château, celui-ci excepté ; faire faire un glacis gazonné à leur place ainsi que sur le vieux chemin sup-

---

1. *In* F. Masson, *Napoléon et sa famille, op. cit.*, II, pp. 436-437. C'est Masson qui souligne le n° 13.

primé ; faire abattre de même les murs de terrasse du vieux parc et établir le glacis de manière à conserver les arbres et à n'en pas abattre un seul.

15° Faire élaguer toutes les allée du vieux parc jusqu'à la hauteur de six pieds et faire pratiquer une allée de six pieds de large le long et intérieurement du mur du vieux parc, de manière à pouvoir le suivre entièrement.

16° Faire saper de nouvelles allées dans le plus épais du bois.

17° Faire raccommoder le conduit de l'eau de la pépinière.

18° Faire plomber la fontaine de la deuxième cour.

19° Faire faire la tente devant la porte.

20° Faire faire la porte du milieu du grand salon.

21° Faire faire un dessus de porte qui manque.

22° Faire restaurer la chapelle.

23° Faire un projet d'arrangement avec le jardinier au moyen duquel il serait chargé d'entretenir les allées des trois parcs et de le maintenir propre et en état ainsi que le bateau et les eaux des cours et basses-cours.

LE « TRAITÉ » PROPOSÉ PAR LE ROI DE HOLLANDE À SA FEMME, ET LA RÉPONSE DE CELLE-CI

Extrait des Mémoires *de la reine Hortense* [1]

Enfin mon mari, fatigué de tant d'efforts inutiles, entre un jour avec le traité suivant qu'il veut me faire signer. Il me promet le bonheur à ce prix ou, si je le refuse, il adressera les plaintes les plus vives à l'Empereur.

Je le priai de me laisser cet écrit et je répondis à chaque article. Le voici tel qu'il était. J'en ai toujours conservé la copie.

« Nous, Louis et Hortense, voulant faire cesser l'état de malaise et de gêne dans lequel nous vivons depuis longtemps l'un envers l'autre, considérant que si nous avons été si malheureux et si désunis depuis si longtemps, c'est que nous nous sommes mariés avant que nous fussions bien l'un pour l'autre ; voulant enfin trouver un moyen d'être à jamais unis et mettre à profit l'expérience de cinq années, nous avons résolu, comme nous résolvons par le présent seing privé, de nous engager l'un envers l'autre par cet écrit et signé de notre propre main. Pour chacun de nous, jurons et promettons devant Dieu de remplir toutes les obligations qu'il nous impose conformément à ce qui suit :

« ARTICLE PREMIER. — Tous les torts, fautes, manquements, tels qu'ils soient, faits par l'un de nous au préjudice de l'autre, tout ce qui a eu lieu entre nous de quelle manière que ce puisse

_____

1. Pp. 163-165.

être, est absolument annulé, oublié, pardonné, et jamais il ne nous sera permis de rappeler cette époque trop malheureuse.

« ART. 2. — Nous nous donnons l'un à l'autre non seulement de fait, mais de notre libre aveu, et nous nous choisissons comme si nous avions été dégagés et libres jusqu'ici, nous promettant réciproquement de ne jamais nous quitter sous quelque prétexte que ce puisse être, de ne jamais le demander et que si l'un le faisait, l'autre le refusera toujours, de nous préférer mutuellement à tous et à chacun de nos parents quels qu'ils soient, et enfin de nous donner sans cesse publiquement et en particulier des marques de notre amour et de notre confiance mutuelle.

« ART. 3.- Sur l'honneur, nous promettons de n'avoir de correspondance, moi, Louis Bonaparte, avec aucune femme que du consentement de la Reine, et moi, Hortense, avec aucun homme que du consentement de mon mari, et cela sans d'autre explication et qu'à titre de réciprocité.

« ART. 4.- Nous promettons de réunir nos efforts et d'être toujours d'accord pour maintenir toujours nos enfants sous notre pouvoir et de ne jamais consentir à les céder à l'Empereur ou à l'Impératrice.

« ART. 5.- Nous promettons de nous faire toujours les demandes réciproques tête-à-tête et jamais devant le monde.

« ART. 6.- Nous promettons solennellement et sur l'honneur de ne recevoir personne, de n'aller faire aucune visite sans nous le dire réciproquement, promettant en outre de ne recevoir, moi, Louis, aucune femme, et moi, Hortense, aucun homme et aucune femme sans le consentement de mon mari.

« ART. 7.- Nous promettons que l'arrangement de nos appartements, leur division, les personnes qui nous servent auront le consentement mutuel pour tout, et rien ne sera exécuté avant cela. Tout ce qui existe à cet égard subira l'examen commun.

« ART. 8.- Nous promettons d'avoir commune caisse, c'est-à-dire qu'Hortense n'aura jamais que celle du Roi et que toute correspondance avec des gens d'affaires n'aura jamais lieu pour la Reine que du consentement du Roi.

« Au moyen de l'exécution de ces conditions mentionnées et scrupuleusement exécutées, nous vivrons comme des gens de bien et de vertu, voulant pour sceller notre réunion engager nos paroles de ne vivre entièrement que l'un pour l'autre et tous les deux pour nos enfants.

Signé : LOUIS. »

Voici la réponse telle que je l'écrivis à la marge de son traité :

« Je ne puis signer cet écrit parce que je ne veux pas vous tromper et que je ne pourrai remplir la tâche qu'il m'impose.

« Dans l'article premier, il faut oublier tout ce que j'ai souffert. J'y pourrais faire mes efforts, mais ce n'est pas en un jour qu'on oublie tant d'années de chagrin et, d'ailleurs, ce ne pourrait être que votre manière de vous conduire envers moi qui, en me prouvant votre estime et votre confiance, me ramènerait infailliblement.

« Quant à l'article 2, vous ne m'avez pas rendue assez heureuse pour me tenir lieu de toute ma famille. Elle consiste dans l'Empereur, que j'ai toujours regardé comme mon père, l'Impératrice et mon frère ; ainsi je saisirai avec empressement toutes les circonstances qui pourraient me rapprocher d'eux.

« Pour l'article 3, comment voulez-vous que je vous promette de n'écrire à ma famille qu'autant que cela vous plairait ? C'est impossible ; à d'autres personnes, à la bonne heure.

« L'article 4 : vous êtes le maître de placer et de déplacer toutes les personnes qui sont près de moi. Jamais je n'en ai pris une seule sans votre approbation, mais je ne donnerai jamais mon assentiment au renvoi de celle qui n'aurait aucun tort.

« L'article 5 : mon désir et mon bonheur seront toujours d'avoir mes enfants avec moi, mais Dieu a fait leur destinée et Dieu en décidera.

« L'article 6 est bien facile.

« Les articles 7 et 8 marquent le peu de confiance que vous avez en moi ; il serait cependant facile de s'y soumettre, quelque pénible qu'il soit de penser qu'ils n'ont pu être suggérés que par la méfiance.

« Voilà ma manière de voir qui diffère tant de la vôtre. Si toutes ces explications sont pénibles, c'est qu'elles ne mènent à rien et que je n'ai plus d'espoir. Vous voulez avoir sur-le-champ ce que l'on n'obtient qu'avec le temps, et surtout avec cet abandon et cette confiance que je méritais et que vous n`avez jamais eus pour moi. Soyez néanmoins persuadé que, quelle que soit votre conduite à mon égard, mon amitié sera constante et que le père de mes enfants ne peut jamais m`être indifférent.

Signé : HORTENSE »

« Ce 16 avril 1807. »

L'ACTE D'ÉTABLISSEMENT DU DUCHÉ DE SAINT-LEU

LOUIS, *par la Grâce de Dieu, Roi de France et de Navarre,*

A tous ceux qui ces présentes verront, SALUT :

Aujourd'hui trentième jour du mois de mai de l'an 1814, étant dans notre résidence royale des Tuileries, eu égard à la position de Madame Eugénie-Hortense de Beauharnais, désignée dans une Convention faite le 11 avril dernier, et aux invitations qui nous ont été adressées par les hautes parties contractantes pour donner effet à ladite Convention, nous lui avons confirmé et confirmons par ces présentes le titre de duchesse, érigeant pour elle la terre de Saint-Leu en duché qui passera à ses enfants de mâle en mâle, par ordre de progéniture, et y attachant, en domaine ou rentes sur le Grand livre de France, un revenu annuel de quatre cent mille francs, déduction faite de toute charge, pour qu'elle puisse en jouir en toute propriété, avec faculté de l'aliéner et d'en disposer sans avoir besoin de l'autorisation de son époux, qui, sous aucun prétexte, ne pourra jamais y rien prétendre, bien entendu cependant que nous nous réservons le droit de transiger avec la duchesse de Saint-Leu pour rachat ou échange desdits domaines ou rentes, de sorte toutefois que son revenu soit toujours de 400 000 francs, conformément à la Convention du 11 avril dernier.

Car tel est notre bon plaisir, et afin que ce soit chose ferme et stable, nous avons signé la présente et y avons fait apposer notre scel ordinaire.

Signé : LOUIS.

Par le Roi :
    Signé : BLACAS [1].

---

1. F. Masson, *op. cit.*, X, pp. 148-149.

Lettre « récapitulative » de Louis à Hortense [1]

Rome, 14 septembre 1816.

A la princesse Hortense.

Madame,

Toute la France sait que notre mariage a été contracté malgré nous par des raisons politiques, par la ferme et irrésistible volonté de mon frère et par le peu d'espérance que votre mère avait d'avoir des enfants.

Quoique beaucoup de personnes de votre connaissance et de votre société soyent mortes, cependant il en existe encore qui peuvent témoigner que le consentement que nous fûmes obligés de donner n'a jamais été libre, soit de mon côté, soit du vôtre, et que nous avons été tous les deux également victimes d'une injuste et fausse politique. On sait que j'aimais votre cousine Émilie, depuis madame de la Valette, bien avant mon départ pour l'Égypte en 1798, et que par cette raison, dès lors même, je refusai les propositions de votre mère pour votre union avec moi.

... En 1799, j'avais obstinément refusé de nouveau votre main, quand je demandai et obtins, par les soins de feu le maréchal Berthier, la permission d'aller en Prusse ; j'espérais que vous épouseriez, pendant ce temps, le général Duroc qui vous recherchait.

---

1. Reproduite *in* J. Claretie, *L'Empire, les Bonaparte et la Cour*, Paris, 1871, pp. 32 et suiv.

A mon retour, vous n'étiez pas encore mariée ; mais je trouvai moyen de m'absenter encore, ayant réussi à faire comprendre mon régiment dans l'armée du général Leclercq, mon beau-frère, qui marchait en Portugal. Ce deuxième voyage avait, de ma part, le même but et la même espérance. Avant de m'éloigner alors de Paris, je devais prendre congé, de mon frère et de votre maman ; je me rendis à la Malmaison, où ils se trouvaient alors, j'y fus retenu, malgré moi, près de quinze jours ; quoique mon régiment s'avançât de plus en plus vers l'Espagne, votre maman, mon frère et même ma sœur Caroline me pressaient pour ce mariage que je refusai obstinément ; finalement, je partis de la Malmaison sans congé, dans la nuit, et rejoignis mon régiment à Bordeaux.

Quelques mois après, la paix d'Amiens arriva ; mon régiment, de retour d'Espagne, reçut l'ordre de revenir à Paris. Je m'arrêtai à Barèges et de là j'écrivis à ma sœur Élisa pour savoir si je pouvais aller à Paris sans craindre d'être pressé encore pour le mariage projeté. Elle me rassura entièrement en ajoutant que vous étiez promise à l'un des deux généraux Moreau ou Macdonald qui vous avaient également demandée.

Je revins donc à Paris ; rien ne me paraissait plus impossible que notre union. Cependant, peu de mois après, je fus marié avec vous : c'était le 2 janvier 1802 ! ! !

Le contrat, le mariage civil, le mariage religieux se suivirent immédiatement dans la même soirée. Je me souviens que, pendant la bénédiction, je vous donnai et vous reçûtes la bague d'alliance longuement, avec effort et en tremblant.

Nous fûmes conduits à la chambre nuptiale par votre mère et mon frère ; le mariage fut consommé pendant le mois que nous demeurâmes ensemble. Cependant que de larmes, de plaintes, de tristesse signalèrent cette époque ! et tous les jours que nous fûmes contraints de vivre ensemble depuis ! Tous ceux qui vous approchèrent, et l'on peut même dire la majeure partie du public de Paris savent que nous fûmes conduits à cet acte par force. L'impérieuse et irrésistible volonté de mon frère, du chef du Gouvernement et de ma famille me mettait, depuis longues années, dans la pénible situation de devoir obéir à la fin ou bien m'expatrier et me mettre par là en état de guerre avec la France et ma famille, et me ranger ainsi parmi les émigrés, ce que je craignais plus que la mort.

Depuis lors, plus de quatorze ans se sont écoulés et nous n'avons jamais été une seule fois d'accord !

Dans une période de temps si considérable, nous avons à peine vécu trois mois et demi en époux et toujours avec des marques irrécusables d'aversion ou du moins d'éloignement ! Les trois mois furent partagés en trois époques, non seulement fort courtes, mais encore séparées par plusieurs années entières. La première dura à peu près un mois, c'est-à-dire jusqu'à ce que vous ayez eu des signes de grossesse. Je vous quittai pour me rendre à ma petite terre de Baillon, près de Chantilly, et ensuite à Barèges. Je fus rappelé plusieurs mois après à l'époque de la naissance de notre premier enfant. Nous habitâmes tout l'hiver sous le même toit, mais à des étages différents, et constamment séparés de corps.

La deuxième fois où nous vécûmes conjugalement fut, après deux ans, à Compiègne, où nous restâmes environ deux mois et, enfin, à Toulouse, en 1807, depuis le 12 du mois d'août que vous vîntes me trouver de Cautrets *(sic)* jusqu'à notre arrivée à Saint-Cloud, vers la fin dudit mois.

Pendant ces trois périodes, quoiqu'elles ayent donné naissance à trois enfants, cependant tout Paris et on peut dire toute la France ont pu être témoins de notre éloignement réciproque, même en présence de votre maman et de mon frère.

Jamais nous n'avons vécu conjugalement ensemble en Hollande, parce que nous étions plus libres.

Voici plus de neuf ans passés depuis notre dernière réunion de quinze jours.

Nous n'avons cessé, avant comme après cette dernière époque, de réclamer, moi ma liberté entière mais légitime, c'est-à-dire par l'autorité de l'église, vous la séparation.

Voilà, Madame, les faits sur lesquels j'ai basé ma demande de nullité de mariage. Je vous prie de ne point y opposer et d'éviter le grand scandale qui résulterait d'une contestation entre nous. Je vous instruis de mes principaux motifs, afin que vous sachiez que je n'allègue rien qui puisse vous blesser.

Si nous pouvons nous obtenir notre liberté, nous cesserons, enfin, d'être si malheureux et nous serons moins ennemis que nous ne l'avons jamais été. Nos enfants n'en souffriront pas ; nés durant un mariage, ils sont étrangers à tout ce qui a rapport aux causes et aux circonstances. J'aurai pour eux les soins et les sentiments que j'ai toujours eus.

Remarquez, je vous prie, que l'effet de cette libération ne sera ni aussi scandaleuse, ni aussi pénible que la situation dans laquelle nous avons toujours été et sommes encore l'un envers l'autre. Au contraire, la connaissance que le Saint-Siège aura de la vérité, fera disparaître, aux yeux du monde et de l'histoire, tout ce que l'animosité, la calomnie et l'inimitié ont pu y ajouter.

Enfin, Madame, si d'un côté vous et moi avons fait envers nos enfants tout ce que l'amour et le devoir prescrivaient, n'est-il pas temps, lorsque notre carrière est si avancée, de trouver enfin l'indépendance légitime à laquelle tout honnête homme a droit et cette position naturelle et sûre que, pour moi, je ne puis trouver que dans la fin d'un nœud aussi malheureux que blessant pour notre repos, notre bien-être et, j'oserais dire encore, notre réputation et notre conscience.

Croyez, Madame, qu'aussitôt que je cesserai de sentir un poids insupportable, je l'oublierai entièrement. Je prendrai un vif intérêt à vous à qui m'attachera notre communauté d'infortune.

Je n'ai point hésité d'avancer que nous avons été contraints par toute sorte de voye, puisque, quelque tort que cela puisse faire à nos caractères, cette contrainte de la part des parents n'est que trop commune, surtout quand ils sont, comme les nôtres étaient, et souverains et tuteurs. Mais, quant à vous, il n'y a rien dans mes dépositions qui doive vous offenser.

J'attends avec impatience votre réponse ; je serai moins malheureux, après une si longue souffrance, si je puis cesser d'en voir en vous la cause innocente peut-être, mais permanente, et si je puis espérer que l'époque de ma délivrance pourrait être encore celle d'une grande amélioration dans notre état, dans notre tranquillité et, si j'ose le dire, même dans la réputation de tous deux.

Nos affaires d'intérêt seront faciles à régler après cela.

Les Beauharnais

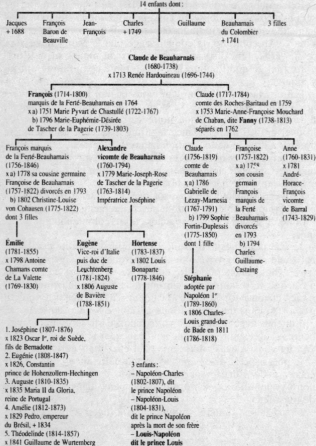

François de Beauharnais
x 1664 Marguerite-Françoise Pyvart de Chastullé
14 enfants dont :

| Jacques + 1688 | François Baron de Beauville | Jean-François | Charles + 1749 | Guillaume | Beauharnais du Colombier + 1741 | 3 filles |

Claude de Beauharnais
(1680-1738)
x 1713 Renée Hardouineau (1696-1744)

François (1714-1800)
marquis de la Ferté-Beauharnais en 1764
x a) 1751 Marie Pyvart de Chastullé (1722-1767)
b) 1796 Marie-Euphémie-Désirée
de Tascher de la Pagerie (1739-1803)

Claude (1717-1784)
comte des Roches-Baritaud en 1759
x 1753 Marie-Anne-Françoise Mouchard
de Chaban, dite **Fanny** (1738-1813)
séparés en 1762

François marquis
de la Ferté-Beauharnais
(1756-1846)
x a) 1778 sa cousine germaine
Françoise de Beauharnais
(1757-1822) divorcés en 1793
b) 1802 Christine-Louise
von Cohausen (1775-1822)
dont 3 filles

**Alexandre
vicomte de Beauharnais**
(1760-1794)
x 1779 Marie-Joseph-Rose
de Tascher de la Pagerie
(1763-1814)
Impératrice Joséphine

Claude
(1756-1819)
comte de
Beauharnais
x a) 1786
Gabrielle de
Lezay-Marnesia
(1767-1791)
b) 1799 Sophie
Fortin-Duplessis
(1775-1850)
dont 1 fille

Françoise
(1757-1822)
x a) 1778
son cousin
germain
François
marquis de
la Ferté
Beauharnais
divorcés
en 1793
b) 1794
Charles
Guillaume-
Castaing

Anne
(1760-1831)
x 1781
André-
Horace-
François
vicomte
de Barral
(1743-1829)

Émilie
(1781-1855)
x 1798 Antoine
Chamans comte
de La Valette
(1769-1830)

Eugène
Vice-roi d'Italie
puis duc de
Leuchtenberg
(1781-1824)
x 1806 Auguste
de Bavière
(1788-1851)

Hortense
(1783-1837)
x 1802 Louis
Bonaparte
(1778-1846)

Stéphanie
adoptée par
Napoléon Ier
(1789-1860)
x 1806 Charles-
Louis grand-duc
de Bade en 1811
(1786-1818)

1. Joséphine (1807-1876)
x 1823 Oscar Ier, roi de Suède,
fils de Bernadotte
2. Eugénie (1808-1847)
x 1826, Constantin
prince de Hohenzollern-Hechingen
3. Auguste (1810-1835)
x 1835 Maria II da Gloria,
reine de Portugal
4. Amélie (1812-1873)
x 1829 Pedro, empereur
du Brésil, + 1834
5. Théodelinde (1814-1857)
x 1841 Guillaume de Wurtemberg
6. Maximilien (1817-1852)
x 1839 Marie Nicolaïevna de Russie

dont descendent les actuels ducs de
Leuchtenberg

3 enfants :
– Napoléon-Charles
(1802-1807), dit
le prince Napoléon
– Napoléon-Louis
(1804-1831),
dit le prince Napoléon
après la mort de son frère
– **Louis-Napoléon
dit le prince Louis
(1808-1873),
empereur des
Français
sous le nom de
Napoléon III**

Les Tascher

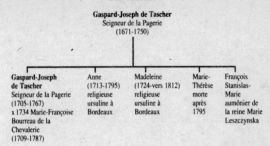

Gaspard-Joseph de Tascher
Seigneur de la Pagerie
(1671-1750)

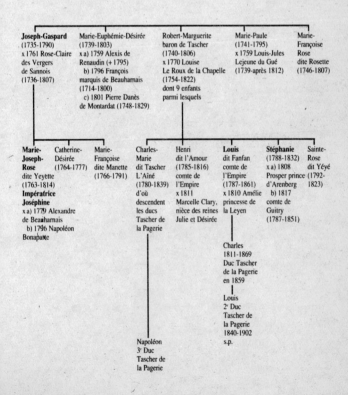

Gaspard-Joseph de Tascher
Seigneur de la Pagerie
(1705-1767)
x 1734 Marie-Françoise
Bourreau de la
Chevalerie
(1709-1787)

Anne
(1713-1795)
religieuse
ursuline à
Bordeaux

Madeleine
(1724-vers 1812)
religieuse
ursuline à
Bordeaux

Marie-
Thérèse
morte
après
1795

François
Stanislas-
Marie
aumônier de
la reine Marie
Leszczynska

Joseph-Gaspard
(1735-1790)
x 1761 Rose-Claire
des Vergers
de Sannois
(1736-1807)

Marie-Euphémie-Désirée
(1739-1803)
x a) 1759 Alexis de
Renaudin (+ 1795)
b) 1796 François
marquis de Beauharnais
(1714-1800)
c) 1801 Pierre Danès
de Montardat (1748-1829)

Robert-Marguerite
baron de Tascher
(1740-1806)
x 1770 Louise
Le Roux de la Chapelle
(1754-1822)
dont 9 enfants
parmi lesquels

Marie-Paule
(1741-1795)
x 1759 Louis-Jules
Lejeune du Gué
(1739-après 1812)

Marie-
Françoise
Rose
dite Rosette
(1746-1807)

**Marie-
Joseph-
Rose**
dite Yeyette
(1763-1814)
**Impératrice
Joséphine**
x a) 1779 Alexandre
de Beauharnais
b) 1796 Napoléon
Bonaparte

Catherine-
Désirée
(1764-1777)

Marie-
Françoise
dite Manette
(1766-1791)

Charles-
Marie
dit Tascher
L'Aîné
(1780-1839)
d'où
descendent
les ducs
Tascher de
la Pagerie

Henri
dit l'Amour
(1785-1816)
comte de
l'Empire
x 1811
Marcelle Clary,
nièce des reines
Julie et Désirée

Louis
dit Fanfan
comte de
l'Empire
(1787-1861)
x 1810 Amélie
princesse de
la Leyen

Stéphanie
(1788-1832)
x a) 1808
Prosper prince
d'Arenberg
b) 1817
comte de
Guitry
(1787-1851)

Sainte-
Rose
dit Yéyé
(1792-
1823)

Charles
1811-1869
Duc Tascher
de la Pagerie
en 1859

Louis
2ᵉ Duc
Tascher de
la Pagerie
1840-1902
s.p.

Napoléon
3ᵉ Duc
Tascher de
la Pagerie

CHRONOLOGIE

1760

28 mai : Naissance, à La Martinique, d'Alexandre de Beauharnais, fils du gouverneur général des Iles d'Amérique.

1763

23 juin : Naissance, à La Martinique, de Marie-Joseph Rose Tascher de La Pagerie.

1779

10 et 13 décembre : Mariage civil, à Paris, et religieux, à Noisy-le-Grand, d'Alexandre de Beauharnais et de Mlle de La Pagerie.

1781

3 septembre : Naissance, à Paris, d'Eugène-Rose de Beauharnais.

1783

10 avril : Naissance, à Paris, d'Hortense-Eugénie de Beauharnais, baptisée le lendemain, à la Madeleine de la Ville-l'Évêque.

8 et 10 décembre : Plainte déposée par la vicomtesse de Beauharnais contre son époux, Alexandre, et demande de séparation de corps et de biens.

1785

Été : La petite Hortense et sa mère s'installent à Fontainebleau, chez le marquis de Beauharnais, grand-père paternel de l'enfant.

1788-1790

Juillet-fin octobre : Séjour à La Martinique de Mme de Beauharnais et de sa fille Hortense.

1791

Juin : Alexandre de Beauharnais, président de la Constituante.
Son sang-froid, lors du retour du roi de Varennes, le fait
réélire, le 31 juillet suivant.

1793

23 mai : Alexandre de Beauharnais commande en chef l'armée
du Rhin. Il échoue à délivrer Mayence, assiégée par les Prussiens.
21 août : La Convention accepte sa démission.

1794

2 mars (12 ventôse an II) : Ordre d'arrestation d'Alexandre de
Beauharnais, par le Comité de sûreté générale.
11 mars (21 ventôse an II) : Arrestation d'Alexandre, dans son
château de la Ferté-Avrain (future Ferté-Beauharnais), dans
le Loir-et-Cher. Il est conduit à Paris et incarcéré aux Carmes, rue de Vaugirard.
21 avril (1er floréal an II) : Arrestation, chez elle, rue Saint-
Dominique, de Mme de Beauharnais, qui retrouvera son
mari aux Carmes.
23 juillet : (5 thermidor an II) : Alexandre de Beauharnais
monte à l'échafaud de la Barrière du Trône renversé.
6 août (19 thermidor an II) : Mme de Beauharnais sort de la
prison des Carmes.

1795

Août-septembre : Hortense et son frère entrent en pension à
Saint-Germain, l'une chez Mme Campan, l'autre chez Mac-
Dermott.

1796

8 et 9 mars : Mariage de Mme de Beauharnais et du général
Napoléon Bonaparte, à Paris. Elle devient « Joséphine ».

1796-1798

Du 26 juin au 2 janvier : Joséphine rejoint son mari, en campagne en Italie. A son retour elle s'installe rue Chantereine, future rue de la Victoire.

1799

21 avril : Joséphine achète le domaine de Malmaison.
9 novembre : Coup d'État de Brumaire, qui porte le général Bonaparte au pouvoir : il devient le Premier des trois consuls qui gouvernent la France.
15 novembre : Ses parents s'installant au Petit-Luxembourg, Hortense quitte bientôt sa pension.

1800

19 février : Les Bonaparte s'installent aux Tuileries, où Hortense partage désormais leur vie.
Juin : Mort, à Saint-Germain, du marquis de Beauharnais, grand-père paternel d'Hortense.

1802

3 et 4 janvier (13 et 14 nivôse an X) : Mariage d'Hortense de Beauharnais et de Louis Bonaparte, frère cadet du Consul, né en 1778.
25 mars : Paix d'Amiens.
Dimanche 18 avril : Notre-Dame de Paris rendue au culte.
Été : Hortense, enceinte, fait les honneurs de la Malmaison, en l'absence de sa mère partie pour Plombières.
Septembre : Après la proclamation du Consulat à vie, le Consul choisit Saint-Cloud pour résidence hors Paris.
10 octobre (18 vendémiaire an XI) : Hortense met au monde son premier fils, Napoléon-Charles, dit « Petit Chou », à Paris, en l'Hôtel Dervieux, rue de la Victoire, acquis le 27 juillet précédent.

1803

1er décembre : Hortense et Louis partent pour Compiègne, où Louis prend le commandement de la garnison. Ils y séjourneront jusqu'en février 1804.

1804

21 mars : Le duc d'Enghien est fusillé dans les fossés de Vincennes.

7 avril : Bonaparte annonce à Hortense et à Louis son désir d'adopter leur fils pour en faire son héritier.

18 mai (28 floréal an XII) : un sénatus-consulte établit la création de l'Empire. Bonaparte devient Napoléon, empereur des Français, Joséphine, impératrice, Hortense, princesse impériale. Louis est Connétable. Achat de l'Hôtel Saint-Julien, rue Cerutti et du domaine de Saint-Leu-la-Forêt.

11 octobre (19 vendémiaire an XIII) : Hortense met au monde son deuxième fils, à Paris. Il s'appellera Napoléon-Louis.

2 décembre : Cérémonie à Notre-Dame : sacre, couronnement, intronisation de Napoléon et de Joséphine par le pape Pie VII, suivis du serment constitutionnel.

Dimanche 24 mars : Baptême, en grande pompe, à Saint-Cloud, du prince Napoléon-Louis.

1805

Du 2 avril au 11 juillet : Séjour en Italie des souverains. Couronnement à Milan de Napoléon, roi d'Italie, et nomination d'Eugène de Beauharnais au poste de Vice-Roi, Hortense à Saint-Leu.

Juillet : Hortense et Louis aux eaux de Saint-Amand.

Du 16 au 25 août : Hortense se rend à l'invitation de l'Empereur, au camp de Boulogne.

2 décembre : Victoire de Napoléon à Austerlitz.

1806

13 et 14 janvier : Mariage d'Eugène de Beauharnais avec la princesse Auguste de Bavière, à Munich. Hortense à Paris.

7 avril : Mariage, à Paris, de Stéphanie de Beauharnais, cousine d'Hortense, avec Charles, prince héréditaire de Bade.

5 juin : Louis Bonaparte proclamé roi de Hollande.

15 juin : Départ pour la Hollande de ses nouveaux souverains, Louis et Hortense.

Été : Séjour aux eaux de Wiesbaden, puis d'Aix-la-Chapelle, où Hortense rejoint son mari, en bateau, remontant le Rhin.

12 octobre : Hortense rejoint sa mère à Mayence, où elles passeront l'hiver.

1807

Avril : Les tensions dans le ménage royal s'exacerbent et déclenchent entre Louis et Hortense une crise ouverte.

5 mai : Mort, à La Haye, du fils aîné de Louis et d'Hortense, du croup.

Du 14 au 23 mai : Séjour d'Hortense et de Joséphine au château de Laeken.

2 juin : Mort aux Trois-Ilets, de Mme de La Pagerie, grand-mère maternelle d'Hortense.

Été : Séjour d'Hortense dans les Pyrénées.

12 août : Hortense et Louis se retrouvent à Toulouse, et remontent ensemble à Paris, où ils arriveront à la fin du mois.

20 septembre : Louis repart pour la Hollande. Hortense enceinte demeure avec ses parents à Saint-Cloud.

1808

20 avril : Naissance du troisième fils d'Hortense, Louis-Napoléon, futur Napoléon III.

1809

Mai : Hortense visite sa mère, à Strasbourg, et se rend aux eaux de Bade, en compagnie de ses enfants, sans autorisation de l'Empereur. Réprimande immédiate.

15 décembre : Divorce impérial.

1810

1er avril : L'Empereur épouse l'archiduchesse Marie-Louise de Habsbourg.

Du 24 avril au 20 mai : Séjour d'Hortense à La Haye. Elle passe la dernière semaine de mai au château du Loo.

Juin : Séjour d'Hortense à Plombières.

1er juillet : Le roi Louis abdique le trône de Hollande, qu'il laisse à son fils aîné, Napoléon-Louis, en nommant Hortense régente.

Été : Hortense aux eaux d'Aix-en-Savoie, où elle retrouve sa mère. Lien avec Charles de Flahaut. Louis, après avoir pris les eaux en Bohême, s'installera à Graz, en Autriche. Hortense devient officiellement *la reine Hortense*.

24 septembre : La reine Hortense rentre à Fontainebleau où séjourne la Cour.

4 novembre : Baptême collectif à Fontainebleau du prince Louis-Napoléon et de 22 enfants de dignitaires et de maréchaux. Hortense regagne la rue Cerutti où elle passera l'hiver.

1811

20 mars : Naissance aux Tuileries du roi de Rome.

4 juillet : Départ d'Hortense pour la Savoie.

31 août : Hortense réside à Prégny, près de Genève.

15 ou 16 septembre : Naissance à Saint-Maurice-en-Valais, du quatrième fils d'Hortense : le futur duc de Morny, dont se charge immédiatement son père, Charles de Flahaut.

1812

Carnaval : Aux Tuileries, le « Quadrille des Belles » et le « Quadrille des Beaux ».

Été et automne : Campagne de Russie.

Longue retraite menée par Eugène.

1813

Printemps : Nouvelle čampagne, en Allemagne.

10 juin : La meilleure amie de la reine Hortense, Adèle, vicomtesse de Broc, se noie devant elle, dans la cascade de Grésy, au-dessus d'Aix-en-Savoie.

27 août : L'Empereur, de Dresde, envoie le décret de fondation de l'hospice qu'en souvenir d'Adèle la reine crée à Aix.

Septembre : Hortense aux bains de mer de Dieppe.

1814

Début : Campagne de France.

31 mars : Capitulation de Paris. Hortense, à Rambouillet depuis la veille, avec ses enfants, décide de gagner Navarre, en Normandie, où se trouve l'impératrice Joséphine.

Mi avril-mi mai : Le tsar Alexandre rend visite fréquemment
à l'impératrice Joséphine et à ses enfants.

14 mai : Visite du Tsar à Saint-Leu. Joséphine prend froid.

Dimanche de Pentecôte 29 mai : Mort de l'impératrice Joséphine à la Malmaison, où sont ses enfants. On l'enterre à
Rueil, le 2 juin. Hortense et Eugène partent pour Saint-Leu.

30 mai : Sous la pression du tsar Alexandre, Louis XVIII signe
le brevet accordant à la reine Hortense le duché de Saint-
Leu et 400 000 F d'apanage.

Du 18 août au 28 août : Hortense rejoint son frère Eugène et
sa belle-sœur aux eaux de Bade.

Septembre : Hortense prend les bains de mer au Havre.

2 octobre : Audience particulière de Louis XVIII recevant Hortense.

1814-1815

Hiver : Hortense à Paris, rue Cerutti.

1815

20 mars : Napoléon rentre aux Tuileries.

Hortense perd le procès qui l'opposait à son mari pour la garde
de leurs enfants.

21 mars : Napoléon mécontent d'Hortense reçoit celle-ci. Ils se
montrent au balcon, à la demande de la foule.

10 juin : Napoléon signe la séparation de Louis et d'Hortense.

18 juin : Waterloo.

29 juin : Hortense regagne la rue Cerutti, après avoir pris
congé de l'Empereur qu'elle a reçu pendant cinq jours, à
la Malmaison.

17 juillet : La reine quitte Paris, en compagnie de ses enfants,
pour Aix-en-Savoie, où Flahaut la rejoint du 12 au 15 août.
Fin de leur liaison. Son fils aîné, Napoléon, part pour l'Italie,
à la demande de son père.

Fin novembre : Hortense quitte Aix-en-Savoie pour Prégny, où
elle ne peut séjourner. Elle traverse la Suisse, pour s'établir
à Constance, au sud du grand-duché de Bade, où elle passe
l'année 1816.

1817

Février : Achat d'Arenenberg, dans le canton de Thurgovie, aux rives du lac de Constance.

Début mai : Hortense s'installe à Augsbourg, en Bavière, dont son frère vient d'être fait, par son beau-père, duc de Leuchtenberg, premier prince du royaume. Elle entreprend la rédaction de ses *Mémoires* qu'elle achèvera en 1820.

1818

Été : Hortense, Louis et leurs enfants à Livourne. Ensuite, elle se partagera entre Augsbourg, l'hiver, et Arenenberg, l'été.

1821

5 mai : Mort de l'Empereur à Sainte-Hélène.

Été : Hortense aux eaux de Bade, puis à Arenenberg, où elle reçoit Mme Campan jusqu'à la fin de septembre.

1822

Mars : Mort de Mme Campan, près de Mantes.

1823

1er avril : A Munich, le prince Eugène frappé d'une apoplexie. Sa sœur séjourne auprès de lui pendant quelques semaines.

1824

Février-avril : La reine Hortense à Rome. Retrouvailles avec Mme Récamier.

21 février : Mort à Munich du prince Eugène. Désormais, sa sœur séjournera à Rome, l'hiver, et en Thurgovie, l'été.

1826

23 juillet : Mariage du prince Napoléon, fils aîné d'Hortense, avec Charlotte, fille cadette de Joseph.

1829

Été : Hortense aux eaux d'Aix-la-Chapelle, où se trouvent Talleyrand, Flahaut et Morny.

1830

Fin juillet : Les Trois Glorieuses renversent les Bourbons. Louis-Philippe devient roi des Français.

Mi-octobre : Départ pour Rome de la reine Hortense. Elle descend par la route du Tyrol, s'arrête à Venise, puis à Bologne et Florence. Elle arrive à Rome à la fin du mois de novembre.

1831

Fin février : L'insurrection des Romagnes est déclenchée : un gouvernement provisoire s'installe à Bologne.

17 mars : Mort à Forli, du prince Napoléon, qui, avec son cadet, Louis, a participé ardemment au soulèvement. La reine l'apprend à Foligno, d'où elle rejoint Pesaro afin de soustraire Louis aux représailles autrichiennes. Ils gagnent Ancône.

3 avril-5 mai : Périple d'Hortense et de son fils, à travers les Romagnes insurgées, puis la Toscane, Gênes, Nice et la France, par Montélimar et Lyon, pour arriver à Paris, où le roi Louis-Philippe la reçoit. Ils sont priés de quitter la ville, au soir de la manifestation, devant la colonne, des partisans impérialistes.

Été : La reine et le prince Louis en Angleterre : Londres, Thurnbridge-Wells. Retour, au début d'août, par Calais, Boulogne, la Malmaison, Sens, jusqu'à Arenenberg.

1832

Février : Début de l'épidémie de choléra à Paris.

Été : Mme Récamier à Arenenberg, où la rejoindra M. de Chateaubriand. La mort du duc de Reichstadt, le 22 juillet, à Vienne, faisait du prince Louis, l'héritier de l'Empereur.

1833

La reine fait établir une édition des *Lettres* de sa mère, qui voit le jour à Paris.

1834

Elle publie le *Récit* de son voyage en Italie, en France et en Angleterre, en 1831.

1836

30 octobre : Tentative de soulèvement militaire à Strasbourg, du prince Louis. Échec. Emprisonné un temps, Louis est envoyé en Amérique.

1837

30 mars : La reine Hortense, malade, rédige son testament.

Début avril : Consultation à Arenenberg du professeur Lisfranc, venu de Paris à la demande du Dr Conneau. On renonce à opérer la reine. Son entourage la sait perdue.

5 août : Louis revenu de New York, par Londres, arrive à Arenenberg.

5 octobre : Mort de la reine.

11 octobre : Funérailles à Ermatingen.

1838

8 janvier : Funérailles à Rueil, où elle est inhumée aux côtés de sa mère.

BIBLIOGRAPHIE

SOURCES MANUSCRITES

L'essentiel de la documentation manuscrite concernant la reine Hortense, et sur laquelle nous avons travaillé, se trouve aux Archives nationales, dans le monumental Fonds Napoléon, entré en 1979, sous la cote 400 AP (Archives privées). Il serait trop long d'en faire ici l'inventaire détaillé, mais les cartons nous intéressant sont ceux qui ont trait à Louis, Hortense et leurs descendants, numérotés de 25 à 79, les plus utilisés par nous étant les quinze numérotés 25 à 40. Ils sont aujourd'hui microfilmés. S'ajoutent les Archives Murat, 31 AP, dont nous avons regardé les lettres adressées par Caroline à Hortense. Les Papiers Beauharnais, sous la cote 251 AP (5), possèdent de nombreuses lettres d'Hortense à son oncle paternel et à sa cousine germaine, Hortense (son homonyme). Tant les Archives Tascher de La Pagerie que les Archives Leuchtenberg ont été utilisées par Jean Hanoteau, dans ses ouvrages parus avant la Seconde Guerre mondiale sur les Beauharnais : on en trouvera mention dans les Sources imprimées. Depuis, ces archives ont disparu ou ont été dispersées. Les Papiers du comte Nesselrode, conservés aux Archives du ministère des Affaires étrangères, ont été, pour la part qui touchait à la reine Hortense, publiés dans des revues, dont la *Revue de Paris*, au début du siècle. M. Francis Ley, érudit staëlien et descendant de la baronne de Krüdener, sur laquelle il a publié plusieurs ouvrages, nous a transmis les lettres manuscrites en sa possession de Louise Cochelet à Mme de Krüdener. Enfin, les Archives du Musée de Malmaison renferment quelques papiers inédits ayant trait à la reine Hortense, que nous avons regardés avec intérêt.

SOURCES IMPRIMÉES

J. S. C. ABBOT : *The History of Hortense de Beauharnais*, New York, 1870.

M. ANDRIEUX : *Les Français à Rome*, Paris, 1968.

C. D'ARJUZON : *Hortense de Beauharnais*, Paris, 1897.
Madame Louis Bonaparte, Paris, 1897.

ARTHUR-LÉVY : *Napoléon et Eugène de Beauharnais*, Paris, 1926
Les dissentiments de la famille impériale, Paris, 1932.

J. AUBENAS : *Histoire de l'Impératrice Joséphine*, Paris, 1857, 2 vol.

Mlle AVRILLON : *Mémoires sur la vie privée de Joséphine, sa famille et sa cour*, Paris, 1969.

F. BAC : *Napoléon III inconnu*, Paris, 1932.

F. DE BERNARDY : *La reine Hortense*, Paris, 1968.
Flahaut, Paris, 1974.

J. BERTAUD : *Napoléon Ier aux Tuileries*, Paris, 1949.
Napoléon III secret, Paris, 1939.

Gl BERTRAND : *Lettres à Fanny*, 1808-1815, Paris, 1979.

F. BLANGINI : *Mémoires*, Paris, 1834.

Comtesse DE BOIGNE : *Mémoires*, récits d'une tante, Paris, 1908, 4 vol.

J. BONNET : *Mes souvenirs du barreau depuis 1804*, Paris, 1864.

H. BORDEAUX : *Le cœur de la reine Hortense*, Paris, 1933.

C. BRONNE : *La comtesse Le Hon*, Bruxelles, 1952.

L. BUONAPARTE : *Lettere*, a cura di P. Misciatelli, Milan, 1936.

Duc L.V. DE BROGLIE : *Souvenirs*, Paris, 1886.

H. CAIGNARD : *Saint-Leu-la-Forêt*, Paris, 1970.

Mme CAMPAN : *Correspondance inédite avec la reine Hortense*, Paris, 1835, 2 vol.

Duc DE CASTRIES : *La reine Hortense*, Paris, 1984.

Mme DE CHASTENAY : *Mémoires*, Paris, 1987.

Vte DE CHATEAUBRIAND : *Les Mémoires d'outre-tombe*, Paris, 1948, 2 vol.

Le Génie du christianisme, Paris, Pléiade, 1978.

B. CHEVALLIER : *Malmaison, château et domaine des origines à 1904*, Paris, 1989.
L'Impératrice Joséphine, avec Christophe Pincemaille, Paris, 1988.

J. CLARETIE : *L'Empire, les Bonaparte et la Cour*, Paris, 1871.

Mlle COCHELET (Mme PARQUIN) : *Mémoires sur la reine Hortense*, Paris, 1836, 4 vol.

A. DE COIGNY : *Journal*, Paris, 1981.

DAVID D'ANGERS : *Les Carnets*, Paris, 1958, 2 vol.

Sir John DEAN PAUL : *Journal d'un voyage à Paris au mois d'août 1802*, Paris, 1913.

A. DECAUX : *Letizia*, Napoléon et sa mère, Paris, 1969.

Duchesse DE DINO : *Chronique de 1831 à 1862*, Paris, 1910, 4 vol.

C. DUFRESNE : *Morny*, Paris, 1983.

A. DUMAS : *Impressions de voyage en Suisse*, Paris, 1896.

Veuve Gl DURAND : *Mémoires sur Napoléon, l'Impératrice Marie-Louise et la cour des Tuileries*, Paris, 1828.

Duchesse DE DURAS, née NOAILLES : *Journal des prisons de mon père, de ma mère et des miennes*, Paris, 1889.

G. D'ESPARBES et H. FLEISCHMANN : *L'épopée du sacre*, Paris, 1908.

Mme DE FLAHAUT (Mme de Souza) : *Œuvres*, Paris, 1842.

FLEURIOT DE LANGLE : *Alexandrine Lucien Bonaparte, princesse de Canino*, Paris, 1939.

J. FOUCHÉ, duc d'Otrante : *Mémoires*, Paris, 1957.

E. FOURMESTRAUX : *La reine Hortense*, Paris, 1864.

Ch. GAILLY DE TAURINES : *La reine Hortense en exil*, Paris, 1914.

A. GAVOTY : *Les amoureux de l'Impératrice Joséphine*, Paris, 1961.

J. W. VON GOETHE : *Conversations avec Eckermann*, Paris, 1942.

Ed. DE GONCOURT : *Catalogue de l'œuvre de Prudhon*, Paris, 1876.

Duchesse DE GONTAUT : *Mémoires*, 1773-1836, Paris, 1891.

P. DE GORSSE : *Villégiatures romantiques*, Paris, 1944.

E. Guillon : *Les complots militaires sous la Restauration*, Paris, 1895.

J. Hanoteau : *Le ménage Beauharnais*, Paris, 1935.
Les Beauharnais et l'Empereur, Paris, 1936.

Comte d'Haussonville : *Ma jeunesse*, 1814-1830, Paris, 1885.

Y. Hersant : *Italies*, anthologie des voyageurs français, aux xviiie et xixe siècles, Paris, 1988.

La reine Hortense : *Mémoires*, Paris, 1928.
Récit de son voyage en Italie, en France et en Angleterre, pendant l'année 1831, Paris, 1834.
Album artistique de romances, Londres, 1832.

A. Houssaye : *Les Confessions, souvenirs d'un demi-siècle*, 1830-1880, Paris, 1885, 4 vol.

Imbert de Saint-Amand : *La Jeunesse de l'Impératrice Joséphine*, Paris, 1983.
La citoyenne Bonaparte, Paris, 1883.
La cour de l'Impératrice Joséphine, Paris, 1884.

Th. Iung : *Lucien Bonaparte et ses Mémoires*, Paris, 1882-1883, 3 vol.

Comte de Keratry : *Le dernier des Napoléon*, Paris, 1874.

Baronne de Krüdener : *Valérie*, Paris, 1974.

P. de Lacretelle : *Secrets et malheurs de la reine Hortense*, Paris, 1936.

Comte de Lamothe-Langon : *Les après-dîners de Cambacérès*, Paris, 1946.

Comte de Las Cases : *Les Mémoires de Sainte-Hélène*, Paris, Pléiade, 1956.

L. D. de Launay : *Un amoureux de Mme Récamier, le Journal de J.-J. Ampère*, Paris, 1927.

Comte de Lavalette : *Mémoires et Souvenirs*, Paris, 1905.

A. Leflaive : *Sous le signe des abeilles*, Valérie Masuyer, Dame d'honneur de la reine Hortense, Paris, 1947.

Ch. Léger : *Madame Récamier, la reine Hortense et quelques autres*, Paris, 1941.

Mme Lenormant : *Souvenirs et correspondance, tirés des papiers de Mme Récamier*, Paris, 1960, 2 vol.

G. Lenotre : *Le Jardin de Picpus*, Paris, 1955.
La maison des Carmes, Paris, 1933.
Femmes, amours évanouies, Paris, 1933.

J. Lhomer : *Le banquier Perregaux et sa fille la duchesse de Raguse*, Paris, 1926.

Louis-Philippe : *Mémoires*, Paris, 1974, 2 vol.

L. Madelin : *Histoire du Consulat et de l'Empire*, Paris, 1937-1954, 16 vol.

H. Malo : *Le beau Montrond*, Paris, 1926.

Baron A. de Maricourt : *Mme de Souza et sa famille*, Paris, 1907.

Vte de Marsay : *De l'âge des privilèges au temps des vanités*, Paris, 1932-1933, 2 vol.

K. Marx : *Le 18 Brumaire de Louis Bonaparte*, Paris, 1945.

F. Masson : *Napoléon et sa famille*, Paris, 1897-1913, 13 vol. Réédition 1937.
    La journée de l'Impératrice Joséphine, Paris, 1933.

V. Masuyer : *Mémoires, Lettres et Papiers*, Paris, 1937.

G. Maugras : *Delphine de Sabran, marquise de Custine*, Paris, 1912.

A. de Maussion : *Rescapés de Thermidor*, Paris, 1975.

V. M. Montagu : *The celebrated Mme Campan*, Londres, 1914.

Comte A. de Montesquiou : *Souvenirs*, Paris, 1961.

Vte du Motey : *Guillaume d'Orange et les origines des Antilles françaises*, Paris, 1908.

B. Nabonne : *La reine Hortense*, Paris, 1951.

Napoléon : *Lettres d'amour à Joséphine*, Paris, 1981.
    Lettres inédites à Marie-Louise, Paris, 1935.

S. Normand : *La reine Hortense*, Paris, 1948.
    Telle fut Joséphine, Paris, 1962.

Cdt Parquin : *Souvenirs*, Paris, 1979.

G. Perouse : *La vie d'autrefois à Aix-les-Bains*, Chambéry, 1967.

R. Pichevin : *L'Impératrice Joséphine*, Paris, 1909.

Comtesse Potocka : *Mémoires*, 1794-1820, Paris, 1924.

S. Pol : *La jeunesse de Napoléon III*, Paris, 1904.

J. F. Reichardt : *Un hiver à Paris sous le Consulat*, 1802-1803, Paris, 1896.

Mme de Rémusat : *Mémoires*, 1802-1808, Paris, 1880, 3 vol.
    Lettres, 1804-1814, Paris, 1881.

G. Reval : *Hortense, la reine qui chante*, Paris, 1932.

E. A. Rheinhardt : *L'Impératrice Joséphine*, Paris, 1935.

Comte Roederer : *Œuvres*, Paris, 1854, 8 vol.

Comtesse A. DE ROUILLÉ : *Correspondance*, Mons, 1970.

Duc DE ROVIGO : *Mémoires*, Paris, 1828.

A. SAVINE : *Les jours de La Malmaison*, Paris, 1909.

Baron W. F. VAN SCHEELTEN : *Mémoires sur la reine Hortense*, Paris, 1833.

M. SCHUMANN : *Qui a tué le duc d'Enghien ?*, Paris, 1984.

STENDHAL : *Vie de Napoléon*, Paris, 1955.

Ph. SÉGUIN : *Louis Napoléon le Grand*, 1990.

G. STENGER : *La société française pendant le Consulat*, Paris, 1903-1908, 6 vol.

Prince DE TALLEYRAND : *Mémoires*, Paris, 1982.

H. THIRRIA : *La marquise de Crenay*, Paris, 1898.

H. TROYAT : *Alexandre Ier*, Paris, 1980.

J. TULARD : *Napoléon ou le mythe du souvenir*, Paris, 1977.
Histoire et dictionnaire de la Révolution française, 1789-1799, Paris, 1987.
Bibliographie critique des mémoires sur le Consulat et l'Empire, 1971.

J. TURQUAN : *La reine Hortense*, 1927.

C. WRIGHT : *Hortense, reine de l'Empire*, Paris, 1964.

Barons VAN YPERSELE DE STRIHOU : *Laeken, un château de l'Europe des Lumières*, Bruxelles, 1991.
Laeken, résidence impériale et royale, Bruxelles, 1970.

Périodiques :

Lettres de la reine Hortense au tsar Alexandre Ier, *Revue de Paris*, sept.-oct. 1907.

La grande-duchesse Stéphanie de Bade et la reine Hortense, par Ch. Gailly de Taurines, *Revue Bleue*, 1er novembre 1913.

MARMOTTAN (Paul) : *Surveillance de la reine Hortense au château d'Arenenberg*, *Nouvelle Revue rétrospective*, 1894.

MASSON (Frédéric) : *Napoléon et Eugène de Beauharnais*, *Revue de Paris*, janvier 1926.
L'impératrice Joséphine et le prince Eugène, *Revue des Deux Mondes*, octobre-novembre 1916.

REMERCIEMENTS

En premier lieu, ma respectueuse gratitude s'adresse à LL. MM. le Roi et la Reine des Belges, grâce auxquels le Grand Maréchal de la Cour, M. Gérard Jacques, le colonel Wilfried Van Kerckhove, aide de camp honoraire du Roi, et le commandant Prosper Matthijs m'ont entrouvert les portes de Laeken. La baronne Van Ypersele de Strihou trouvera ici l'expression de ma reconnaissance, ainsi que mes amis le chevalier et Mme Robert Desprechins de Gaesebeke, de Gand, et Jean Bataille de Longprey, de Mons, dont l'inlassable obligeance m'a été précieuse tout au long de ma recherche.

Je tiens à remercier le Dr Anders Ryberg, de Stockholm, directeur de la Bibliothèque de l'Académie suédoise, la baronne Suzanne d'Huart, directrice du service des Archives privées aux Archives nationales, si accueillante envers les chercheurs, Mme Monique Pouliguen, conservateur en chef aux Archives nationales, Mme Coindeau et son équipe, dont l'efficience m'a permis de mener à bien mon étude. J'y associe l'infatigable Huguette de Grandmaison et l'érudite généalogiste Mariel Goyon-Guillaume, qui, constamment, m'ont aidée à établir la documentation concernant les origines de la reine Hortense. J'aurais garde d'oublier que grâce à Jean Favier, Directeur général des Archives Nationales, j'ai pu consulter les papiers de la famille Murat. Le très actif conservateur en chef du Musée national des châteaux de Malmaison et de Bois-Préau, M. Bernard Chevallier et le professeur Guy Ledoux-Lebard se sont mobilisés pour m'aider et répondre à mes nombreuses demandes : qu'ils en soient très chaleureusement remerciés. A la Vallée-aux-Loups, c'est son directeur et Mme

Jean-Paul Clément, ainsi que leur équipe — je n'oublie pas l'hugolien bibliothécaire —, qui m'ont offert une fructueuse hospitalité et m'ont permis, dans ce cadre si évocateur, d'approfondir, à leur contact, ma réflexion. Mme Geneviève Frieh, d'Aix-les-Bains, a mis à ma disposition une excellente documentation historique et m'a fait découvrir, en sa compagnie, les charmes et les richesses de la ville d'eaux si prisée des Princesses Impériales. Je n'oublie pas que nous avons failli, toutes les deux, rééditer le drame de la cascade de Grésy... A Saint-Amand, c'est Mme Béal-Lefebvre et Mᵉ Delcourt ainsi que M. Taillez qui, avec Jean Bataille de Longprey, m'ont orientée. Je dois à l'historien Jean-Jacques Fiechter et à Brigitte Iselin-Lavauzelle une visite particulièrement complète des lieux thurgoviens de l'exil de mon héroïne, à M. Faugeron, Conservateur du Cimetière de Picpus et au père Dupuy, des Carmes, un meilleur entendement des épreuves supportées par les Beauharnais sous la Terreur.

M'ont aidée à établir ou préciser ma documentation : Mme Odile Samson, de la Bibliothèque historique de la Ville de Paris, le père Jean-Paul Weulersse, Françoise Pisani, le comte Ghislain de Diesbach, mes amis staëliens, Simone Balayé, Martine de Rougemont, Georges Solovieff, le père Bertier de Sauvigny et Francis Ley. Mais aussi, l'historien Olivier Blanc de Ladeveze, Denise Chevalier, Marie-Paule de Cambiaire, Robert Prudon, Jean-Mathieu Boris, Benoît Yvert, J. Clavreuil, ainsi que Mᵉ Guy Lesourd, dont les connaissances bibliophiliques me sont, depuis beaucoup d'années, un très sûr recours. Je remercie les membres de la maison Lattès, spécialement Mme Micheline Jérome, toujours disponible et toujours efficace.

Mes amis parisiens méritent toute ma reconnaissance : je ne puis les nommer tous, mais leurs encouragements me sont un réel soutien : Jeannine Viansson-Ponté, Monique Deguy, Jacqueline Piatier, Jean d'Ormesson, Nathalie Prouvost, Alain Malraux et sa sœur Florence savent ce que je leur dois. Comme mes amis catalans : Terry et Carles Fontsere, Pau Veyrrier, Marie-Thérèse Nobell, Waltraud Schmiedt, le professeur Hans Schmidt, Luis Racionero et Elena Ochoa de Racionero, Joanna Darnes i Maspoch, Teresa Massot Torrent, Josep Agell i Clos, et les siens, Maria Serra de Marin.

Enfin, merci à tout mon entourage familial, si enthousiaste et si solidaire. Une mention spéciale au docteur J. A. Bañuelos, actuel Président de l'Association Internationale des Médecins de Brûlés, qui, lorsqu'il dirigeait encore son Service, à Vall d'Hebron, à Barcelone, s'est soucié chaque matin, entre autres choses, d'entretenir avec moi une conversation renouvelée sur la Révolution et l'Empire, ce, durant cinq mois et demi. Quant à ma chère Odile, elle sait tout ce que je pense et mon seul regret est que son père, François Cail, ne soit plus là pour lire le fruit d'un travail qu'il a toujours soutenu.

Index

TABLE

Table 573

Composition réalisée par NORD-COMPO

IMPRIMÉ EN FRANCE PAR BRODARD ET TAUPIN
Usine de La Flèche (Sarthe).
RIE GÉNÉRALE FRANÇAISE - 6, rue Pierre-Sarrazin - 75006 Paris.
ISBN : 2 - 253 - 13597 - 6